JN003257

“きほん”が身につき“ほんき”になれる

2025年版

ユーキャンの

宅建士

きほんの問題集

おことわり

本書は令和6年8月31日現在施行の法令、および令和7年4月1日までに施行されることが判明している法令に基づいて執筆されています。

なお、執筆以後の法改正情報等については適宜、統計資料については、資料が出そろう令和7年8月中旬~9月中に、下記「ユーキャンの本」ウェブサイト内「追補（法改正・正誤）」にて、お知らせいたします。

https://www.u-can.co.jp/book/information

「きほんが身につき、ほんきになれる。」

宅建士試験は合格率16%前後の難関の資格といわれています。その学習内容や範囲の広さに、途中で挫折してしまう人もちらほら… そこで、私たちユーキャン宅建士講師陣は、初学者の方でも**《気づいたら読み終えていて、読み終えたら合格レベルの知識が身についている》**試験対策本を目指し、この本を制作しました。

本書の特長を紹介する前に、みなさんには宅建士試験の正体とは何かを知っていただく必要があります。実は、毎年試験で出題される内容の70〜80%程度は、過去に出題された内容に類似しています。ざっくりと一言で説明すると**『過去問の知識の焼き直しが大部分の試験』**です。

そこで、本シリーズ（本書と姉妹書「きほんの教科書」）は、まず**過去30年分**の試験問題の徹底した分析に基づき、試験で問われる重要な知識を網羅できるよう、先に**「きほんの問題集」**を制作しました。次に、その問題集を解くために重要な知識を、初学者の方にもわかりやすいように**「きほんの教科書」**に書き起こしています。つまり、**学習の中心に過去問のエッセンスが置かれ、教科書と問題集がぴったりと呼応した、無理なく無駄なく学べるシリーズとなっています。**

また、独学の方でも最後まで学び切れるよう、ていねいな解説はもちろん、多くの工夫を盛り込みました！

① 問題を解くにあたり、念頭に置いて欲しい点を「アプローチ」として掲載！解答を見るより前に、学んだことを自力で思い出すことで知識が定着します。
② 捨て肢印で不要な知識の詰め込みをカット！
③ 解説末コンテンツで試験対策のポイントや解法のテクニックを伝授！
④ 過去試験分析に基づく指標「**学習優先度**」で効率的な学習が可能
⑤ 姉妹書「きほんの教科書」と完全リンクしているので復習に最適！
⑥ 解答を隠せて、解説ページも穴埋め問題として活用できる赤シートつき
⑦ **コンパクト**で持ち運びしやすい**3分冊**

宅建士を目指すすべての方に、日々の学習で無理なく**《きほん》**が身につき、資格取得に向けて**《ほんき》**になって取り組めるよう制作しました。

最後に、みなさんが十分に本書を活用され、宅建士試験に合格できますよう、心より祈念しています。

ユーキャン宅建士試験研究会

目次

第3分冊-❶

第3編 法令上の制限

第3分冊-❷

第4編 税・その他

宅建士試験について

(1) 受験資格

年齢、学歴等に関係なく、どなたでも受験できます。

(2) 受験スケジュールと手続き（参考）

	インターネットによる申込み	郵送による申込み
願書配布	7月上旬から7月末頃	7月上旬から7月中旬頃
願書配布場所	一般財団法人不動産適正取引推進機構のHP	各都道府県の協力機関が指定する場所
願書受付期間	7月上旬から7月末頃	7月上旬から7月中旬頃
受験票の交付	10月初旬頃に受験者宛に郵送されます。	
試験実施日	例年10月第3日曜日　午後1時～午後3時（2時間） ただし、登録講習※修了者は午後1時10分～午後3時（1時間50分）	
合格発表	例年11月下旬から12月上旬頃、不動産適正取引推進機構のホームページ上に、合格者の受験番号一覧が掲載されます。また、合格者には合格証書が送付されます。	

※登録講習とは、国土交通大臣の登録を受けた機関が実施する講習です。この講習を受講し、修了試験に合格後、「登録講習修了者証明書」の交付を受けると、試験科目の一部が免除されます。

(3) 出題形式

4肢択一による50問の筆記試験で、解答方式はマークシートです。

《問題イメージ》

【問1】 ○○○○○○○○○○○○○○○○○○○○○○○○○○に関する次の記述のうち，正しいものはどれか。

1　○○○○○○○○○○○○○○○○○○○○○○○○○。
2　○○○○○○○○○○○○○○○○○○○○○○○。
3　○○○○○○○○○○○○○○○○○○○○○○。
4　○○○○○○○○○○○○○○○○○○○○○○○。

(4) 科目・出題内容等

科目	出題内容	出題数
権利関係	民法、借地借家法、不動産登記法、区分所有法	14問
宅建業法	宅地建物取引業法、住宅瑕疵担保履行法	20問
法令上の制限	都市計画法、建築基準法、宅地造成等規制法、土地区画整理法、農地法、国土利用計画法、その他の法令	8問
税・その他	不動産に関する税金、不動産鑑定評価基準、地価公示法、住宅金融支援機構法※、景品表示法※、統計※、土地※、建物※	8問

※登録講習修了者が免除される5問の内容です。

(5) 受験データ

過去5年間の受験データは以下の通りです。合格基準点は一定ではありませんが、およそ7割程度の得点となっています。

実施年度		申込者数	受験者数	合格者数	合格率	合格基準点
令和元年度		276,019人	220,797人	37,481人	17.0%	35点
令和2年度	10月試験	204,163人	168,989人	29,728人	17.6%	38点
	12月試験	55,121人	35,261人	4,610人	13.1%	36点
令和3年度	10月試験	256,704人	209,749人	37,579人	17.9%	34点
	12月試験	39,814人	24,965人	3,892人	15.6%	34点
令和4年度		283,856人	226,048人	38,525人	17.0%	36点
令和5年度		289,096人	233,276人	40,025人	17.2%	36点

(6) 試験実施機関

一般財団法人　不動産適正取引推進機構

電話：03-3435-8181　　ホームページ：https://www.retio.or.jp

※宅建士試験についての情報は例年の試験を参考としています。令和7年度実施試験についての詳細は、試験実施機関による情報をご参照ください。

本書の使い方

ステップ1 [問題の演習]
テキストで学習したところから問題を解き、試験での問われ方、頻出の重要事項を確認しながら演習しましょう。

ステップ2 [解説を確認]
答え合わせだけでなく、全選択肢の「解説」を読んで、理解を深めましょう。理解度チェックを活用した、繰り返しの学習も大切です。

出典の表記
過去の試験問題の出典については以下のように示しています。
令1-2 ➡ 令和元年試験問2
令2追-2改 ➡ 令和2年12月試験問2改題

学習優先度
過去試験分析に基づいた指標［低➡中➡高］です。

理解度チェック
○、△、×など解いた際の理解度を自己評価しましょう。

アプローチ
問題を解くにあたり、念頭に置いて欲しい点を掲載しています。問題が解けないときに活用しましょう。解答を見るより前に、学んだことを自力で思い出すことで知識が定着します。

01 意思表示

令1-2

学習優先度 高

理解度チェック

AがBに甲土地を売却し、Bが所有権移転登記を備えた場合に関する次の記述のうち、民法の規定及び判例によれば、誤っているものはどれか。

❶ AがBとの売買契約をBの詐欺を理由に取り消した後、CがBから甲土地を買い受けて所有権移転登記を備えた場合、AC間の関係は対抗問題となり、Aは、いわゆる背信的悪意者ではないCに対して、登記なくして甲土地の返還を請求することができない。

❷ AがBとの売買契約をBの詐欺を理由に取り消す前に、Bの詐欺について悪意のCが、Bから甲土地を買い受けて所有権移転登記を備えていた場合、AはCに対して、甲土地の返還を請求することができる。

❸ Aの売却の意思表示に重要な錯誤がある場合、Aに重大な過失がなくても、Aは、Aの錯誤について善意無過失でBから甲土地を買い受けたCに対して、当該意思表示の取消しを主張して甲土地の返還を請求することができない。

❹ Aの売却の意思表示に重要な錯誤がある場合、Aに重大な過失があったとしても、AはBに対して、当該意思表示を取り消して、甲土地の返還を請求することができる。

事例問題では、①問題文をていねいに読んで事例の「図」を描き、②「誰」と「誰」の関係が問われているのかを"必ず"確認する「クセ」をつけてください。肢1は右の図のようになります。

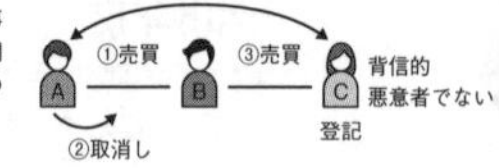

4

※掲載しているページは本書の使い方を説明するための見本です。

ステップ3［復習］

問題を解き終えたら、苦手な論点についてはテキストに立ち返り、しっかりと復習することが肝心です。

この3つのステップを繰り返し、理解を確実なものにしましょう！

解説

権利関係

❶ 正しい。詐欺取消と取消後の第三者との関係

取り消した者（取消権者）と取消後の第三者との関係は、対抗問題となる。したがって、原則として登記をした者が優先するが、背信的悪意者に対しては、登記がなくても所有権を主張することができる。よって、AC間の関係は対抗問題となり、Aは、背信的悪意者ではないCに対して、登記なくして甲土地の返還を請求することができない。(捨)

❷ 正しい。詐欺取消と取消前の第三者との関係

取消前の第三者との関係においては、詐欺を理由とする取消しは、善意無過失の第三者に対抗することができない。しかし、本肢では、Cが悪意なので、Aは、Cに対して、甲土地の返還を請求することができる。Cが所有権移転登記を備えていることは関係がない。

❸ 正しい。錯誤取消と第三者との関係

錯誤を理由とする意思表示の取消しは、善意無過失の第三者に対抗することができない。したがって、Aは、善意無過失のCに対して、取消しを主張して甲土地の返還を請求することができない。

❹ 誤り。 表意者に重過失ある場合の錯誤取消の要件

錯誤による意思表示をした者（表意者）に重大な過失がある場合でも、①相手方が表意者の錯誤について悪意または善意重過失のとき、または②相手方が表意者と同一の錯誤に陥っていたときは、錯誤を理由として取り消すことができる。本肢では、Aに重大な過失があるが、Bは①②のいずれにも該当しないので、AはBに対して、意思表示を取り消すことができない。

ステップアップ **動機の錯誤**

肢4に関連して、動機の錯誤（表意者が法律行為の基礎とした事情についての認識が真実に反する錯誤）の場合には、動機が相手方に（明示的・黙示的に）表示され、その錯誤が重要な錯誤であれば、表意者は意思表示の取消しができることも押さえよう。

解答 ❹

5

捨て肢印

イレギュラーな、または難解な出題内容で、知識として覚えなくてよい問題に付いています。捨て肢印の選択肢は一読するだけでOKです。

解説末コンテンツ

問題のテーマに関連した事項などを補足解説しています。

試験に直結する重要事項をまとめ、解説しています。

キーワード

専門用語や、わかりにくい用語などを解説しています。

ここが狙われる！

試験で狙われるポイントを解説しています。

テキストへのリンク

姉妹書「きほんの教科書」へのリンクを掲載しています。L1-3 ➡ レッスン1の大見出し3

合格のための効果的学習方法

本書は、過去30年分の試験問題の徹底した分析に基づき、厳選された良問を掲載しています。

宅建試験は、過去に出題されたことがある試験問題の知識を正確に身につけていれば、出題される問題の70～80％程度を解くことができます。つまり、合格するためには、過去問の知識を正確に理解するとともに、「知識を活用して、正解を導ける力」を養うことが必要不可欠です。

本書の
効果的な使い方

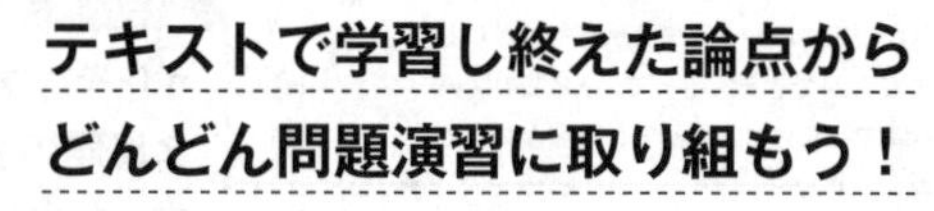

姉妹書「きほんの教科書」などのテキストで学習したら、すぐにその論点に関する問題を解くという学習方法が最も効果的です。

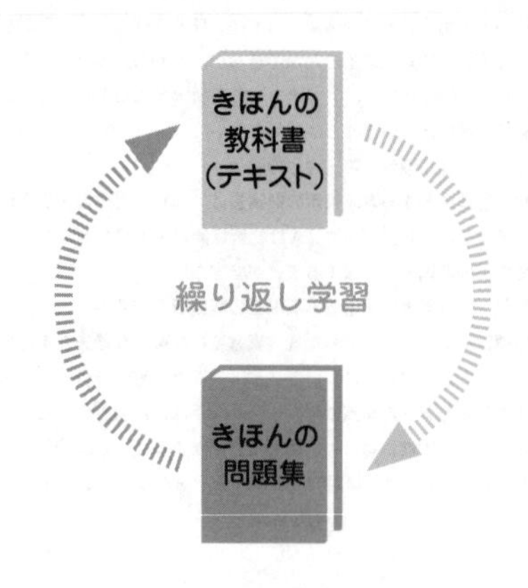

合格に必要な「知識を活用して、正解を導ける力」は、問題を繰り返し解くことで養われていくものだからです。

問題を解くことによって出題のポイントを把握することができ、わからない箇所があれば、テキストに立ち返って復習することによって理解も深まります。

NG学習法 テキストを完璧に身につけるまで、問題集には手を付けない

効果的な
問題の解き方

時間がかかっても
全選択肢についてていねいに学習しよう！

本書では、正解肢だけが重要なわけではなく、正解肢以外の選択肢も含め、すべての選択肢をていねいに学習することが重要です。（捨て肢印の選択肢以外）

具体的には、問題を解くときに、各選択肢について「なぜこの選択肢は誤りなのか」「なぜ法律に違反するのか」といった理由を考えながら演習するようにします。解答を確認した後も、各選択肢の解説までしっかり読み込むことで、知識がきちんと定着します。

NG学習法 正解肢がわかればOKという“力試し”的な問題演習をする

学習時間確保のコツ

その日の気分で学習するのではなく学習を習慣にしよう！

一日あたりの学習時間は短くても構いません。たとえば「1日1題は必ず目を通す」といったおおまかな計画をまず立てましょう。まだその論点について理解が進んでおらず、問題を解く自信がないという方は、選択肢の解説を読み込むだけでもいいので、よほどのことがない限り計画を守ることが大切です。

毎日その計画を実行していくうちに、学習が習慣化し、楽に取りかかれるようになるでしょう。

MEMO

MEMO

著者紹介

ユーキャン宅建士試験研究会

本会は、ユーキャン宅地建物取引士合格指導講座で、豊富な講義・教材制作の経験をもつ講師が集まり結成されました。通信講座の教材制作で蓄積したノウハウを生かし、よりわかりやすい書籍作りのために日々研究を重ねています。

■ 高野　敦（権利関係、法令上の制限）

1994（平成6）年に宅建講師となって以来、「偶然の出会いを運命の出会いに！」を胸に、一人ひとりの合格に寄り添う。受験者が真剣に切磋琢磨する企業研修や教室講義を特に愛する。現在、ユーキャン宅地建物取引士合格指導講座講師として、映像講義や教材執筆を中心に活躍中！

■ 宮本　真（宅建業法、税・その他）

予備校での講義を皮切りに、10年以上にわたり宅地建物取引士の受験指導を行っている。その間、テキスト等の執筆のほか、予備校における講義、大手金融機関や大企業における社員研修等を担当し、教材制作・講義の両面で豊富な経験を有する。

●**法改正・正誤等の情報につきましては、下記「ユーキャンの本」ウェブサイト内「追補（法改正・正誤）」をご覧ください。**
https://www.u-can.co.jp/book/information

●**本書の内容についてお気づきの点は**
・「ユーキャンの本」ウェブサイト内「よくあるご質問」をご参照ください。
https://www.u-can.co.jp/book/faq
・郵送・FAX でのお問い合わせをご希望の方は、書名・発行年月日・お客様のお名前・ご住所・FAX 番号をお書き添えの上、下記までご連絡ください。
【郵送】〒169-8682 東京都新宿北郵便局 郵便私書箱第 2005 号
ユーキャン学び出版 宅建士資格書籍編集部
【FAX】03-3378-2232
◎より詳しい解説や解答方法についてのお問い合わせ、他社の書籍の記載内容等に関しては回答いたしかねます。

●**お電話でのお問い合わせ・質問指導は行っておりません。**

カバーデザイン　喜來詩織（エントツ）
イラスト　中村竜生（onsa）

2025 年版　ユーキャンの 宅建士　きほんの問題集

2021 年 10 月 22 日 初　版　第 1 刷発行
2022 年 10 月 14 日 第 2 版　第 1 刷発行
2023 年 10 月 13 日 第 3 版　第 1 刷発行
2024 年 10 月 18 日 第 4 版　第 1 刷発行

編　者　ユーキャン宅建士試験研究会
発行者　品川泰一
発行所　株式会社 ユーキャン 学び出版
〒151-0053
東京都渋谷区代々木 1-11-1
Tel 03-3378-1400
ＤＴＰ　株式会社 明昌堂
発売元　株式会社 自由国民社
〒171-0033
東京都豊島区高田 3-10-11
Tel 03-6233-0781（営業部）

印刷・製本　望月印刷株式会社

※ 落丁・乱丁その他不良の品がありましたらお取り替えいたします。お買い求めの書店か自由国民社営業部（Tel 03-6233-0781）へお申し出ください。

 ISBN978-4-426-61614-4

冊子を取り外す際にはご注意ください

本体と各冊子は接着されています。
ていねいに取り外してくださいますようお願いいたします。

※取り外す際の損傷については、交換に応じることができません。

書籍本体を開いて置き、冊子を掴み、本体を下に押し付けながら、また、冊子を左右に動かしながらゆっくりとていねいに取り外してください。

2025年版

ユーキャンの

宅建士

きほんの問題集

= 第1分冊 =

第1編［権利関係］

権利関係

権利関係 過去10年間の出題一覧

ここでは、出題一覧と学習優先度を掲載しています。出題一覧は過去10年間のうち、出題された年度に●をつけています。学習優先度は、受験者の問題ごとの正答率データをもとに合格に必要な知識か否かを徹底的に解析し、ここ30年の出題傾向を踏まえて、合格するための学習優先度を総合的に判断したものです。学習優先度が高いと思われるものから順に、高・中・低の3段階で表示しています。

テーマ	H 26	27	28	29	30	R1	2	3	4	5	学習優先度
意思表示		●	●		●	●	●				高
制限行為能力者	●		●					●	●	●	中
代理	●			●	●	●					高
時効	●	●		●	●	●	●		●		高
条件					●						低
弁済・相殺・債権譲渡・債務引受	●	●	●		●	●		●		●	高
債務不履行・手付解除	●	●	●	●			●	●			高
売主の担保責任	●		●	●		●		●			高
委任・事務管理・請負等	●			●	●	●	●	●	●	●	中
物権変動		●	●	●	●	●			●	●	高
不動産登記法	●	●	●	●	●	●	●	●	●	●	中
抵当権・その他の担保物権	●	●	●	●	●	●			●	●	高
保証・連帯債務		●		●	●		●	●			中
賃貸借・使用貸借	●	●	●	●	●	●	●	●	●	●	高
借地借家法（借家）	●	●	●	●	●	●	●	●	●	●	高
借地借家法（借地）	●	●	●	●	●	●	●	●	●	●	高
不法行為	●		●			●		●			中
所有権・地役権				●	●		●			●	中
区分所有法	●	●	●	●	●	●	●	●	●	●	高
相続	●	●	●	●	●	●	●	●	●	●	高

論点別の傾向と対策

宅建士試験は、過去問の知識が７割から８割程度出題されます。したがって、出題頻度が高く、しかも、多くの合格者が得点してきた項目を徹底的に学習することで合格がグッと近づきます。

民法：「意思表示」「代理」「時効」「売主の担保責任」「物権変動」「賃貸借」「不法行為」「相続」は、民法のなかでは出題頻度の高い項目です。これらについては、テキスト記載の知識は確実に勉強しておきましょう。それ以外の項目については、「保証・連帯債務」は、保証・連帯保証・連帯債務の違いを意識して学習してみてください。「抵当権」は、出題パターンが決まっている物上代位と法定地上権を突破口にして学習を進めてください。

借地借家法：近年は、賃貸借・借地・借家の複合問題が２問出題される傾向にあります。多少覚えなければならない知識は多いのですが、過去問を徹底的に学習すれば、出題範囲はほぼカバーできます。

区分所有法：学習範囲が広い割に配点は１点しかありません。ここで時間をかけすぎるのは受験対策として得策ではありません。

不動産登記法：学習範囲が広く、しかも、内容自体が難解です。深入りは絶対に避けるべき項目です。比較的出題頻度の高い過去問の知識のみを学習しましょう。

目標得点	8点/14問

01 意思表示

令1-2

理解度チェック

AがBに甲土地を売却し、Bが所有権移転登記を備えた場合に関する次の記述のうち、民法の規定及び判例によれば、誤っているものはどれか。

❶ AがBとの売買契約をBの詐欺を理由に取り消した後、CがBから甲土地を買い受けて所有権移転登記を備えた場合、AC間の関係は対抗問題となり、Aは、いわゆる背信的悪意者ではないCに対して、登記なくして甲土地の返還を請求することができない。

❷ AがBとの売買契約をBの詐欺を理由に取り消す前に、Bの詐欺について悪意のCが、Bから甲土地を買い受けて所有権移転登記を備えていた場合、AはCに対して、甲土地の返還を請求することができる。

❸ Aの売却の意思表示に重要な錯誤がある場合、Aに重大な過失がなくても、Aは、Aの錯誤について善意無過失でBから甲土地を買い受けたCに対して、当該意思表示の取消しを主張して甲土地の返還を請求することができない。

❹ Aの売却の意思表示に重要な錯誤がある場合、Aに重大な過失があったとしても、AはBに対して、当該意思表示を取り消して、甲土地の返還を請求することができる。

アプローチ

事例問題では、①問題文をていねいに読んで事例の「図」を描き、②「誰」と「誰」の関係が問われているのかを“必ず”確認する「クセ」をつけてください。肢1は右の図のようになります。

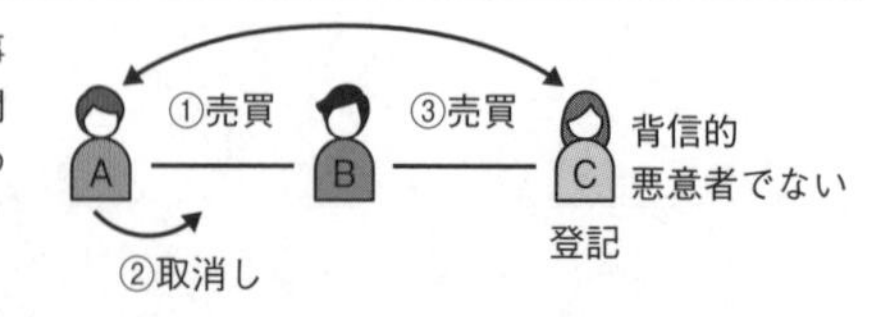

解説

❶ 正しい。**詐欺取消と取消後の第三者との関係**

取り消した者（取消権者）と**取消後の第三者**との関係は、**対抗問題**となる。したがって、**原則として**登記をした者が優先するが、背信的悪意者に対しては、**登記がなくても**所有権を主張することができる。よって、AC間の関係は対抗問題となり、Aは、背信的悪意者ではないCに対して、登記なくして甲土地の返還を請求することができない。

❷ 正しい。**詐欺取消と取消前の第三者との関係**

取消前の第三者との関係においては、**詐欺を理由とする取消しは**、善意無過失の第三者に**対抗することができない**。しかし、本肢では、Cが悪意なので、Aは、Cに対して、甲土地の返還を請求することができる。Cが所有権移転登記を備えていることは関係がない。

❸ 正しい。**錯誤取消と第三者との関係**

錯誤を理由とする意思表示の取消しは、善意無過失の第三者に**対抗することができない**。したがって、Aは、善意無過失のCに対して、取消しを主張して甲土地の返還を請求することができない。

❹ 誤り。　**表意者に重過失ある場合の錯誤取消の要件**

錯誤による意思表示をした者（表意者）に**重大な過失がある**場合でも、①相手方が表意者の錯誤について悪意または善意重過失のとき、または②**相手方が表意者と同一の錯誤**に陥っていたときは、錯誤を理由として**取り消すことができる**。本肢では、Aに重大な過失があるが、Bは①②のいずれにも該当しないので、AはBに対して、意思表示を取り消すことができない。

動機の錯誤

肢4に関連して、**動機の錯誤**（表意者が法律行為の基礎とした事情についての認識が真実に反する錯誤）の場合には、**動機が相手方に**（明示的・黙示的に）**表示**され、その錯誤が重要な錯誤であれば、表意者は意思表示の取消しができることも押さえよう。

きほんの教科書 L1-2･3、L10-2 復習

解答 ④

02 意思表示

平19-1改

A所有の甲土地についてのAB間の売買契約に関する次の記述のうち、民法の規定及び判例によれば、正しいものはどれか。

❶ Aは甲土地を「1,000万円で売却する」という意思表示を行ったが当該意思表示はAの真意ではなく、Bもその旨を知っていた。この場合、Bが「1,000万円で購入する」という意思表示をすれば、AB間の売買契約は有効に成立する。

❷ AB間の売買契約が、AとBとで意を通じた仮装のものであったとしても、Aの売買契約の動機が債権者からの差押えを逃れるというものであることをBが知っていた場合には、AB間の売買契約は有効に成立する。

❸ Aが第三者Cの強迫によりBとの間で売買契約を締結した場合、Bがその強迫の事実を知っていたか否かにかかわらず、AはAB間の売買契約に関する意思表示を取り消すことができる。

❹ AB間の売買契約が、Aが泥酔して意思能力を有しない間になされたものである場合、Aは、酔いから覚めて売買契約を追認するまではいつでも売買契約を取り消すことができ、追認を拒絶すれば、その時点から売買契約は無効となる。

アプローチ

本問のような肢ごとに事例が異なる場合には、肢ごとに簡単な図を“必ず”描きましょう。図を描くことで「事例の整理」はもちろんのこと、「何を問われているか？」もはっきりします。右の図は、「第三者の強迫」事例の肢3のものです。

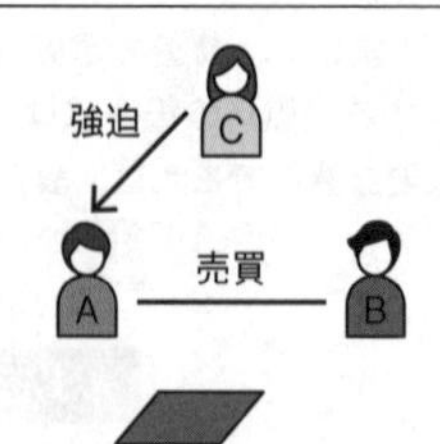

解説

❶ 誤り。　心裡留保による無効主張の要件

真意でないことを知っていながら行った意思表示（心裡留保）は、原則として有効だが、相手方が悪意または善意有過失の場合には無効になる。本肢では、相手方Bが悪意なので、AB間の売買契約は無効である。

❷ 誤り。　虚偽表示による意思表示

相手方と通じ合って虚偽の意思表示（虚偽表示）をした場合、その意思表示は無効である。したがって、AB間の売買契約は無効である。

❸ 正しい。第三者の強迫による意思表示

第三者の強迫により意思表示をした場合、その者は、相手方の善意悪意に関係なく、意思表示を取り消すことができる。本肢では、Aは、Bが強迫の事実を知っていたか否かにかかわらず、意思表示を取り消すことができる。

❹ 誤り。　意思無能力者の行った行為

意思能力のない状態で行った行為は、最初から無効である。したがって、「取り消すことができ、追認を拒絶すれば、その時点から売買契約は無効」とする本肢は誤り。

的確な事例分析

肢1では「意思表示を行ったが当該意思表示は**Aの真意ではなく**」、肢2は「AとBとで**意を通じた仮装**のもの」というキーワードから、それぞれ、「心裡留保」と「通謀虚偽表示」の問題であると的確に分析できるようにしよう。

きほんの教科書 L1-2・4・5、L2-1 復習

解答 ❸

意思表示

Aは、その所有する甲土地を譲渡する意思がないのに、Bと通謀して、Aを売主、Bを買主とする甲土地の仮装の売買契約を締結した。この場合に関する次の記述のうち、民法の規定及び判例によれば、誤っているものはどれか。なお、この問において「善意」又は「悪意」とは、虚偽表示の事実についての善意又は悪意とする。

❶ 善意のCがBから甲土地を買い受けた場合、Cがいまだ登記を備えていなくても、AはAB間の売買契約の無効をCに主張することができない。

❷ 善意のCが、Bとの間で、Bが甲土地上に建てた乙建物の賃貸借契約（貸主B、借主C）を締結した場合、AはAB間の売買契約の無効をCに主張することができない。

❸ Bの債権者である善意のCが、甲土地を差し押さえた場合、AはAB間の売買契約の無効をCに主張することができない。

❹ 甲土地がBから悪意のCへ、Cから善意のDへと譲渡された場合、AはAB間の売買契約の無効をDに主張することができない。

アプローチ

権利関係では本問のような難問も出題されます。未知の知識が問われている肢で立ち止まり時間をかけることは避けましょう。一応の正解を選んで次に進む“勇気”こそが難問の賢い対処法です。

解説

❶ 正しい。虚偽表示よる無効と第三者

Aは、甲土地を譲渡する意思がないのに、相手方Bと通謀して、仮装の売買契約を締結している。したがって、AB間の売買契約は虚偽表示にあたり、無効である。この虚偽表示による無効は善意の第三者に対抗することができない。第三者が登記をしているか否かは関係ない。よって、Aは、Cが登記を備えていなくても、AB間の売買契約の無効をCに主張することができない。

❷ 誤り。　虚偽表示よる無効を主張できる第三者

土地の売買契約の虚偽表示の相手方である買主が、その土地上に建物を建てて、善意の賃借人に賃貸しても、表意者（売主）は、虚偽表示による無効を建物賃借人に対抗することができる。なぜなら、建物賃借人は建物を借りているにすぎず、虚偽表示による売買契約の対象となった土地自体を借りているのではないからである。したがって、Aは無効をCに主張することができる。

❸ 正しい。虚偽表示よる無効を主張できない第三者

虚偽表示の相手方の債権者が、目的物を善意で差し押さえた場合、表意者は、虚偽表示による無効を、その債権者に対抗することができない。したがって、Aは、甲土地を差し押さえた善意のCに対して、AB間の売買契約の無効を主張することができない。

❹ 正しい。虚偽表示よる無効と転得者

虚偽表示による売買契約の目的物が第三者からさらに転得者に売却された場合、第三者か転得者が善意であれば、表意者は虚偽表示による無効を対抗できなくなる。本肢では、Dが善意なので、AはAB間の売買契約の無効をDに主張することができない。

第三者と転得者が登場する場面の整理

「A（虚偽表示）B→第三者C（悪意）→転得者D（善意）」
「A（虚偽表示）B→第三者C（善意）→転得者D（悪意）」
いずれも、Aは虚偽表示による無効を「D」に対抗できない。要するに、「一度、善意の者が登場すると対抗できない」とまとめて覚えよう。

解答 ❷

04 意思表示

平30-1改

ＡがＢに甲土地を売却した場合に関する次の記述のうち、民法の規定及び判例によれば、誤っているものはどれか。

❶ 甲土地につき売買代金の支払と登記の移転がなされた後、第三者の詐欺を理由に売買契約が取り消された場合、原状回復のため、ＢはＡに登記を移転する義務を、ＡはＢに代金を返還する義務を負い、各義務は同時履行の関係となる。

❷ Ａが甲土地を売却した意思表示に錯誤があった場合でも、Ｂは、Ａの錯誤を理由として売買契約を取り消すことはできない。

❸ AB間の売買契約が仮装譲渡であり、その後ＢがＣに甲土地を転売した場合、Ｃが仮装譲渡の事実を知らなければ、Ａは、Ｃに虚偽表示による無効を対抗することができない。

❹ Ａが第三者の詐欺によってＢに甲土地を売却し、その後ＢがＤに甲土地を転売した場合、Ｂが第三者の詐欺の事実を知らず、そのことにつき過失がなかったとしても、Ｄが第三者の詐欺の事実を知っていれば、Ａは詐欺を理由にAB間の売買契約を取り消すことができる。

本問では、肢１は「第三者の詐欺」、肢２は「錯誤」、肢３は「虚偽表示と第三者」、肢４は「第三者の詐欺と第三者」と違った事例が問われています。正確な知識はもちろん身に付けなければなりませんが、その知識を的確に使うためにも「図」を描くことが重要です。面倒がらずに「肢ごと」に図を描きましょう。

解説

❶ 正しい。**契約の取消しと原状回復義務**

契約が取り消された場合、当事者は原状回復義務を負い、これらの義務は、同時履行の関係になる。したがって、ＢはＡに登記を移転する義務を、ＡはＢに代金を返還する義務を負い、各義務は同時履行の関係になる。

❷ 正しい。**錯誤の取消権者**

錯誤を理由とする取消しは、本人、代理人、承継人（相続人など）に限り行うことができる。したがって、相手方Ｂは、Ａの錯誤を理由として売買契約を取り消すことができない。

❸ 正しい。**虚偽表示と第三者**

虚偽表示による無効は、善意の第三者に対抗することができない。したがって、Ａは、善意のＣに対し無効を対抗することができない。

❹ 誤り。　**第三者の詐欺の取消しと第三者**

第三者の詐欺の場合、相手方が悪意または善意有過失の場合に限り、取り消すことができる。本肢では、相手方Ｂが善意無過失なので、Ａは取り消すことができない。このことは、転得者Ｄが悪意でも変わりがない。

ポイント整理

意思表示

ケース	当事者間	第三者との関係
詐欺	取消し可	善意無過失の取消前の第三者に対抗不可
強迫	取消し可	取消前の第三者へ対抗可
錯誤	原則：重要な錯誤であれば→取消し可 例外：重過失あり→取消し不可（例外あり）	善意無過失の取消前の第三者に対抗不可
虚偽表示	無効	善意の第三者に対抗不可
心裡留保	原則：有効 例外：相手が悪意か善意有過失→無効	善意の第三者に対抗不可

きほんの教科書 L1-2・3・4 復習

解答 ④

05 平28-2 制限行為能力者

理解度チェック 

制限行為能力者に関する次の記述のうち、民法の規定及び判例によれば、正しいものはどれか。

❶ 古着の仕入販売に関する営業を許された未成年者は、成年者と同一の行為能力を有するので、法定代理人の同意を得ないで、自己が居住するために建物を第三者から購入したとしても、その法定代理人は当該売買契約を取り消すことができない。

❷ 被保佐人が、不動産を売却する場合には、保佐人の同意が必要であるが、贈与の申し出を拒絶する場合には、保佐人の同意は不要である。

❸ 成年後見人が、成年被後見人に代わって、成年被後見人が居住している建物を売却する際、後見監督人がいる場合には、後見監督人の許可があれば足り、家庭裁判所の許可は不要である。

❹ 被補助人が、補助人の同意を得なければならない行為について、同意を得ていないにもかかわらず、詐術を用いて相手方に補助人の同意を得たと信じさせていたときは、被補助人は当該行為を取り消すことができない。

アプローチ

肢2は、被保佐人が「損」をするか否かという視点で問題を読んでみて下さい。贈与の申し出（タダでくれること）を拒絶すると「損」をしそうだと考えると保佐人の同意が必要だと判断できます。

解説

❶ 誤り。 **未成年者が取り消すことができない行為**

営業を許された未成年者は、その営業に関しては、**成年者と同一の行為能力を有する**。しかし、本肢では「古着の仕入販売に関する営業」は許されているが、「自己居住用の建物の購入」は、その営業に関する行為ではない。したがって、取消しの対象になる。

❷ 誤り。 **保佐人の同意が必要となる場合**

被保佐人が、**不動産の売却**のような不動産その他重要な財産に関する権利の得喪（とくそう）を目的とする行為をする場合や、**贈与の申込みを拒絶**する場合には、保佐人の同意が必要である。

❸ 誤り。 **家庭裁判所の許可が必要な成年後見人の行為**

成年後見人は、成年被後見人に代わって、**成年被後見人が居住している建物**やその敷地について**売却**等をするには、家庭裁判所の許可を得なければならない。本肢のような後見監督人の許可は、必要ない。

❹ 正しい。**制限行為能力者の詐術**

制限行為能力者が行為能力者であることを信じさせるため**詐術**を用いたときは、その行為を取り消すことができない。これには、本肢のように保護者の同意を得ていたと信じさせた場合を含む。

未成年者のまとめ

1. 未成年者とは、**18歳未満**のものをいう。
2. 未成年者が、**建物の売買契約**を結ぶような法律行為をするには、**法定代理人**（親権者など）**の同意**を得なければならない。
   未成年者が**法定代理人の同意を得ないでした契約**は、未成年者や法定代理人は契約を**取り消す**ことができる。ただし、①**営業の許可**を得た場合のその営業上の行為、②単に権利を得または義務を免れる行為などは**取り消すことができない**。
3. **婚姻**は**18歳**にならなければすることができない。

きほんの教科書 L2-2・3・4・5 

解答 ❹

06 平26-9 制限行為能力者

理解度チェック

後見人制度に関する次の記述のうち、民法の規定によれば、正しいものはどれか。

❶ 成年被後見人が第三者との間で建物の贈与を受ける契約をした場合には、成年後見人は、当該法律行為を取り消すことができない。

❷ 成年後見人が、成年被後見人に代わって、成年被後見人が居住している建物を売却する場合には、家庭裁判所の許可を要しない。

❸ 未成年後見人は、自ら後見する未成年者について、後見開始の審判を請求することはできない。

❹ 成年後見人は家庭裁判所が選任する者であるが、未成年後見人は必ずしも家庭裁判所が選任する者とは限らない。

制限行為能力者には、保護者を用意し、また、契約の取消しを認めて守ることにしました。その中でも特に「成年被後見人」は保護の必要性が高いといえます。その視点に立って肢1・2の知識を整理してください。

解説

❶ 誤り。 **成年被後見人の取消対象**

成年被後見人の行為は、日用品の購入その他日常生活に関する行為**「以外」は取り消すことができる。**未成年者の場合と異なり、贈与のような単に権利を得る行為も、取消しの対象になる。

❷ 誤り。 **家庭裁判所の許可が必要な成年後見人の行為**

成年後見人が、成年被後見人に代わって、その**居住の用に供する建物**またはその敷地について、**売却**、賃貸、賃貸借の解除または抵当権の設定その他これらに準ずる処分をするには、家庭裁判所の許可を得なければならない。

❸ 誤り。 **後見開始の審判を請求できる者**

精神上の障害により事理を弁識する能力を欠く常況にある者については、家庭裁判所は、本人、配偶者、4親等内の親族、未成年後見人、未成年後見監督人、保佐人、保佐監督人、補助人、補助監督人または検察官の請求により、後見開始の審判をすることができる。したがって、未成年後見人も後見開始の審判を請求することができる。

❹ 正しい。**未成年後見人の選任**

成年後見人は、家庭裁判所が選任する。これに対し、未成年後見人に関しては、未成年者に対して最後に親権を行う者は、遺言で未成年後見人を指定することができるとされており、指定がない場合には、未成年者本人または利害関係者の請求により、家庭裁判所が未成年後見人を選任することができる。

成年被後見人のまとめ

1. **成年被後見人がした契約**は、原則として**取り消す**ことができる。事前に成年後見人の同意があっても取り消すことができる。ただし、日用品の購入その他の**日常生活に関する行為**は、**取り消すことができない**。
2. **成年後見人**が、成年被後見人に代わって、**成年被後見人が居住している建物**を**売却**するためには、**家庭裁判所の許可**が必要である。

解答 ❹

代理

理解度チェック

AがA所有の甲土地の売却に関する代理権をBに与えた場合における次の記述のうち、民法の規定によれば、正しいものはどれか。なお、表見代理は成立しないものとする。

❶ Aが死亡した後であっても、BがAの死亡の事実を知らず、かつ、知らないことにつき過失がない場合には、BはAの代理人として有効に甲土地を売却することができる。

❷ Bが死亡しても、Bの相続人はAの代理人として有効に甲土地を売却することができる。

❸ 16歳であるBがAの代理人として甲土地をCに売却した後で、Bが16歳であることをCが知った場合には、CはBが未成年者であることを理由に売買契約を取り消すことができる。

❹ Bが売主Aの代理人であると同時に買主Dの代理人としてAD間で売買契約を締結しても、あらかじめ、A及びDの承諾を受けていれば、この売買契約は有効である。

アプローチ

事例問題は「図」を描きながら解き進めましょう。右は肢4の図です。参考にしてみてください。

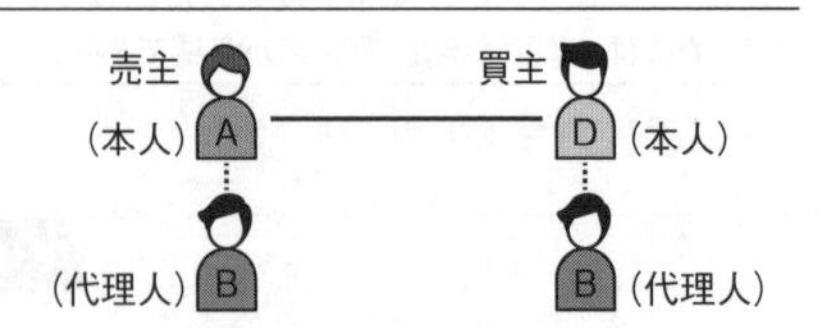

解説

❶ 誤り。　**代理権の消滅事由**

任意代理人の**代理権**は、**本人の死亡**・破産手続開始の決定、代理人の死亡・破産手続開始の決定・後見開始の審判によって消滅する。本肢では、Aの死亡によりBの代理権が消滅している。したがって、BはAの代理人として有効に甲土地を売却することはできない。

❷ 誤り。　**代理権の消滅事由**

任意代理人の**代理権**は、**代理人の死亡により**消滅する。したがって、Bの相続人は代理権を有しないので、Aの代理人として有効に甲土地を売却することはできない。

❸ 誤り。　**制限行為能力者が代理人としてした行為**

未成年者などの制限行為能力者が**代理人としてした行為**は、原則として、行為能力の制限を理由に取り消すことができない。

❹ 正しい。**双方代理**

双方の代理人としてした行為（**双方代理**）は、原則として無権代理行為となる。ただし、①本人があらかじめ許諾した場合、②債務の履行の場合は、**有効な代理行為**となる。したがって、本人Aと本人Dの許諾を受けていれば、本肢の売買契約は有効である。

自己契約・利益相反行為

1. 本人を代理して自分と契約した（**自己契約**）場合も、**無権代理行為**となるが、債務の履行や**本人があらかじめ許諾した行為**は**有効な代理行為**となる。
2. 代理人と本人の利益が相反する行為（**利益相反行為**）は、**無権代理行為**となる。たとえば、Aが本人、Bが代理人、Cが相手方という事例で、BがCに対して負う債務について、BがAを代理してCと保証契約を締結したという場合である。ただし、**本人があらかじめ許諾**した行為は**有効な代理行為**となる。

きほんの教科書 L3-2

解答 ❹

代理

理解度チェック

代理に関する次の記述のうち、民法の規定及び判例によれば、誤っているものはどれか。

❶ 売買契約を締結する権限を与えられた代理人は、特段の事情がない限り、相手方からその売買契約を取り消す旨の意思表示を受領する権限を有する。

❷ 委任による代理人は、本人の許諾を得たときのほか、やむを得ない事由があるときにも、復代理人を選任することができる。

❸ 復代理人が委任事務を処理するに当たり金銭を受領し、これを代理人に引き渡したときは、特段の事情がない限り、代理人に対する受領物引渡義務は消滅するが、本人に対する受領物引渡義務は消滅しない。

❹ 夫婦の一方は、個別に代理権の授権がなくとも、日常家事に関する事項について、他の一方を代理して法律行為をすることができる。

アプローチ

肢3を図に表すと右の様になります。くり返しになりますが「図」を描くことは理解を助けます。

本人
｜
代理人
｜
復代理人 ――― 相手方

解説

❶ 正しい。**任意代理権の範囲**

売買契約締結の**代理権を与えられた者**は、特段の事情がない限り、相手方から当該売買契約の**取消しの意思表示を受ける権限**も有する。たとえば、本人Aが代理人Bに売買契約締結の代理権を与えた場合、Bは、売買契約の相手方Cから取消しの意思表示を受ける権限も有する（Cは、Bに対して取消しの意思表示をしてもよい）。

❷ 正しい。**任意代理人による復代理人の選任**

委任による代理人（任意代理人）は、①本人の許諾を得たとき、②やむを得ない事由があるときに、**復代理人を選任**することができる。なお、法定代理人は、自己の責任で復代理人を選任できる。

❸ 誤り。 **復代理人の権限**

復代理人が委任事務を処理するに当たり金銭を受領し、これを代理人に引き渡したときは、代理人に対する受領物引渡義務が消滅するだけでなく、本人に対する受領物引渡義務も消滅する。復代理人は、本人と代理人の両者に対して受領物引渡義務を負い、どちらかに引き渡せば、両者に対する義務が消滅するのである。

❹ 正しい。**日常家事債務**

夫婦は、**日常家事の範囲内**ではお互いに代理権を有する。これは、法定代理権の一種である。したがって、夫婦の一方は、個別に代理権の授権がなくとも、日常家事に関する事項について、他の一方を代理して法律行為をすることができる。

ステップアップ

消去法のテクニック

本問は肢1・2・4について「正しい」と判断し、残った肢3の正誤の判断がつかなくても「正解」としてほしい問題です。いわゆる「消去法」です。このように、本試験では「正解を出す」という視点で問題を解くことも必要です。

きほんの教科書 L3-2 復習

解答 ③

09 代理

平26-2

理解度チェック

代理に関する次の記述のうち、民法の規定及び判例によれば、誤っているものはいくつあるか。

ア 代理権を有しない者がした契約を本人が追認する場合、その契約の効力は、別段の意思表示がない限り、追認をした時から将来に向かって生ずる。

イ 不動産を担保に金員を借り入れる代理権を与えられた代理人が、本人の名において当該不動産を売却した場合、相手方において本人自身の行為であると信じたことについて正当な理由があるときは、表見代理の規定を類推適用することができる。

ウ 制限行為能力者が代理人としてした行為は、原則として、行為能力の制限を理由に取り消すことができないが、代理人が後見開始の審判を受けたときは、代理権が消滅する。

エ 代理人が相手方に対してした意思表示の効力が意思の不存在、錯誤、詐欺、強迫又はある事情を知っていたこと若しくは知らなかったことにつき過失があったことによって影響を受けるべき場合には、その事実の有無は、本人の選択に従い、本人又は代理人のいずれかについて決する。

❶ 一つ
❷ 二つ
❸ 三つ
❹ 四つ

本問はいわゆる個数問題です。個数問題は記述の一つ一つの正誤の判断ができないと正解できないため正解率は低い傾向にあります。知識の精度を磨くことが唯一の対策です。

解説

ア 誤り。 **無権代理行為の追認**

無権代理行為を本人が追認した場合、契約の効力は、別段の意思表示がない限り、契約の時にさかのぼって**生じる**。「追認をした時」ではない。

イ 正しい。**表見代理の規定を類推適用**

「代理人が、本人の名において」契約をしたとは、代理人が本人と装って契約をしたという意味である。たとえば、Aから甲土地に対する抵当権設定の代理権を与えられたBが、「自分はAである」と言って、Cに甲土地を売却した場合である。この場合、代理人としての契約ではないので、表見代理そのものではない。しかし、代理権を与えられた者がその代理権の範囲外のことをした点で、表見代理と類似する。そこで、判例は、相手方が本人自身の行為であると信じたことについて正当な理由があるときは（＝相手方の善意無過失)、表見代理の規定を類推適用するとした。類推適用とは、ある条文を似たような事例に適用することをいう。上記の例でも、相手方Cが善意無過失であれば、表見代理の規定の類推適用により、Cは甲土地を取得することができる。

ウ 正しい。**制限行為能力者が代理人としてした行為＆代理権の消滅事由**

制限行為能力者が代理人としてした行為は、原則として、行為能力の制限を理由に取り消すことができない。本人は、最初からその者が制限行為能力者だと分かって代理人に選んでいるので、取り消せなくても仕方がないからである。これに対し、**代理人が後見開始の審判**を受けたときは、**代理権**は消滅する。たとえば、代理人になった時点では普通の人だったのに、後で成年被後見人になってしまった場合である。この場合には、代理を任せておくわけにはいかないので、代理権が消滅する。

エ 誤り。 **代理行為の瑕疵の判断基準**

ここでの「**意思の不存在**」とは、心裡留保、虚偽表示のことをいう。それらや錯誤・詐欺・強迫の有無、悪意や善意有過失は、原則として、代理人を**基準に判断**する。たとえば、代理人が知っていれば「悪意」と判断する。したがって、「本人の選択に従い、本人又は代理人のいずれか」とする本記述は誤り。

以上より、誤っているものはア、エの二つであり、肢2が正解となる。

学習優先度 高

10 代理

令2追-2改

理解度チェック

AがBに対して、A所有の甲土地を売却する代理権を令和7年7月1日に授与した場合に関する次の記述のうち、民法の規定及び判例によれば、正しいものはどれか。

❶ Bが自己又は第三者の利益を図る目的で、Aの代理人として甲土地をDに売却した場合、Dがその目的を知り、又は知ることができたときは、Bの代理行為は無権代理とみなされる。

❷ BがCの代理人も引き受け、AC双方の代理人として甲土地に係るAC間の売買契約を締結した場合、Aに損害が発生しなければ、Bの代理行為は無権代理とはみなされない。

❸ AがBに授与した代理権が消滅した後、BがAの代理人と称して、甲土地をEに売却した場合、AがEに対して甲土地を引き渡す責任を負うことはない。

❹ Bが、Aから代理権を授与されていないA所有の乙土地の売却につき、Aの代理人としてFと売買契約を締結した場合、AがFに対して追認の意思表示をすれば、Bの代理行為は追認の時からAに対して効力を生ずる。

アプローチ

肢3に関して、「代理権が消滅した後…代理人と称して、甲土地をEに売却」とあることから『無権代理』であることに気づいてください。

解説

❶ 正しい。代理権の濫用

代理人Ｂが自己または第三者の利益を図る目的で代理権の範囲内の行為をした場合に、相手方Ｄがその目的を知り、または知ることができたときは、その行為は、無権代理行為とみなされる（代理権の濫用）。したがって、Ｂの代理行為は無権代理とみなされる。

❷ 誤り。　双方代理

双方の代理人としてした行為（双方代理）は、原則として無権代理行為となる。ただし、①本人があらかじめ許諾した場合、②債務の履行の場合は、例外である。本人に損害が発生しなくても、同様である。したがって、Ｂの代理行為は、原則として無権代理とみなされる。

❸ 誤り。　表見代理（代理権消滅後）

代理権消滅の事実について相手方が善意無過失である場合、表見代理が成立する。したがって、Ｂの代理権が消滅した事実について相手方Ｅが善意無過失であれば表見代理が成立し、本人ＡがＥに対して甲土地を引き渡す責任を負う。

❹ 誤り。　無権代理行為の追認

無権代理行為を本人が追認した場合、契約の効力は、別段の意思表示がない限り、契約の時にさかのぼって生じる。したがって、本人Ａが無権代理の相手方Ｆに対して追認の意思表示をすれば、無権代理人Ｂの代理行為は、契約の時にさかのぼってＡに対して効力を生じる。「追認の時」から効力を生ずるわけではない。

ステップアップ

表見代理（代理権消滅後）

肢3に関連して、代理権消滅後とは、たとえば代理人が破産手続開始の決定を受け、代理権が消滅したにもかかわらず代理行為をしてしまった場合のことである。以前代理権を与えられた者が、①与えられていた代理権の範囲内の行為をした場合と、②与えられていた代理権の範囲外の行為をした場合の双方を含む。

きほんの教科書 L3-2・3 復習

解答 ❶

学習優先度 高

11 代理

平30-2改

理解度チェック

Aが、所有する甲土地の売却に関する代理権をBに授与し、BがCとの間で、Aを売主、Cを買主とする甲土地の売買契約（以下この問において「本件契約」という。）を締結した場合における次の記述のうち、民法の規定によれば、正しいものはどれか。

❶ Bが売買代金を着服する意図で本件契約を締結し、Cが本件契約の締結時点でこのことを知っていた場合であっても、本件契約の効果はAに帰属する。

❷ AがBに代理権を授与するより前にBが補助開始の審判を受けていた場合、Bは有効に代理権を取得することができない。

❸ BがCの代理人にもなって本件契約を成立させた場合、Aの許諾の有無にかかわらず、本件契約は無権代理行為となる。

❹ AがBに代理権を授与した後にBが後見開始の審判を受け、その後に本件契約が締結された場合、Bによる本件契約の締結は無権代理行為となる。

本問を解いていて「どこかで見た問題だなぁ」と思ったはずです。その通り。ここまで解いた問題に登場しています。「歴史は繰り返す」と同様に「過去問は繰り返し」出題されます。この問題を通して「合格」のためには「過去問学習」が大切であることを、身をもって体験していただけたことでしょう。最後まで「過去問学習」を徹底しましょう。

解説

❶ 誤り。 **代理権の濫用**

代理人が自己または第三者の利益を図る目的で代理権の範囲内の行為をした場合に、相手方がその目的を知り、または知ることができたときは、その行為は、無権代理行為とみなされる（代理権の濫用）。本肢では、相手方Cが悪意なので、無権代理行為とみなされ、契約の効果は本人Aに帰属しない。

❷ 誤り。 **制限行為能力者も代理人となれる**

制限行為能力者が代理人としてした行為は、原則として、行為能力の制限を理由に取り消すことができない。すなわち、制限行為能力者も、原則として有効に代理権を取得することができる。したがって、Bは有効に代理権を取得することができる。

❸ 誤り。 **双方代理**

双方の代理人としてした行為（双方代理）は、原則として無権代理行為となる。ただし、①本人があらかじめ許諾した場合、②債務の履行の場合は、例外である。したがって、許諾の有無にかかわらず無権代理行為となるとする本肢は誤り。

❹ 正しい。**代理権の消滅と無権代理**

代理人が後見開始の審判を受けた場合、代理権は消滅する。本肢では、後見開始の審判を受けた時点でBの代理権が消滅しているので、その後に行われた本件契約の締結は無権代理行為となる。

ポイント整理

任意代理権の消滅事由

	死亡	破産手続開始の決定	後見開始の審判
本人	○	○	×
代理人	○	○	○

○＝代理権が消滅する　×＝消滅しない

解答 ❹

代理

理解度チェック

ＡがＢの代理人として行った行為に関する次の記述のうち、民法の規定及び判例によれば、正しいものはどれか。なお、いずれの行為もＢの追認はないものとし、令和７年７月１日以降になされたものとする。

❶ ＡがＢの代理人として第三者の利益を図る目的で代理権の範囲内の行為をした場合、相手方Ｃがその目的を知っていたとしても、ＡＣ間の法律行為の効果はＢに帰属する。

❷ ＢがＡに代理権を与えていないにもかかわらず代理権を与えた旨をＣに表示し、Ａが当該代理権の範囲内の行為をした場合、ＣがＡに代理権がないことを知っていたとしても、Ｂはその責任を負わなければならない。

❸ ＡがＢから何ら代理権を与えられていないにもかかわらずＢの代理人と詐称してＣとの間で法律行為をし、ＣがＡにＢの代理権があると信じた場合であっても、原則としてその法律行為の効果はＢに帰属しない。

❹ ＢがＡに与えた代理権が消滅した後にＡが行った代理権の範囲内の行為について、相手方Ｃが過失によって代理権消滅の事実を知らなかった場合でも、Ｂはその責任を負わなければならない。

アプローチ

事例問題では、事例の「図」を描き、「誰」と「誰」の関係が問われているのかを確認しながら解いてください。代理では登場人物が３人以上います。

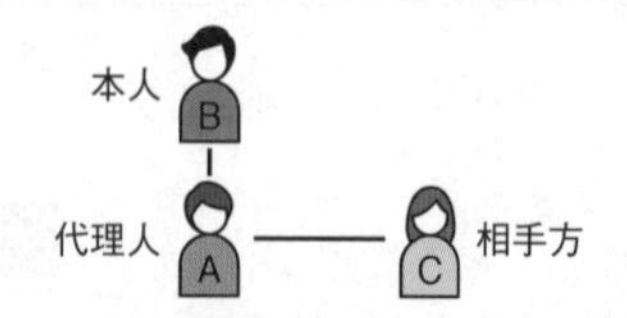

解説

❶ 誤り。 **代理権の濫用**

代理人が自己または**第三者の利益を図る目的で代理権の範囲内の行為**をした場合に、相手方がその目的を知り、または知ることができたときは、その行為は、**無権代理行為**とみなされる（**代理権の濫用**）。したがって、Cが第三者の利益を図る目的であることを知っていたときは、Aの代理行為は無権代理とみなされ、AC間の法律行為の効果はBに帰属しない。

❷ 誤り。 **表見代理（代理権授与表示）**

本人が実際には代理権を与えていないのに**代理権を与えた旨を表示**（**代理権授与表示**）した場合の**表見代理**は、無権代理であることについて、相手方が善意無過失のときでなければ**成立しない**。したがって、CがAに代理権がないことを知っていたときは表見代理が成立せず、Bはその責任を負わない。

❸ 正しい。**無権代理行為の効果**

無権代理行為の効果は、原則として、本人**に帰属しない**。したがって、AがBから何ら代理権を与えられていない以上、CがAにBの代理権があると信じたとしても、原則としてAC間の法律行為の効果はBに帰属しない。

❹ 誤り。 **表見代理（代理権消滅後）**

本人が以前与えていた**代理権が消滅した後に代理行為**をした場合の**表見代理**は、無権代理であることについて、相手方が善意無過失のときでなければ**成立しない**。したがって、Cが過失によって代理権消滅の事実を知らなかったときは表見代理が成立せず、Bはその責任を負わない。

ポイント整理

無権代理人への責任追及の要件

相手方	無権代理人	請求
善意無過失	—	できる
善意有過失	悪意（無権代理人が自己に代理権がないことを知っていた場合）	できる
	善意（無権代理人が自己に代理権がないことを知らない場合）	できない
悪意	—	できない

きほんの教科書 L3-3 復習

解答 ❸

代理

学習優先度 高

理解度チェック

Ａ所有の甲土地につき、Ａから売却に関する代理権を与えられていないＢが、Ａの代理人として、Ｃとの間で売買契約を締結した場合における次の記述のうち、民法の規定及び判例によれば、誤っているものはどれか。なお、表見代理は成立しないものとする。

❶ Ｂの無権代理行為をＡが追認した場合には、AC間の売買契約は有効となる。

❷ Ａの死亡により、ＢがＡの唯一の相続人として相続した場合、Ｂは、Ａの追認拒絶権を相続するので、自らの無権代理行為の追認を拒絶することができる。

❸ Ｂの死亡により、ＡがＢの唯一の相続人として相続した場合、ＡがＢの無権代理行為の追認を拒絶しても信義則には反せず、AC間の売買契約が当然に有効になるわけではない。

❹ Ａの死亡により、ＢがＤとともにＡを相続した場合、ＤがＢの無権代理行為を追認しない限り、Ｂの相続分に相当する部分においても、AC間の売買契約が当然に有効になるわけではない。

肢２と肢３は事例が似ています。右のような「図」を描いて違いを明らかにしてから解いてください。

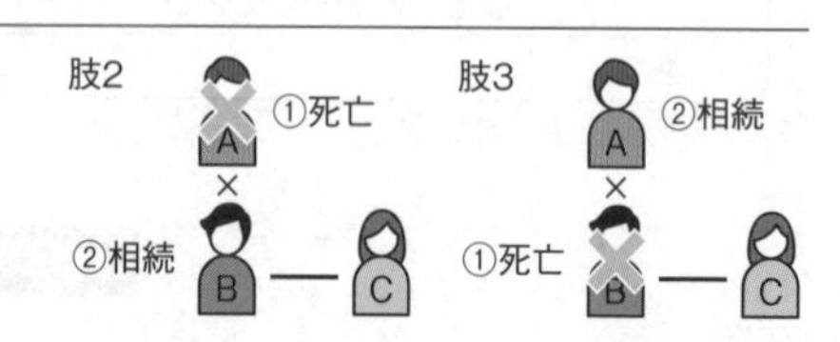

解説

❶ 正しい。追認の効果

無権代理行為の効果は本人に生じないのが原則である。ただし、本人が追認をした場合には、契約時にさかのぼって有効になる。したがって、Aが追認をした場合、AC間の売買契約は有効になる。

❷ 誤り。　無権代理人が本人を単独相続した場合

無権代理人が本人を単独相続した場合、無権代理行為は当然に有効になる。したがって、Bは追認を拒絶することができない。

❸ 正しい。本人が無権代理人を相続した場合

本人が無権代理人を相続した場合、本人は無権代理行為の追認を拒絶することができる。このことは、信義則（＝権利の行使および義務の履行は、信義に従い誠実に行わなければならないという原則）に反しない。

❹ 正しい。無権代理人が他の相続人と共同で相続した場合

無権代理人が他の相続人と共同で相続した場合は、他の共同相続人全員の追認がなければ、無権代理人の相続分についても契約は有効にならない。したがって、他の共同相続人であるDが追認しない限り、無権代理人Bの相続分においても、AC間の売買契約は有効にはならない。

ステップアップ　無権代理と単独相続のまとめ

肢2と肢3は事例が似ている。ここは相続によって「誰が」残ったか、という視点に立つと理解、整理しやすい。

「無権代理人が残った場合」→無権代理人は自分が行った責任を負う。

「本人が残った場合」→本人は原則責任を負わない＝追認拒絶できる。

以上のように知識を整理しよう。

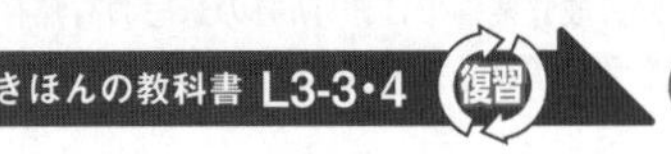

解答 ❷

14 時効
令2-10

学習優先度 高

Aが甲土地を所有している場合の時効に関する次の記述のうち、民法の規定及び判例によれば、誤っているものはどれか。

❶ Bが甲土地を所有の意思をもって平穏かつ公然に17年間占有した後、CがBを相続し甲土地を所有の意思をもって平穏かつ公然に3年間占有した場合、Cは甲土地の所有権を時効取得することができる。

❷ Dが、所有者と称するEから、Eが無権利者であることについて善意無過失で甲土地を買い受け、所有の意思をもって平穏かつ公然に3年間占有した後、甲土地がAの所有であることに気付いた場合、そのままさらに7年間甲土地の占有を継続したとしても、Dは、甲土地の所有権を時効取得することはできない。

❸ Dが、所有者と称するEから、Eが無権利者であることについて善意無過失で甲土地を買い受け、所有の意思をもって平穏かつ公然に3年間占有した後、甲土地がAの所有であることを知っているFに売却し、Fが所有の意思をもって平穏かつ公然に甲土地を7年間占有した場合、Fは甲土地の所有権を時効取得することができる。

❹ Aが甲土地を使用しないで20年以上放置していたとしても、Aの有する甲土地の所有権が消滅時効にかかることはない。

所有権の取得時効の成立要件では、「所有の意思の有無」と「占有開始時に善意無過失か否か」および「占有の承継」が重要です。問題文からどの知識を問われているか確認してから正誤の判断をしましょう。

解説

❶ 正しい。所有権の取得時効の要件（占有の承継）

占有者の承継人は、①自己の占有のみを主張することも、②自己の占有に前の占有者の占有を併せて主張することもできる。したがって、上記②によってBの占有とCの占有を併せれば20年になるので、Cは甲土地の所有権を時効取得することができる。

❷ 誤り。 所有権の取得時効の要件（善意・悪意・過失の有無）

占有の開始時に善意無過失の場合、取得時効期間は10年である。このことは、途中で悪意になっても変わりがない。したがって、Dは、占有開始時に善意無過失であるから、10年間占有を継続すれば、甲土地の所有権を時効取得することができる。

❸ 正しい。所有権の取得時効の要件（占有の承継）

占有の開始時に善意無過失の場合、取得時効期間は10年である。このことは、途中で占有の承継があっても変わりがない。占有者の承継人は、①自己の占有のみを主張することも、②自己の占有に前の占有者の占有を併せて主張することもできる。上記②の場合、善意・悪意・過失の有無は、前の占有者の占有開始時で判断する。したがって、Dが占有開始時に善意無過失なので、その後、悪意のFが占有を承継しても、合計で10年間占有すれば、Fは甲土地の所有権を時効取得することができる。

❹ 正しい。所有権の時効消滅

所有権は、時効消滅しない。したがって、甲土地の所有権が消滅時効にかかることはない。なお、他人が所有権を時効取得することで、もともとの所有者が所有権を失うことはある。しかし、これは「取得時効」の効果であって、「消滅時効」によるものではない。

ステップアップ　間接占有

時効取得のための占有は、直接自分が占有していない場合にも認められる。たとえば、Aの所有地を、Bが所有の意思を持って平穏公然に2年間占有し、引き続き18年間Cに賃貸していた場合、BはCを通じて、間接的に占有していたと認められる。

時効

学習優先度 高

理解度チェック

時効に関する次の記述のうち、民法の規定及び判例によれば、誤っているものはどれか。なお、時効の対象となる債権の発生原因は、令和７年４月１日以降に生じたものとする。

❶ 消滅時効の援用権者である「当事者」とは、権利の消滅について正当な利益を有する者であり、債務者のほか、保証人、物上保証人、第三取得者も含まれる。

❷ 裁判上の請求をした場合、裁判が終了するまでの間は時効が完成しないが、当該請求を途中で取り下げて権利が確定することなく当該請求が終了した場合には、その終了した時から新たに時効の進行が始まる。

❸ 権利の承認があったときは、その時から新たに時効の進行が始まるが、権利の承認をするには、相手方の権利についての処分につき行為能力の制限を受けていないことを要しない。

❹ 夫婦の一方が他方に対して有する権利については、婚姻の解消の時から6箇月を経過するまでの間は、時効が完成しない。

肢２に関連して、「時効の完成猶予」とは、本来の時効期間が満了しても時効が完成しないことです。「時効の更新」とは、それまでの時間の経過がゼロになり、新たに時効が進行することです。以上をまず理解しましょう。

解説

❶ 正しい。消滅時効の援用権者

時効は、「当事者」が援用しなければ、裁判所がこれによって裁判をすることができない。この時効の援用権者である「当事者」には、債権の消滅時効では、債務者のほかに、保証人、物上保証人、抵当不動産の第三取得者も含まれる。

❷ 誤り。 裁判上の請求と時効の完成猶予と更新

裁判上の請求をした場合、原則として裁判上の請求が終了するまでの間は時効が完成しないが（時効の完成猶予）、確定判決等によって権利が確定したときは、時効は裁判上の請求が終了した時から新たにその進行を始める（時効の更新）。しかし、裁判上の請求を途中で取り下げたなど、確定判決等によって権利が確定することなく裁判上の請求が終了した場合には、その終了の時から６カ月を経過するまでの間は時効の完成は猶予されるが、時効の更新は生じない。したがって、「その終了した時から新たに時効の進行が始まる」というのは、誤りである。

❸ 正しい。権利の承認と時効の更新

時効は、権利の承認があったときは、その時から新たにその進行を始める（時効の更新）。この権利の承認をするには、相手方の権利についての処分につき行為能力の制限を受けていないことを要しない。なぜなら、権利の承認は、単に相手方の権利をそのまま認めるだけだからである。したがって、被保佐人や被補助人が単独で権利の承認をした場合でも、時効の更新が生じる。

❹ 正しい。夫婦間の権利の時効の完成猶予

夫婦の一方が他の一方に対して有する権利については、婚姻の解消の時から６カ月を経過するまでの間は、時効は、完成しない（時効の完成猶予）。

ステップアップ　時効完成後の権利（債務）の承認

債務者が時効の完成を知らないで権利の承認（債務の承認）をした場合は、時効の援用はできなくなる。

きほんの教科書 L4-3 復習

解答 ❷

時効

学習優先度 高

理解度チェック

ＡがＢに対して金銭の支払を求めている場合の時効の更新に関する次の記述のうち、民法の規定によれば、誤っているものはどれか。なお、時効の対象となる債権の発生原因は、令和７年４月１日以降に生じたものとする。

❶ Ａが金銭の支払を求めて訴えを提起した場合において、確定判決によって権利が確定したときは、時効の更新が生じる。

❷ ＢがＡの金銭支払請求権を承認したときは、時効の更新が生じる。

❸ AB間で民事訴訟法第275条第1項の和解が成立し、その旨が調書に記載されることによって権利が確定したときは、時効の更新が生じる。

❹ ＡがＢに対し金銭の支払を催告したときは、その時から6カ月を経過した時に、時効の更新が生じる。

アプローチ

本問の「ＡがＢに対して金銭の支払を求めている場合」とは、Ａが債権者でＢが債務者であることを念頭において問題を解いていきましょう。

解説

❶ 正しい。**裁判上の請求と時効の更新**

裁判上の請求があった場合において、確定判決または確定判決と同一の効力を有するものによって**権利が確定**したときは、時効の更新が生じる。したがって、Aが訴えを提起した（裁判上の請求）場合において、確定判決によって権利が確定したときは、時効の更新が生じる。

❷ 正しい。**時効の更新（権利の承認）**

権利の承認があったときは、時効の更新が生じる。したがって、BがAの金銭支払請求権を承認したときは、時効の更新が生じる。

❸ 正しい。**時効の更新（和解）**

民事訴訟法275条1項の和解（訴え提起前の和解）があった場合において、確定判決と同一の効力を有するもの（和解が成立した旨の調書の記載）によって権利が確定したときは、時効の更新が生じる。したがって、AB間で訴え提起前の和解が成立し、その旨が調書に記載されることによって権利が確定したときは、時効の更新が生じる。

❹ 誤り。　**催告による時効の完成猶予と更新**

催告（裁判外の請求）があったときは、その時から6カ月を経過するまでの間は、**時効は**完成しないが（時効の完成猶予）、**催告**だけでは**時効の**更新は生じない。

時効の完成猶予・更新事由のまとめ

事由	効果
裁判上の請求	**時効の完成が猶予**され、確定判決等によって**権利が確定**したときは、**時効の更新**が生じる。
催告（裁判外の請求）	催告から6カ月間**時効の完成が猶予**される。**時効の更新の効果を生じない。**
権利（債務）の承認	**時効の更新**が生じる。

きほんの教科書 L4-3 復習

解答 ④

学習優先度 低

17 条件

平30-3

理解度チェック

AとBとの間で、5か月後に実施される試験（以下この問において「本件試験」という。）にBが合格したときにはA所有の甲建物をBに贈与する旨を書面で約した（以下この問において「本件約定」という。）。この場合における次の記述のうち、民法の規定及び判例によれば、誤っているものはどれか。

❶ 本件約定は、停止条件付贈与契約である。

❷ 本件約定の後、Aの放火により甲建物が滅失し、その後にBが本件試験に合格した場合、AはBに対して損害賠償責任を負う。

❸ Bは、本件試験に合格したときは、本件約定の時点にさかのぼって甲建物の所有権を取得する。

❹ 本件約定の時点でAに意思能力がなかった場合、Bは、本件試験に合格しても、本件約定に基づき甲建物の所有権を取得することはできない。

アプローチ

「贈与」契約とは、タダで物をあげる契約です。本問にあてはめると、「AはBが試験に合格したら、甲建物をタダであげる」と約束（停止条件付贈与契約が成立）したことになります。

解説

❶ 正しい。**停止条件とは？**

停止条件とは、効力の発生**に付いている条件**のことをいう。本件約定は、「合格したときには～贈与する」と、効力の発生に条件が付けられた贈与契約なので、停止条件付贈与契約である。

❷ 正しい。**条件の成否未定の間における相手方の利益の侵害の禁止**

条件付法律行為の各当事者は、**条件の成否が未定**である間は、条件が成就した場合にその法律行為から生ずべき相手方の利益を害してはならない。Aが甲建物に放火したことは、この義務に違反する。したがって、AはBに対して損害賠償責任を負う。

❸ 誤り。　**条件が成就した場合の効果**

停止条件付法律行為は、原則として、停止条件が成就した時**からその効力を生じる**。したがって、Bは、原則として、本件試験に合格した時に甲建物の所有権を取得する。

❹ 正しい。**意思無能力者の行為の効果**

意思能力のない者の行為は無効である。Aは約定の時点で意思能力がなかったのであるから、本件約定の契約は無効である。したがって、Bは、本件試験に合格しても、甲建物の所有権を取得することができない。

条件の成否が未定である間における当事者の権利義務

条件の成否が未定である間における**当事者の権利義務**は、**処分**（**譲渡**等）・**相続**等することができる。たとえば、AがBに対して「自分（A）の転勤が決まったら家を売る」との契約を結び、Aの転勤が未定の間に、Bが死亡した。この場合でも、Bの相続人CはBの権利義務を相続する。したがって、Aの転勤が決まったら、CはAの建物を手に入れることができる。

きほんの教科書 L5-1、L2-1 復習　解答 ❸

学習優先度 低

18 条件

平23-2

理解度チェック

Aは、自己所有の甲不動産を3か月以内に、1,500万円以上で第三者に売却でき、その代金全額を受領することを停止条件として、Bとの間でB所有の乙不動産を2,000万円で購入する売買契約を締結した。条件成就に関する特段の定めはしなかった。この場合に関する次の記述のうち、民法の規定によれば、正しいものはどれか。

❶ 乙不動産が値上がりしたために、Aに乙不動産を契約どおり売却したくなくなったBが、甲不動産の売却を故意に妨げたときは、Aは停止条件が成就したものとみなしてBにAB間の売買契約の履行を求めることができる。

❷ 停止条件付法律行為は、停止条件が成就した時から効力が生ずるだけで、停止条件の成否が未定である間は、相続することはできない。

❸ 停止条件の成否が未定である間に、Bが乙不動産を第三者に売却し移転登記を行い、Aに対する売主としての債務を履行不能とした場合でも、停止条件が成就する前の時点の行為であれば、BはAに対し損害賠償責任を負わない。

❹ 停止条件が成就しなかった場合で、かつ、そのことにつきAの責に帰すべき事由がないときでも、AはBに対し売買契約に基づき買主としての債務不履行責任を負う。

アプローチ

停止条件とは、「転勤が決まったら家を売る」というように、契約の効力の発生についている条件をいいます。条件が満たされる（成就する）まで契約の効力の発生が停止しているという意味です。

解説

❶ 正しい。条件の成就の妨害等

条件が成就することによって不利益を受ける当事者が故意にその条件の成就を妨げたときは、相手方は、その条件が成就したものとみなすことができる。したがって、Bが故意に停止条件の成就を妨げた場合、Aは、その停止条件が成就したものとみなすことができる。その結果、売買契約の効力が生じ、Aはその履行を求めることができる。

❷ 誤り。　条件の成否未定の間における権利の処分等

条件の成否が未定である間における当事者の権利義務は、一般の規定に従い、処分し、相続し、保存し、またはそのために担保を供することができる。

❸ 誤り。　条件の成否未定の間における相手方の利益の侵害の禁止

条件付きの契約の各当事者は、条件の成否が未定である間は、条件が成就した場合にその契約から生ずべき相手方の利益を害してはならない。本肢では、Bは、乙不動産を第三者に売却して移転登記を行い、Aに対する債務を履行不能としているので、そのことによる損害の賠償責任を負うことがある。

❹ 誤り。　条件が成就しなかった場合の効果

停止条件が成就しなければ契約の効力が生じないので、Aは債務不履行責任を負わない。

ポイント整理

条件の成就の妨害等のまとめ

ケース	効果
条件が成就することによって不利益を受ける当事者が故意にその条件の成就を妨げたとき	相手方は、その条件が成就したものとみなすことができる。
条件が成就することによって利益を受ける当事者が不正にその条件を成就させたとき	相手方は、その条件が成就しなかったものとみなすことができる。

きほんの教科書 L5-1

解答 
❶

学習優先度 高

19 弁済
令1-7

理解度チェック

Ａを売主、Ｂを買主として甲建物の売買契約が締結された場合におけるＢのＡに対する代金債務（以下「本件代金債務」という。）に関する次の記述のうち、民法の規定及び判例によれば、誤っているものはどれか。

❶ Ｂが、本件代金債務につき受領権限のないＣに対して弁済した場合、Ｃに受領権限がないことを知らないことにつきＢに過失があれば、Ｃが受領した代金をＡに引き渡したとしても、Ｂの弁済は有効にならない。

❷ Ｂが、Ａの代理人と称するＤに対して本件代金債務を弁済した場合、Ｄに受領権限がないことにつきＢが善意かつ無過失であれば、Ｂの弁済は有効となる。

❸ Ｂが、Ａの相続人と称するＥに対して本件代金債務を弁済した場合、Ｅに受領権限がないことにつきＢが善意かつ無過失であれば、Ｂの弁済は有効となる。

❹ Ｂは、本件代金債務の履行期が過ぎた場合であっても、特段の事情がない限り、甲建物の引渡しに係る履行の提供を受けていないことを理由として、Ａに対して代金の支払を拒むことができる。

アプローチ

本問はAB間で売買がなされた事例です。それを前提に肢１を図に表すと右のようになります。肢２と肢３も同様の図を描いて解きましょう。

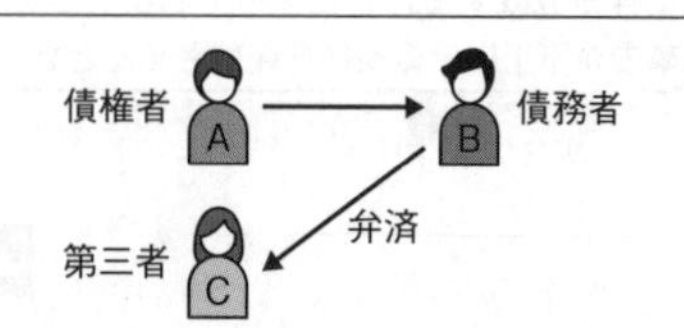

解説

❶ 誤り。 **受領権者以外の者に対する弁済**

受領権者以外の者であって取引上の社会通念に照らして受領権者としての外観を有する者（以下「受領権者としての外観を有する者」）に対して、善意無過失で弁済した場合は、有効な弁済になる。この場合を除き、受領権者以外の者に対してした弁済は、債権者がこれによって利益を受けた限度においてのみ、有効になる。本肢では、Bに過失があるので、後者の問題になるが、AはCが受領した代金を受け取っているので、弁済によって利益を受けたといえる。したがって、弁済は有効にならないとする本肢は誤り。

❷ 正しい。**受領権者としての外観を有する者（代理人と称する者）への弁済**

受領権者としての外観を有する者に対して、善意無過失で弁済した場合は、有効な弁済になる。そして、代理人と称する者は受領権者としての外観を有する者にあたる。したがって、Bが善意無過失であれば、Bの弁済は有効となる。

❸ 正しい。**受領権者としての外観を有する者（相続人と称する者）への弁済**

受領権者としての外観を有する者に対して、善意無過失で弁済した場合は、有効な弁済になる。相続人と称する者は受領権者としての外観を有する者にあたる。したがって、Bが善意無過失であれば、Bの弁済は有効となる。

❹ 正しい。**同時履行の抗弁権**

当事者の一方は、相手方がその債務の履行を提供するまでは、自己の債務の履行を拒むことができるのが原則である（同時履行の抗弁権）。したがって、Bは、自己の代金債務の履行期が過ぎた場合であっても、相手方Aから甲建物の引渡債務の履行の提供を受けていないことを理由として、代金の支払を拒むことができる。

ステップアップ　受領権者としての外観を有する者

「受領権者としての外観を有する者」には、預金通帳と届出印を所持して銀行に来た者や受取証書（＝領収書）を持参して弁済を請求してきた者も含まれる。

きほんの教科書 L6-2、L7-2

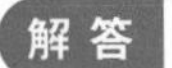

20 弁済

平17-7改

理解度チェック

Aは、土地所有者Bから土地を賃借し、その土地上に建物を所有してCに賃貸している。AのBに対する借賃の支払債務に関する次の記述のうち、民法の規定及び判例によれば、正しいものはどれか。

❶ Cは、借賃の支払債務の弁済をすることについて正当な利益を有しないので、Aの意思に反して、債務を弁済することはできない。

❷ Aが、Bの代理人と称して借賃の請求をしてきた無権限者に対し債務を弁済した場合、その者に弁済受領権限があるかのような外観があり、Aがその権限があることについて善意、かつ、無過失であるときは、その弁済は有効である。

❸ Aが、当該借賃を額面とするA振出しに係る小切手（銀行振出ではないもの）をBに提供した場合、債務の本旨に従った適法な弁済の提供となる。

❹ Aは、特段の理由がなくとも、借賃の支払債務の弁済に代えて、Bのために弁済の目的物を供託し、その債務を免れることができる。

アプローチ

本問は事例が複雑です。図示すると右のようになります。事例を整理して「図」を描いてから解きましょう。

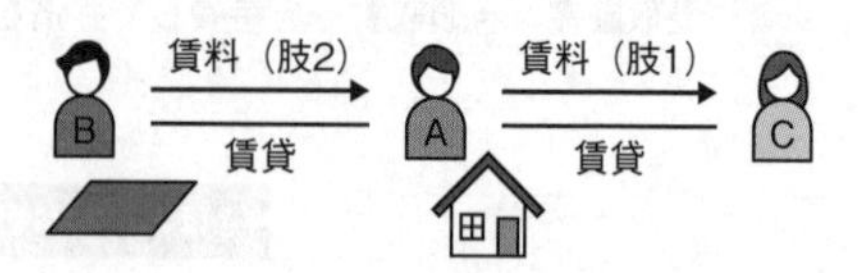

解説

❶ 誤り。　**弁済について正当な利益を有する者の弁済**

弁済をするについて正当な利益を有する第三者は、債務者の意思に反して弁済をすることができる。そして、借地上の建物の賃借人は、敷地の地代の弁済について正当な利益を有する。したがって、本肢のCは、Aの意思に反して債務の弁済をすることができる。

❷ 正しい。**受領権者としての外観を有する者（代理人と称する者）**

受領権者としての外観を有する者に対して、善意無過失で弁済した場合は、有効な弁済になる。そして、代理人と称する者は受領権者としての外観を有する者にあたる。

❸ 誤り。　**債務の本旨に従った弁済の提供**

金銭債務について、債務者自身が振り出した小切手を提供しても、原則として、債務の本旨に従った弁済の提供にはならない。

❹ 誤り。　**供託の要件**

供託をするには、弁済の提供をしたのに債権者が受領を拒んだなどの一定の事由が必要である。したがって、特段の理由がなくても供託できるとする本肢は誤り。

ポイント整理

第三者の弁済のまとめ

正当な利益を有しない第三者[※1]	債務者の意思に反して**弁済できない**。 →債務者の意思に反することを**債権者**が知らなかったときは、**弁済できる**。
正当な利益を有する第三者[※2]	債務者の意思に反して**弁済できる**。

※1　債務者と親子、兄弟、友人・知人関係にすぎない者のこと。

※2　債務の弁済について法律的利害関係がある者のこと。抵当不動産の第三取得者、物上保証人、借地上の建物の賃借人（敷地の地代について）など。

解答 ❷

学習優先度 高

相殺

Aは、令和7年10月1日、A所有の甲土地につき、Bとの間で、代金1,000万円、支払期日を同年12月1日とする売買契約を締結した。この場合の相殺に関する次の記述のうち、民法の規定及び判例によれば、正しいものはどれか。

❶ BがAに対して同年12月31日を支払期日とする貸金債権を有している場合には、Bは同年12月1日に売買代金債務と当該貸金債権を対当額で相殺することができる。

❷ 同年11月1日にAの売買代金債権がAの債権者Cにより差し押さえられても、Bは、同年11月2日から12月1日までの間にAに対する別の債権を取得した場合には、同年12月1日に売買代金債務と当該債権を対当額で相殺することができる。

❸ 同年10月10日、BがAの自動車事故によって身体に侵害を受け、Aに対して不法行為に基づく損害賠償債権を取得した場合には、Bは売買代金債務と当該損害賠償債権を対当額で相殺することができる。

❹ BがAに対し同年9月30日に消滅時効の期限が到来する貸金債権を有していた場合には、Aが当該消滅時効を援用したとしても、Bは売買代金債務と当該貸金債権を対当額で相殺することができる。

アプローチ

相殺の問題では、「自働債権（相殺する側がもっている債権）」と「受働債権（相殺される側がもっている債権）」をきちんと見極めることが大切です。そのためにも「図」は必ず描きましょう。

解説

❶ 誤り。　相殺の要件（原則として、両債権が弁済期にあること）

相殺をするためには、原則として、自働債権と受働債権が弁済期にあることが必要である。12月1日の時点では、自働債権である貸金債権の弁済期（12月31日）が到来していないので、Bは相殺することができない。

❷ 誤り。　差押えと相殺

受働債権の差押え「後」に自働債権を取得した場合、原則として、相殺をもって差押債権者に対抗することができない。本肢では、Bは、Cによる受働債権の差押え（11月1日）の後（11月2日から12月1日の間）に自働債権を取得しているので、相殺をもってCに対抗することができない（＝相殺することができない）。

❸ 正しい。不法行為に基づく損害賠償債権を自働債権とする相殺

不法行為に基づく損害賠償債務を受働債権とする相殺はできない場合があるが、不法行為に基づく損害賠償債権を自働債権とする相殺は禁止されていない。本肢では、自働債権が不法行為に基づく損害賠償債権、受働債権が代金債務なので、Bは相殺をすることができる。

❹ 誤り。　自働債権が時効消滅前に相殺適状になっている場合

自働債権が時効消滅しても、消滅「前」に相殺適状になっていた場合には、相殺が可能である。しかし、本肢では、自働債権である貸金債権が時効消滅（9月30日）した後に、代金債務が発生（10月1日）しているので、時効消滅前に相殺適状になっていたという要件を満たさない。したがって、Bは相殺をすることができない。

差押えと相殺のまとめ

差押えを受けた債権の第三債務者は	①差押え後に取得した債権による相殺をもって、原則として、差押債権者に対抗できない。←肢2
	②差押え前に取得した債権による相殺をもって、差押債権者に対抗できる。

きほんの教科書 L6-5 復習

解答 ❸

22 債権譲渡

平28-5改

Aが、Bに対する債権をCに譲渡した場合に関する次の記述のうち、民法の規定及び判例によれば、正しいものはどれか。なお、当該債権は民法第466条の5に規定する預貯金債権ではないものとする。

❶ AのBに対する債権にその譲渡を禁止する旨の特約があり、Cがその特約の存在を知りながら債権の譲渡を受けていた場合、AからCへの債権譲渡は無効となる。

❷ AがBに債権譲渡の通知を発送し、その通知がBに到達していなかった場合には、Bが債権譲渡について承諾をしても、BはCに対して当該債権に係る債務の弁済を拒否することができる。

❸ AのBに対する債権に譲渡禁止の特約がなく、Cに譲渡された時点ではまだ発生していない将来の取引に関する債権であった場合、その取引の種類、金額、期間などにより当該債権が特定されていたときは、特段の事情がない限り、AからCへの債権譲渡は有効である。

❹ Aに対し弁済期が到来した貸金債権を有していたBは、Aから債権譲渡の通知を受けるまでに、債権譲渡について承諾をせず、相殺の意思表示もしていなかった。その後、Bは、Cから支払請求を受けた際に、Aに対する貸金債権との相殺の意思表示をしたとしても、Cに対抗することはできない。

債権譲渡の問題には「債務者」「債権者（譲渡人）」「譲受人」が登場します。

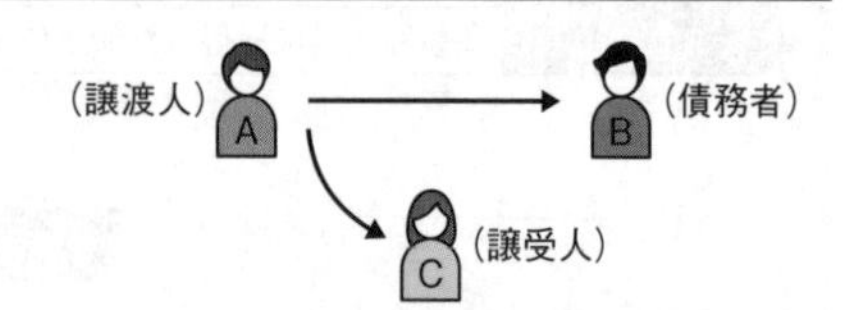

解説

❶ 誤り。　**譲渡制限に反する譲渡は有効**

預貯金債権以外の場合、**譲渡制限の意思表示がある債権の譲渡**は、譲受人の善意・悪意、重過失の有無に関係なく、有効である。

❷ 誤り。　**債権譲渡の債務者に対する対抗要件**

債権譲渡の債務者に対する対抗要件は、通知または承諾である。どちらか一方があれば足りる。したがって、債務者Ｂによる承諾があれば、ＣはＢに債権譲渡を対抗することができるので、Ｂは弁済を拒否することができない。

❸ 正しい。**将来債権の譲渡**

将来債権の譲渡とは、たとえば、ＡがＢに継続的に商品を販売している場合において、Ａが今後Ｂに販売する商品の代金債権をＣに譲渡するようなことをいう。債権譲渡の時点では譲渡される債権が具体的には発生していないので、将来債権の譲渡と呼ばれる。**将来債権の譲渡**も、譲渡される債権が特定でき（＝どの債権が譲渡されたのかを判断でき）、特段の事情（たとえば、公序良俗違反）がなければ有効である。

❹ 誤り。　**対抗要件具備前に取得した譲渡人に対する債権による相殺**

受働債権が譲渡された場合でも、債務者は、**対抗要件具備時より前に自働債権を取得**していれば、**相殺を譲受人に**対抗することができる。本肢の場合、Ｂは、受働債権であるＡのＢに対する債権の譲渡通知を受ける前に、自働債権であるＢのＡに対する貸金債権を有していたので、相殺を譲受人Ｃに対抗することができる。

「一般の債権」と「預貯金債権」の比較

一般の債権	譲渡制限に反する譲渡は有効
預貯金債権権（預金口座または貯金口座に係る預金または貯金に係る債権）	譲受人が悪意・善意重過失の場合、譲渡制限に反する譲渡は無効

きほんの教科書 L6-6 復習　　解答 ❸

23 令3-6改 債権譲渡

売買代金債権（以下この問において「債権」という。）の譲渡（令和7年7月1日に譲渡契約が行われたもの）に関する次の記述のうち、民法の規定によれば、誤っているものはどれか。

❶ 譲渡制限の意思表示がされた債権が譲渡された場合、当該債権譲渡の効力は妨げられないが、債務者は、その債権の全額に相当する金銭を供託することができる。

❷ 債権が譲渡された場合、その意思表示の時に債権が現に発生していないときは、譲受人は、その後に発生した債権を取得できない。

❸ 譲渡制限の意思表示がされた債権の譲受人が、その意思表示がされていたことを知っていたときは、債務者は、その債務の履行を拒むことができ、かつ、譲渡人に対する弁済その他の債務を消滅させる事由をもって譲受人に対抗することができる。

❹ 債権の譲渡は、譲渡人が債務者に通知し、又は債務者が承諾をしなければ、債務者その他の第三者に対抗することができず、その譲渡の通知又は承諾は、確定日付のある証書によってしなければ、債務者以外の第三者に対抗することができない。

アプローチ

債権譲渡の問題では、「債務者」「債権者（譲渡人）」「譲受人」が登場します。下記のような「図」を描いてから問題を読んでみてください。

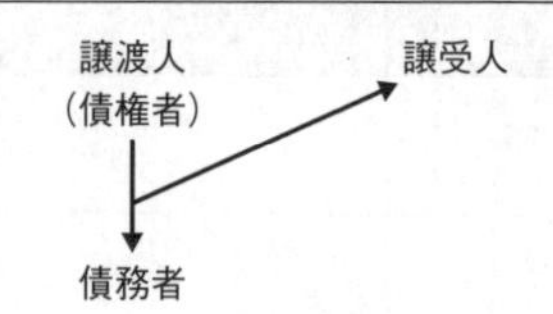

解説

❶ 正しい。**譲渡制限の意思表示**

譲渡制限の意思表示がある債権の譲渡は原則として有効ですが、債務者は、その債権の全額に相当する金銭を債務の履行地の供託所に供託することができる。

❷ 誤り。 **将来債権の譲渡**

債権が譲渡された場合、その意思表示の時に**債権が現に発生していない**ときは、**譲受人**は、発生した債権を当然に取得する。

❸ 正しい。**譲渡制限の意思表示と譲受人**

債務者は、**譲渡制限の意思表示**について悪意または善意重過失の**譲受人**に対しては、原則として、その**債務の履行を拒む**ことができ、かつ、譲渡人に対する弁済その他の債務を消滅させる事由をもって譲受人に対抗することができる。

❹ 正しい。**債権譲渡の対抗要件**

債権譲渡は、譲渡人が債務者に通知をし、または債務者が承諾をしなければ、債務者その他の第三者に対抗することができない。なかでも、**債権の二重譲渡**が行われた場合の各譲受人など**債務者以外の第三者**に対しては、確定日付のある証書によって債権譲渡の**通知**または**承諾**をしなければ、債権譲渡を対抗することができない。

譲渡制限の意思表示に反する譲渡のまとめ

1. 当事者は、債権譲渡を禁止・制限する旨の意思表示（譲渡制限の意思表示）はできるが、**譲渡制限に反する譲渡**は**有効**である。
2. **譲渡制限**の意思表示がされたことを**知り**、または**重大な過失によって知らなかった譲受人**に対しては、債務者は、原則として、**履行を拒む**ことができ、かつ、譲渡人に対する弁済等をもって譲受人に対抗することができる。

解答 ❷

債務引受

債務引受に関する次の記述のうち、民法の規定によれば、誤っているものはどれか。

❶ 併存的債務引受は、債務者と引受人となる者との契約によってもすることができるが、この場合、債権者が引受人となる者に対して承諾をした時に、その効力を生ずる。

❷ 併存的債務引受の引受人は、債務者と連帯して、債務者が債権者に対して負担する債務と同一の内容の債務を負担する。

❸ 免責的債務引受は、債権者と引受人となる者との契約によってすることができるが、この場合、債権者が債務者に対してその契約をした旨を通知した時に、その効力を生ずる。

❹ 免責的債務引受は、債務者と引受人となる者の契約によってはすることができない。

アプローチ

債務引受は、債権者の立場に立つと整理しやすくなります。「併存的債務引受」では、債務者と引受人の2人が連帯して債務を負担し、「免責的債務引受」では、引受人のみが債務を負担します。

解説

❶ 正しい。**併存的債務引受の成立要件**

併存的債務引受は、債務者と引受人となる者との契約によってすることができる。この場合、**債権者**が引受人となる者に対して**承諾をした時**に効力が生ずる。

❷ 正しい。**併存的債務引受の引受人の責任**

併存的債務引受の引受人は、債務者と連帯して、債務者が債権者に対して負担する債務と同一の内容の**債務を負担**する。なお、免責的債務引受の引受人は債務者が債権者に対して負担する債務と同一の内容の債務を負担し、債務者は自己の債務を免れる。

❸ 正しい。**免責的債務引受の成立（債権者と引受人となる者）**

免責的債務引受は、債権者と引受人となる者との契約によってすることができる。この場合、**債権者**が債務者に対してその契約をした旨を**通知**した時に効力が生ずる。

❹ 誤り。 **免責的債務引受の成立（債務者と引受人となる者）**

免責的債務引受は、債務者と引受人となる者が契約をし、**債権者**が引受人となる者に対して**承諾**をすることによってもすることができる。

ポイント整理

債務引受の成立要件のまとめ

	併存的債務引受	免責的債務引受
誰と誰の間の契約で？	**債権者**と引受人となる者	**債権者**と引受人となる者 →債権者が債務者に対してその契約をした旨を通知した時に、その効力を生ずる
	債務者と引受人となる者 →債権者が引受人となる者に対して承諾をした時に、その効力を生ずる。	**債務者**と引受人となる者 →債権者の引受人となる者に対する承諾が必要

解答 ❹

25 債務不履行

令2追-4

理解度チェック

債務不履行に関する次の記述のうち、民法の規定及び判例によれば、誤っているものはどれか。なお、債務は令和７年４月１日以降に生じたものとする。

❶ 債務の履行について不確定期限があるときは、債務者は、その期限が到来したことを知らなくても、期限到来後に履行の請求を受けた時から遅滞の責任を負う。

❷ 債務の目的が特定物の引渡しである場合、債権者が目的物の引渡しを受けることを理由なく拒否したため、その後の履行の費用が増加したときは、その増加額について、債権者と債務者はそれぞれ半額ずつ負担しなければならない。

❸ 債務者がその債務について遅滞の責任を負っている間に、当事者双方の責めに帰することができない事由によってその債務の履行が不能となったときは、その履行不能は債務者の責めに帰すべき事由によるものとみなされる。

❹ 契約に基づく債務の履行が契約の成立時に不能であったとしても、その不能が債務者の責めに帰することができない事由によるものでない限り、債権者は、履行不能によって生じた損害について、債務不履行による損害の賠償を請求することができる。

アプローチ

専門用語が飛び交っている問題です。それに振り回されると分かりにくくなります。そうならないために「バランス感覚」を鍛えましょう。期限を知らなくても請求を受けたら責任は負いそう（肢1）。債権者の責任で引渡費用が増加したのなら、それは債権者が負担しそう（肢2）。債務者が責任を負うべき状況で履行が不能になったら、債務者の責任とされそう（肢3）。債務者に帰責事由がある履行不能なら、損害賠償責任を負いそう（肢4）。この感覚で問題を眺めてみましょう。

解説

❶ 正しい。履行期と履行遅滞

債務の履行について**不確定期限**（たとえば、「飼い犬が死んだら代金を支払う」）があるときは、債務者は、①その**期限到来後に履行の請求を受けた時**、または、②その**期限の到来したことを知った時**のいずれか早い時から**遅滞の責任を負う**。したがって、債務者は、その期限が到来したことを知らなくても、①の期限到来後に履行の請求を受けた時から遅滞の責任を負う。

❷ 誤り。 受領遅滞と増加費用

債権者が債務の履行を受けることを拒み、または受けることができないこと（受領遅滞）によって、その履行の費用が増加したときは、その増加額は、「債権者の負担」となる。債権者と債務者が「半額ずつ」負担しなければならないわけではない。

❸ 正しい。履行遅滞中の履行不能

履行遅滞中に、債権者と債務者のどちらにも帰責事由がなく履行不能になったときは、債務者**に帰責事由があるとみなされる**。たとえば、売主（引渡債務の債務者）の準備不足（帰責事由）で建物の引渡しが遅れた場合、その履行遅滞中に、その建物が地震で滅失したときは、売主に帰責事由があるとみなされる。

❹ 正しい。原始的不能における損害賠償

契約に基づく債務の履行がその**契約の成立の時に不能**（原始的不能）であったとしても、その不能が債務者の責めに帰することができない事由によるものでない場合（**＝債務者に帰責事由がある場合**）であれば、債権者は、履行不能によって生じた損害について債務不履行による**損害の賠償を請求**することができる。

ステップアップ

債務不履行による損害賠償請求権の要件

債務不履行の場合、債権者は、これによって生じた損害の賠償を請求することができる。この債務不履行を理由とする損害賠償請求権の成立には、原則として、債務者の責めに帰すべき事由（帰責事由）が必要である。

きほんの教科書 L7-2・3 復習

解答 ❷

26 債務不履行

平24-8改

理解度チェック

債務不履行に基づく損害賠償請求権に関する次の記述のうち、民法の規定及び判例によれば、誤っているものはどれか。なお、債務は令和7年4月1日以降に生じたものとする。

❶ AがBと契約を締結する前に、信義則上の説明義務に違反して契約締結の判断に重要な影響を与える情報をBに提供しなかった場合、Bが契約を締結したことにより被った損害につき、Aは、不法行為による賠償責任を負うことはあっても、債務不履行による賠償責任を負うことはない。

❷ AB間の利息付金銭消費貸借契約において、利率に関する定めがない場合、借主Bが債務不履行に陥ったことによりAがBに対して請求することができる遅延損害金は、法定利率により算出する。

❸ AB間でB所有の甲不動産の売買契約を締結した後、Bが甲不動産をCに二重譲渡してCが登記を具備した場合、AはBに対して債務不履行に基づく損害賠償請求をすることができる。

❹ AB間の金銭消費貸借契約において、借主Bは当該契約に基づく金銭の返済をCからBに支払われる売掛代金で予定していたが、その入金がなかった(Bの責めに帰すべき事由はない。)ため、返済期限が経過してしまった場合、Bは債務不履行には陥らず、Aに対して遅延損害金の支払義務を負わない。

アプローチ

(金銭)消費貸借とは、借主が金銭を貸主から受け取り、あとでそれを返還することを約する契約のことです。なお、貸主は、特約がなければ、借主に対して利息を請求することはできません。

解説

❶ 正しい。**債務不履行と不法行為**

契約の一方当事者は、契約の締結前に、契約を締結するか否かに影響する情報を相手方に提供しなかった場合、相手方が契約を締結したことによって被った損害について、不法行為責任を負うことはあるが、当該契約上の債務不履行による賠償責任を負うことはない。なぜなら、契約を締結するか否かに影響する情報の提供義務違反は、契約締結前に生じたものなので、それを契約上の債務不履行と考えることはできないからである。

❷ 正しい。**金銭債務の不履行による損害賠償額**

金銭債務の不履行による**損害賠償額**は、**法定利率**によって請求できるのが原則であるが、**約定利率が法定利率を超える**ときは、約定利率による。本肢では、利率に関する定めがない（＝約定利率の定めがない）ので、法定利率で算出する。

❸ 正しい。**履行不能の判断**

債務の履行が不能かどうかは、契約その他の債務の発生原因と取引上の社会通念に照らして判断する。**二重譲渡**の場合、一方の買主へ**登記が移転**したときには、他方の買主は所有権を取得できなくなるので、売主は、履行不能**を理由とする債務不履行責任を負う**。したがって、買主Ａは、売主Ｂに対して債務不履行に基づく損害賠償請求をすることができる。

❹ 誤り。　**金銭債務の債務不履行責任**

金銭債務においては、**債務者の責めに帰すべき事由がなくても**（＝不可抗力でも）、債務不履行責任**が成立**する。Ｂは、返済期限を経過しても支払いをしていないので、Ｂの責めに帰すべき事由の有無に関係なく債務不履行になり、遅延損害金の支払義務を負う。

金銭債務のまとめ

1. 損害賠償額は、債務者が遅滞の責任を負った最初の時点における法定利率によって定める。
2. 損害賠償については、債権者は、損害の証明をすることを要しない。
3. 損害賠償については、債務者は、不可抗力をもって抗弁とすることができない。

きほんの教科書 L7-2･3

解答 ❹

学習優先度 高

27 債務不履行

平22-6改

理解度チェック

両当事者が損害の賠償につき特段の合意をしていない場合において、債務の不履行によって生ずる損害賠償請求権に関する次の記述のうち、民法の規定及び判例によれば、正しいものはどれか。なお、債務は令和７年４月１日以降に生じたものとする。

❶ 債権者は、債務の不履行によって通常生ずべき損害のうち、契約締結当時、両当事者がその損害発生を予見すべきであったものに限り、賠償請求できる。

❷ 債権者は、特別の事情によって生じた損害のうち、契約締結当時、両当事者がその事情を予見していたものに限り、賠償請求できる。

❸ 債務者の責めに帰すべき債務の履行不能によって生ずる損害賠償請求権の10年の消滅時効は、本来の債務の履行を請求し得る時からその進行を開始する。

❹ 債務の不履行に関して債権者に過失があったときでも、債務者から過失相殺する旨の主張がなければ、裁判所は、損害賠償の責任及びその額を定めるに当たり、債権者の過失を考慮することはできない。

アプローチ

肢１と２について、損害賠償の範囲には、「通常生じる損害」と「特別の事情で生じた損害」があります。それぞれ、「どのような要件があれば請求できるか？」を思い出しながら解いてみてください。

解説

❶ 誤り。　債務不履行による損害賠償の範囲（通常生ずべき損害）

損害賠償の範囲は、①債務不履行によって通常生ずべき損害と、②特別の事情によって生じた損害のうち債務不履行時に債務者がその事情を予見すべきであったもの、である。①については、当事者が予見すべきであったことは要件とされていない。

❷ 誤り。　債務不履行による損害賠償の範囲（特別の事情によって生じた損害）

肢1の②のとおり、特別の事情によって生じた損害については、債務不履行時に債務者がその事情を予見すべきであったものが損害賠償の範囲に含まれる。したがって、「契約締結当時」「両当事者が」「予見していたもの」とする本肢は誤り。

❸ 正しい。履行不能によって生ずる損害賠償請求権の消滅時効

履行不能によって生ずる損害賠償請求権の消滅時効は、本来の債務の履行を請求し得る時（＝本来の債務の時効起算点）から進行する。たとえば、売主Aが引渡期日（たとえば、10月1日）に建物を買主Bに引き渡さなかったところ、建物がAの過失により滅失し、引渡債務が履行不能になった（たとえば、10月10日）とする。この場合、履行不能を理由とする損害賠償請求権自体は履行不能時（10月10日）に発生するが、その時効は、引渡債務の時効の起算点（10月1日＝履行期日）から進行する。なぜなら、履行不能による損害賠償請求権は本来の債務の履行請求権に代わるものなので、両者には同一性があるからである。すなわち、本来の債務について進行した時効が、損害賠償請求権に変わってもそのまま進行するのである。

❹ 誤り。　裁判所が過失相殺をするための要件

裁判所が過失相殺をするためには、債務者からの過失相殺する旨の主張は不要である。なぜなら、過失相殺は、債権者にも過失があるという事実から認められる制度であって、取消権・解除権のように権利行使の意思表示が必要な制度ではないからである。

きほんの教科書 L7-3 復習

解答 ❸

28 平19-10改 債務不履行・危険負担

令和7年4月1日にA所有の甲建物につきAB間で売買契約が成立し、当該売買契約において同年4月30日をもってBの代金支払と引換えにAは甲建物をBに引き渡す旨合意されていた。この場合に関する次の記述のうち、民法の規定によれば、正しいものはどれか。

❶ 甲建物が同年3月31日時点でAB両者の責に帰すことができない火災により滅失していた場合、甲建物の売買契約は有効に成立するが、Aの甲建物引渡し債務も、Bの代金支払債務も共に消滅する。

❷ 甲建物が同年4月15日時点でAの責に帰すべき火災により滅失した場合、有効に成立していた売買契約は、Aの債務不履行によって無効となる。

❸ 甲建物が同年4月15日時点でBの責に帰すべき火災により滅失した場合、Aの甲建物引渡し債務は消滅し、Bは代金の支払を拒むことができる。

❹ 甲建物が同年4月15日時点で自然災害により滅失した場合、Bは売買契約を解除しなくても、代金支払債務の履行を拒むことができる。

アプローチ

本問は難問です。肢2・3・4について以下のように学習を進めてください。、まず、「建物の引渡債務」に着目してください。そして、この引渡債務が履行不能になった場合、その不能となった理由（肢2：売主（債務者）に帰責事由あり、肢3：買主（債権者）に帰責事由あり、肢4：売主・買主双方に帰責事由なし）により解決の仕方が違うことを確認しましょう。

解説

❶ 誤り。　**契約時点で履行不能な契約も原則として有効**

契約時点で履行不能な契約も原則として有効である。そして、甲建物の滅失により、Aの甲建物引渡し債務は消滅するが、Bの代金支払債務は、当然には消滅しない。この場合、Bは、危険負担の規定により代金支払債務の履行を拒むことができる。なお、代金支払債務を消滅させるためには、Bは、契約の解除をする必要がある。

❷ 誤り。　**「債務者」の帰責事由による履行不能**

甲建物の滅失により引渡し債務は消滅するが、売買契約は無効にならない。**債務者Aの帰責事由による履行不能**なので、Bは損害賠償請求をすることができ、また、**契約の解除**もすることができる。

❸ 誤り。　**「債権者」の帰責事由による履行不能**

甲建物の滅失により、Aの甲建物引渡し債務は消滅するが、Bの代金支払債務は消滅しない。そして、**債権者Bの帰責事由による履行不能**なので、Bは**代金支払い**を拒むことができない。なお、Bは解除をすることもできない。

❹ 正しい。**当事者双方に帰責事由がない履行不能**

当事者双方に帰責事由がなく履行不能になった場合、債権者は、**契約の解除や代金支払いを拒むこと**ができる。解除をすれば代金債務が消滅するが、解除をしなくても、危険負担の規定により代金支払債務の履行を拒むことができる。

ポイント整理

建物の売買契約において建物が滅失した場合のまとめ

履行不能について	買主は
債務者（売主）に帰責事由あり	損害賠償請求と契約の解除ができる
債権者（買主）に帰責事由あり	代金の支払いを拒むことができない
当事者双方（売主・買主）に帰責事由なし	契約の解除や代金の支払いを拒むことができる

きほんの教科書 L7-3・4 復習

解答 ❹

学習優先度 高

29 債務不履行

平21-8

理解度チェック

売主Aは、買主Bとの間で甲土地の売買契約を締結し、代金の3分の2の支払と引換えに所有権移転登記手続と引渡しを行った。その後、Bが残代金を支払わないので、Aは適法に甲土地の売買契約を解除した。この場合に関する次の記述のうち、民法の規定及び判例によれば、正しいものはどれか。

❶ Aの解除前に、BがCに甲土地を売却し、BからCに対する所有権移転登記がなされているときは、BのAに対する代金債務につき不履行があることをCが知っていた場合においても、Aは解除に基づく甲土地の所有権をCに対して主張できない。

❷ Bは、甲土地を現状有姿の状態でAに返還し、かつ、移転登記を抹消すれば、引渡しを受けていた間に甲土地を貸駐車場として収益を上げていたときでも、Aに対してその利益を償還すべき義務はない。

❸ Bは、自らの債務不履行で解除されたので、Bの原状回復義務を先に履行しなければならず、Aの受領済み代金返還義務との同時履行の抗弁権を主張することはできない。

❹ Aは、Bが契約解除後遅滞なく原状回復義務を履行すれば、契約締結後原状回復義務履行時までの間に甲土地の価格が下落して損害を被った場合でも、Bに対して損害賠償を請求することはできない。

アプローチ

本問では、肢1に登場するCが、「解除前の第三者」にあたることを読み取れたか、図を描いて確認しましょう。

解説

❶ 正しい。解除権者と解除前の第三者

契約を解除した者は、解除前の第三者が対抗要件を備えている場合には、第三者に対して解除を対抗することができない。第三者の善意悪意は関係ない。したがって、Aは売買契約を解除しても、所有権移転登記を得ているCに対し甲土地の所有権を主張できない。

❷ 誤り。 契約の解除の効果

契約が解除された場合において、物を返還する際にはその物から生じた利益も返還しなければならない。したがって、Bは、甲土地から生じた利益を償還する義務を負う。

❸ 誤り。 契約の解除にともなう原状回復義務と同時履行

両当事者が原状回復義務を負う場合、それらの義務は同時履行の関係に立つ。したがって、Bは、Aの代金返還義務との同時履行の抗弁権を主張することができる。

❹ 誤り。 契約の解除と損害賠償の請求

Aは、Bの債務不履行によって損害を被っている。そして、契約を解除した場合でも、損害賠償の請求はできる。したがって、Aは、Bに対して損害賠償を請求することができる。

解除と催告のまとめ

催告による解除	当事者の一方がその債務を履行しない場合において、相手方が相当の期間を定めてその履行の催告をし、その期間内に履行がないときは、相手方は、契約の解除をすることができる。
催告によらない解除	①債務の全部の履行が不能、②債務者がその債務の全部の履行を拒絶する意思を明確に表示したなどの場合には、債権者は、催告をすることなく、直ちに契約の解除をすることができる。

きほんの教科書 L7-4 復習

解答 ❶

30 手付解除
平12-7改

買主Ａと売主Ｂとの間で建物の売買契約を締結し、ＡはＢに手付を交付したが、その手付は解約手付である旨約定した。この場合、民法の規定及び判例によれば、次の記述のうち正しいものはどれか。

❶ 手付の額が売買代金の額に比べて僅少である場合には、本件約定は、効力を有しない。

❷ Ａが、売買代金の一部を支払う等売買契約の履行に着手した場合は、Ｂが履行に着手していないときでも、Ａは、本件約定に基づき手付を放棄して売買契約を解除することができない。

❸ Ａが本件約定に基づき売買契約を解除した場合で、Ａに債務不履行はなかったが、Ｂが手付の額を超える額の損害を受けたことを立証できるとき、Ｂは、その損害全部の賠償を請求することができる。

❹ Ｂが本件約定に基づき売買契約を解除する場合は、Ｂは、Ａに対して、単に口頭で手付の額の倍額を支払うことを告げて受領を催告するだけでは足りず、これを現実に提供しなければならない。

アプローチ

本問では、売主が「B」で、買主が「A」です。
右の関係図で確認してください。

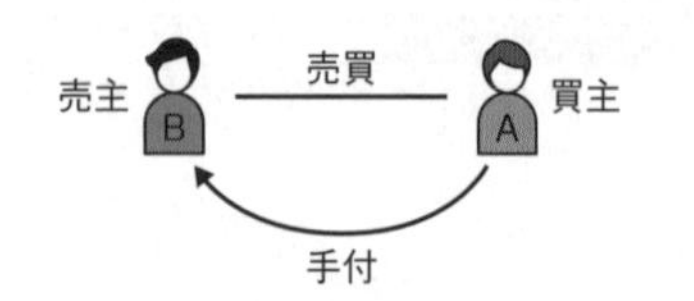

解説

❶ 誤り。 **手付の額**

手付の額については、民法では、特に制限はない。したがって、手付の額が売買代金の額に比べて少額であっても、解約手付である旨の約定は有効である。

❷ 誤り。 **解約手付による解除の時期**

解約手付による解除は、自ら履行に着手していても、相手方が履行に着手するまでの間はすることができる。したがって、Aは、自ら履行に着手していても、Bが履行に着手していなければ、売買契約を解除することができる。

❸ 誤り。 **解約手付による解除と損害賠償の請求**

解約手付による解除がされた場合、解除により損害を受けてもその賠償を請求することはできない。したがって、Bは、損害賠償を請求することができない。

❹ 正しい。**解約手付による解除の要件**

売主が解約手付により解除する場合、倍額を現実に提供する必要があり、受領を催告するだけでは足りない。

きほんの教科書 L7-5 復習

解答 ❹

31 売主の担保責任

令1-3

理解度チェック

業者ではないAが所有し居住している建物につきAB間で売買契約を締結するに当たり、Aは建物引渡しから3か月に限り担保責任を負う旨の特約を付けたが、売買契約締結時点において当該建物の構造耐力上主要な部分に不適合が存在しており、Aはそのことを知っていたがBに告げず、Bはそのことを知らなかった。この場合に関する次の記述のうち、民法の規定によれば、正しいものはどれか。なお、この問において「不適合」とは、引き渡された目的物が種類又は品質に関して契約の内容に適合しないものであることをいい、「担保責任」とは、当該不適合に関する民法第562条以下の規定に基づく責任をいう。

❶ Bが当該不適合の存在を建物引渡しから1年が経過した時に知り、当該不適合を知った時から1年を経過した後に不適合を知った旨をAに通知したときでも、BはAに対して担保責任を追及することができる。

❷ 建物の構造耐力上主要な部分の不適合については、債務の不履行がBの責めに帰すべき事由によるものであるか否かにかかわらず、Bは売買契約を解除することができる。

❸ Bが不適合を理由にAに対して損害賠償請求をすることができるのは、不適合を理由に売買契約を解除することができない場合に限られる。

❹ AB間の売買をBと媒介契約を締結した宅地建物取引業者Cが媒介していた場合には、BはCに対して担保責任を追及することができる。

本問は、問題文が長いのが特徴です。このような問題でも、図を描いて、「誰」と「誰」の「どんな権利関係」が問われているのかを的確に判断してください。

解説

❶ 正しい。**担保責任を負わない旨の特約**

売主は、**担保責任を負わない旨の特約**をしたときであっても、**知りながら告げなかった事実**、および自ら第三者のために設定し、または第三者に譲り渡した権利については、責任を免れることはできない。Aは、不適合を知っていながらBに告げていないので、当該不適合については、引渡しから3カ月に限り担保責任を負う旨の特約は無効になる。そして、**種類・品質に関する不適合**の場合、**買主**は、その**不適合を知った時から1年以内**にその旨を売主に**通知しないとき**は、原則として、担保責任を追及することができない。ただし、**売主**が引渡しの時にその**不適合を知り**、または**重大な過失によって知らなかったとき**は、買主は担保責任を追及することができる。本肢では、売主Aが不適合を知っているので、上記の期間制限は適用されない。このように、引渡しから3カ月に限る旨の特約は無効となり、期間制限の規定も適用されないので、買主Bは、売主Aに対して担保責任を追及することができる。

❷ 誤り。 **債務不履行について債権者に帰責事由がある場合**

担保責任における買主の損害賠償請求や解除は、**債務不履行の規定に基づく**。そして、**債務の不履行が債権者の責めに帰すべき事由**によるものであるときは、**債権者**は、**契約を解除**することができない。したがって、債務の不履行が債権者（買主）Bの責めに帰すべき事由によるものであるときは、Bは売買契約を解除することができない。

❸ 誤り。 **解除権の行使と損害賠償の請求**

解除権の行使は、**損害賠償の請求**を妨げない。つまり、解除権と損害賠償請求権とは両立するのが原則であり、本肢のような制限はない。したがって、Bは、解除した場合でも、損害賠償請求の要件を満たせば、その請求をすることができる。

❹ 誤り。 **売買契約における売主の担保責任**

売買契約における**担保責任**は売主の**負う責任**である。したがって、Bは、媒介をしたCに対して担保責任を追及することができない。

きほんの教科書 L8-2・3・4 復習

解答 ❶

32 令3-7改 売主の担保責任・債務不履行

学習優先度 高

理解度チェック

Ａを売主、Ｂを買主として、Ａ所有の甲自動車を50万円で売却する契約（以下この問において「本件契約」という。）が令和７年７月１日に締結された場合に関する次の記述のうち、民法の規定によれば、誤っているものはどれか。

❶ Bが甲自動車の引渡しを受けたが、甲自動車のエンジンに契約の内容に適合しない欠陥があることが判明した場合、BはAに対して、甲自動車の修理を請求することができる。

❷ Bが甲自動車の引渡しを受けたが、甲自動車に契約の内容に適合しない修理不能な損傷があることが判明した場合、BはAに対して、売買代金の減額を請求することができる。

❸ Bが引渡しを受けた甲自動車が故障を起こしたときは、修理が可能か否かにかかわらず、BはAに対して、修理を請求することなく、本件契約の解除をすることができる。

❹ 甲自動車について、第三者CがA所有ではなくC所有の自動車であると主張しており、Bが所有権を取得できないおそれがある場合、Aが相当の担保を供したときを除き、BはAに対して、売買代金の支払を拒絶することができる。

アプローチ

宅建試験では、ほとんどが「土地」「建物」がベースの問題です。本問のような「自動車」は稀の出題ですが、「土地」「建物」と同じに考えて問題を解きましょう。

解説

❶ 正しい。**売主の担保責任（履行の追完請求）**

引き渡された目的物が**種類**、**品質**または**数量**に関して**契約の内容に適合しないもの（契約不適合）**である場合は、買主は、売主に対し、目的物の修補、代替物の引渡しまたは不足分の引渡しによる**履行の追完**を請求することができる。したがって、BはAに対して、甲自動車の修理を請求できる。

❷ 正しい。**売主の担保責任（代金の減額請求）**

引き渡された目的物が**契約不適合**である場合において、買主が相当の期間を定めて履行の追完の**催告**をし、その期間内に**履行の追完がない**ときは、買主は、その不適合の程度に応じて**代金の減額を請求**することができる。ただし、**履行の追完が不能**であるなど一定の場合は、買主は、催告をすることなく、**直ちに代金の減額を請求**できる。したがって、甲自動車に契約の内容に適合しない修理不能な損傷がある場合、BはAに対して、（催告をすることなく、直ちに）売買代金の減額を請求できる。

❸ 誤り。 **債務不履行による解除**

債権者は、**債務者がその債務を履行しない**としても、債務の全部の履行が不能であるなど一定の場合を除き、**相当の期間**を定めて履行を催告し、**その期間内に履行がない**ときでなければ、**債務不履行を理由に契約を解除**することができない。したがって、甲自動車の修理が可能な場合には、BはAに対して、履行の催告として修理を請求したうえでなければ、本件契約の解除をすることができない。

❹ 正しい。**買主による代金の支払の拒絶**

売買の目的について権利を主張する者があるなどの事由により、買主がその買い受けた権利の全部・一部を取得することができず、または失うおそれがあるときは、買主は、売主が相当の担保を供したときを除き、その危険の程度に応じて、代金の全部・一部の支払を拒むことができる。

きほんの教科書 L7-4、L8-2 復習

解答 ❸

33 売買総合

令2追-7改

理解度チェック

Ａを売主、Ｂを買主として、令和７年７月１日に甲土地の売買契約（以下この問において「本件契約」という。）が締結された場合における次の記述のうち、民法の規定によれば、正しいものはどれか。

❶ 甲土地の実際の面積が本件契約の売買代金の基礎とした面積より少なかった場合、Ｂはそのことを知った時から2年以内にその旨をＡに通知しなければ、代金の減額を請求することができない。

❷ ＡがＢに甲土地の引渡しをすることができなかった場合、その不履行がＡの責めに帰することができない事由によるものであるときを除き、ＢはＡに対して、損害賠償の請求をすることができる。

❸ Ｂが売買契約で定めた売買代金の支払期日までに代金を支払わなかった場合、売買契約に特段の定めがない限り、ＡはＢに対して、年5%の割合による遅延損害金を請求することができる。

❹ 本件契約が、Ａの重大な過失による錯誤に基づくものであり、その錯誤が重要なものであるときは、Ａは本件契約の無効を主張することができる。

本問では、肢１と肢２は「売主の担保責任」、肢３は「金銭債務」、肢４は「意思表示」についてと、民法の知識が総合的に問われています。肢ごとに頭を切り替えて解答する能力が問われています。この手の問題で得点するためにも「基本的な知識」を正確に身につける必要があります。

解説

❶ 誤り。　数量に関する契約不適合責任の通知期間

数量に関する契約不適合責任には、種類・品質に関する契約不適合責任と異なり通知期間の制限はない。したがって、Bは、契約不適合があった旨をAに通知しなくても、代金の減額を請求することができる。なお、債権の消滅時効の規定（債権は、①債権者が権利を行使することができることを知った時から5年間行使しないとき、または、②権利を行使することができる時から10年間行使しないときは、時効によって消滅する）は適用される。

❷ 正しい。債務不履行による損害賠償請求

債務者がその債務の本旨に従った履行をしない場合または債務の履行が不能である場合には、その債務の不履行が債務者の責めに帰することができない事由によるものであるときを除き（＝債務不履行について債務者に帰責事由があるとき）、債権者は、これによって生じた損害の賠償を請求することができる。したがって、甲土地の引渡し債務の不履行がA（債務者）の責めに帰することができない事由によるものであるときを除き、B（債権者）はAに対して、損害賠償の請求をすることができる。

❸ 誤り。　法定利率は、原則、年3%（変動制）

利息を生ずべき債権について別段の意思表示がないときは、その利率は、その利息が生じた最初の時点における法定利率による。法定利率は、原則として年3%（変動制）である。したがって、売買契約に特段の定めがない限り、AはBに対して、年5%の割合による遅延損害金を請求することはできない。

❹ 誤り。　錯誤取消しの要件

意思表示の内容の重要な部分に錯誤があった場合、表意者は意思表示を取り消すことができる。ただし、表意者に重過失がある場合には、一定の場合を除き、意思表示の取消しをすることができない。したがって、Aは、そもそも本件契約の「無効」を主張することはできない。また、本件契約は「表意者であるAの重大な過失」による錯誤に基づくものであるので、結局Aは、本件契約の取消しを主張することもできない。

きほんの教科書 L1-3、L7-3、L8-2・3 復習

解答 ②

学習優先度 中

34 委任

令2-5改

理解度チェック

AとBとの間で令和7年7月1日に締結された委任契約において、委任者Aが受任者Bに対して報酬を支払うこととされていた場合に関する次の記述のうち、民法の規定によれば、正しいものはどれか。

❶ Aの責めに帰すべき事由によって履行の途中で委任が終了した場合、Bは報酬全額をAに対して請求することができるが、自己の債務を免れたことによって得た利益をAに償還しなければならない。

❷ Bは、契約の本旨に従い、自己の財産に対するのと同一の注意をもって委任事務を処理しなければならない。

❸ Bの責めに帰すべき事由によって履行の途中で委任が終了した場合、BはAに対して報酬を請求することができない。

❹ Bが死亡した場合、Bの相続人は、急迫の事情の有無にかかわらず、受任者の地位を承継して委任事務を処理しなければならない。

アプローチ

委任は、当事者の一方（委任者）が契約の締結などの法律行為をすることを相手方（受任者）に委託する契約のことです。以上を前提に問題を解きましょう。

解説

❶ 正しい。**委任者の帰責事由による履行不能**

債権者（委任者A）の帰責事由によって債務を履行することができなくなったときは、債権者は、反対給付の履行（報酬の支払）を拒むことができない。この場合において、債務者（受任者B）は、自己の債務を免れたことによって利益を得たときは、これを債権者に償還しなければならない。

❷ 誤り。 **受任者の注意義務**

受任者は、委任の本旨に従い、善良な管理者**の注意**をもって、**委任事務を処理する義務**（**善管注意義務**）を負う。「自己の財産に対するのと同一の注意」ではない。

❸ 誤り。 **割合的報酬請求**

委任が履行の**中途で終了**したときは、**受任者**は、既にした履行の割合に応じて**報酬を請求**（割合的報酬請求）することができる。したがって、Bの帰責事由による終了の場合でも、履行割合に応じた報酬を請求することができる。

❹ 誤り。 **委任の終了後の処分**

委任者または受任者の**死亡**は、委任契約の終了事由である。**委任が終了**した場合において、急迫の事情があるときは、受任者またはその**相続人**もしくは法定代理人は、委任者またはその相続人もしくは法定代理人が委任事務を処理することができるに至るまで、**必要な処分**をしなければならない。したがって、「急迫の事情の有無にかかわらず」とする本肢は誤り。

受任者の権利義務のまとめ

1. 受任者は、**特約がなければ**、委任者に対し**報酬を請求**することができない。
2. 委任者に**費用の前払請求**ができる。また、必要と認められる費用を支出したときは、その費用等の償還請求ができる。
3. 受任者は、**報酬の有無を問わず**、善管注意義務を負う。

解答 ❶

学習優先度 中

35 委任

平18-9

理解度チェック

民法上の委任契約に関する次の記述のうち、民法の規定によれば、誤っているものはどれか。

❶ 委任契約は、委任者又は受任者のいずれからも、いつでもその解除をすることができる。ただし、相手方に不利な時期に委任契約の解除をしたときは、相手方に対して損害賠償責任を負う場合がある。

❷ 委任者が破産手続開始決定を受けた場合、委任契約は終了する。

❸ 委任契約が委任者の死亡により終了した場合、受任者は、委任者の相続人から終了についての承諾を得るときまで、委任事務を処理する義務を負う。

❹ 委任契約の終了事由は、これを相手方に通知したとき、又は相手方がこれを知っていたときでなければ、相手方に対抗することができず、そのときまで当事者は委任契約上の義務を負う。

解説

❶ 正しい。委任の終了後の処分

当事者は、いつでも委任契約を解除することができる。ただし、相手方に不利な時期に解除をした場合には、やむを得ない事由があったときを除き、解除した者は、相手方の損害を賠償しなければならない。

❷ 正しい。委任の終了事由

委任者または受任者が破産手続開始の決定を受けた場合、委任契約は終了する。

❸ 誤り。　委任の終了事由

委任者または受任者の死亡は、委任契約の終了事由である。委任が終了した場合において、急迫の事情があるときは、受任者またはその相続人もしくは法定代理人は、委任者またはその相続人もしくは法定代理人が委任事務を処理することができるに至るまで、必要な処分をしなければならない。本肢は、急迫の事情があるときに限定していない点と、承諾を得るときまでとする点で誤り。

❹ 正しい。委任の終了の対抗要件

委任の終了事由は、相手方に通知したとき、または相手方が知っていたときでなければ、相手方に対抗することができない。そのときまで委任契約は存続するので、当事者は委任契約上の義務を負う。

ポイント整理

委任の終了事由のまとめ

	死亡	破産手続開始の決定	後見開始の審判
委任者	○	○	×
受任者	○	○	○

○＝委任が終了する　×＝終了しない

解答 ❸

36 事務管理

平30-5

理解度チェック

Ａは、隣人Ｂの留守中に台風が接近して、屋根の一部が壊れていたＢ宅に甚大な被害が生じる差し迫ったおそれがあったため、Ｂからの依頼なくＢ宅の屋根を修理した。この場合における次の記述のうち、民法の規定によれば、誤っているものはどれか。

❶ Ａは、Ｂに対して、特段の事情がない限り、Ｂ宅の屋根を修理したことについて報酬を請求することができない。

❷ Ａは、Ｂからの請求があったときには、いつでも、本件事務処理の状況をＢに報告しなければならない。

❸ Ａは、Ｂ宅の屋根を善良な管理者の注意をもって修理しなければならない。

❹ ＡによるＢ宅の屋根の修理が、Ｂの意思に反することなく行われた場合、ＡはＢに対し、Ａが支出した有益な費用全額の償還を請求することができる。

事務管理とは、たとえば、「Ａが、遊園地で迷子になっている他人Ｂの子供を親のもとにとどけるために管理事務所に行く」といったように、法律上の義務がないのに、他人のために仕事をすることをいいます。Ａを管理者、Ｂを本人といいます。

解説

❶ 正しい。**事務管理の報酬**

法律上の義務がないのに他人（本人）のために物事を行うことを事務管理といい、事務管理をしている者を管理者という。AはBからの依頼なくB宅の屋根を修理しているので、Aの行為は事務管理にあたる。事務管理には報酬請求権の規定がないので、**管理者**は、他の法律で報酬請求権が認められている場合等を除き、**報酬を請求することが**できない。したがって、Aは、特段の事情がない限り、報酬を請求することができない。

❷ 正しい。**事務処理状況を報告義務**

管理者は、本人の請求があるときは、いつでも**事務の処理の状況を**報告しなければならない。したがって、Aは、Bの請求があったときには、いつでも状況を報告しなければならない。

❸ 誤り。 **緊急事務管理における注意義務**

管理者は、本人の身体、名誉または財産に対する急迫の危害を免れさせるために事務管理をしたときは（緊急事務管理）、悪意または重大な過失がある場合に限り、損害賠償責任を負う。管理者は、通常は善良な管理者の注意義務を負うが、**緊急事務管理**の場合には、**注意義務が**軽減される。Aは、B宅に対する急迫の危害を免れさせるために修理をしたので、緊急事務管理に該当し、善良な管理者の注意義務を負わない。

❹ 正しい。**費用の償還請求**

管理者は、本人のために**有益な費用を支出**したときは、本人に対し、その**償還を請求することができる**。ただし、管理者が本人の意思に反して事務管理をしたときは、本人が現に利益を受けている限度に限られる。本肢では、Bの意思に反することなく修理が行われているので、Aは、有益な費用全額の償還を請求することができる。

きほんの教科書 L9-2 復習

解答 ❸

37 請負

令5-3

理解度チェック

Ａを注文者、Ｂを請負人として、Ａ所有の建物に対して独立性を有さずその構成部分となる増築部分の工事請負契約を締結し、Ｂは３か月間で増築工事を終了させた。この場合に関する次の記述のうち、民法の規定及び判例によれば、誤っているものはどれか。なお、この問において「契約不適合」とは品質に関して契約の内容に適合しないことをいい、当該請負契約には契約不適合責任に関する特約は定められていなかったものとする。

❶ ＡがＢに請負代金を支払っていなくても、Ａは増築部分の所有権を取得する。

❷ Ｂが材料を提供して増築した部分に契約不適合がある場合、Ａは工事が終了した日から１年以内にその旨をＢに通知しなければ、契約不適合を理由とした修補をＢに対して請求することはできない。

❸ Ｂが材料を提供して増築した部分に契約不適合があり、Ｂは不適合があることを知りながらそのことをＡに告げずに工事を終了し、Ａが工事終了日から３年後に契約不適合を知った場合、ＡはＢに対して、消滅時効が完成するまでは契約不適合を理由とした修補を請求することができる。

❹ 増築した部分にＡが提供した材料の性質によって契約不適合が生じ、Ｂが材料が不適当であることを知らずに工事を終了した場合、ＡはＢに対して、Ａが提供した材料によって生じた契約不適合を理由とした修補を請求することはできない。

アプローチ

自宅の新築を大工さんに頼むときに結ぶ契約が請負契約です。たとえば、「家を建てて引き渡してくれたら報酬を支払います」という契約を結びます。仕事を頼む人を注文者、頼まれる人を請負人といいます。

解説

❶ 正しい。**請負の完成建物の所有権の帰属**

不動産の所有者は、原則として、その不動産に従として付合した物の所有権を取得する。注文者所有の建物に対して独立性を有さずその構成部分となる増築部分の工事請負契約を締結した請負人が、増築工事を終了させた場合であっても、同様である。したがって、増築部分の工事請負契約の注文者Aは、請負人Bに請負代金を支払っているかどうかに関係なく、増築部分の所有権を取得する。

❷ 誤り。**請負人の担保責任の通知期間**

請負人が種類・品質に関して契約内容に適合しない仕事の目的物を注文者に引き渡した場合、注文者は、請負人に対して、損害賠償請求・解除・追完請求・報酬減額請求ができる（請負人の担保責任）。ただし、この場合において、注文者がその不適合を知った時から1年以内にその旨を請負人に通知しないときは、注文者は、その不適合を理由として、請負人の担保責任を追及できないとされている（担保責任の通知期間）。したがって、請負人の担保責任の通知期間は、「工事が終了した日から1年以内」ではない。

❸ 正しい。**請負人の担保責任の通知期間**

請負人が種類・品質に関して契約内容に適合しない仕事の目的物を注文者に引き渡した場合において、注文者がその不適合を知った時から1年以内にその旨を請負人に通知しないときは、注文者は、原則として、その不適合を理由として、請負人の担保責任を追及できない。ただし、仕事の目的物を注文者に引き渡した時において、請負人が不適合を知り、または重大な過失によって知らなかったときは、例外的に、請負人の担保責任を追及できる。

❹ 正しい。**請負人の担保責任の制限**

注文者が提供した材料の性質または注文者が与えた指図によって契約不適合が生じた場合、注文者は、請負人がその材料または指図が不適当であることを知りながら告げなかったときを除き、その不適合を理由として、担保責任を追及できない。本肢では、注文者Aが提供した材料の性質によって契約不適合が生じ、材料が不適当であることを請負人Bが知らずに工事を終了しているので、Aは、Bに対して、契約不適合を理由とした修補請求はできない。

贈与

理解度チェック

Aは、生活の面倒をみてくれている甥(おい)のBに、自分が居住している甲建物を贈与しようと考えている。この場合に関する次の記述のうち、民法の規定によれば、正しいものはどれか。

❶ AからBに対する無償かつ負担なしの甲建物の贈与契約が、書面によってなされた場合、Aはその履行前であれば贈与を解除することができる。

❷ AからBに対する無償かつ負担なしの甲建物の贈与契約が、書面によらないでなされた場合、Aが履行するのは自由であるが、その贈与契約は法的な効力を生じない。

❸ Aが、Bに対し、Aの生活の面倒をみることという負担を課して、甲建物を書面によって贈与した場合、甲建物の契約不適合については、Aはその負担の限度において、売主と同じく担保責任を負う。

❹ Aが、Bに対し、Aの生活の面倒をみることという負担を課して、甲建物を書面によって贈与した場合、Bがその負担をその本旨に従って履行しないときでも、Aはその贈与契約を解除することはできない。

贈与契約は、売買契約と同様、書面を作成しなくても契約は成立します。ただし、贈与では「書面を作成した場合」と「書面を作成しなかった場合」を別に扱っています。この視点で知識を整理し、問題を解いてみてください。

解説

❶ 誤り。　**書面による贈与の解除権**

贈与とは、タダで物をあげる契約である。贈与をする者（＝あげる側）を贈与者、贈与を受ける者（＝もらう側）を受贈者という。贈与も契約であることに変わりはないので、当事者は履行義務を負う。ただし、**書面によらない贈与**の場合、履行の終わっていない部分については、**解除することが**できる。本肢では、**書面による贈与**がされているので、Aは、贈与を解除することができない。

❷ 誤り。　**書面によらない贈与と履行義務**

書面によらない贈与をした場合でも、当事者は、解除をしなければ、履行義務を負う。したがって、「法的な効力を生じない」とする本肢は誤り。

❸ 正しい。**負担付贈与の担保責任**

贈与者は、贈与の目的である物または権利を、贈与の目的として特定した時の状態で引き渡し、または移転することを約したものと推定される。ただし、**負担付贈与**については、贈与者は、その**負担の限度**において、売主と同様に担保責任**を負う**。本肢では、負担付贈与がされているので、Aは、負担の限度において、売主と同じく担保責任を負う。

❹ 誤り。　**負担付贈与の解除権**

負担付贈与の場合、**受贈者が負担を履行しないときは**、贈与者は贈与契約を解除**することができる**。したがって、Bが負担を履行しないときは、Aは贈与契約を解除することができる。

きほんの教科書 L9-4 復習

解答 ❸

定型約款

学習優先度 低

定型約款に関する次の記述のうち、民法の規定によれば、誤っているものはどれか。

❶ 定型取引とは、ある特定の者が不特定多数の者を相手方として行う取引であって、その内容の全部又は一部が画一的であることがその双方にとって合理的なものをいう。

❷ 定型約款の条項のうち、相手方の権利を制限し、又は相手方の義務を加重する条項であって、その定型取引の態様及びその実情並びに取引上の社会通念に照らして民法第1条第2項に規定する基本原則に反して相手方の利益を一方的に害すると認められるものについては、合意をしなかったものとみなす。

❸ 定型取引をした者が定型約款の個別の条項についても合意したものとみなされるためには、定型約款準備者は、相手方の請求の有無にかかわらず、定型取引合意の前に定型約款の内容を示さなければならない。

❹ 定型約款準備者は、定型約款の変更が、相手方の一般の利益に適合するときには、定型約款の変更をすることにより、変更後の定型約款の条項について合意があったものとみなし、個別に相手方と合意をすることなく契約の内容を変更することができる。

アプローチ

現代社会では、鉄道やバスの運送のような大量の取引を迅速に行うため、詳細で画一的な取引条件等を定めた約款を用いることが必要です。このような場面で登場するのが定型約款です。

解説

❶ 正しい。**定型取引の意味**

定型取引とは、ある特定の者が不特定多数の者を**相手方として行う取引で**あって、その**内容の全部または一部が画一的であることがその双方にとって合理的なもの**をいう。

❷ 正しい。**定型約款の合意**

定型約款の条項のうち、**相手方の権利を制限**し、または**相手方の義務を加重する条項**であって、その定型取引の態様およびその実情ならびに取引上の社会通念に照らして民法1条2項に規定する基本原則（**信義則**）**に反して相手方の利益を一方的に害すると認められるもの**については、合意をしなかったものとみなされる。

❸ 誤り。 **定型約款の合意**

定型取引をした者が**定型約款の個別の条項についても合意**したものとみなされるためには、①**定型約款を契約の内容とする旨の合意**をするか、②定型約款を準備した者（以下「定型約款準備者」という。）があらかじめ**定型約款を契約の内容とする旨を相手方に**表示していることが必要である。また、定型約款準備者は、**相手方の請求**があった場合に**定型約款の内容を示さなければならない**。つまり、定型約款を使うという合意か表示に加え、請求があれば定型約款の内容を示せばよく、請求がなければ定型約款の内容を示さなくてもいい。

❹ 正しい。**定型約款の変更**

定型約款準備者は、①**定型約款の変更**が、**相手方の一般の利益に適合する**とき、②定型約款の変更が、契約をした目的に反せず、かつ、変更の必要性、変更後の内容の相当性、定型約款の変更をすることがある旨の定めの有無及びその内容その他の変更に係る事情に照らして合理的なものであるときには、定型約款の変更をすることにより、変更後の定型約款の条項について合意があったものとみなし、個別に相手方と合意をすることなく**契約の内容を変更を**することができる。

きほんの教科書 L9-5 復習

解答 ❸

物権変動

理解度チェック

所有権の移転又は取得に関する次の記述のうち、民法の規定及び判例によれば、正しいものはどれか。

❶ Aの所有する甲土地をBが時効取得した場合、Bが甲土地の所有権を取得するのは、取得時効の完成時である。

❷ Aを売主、Bを買主としてCの所有する乙建物の売買契約が締結された場合、BがAの無権利について善意無過失であれば、AB間で売買契約が成立した時点で、Bは乙建物の所有権を取得する。

❸ Aを売主、Bを買主として、丙土地の売買契約が締結され、代金の完済までは丙土地の所有権は移転しないとの特約が付された場合であっても、当該売買契約締結の時点で丙土地の所有権はBに移転する。

❹ AがBに丁土地を売却したが、AがBの強迫を理由に売買契約を取り消した場合、丁土地の所有権はAに復帰し、初めからBに移転しなかったことになる。

アプローチ

Aが所有する土地をBに売却して所有権がBに移転したり、Aの土地にCのために抵当権を設定した場合のように、物権の移転・設定をまとめて物権変動といいます。

解説

❶ 誤り。　時効の効果

時効の効果は、時効の起算点までさかのぼる。したがって、Bは甲土地の占有を開始した時に所有権を取得したことになる。

❷ 誤り。　無権利者からの譲渡

無権利者から買い受けても、所有権を取得しないのが原則である。Aは乙建物の所有権を有していないので、AB間で売買契約を締結しても、Bは原則として乙建物の所有権を取得しない。

❸ 誤り。　契約による所有権移転時期

契約による所有権移転の場合、所有権移転時期は、原則として契約時であるが、特約があれば、特約のとおりになる。したがって、本肢では、丙土地の所有権は、特約のとおり、代金の完済時にBに移転する。

❹ 正しい。契約の取消しと所有権

契約を取り消した場合、契約は最初からなかったことになる。したがって、AB間の売買契約を取り消すと、丁土地の所有権はAに戻り、初めからBに移転しなかったことになる。

きほんの教科書 L4-4、L10-1 復習

解答 ❹

物権変動

Aは、Aが所有している甲土地をBに売却した。この場合に関する次の記述のうち、民法の規定及び判例によれば、誤っているものはどれか。

❶ 甲土地を何らの権原なく不法占有しているCがいる場合、BがCに対して甲土地の所有権を主張して明渡請求をするには、甲土地の所有権移転登記を備えなければならない。

❷ Bが甲土地の所有権移転登記を備えていない場合には、Aから建物所有目的で甲土地を賃借して甲土地上にD名義の登記ある建物を有するDに対して、Bは自らが甲土地の所有者であることを主張することができない。

❸ Bが甲土地の所有権移転登記を備えないまま甲土地をEに売却した場合、Eは、甲土地の所有権移転登記なくして、Aに対して甲土地の所有権を主張することができる。

❹ Bが甲土地の所有権移転登記を備えた後に甲土地につき取得時効が完成したFは、甲土地の所有権移転登記を備えていなくても、Bに対して甲土地の所有権を主張することができる。

アプローチ

不動産の物権変動は、登記をしなければ、「第三者」に対抗することができません。

肢1ではBから見て「C」が第三者にあたるか、肢2ではBから見て「D」が第三者にあたるか、肢3ではEから見て「A」が第三者にあたるか、が問題となっています。これに対して、肢4は「時効取得者と時効完成前の第三者」の関係が問われています。いずれも一つ一つ丁寧に問題を分析しましょう。もちろん『図』を描いてです。

解説

❶ 誤り。　登記なくとも対抗できる「第三者」

不動産の物権変動は、登記をしなければ、「第三者」に対抗することができない。そして、不法占有者は、この「第三者」にあたらない。つまり、所有者は、登記をしなくても、不法占有者に対して所有権を主張することができる。本肢では、Bは、所有権移転登記を備えていなくても、Cに対して所有権を主張して明渡請求をすることができる。

❷ 正しい。登記がなければ対抗できない「第三者」

売主が所有している甲土地の賃借人は、上記の「第三者」にあたる。つまり、買主は、登記をしなければ、売主が所有している甲土地の賃借人に対して所有者であることを主張することができない。したがって、Bは、所有権移転登記を備えていない場合には、Dに対して所有者であることを主張することができない。

❸ 正しい。登記なくとも対抗できる「第三者」

転々移転の場合における前主は、上記の「第三者」にあたらない。つまり、後主は、登記をしなくても、前主に対して所有権を主張することができる。したがって、後主のEは、所有権移転登記なくして、前主Aに対して所有権を主張することができる。

❹ 正しい。時効取得者と時効完成前の第三者

時効取得者は、時効完成前の第三者に対しては、登記をしなくても、所有権を主張することができる。Bは、Fの時効完成前に売買契約を締結していると考えられるので、時効完成前の第三者である。したがって、Fは、所有権移転登記を備えていなくても、Bに対して所有権を主張することができる。

時効完成と第三者のまとめ

時効完成前の第三者との関係	時効完成後の第三者との関係
時効取得者は、登記がなくても、時効による所有権の取得を主張できる（＝**時効取得した者が勝つ**）	**登記を先にした者が勝つ**（第三者の善意悪意は関係なし）

きほんの教科書 L10-1・2 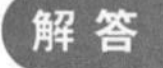

解答　❶

42 物権変動

平28-3改

理解度チェック

AがA所有の甲土地をBに売却した場合に関する次の記述のうち、民法の規定及び判例によれば、正しいものはどれか。

❶ Aが甲土地をBに売却する前にCにも売却していた場合、Cは所有権移転登記を備えていなくても、Bに対して甲土地の所有権を主張することができる。

❷ AがBの詐欺を理由に甲土地の売却の意思表示を取り消しても、取消しより前にBが甲土地をDに売却し、Dが所有権移転登記を備えた場合には、DがBの詐欺の事実を知っていたか否か等にかかわらず、AはDに対して甲土地の所有権を主張することができない。

❸ Aから甲土地を購入したBは、所有権移転登記を備えていなかった。Eがこれに乗じてBに高値で売りつけて利益を得る目的でAから甲土地を購入し所有権移転登記を備えた場合、EはBに対して甲土地の所有権を主張することができない。

❹ AB間の売買契約が、Bが法律行為の基礎とした事情についてのその認識が真実に反する錯誤により締結されたものである場合、Bが所有権移転登記を備えていても、AはBの錯誤を理由にAB間の売買契約を取り消すことができる。

アプローチ

事例問題では特に「何」が問われているか？　を事例を分析して見極めることが重要です。一つ一つ丁寧に『図』を描いて事例を分析しましょう。特に、物権変動では「問われている知識」は多くないのですが、事例分析ができないと正誤の判断ができません。肢2では、「D」を詐欺取消前の第三者と判断するか詐欺取消後の第三者と判断するかにより結論が違います。

解説

❶ 誤り。　不動産の二重譲渡と登記

不動産の二重譲渡の場合、一方の買主は、登記をしなければ他方の買主に対して所有権を主張することができない。売買契約の先後は関係ない。したがって、Cは、登記を備えなければ、Bに対して甲土地の所有権を主張することができない。

❷ 誤り。　取消権者と詐欺取消前の第三者

取消前の第三者に対して詐欺を理由とする取消しを対抗することができるかどうかは、第三者が善意無過失かどうかで決まる。第三者の登記の有無は関係ない。したがって、Dが登記を備えていても、Dが善意有過失か悪意であれば、AはDに対して甲土地の所有権を主張することができる。

❸ 正しい。登記なくとも対抗できる「第三者」

背信的悪意者に対しては、登記がなくても、所有権を対抗することができる。Eは「Bに高値で売りつけて利益を得る目的」で甲土地を購入しているので、背信的悪意者である。したがって、Bは、登記を備えていなくてもEに対して甲土地の所有権を主張することができる。言い換えれば、EはBに対して甲土地の所有権を主張することができない。

❹ 誤り。　錯誤取消の取消権者

錯誤を理由とする取消しは、本人、代理人、承継人（相続人など）に限り行うことができる。したがって、相手方Aは、Bの錯誤を理由として売買契約を取り消すことができない。

詐欺取消しと第三者のまとめ

詐欺取消前の第三者との関係	詐欺取消後の第三者との関係
詐欺による取消しは、善意無過失の第三者には主張できない	登記を先にした者が勝つ（第三者の善意悪意は関係なし）

きほんの教科書 L1-3、L10 復習

解答 ❸

43 物権変動

令3追-6

学習優先度 高

理解度チェック

不動産に関する物権変動の対抗要件に関する次の記述のうち、民法の規定及び判例によれば、誤っているものはどれか。

❶ 不動産の所有権がAからB、BからC、CからDと転々譲渡された場合、Aは、Dと対抗関係にある第三者に該当する。

❷ 土地の賃借人として当該土地上に登記ある建物を所有する者は、当該土地の所有権を新たに取得した者と対抗関係にある第三者に該当する。

❸ 第三者のなした登記後に時効が完成して不動産の所有権を取得した者は、当該第三者に対して、登記を備えなくても、時効取得をもって対抗することができる。

❹ 共同相続財産につき、相続人の一人から相続財産に属する不動産につき所有権の全部の譲渡を受けて移転登記を備えた第三者に対して、他の共同相続人は、自己の持分を登記なくして対抗することができる。

アプローチ

物権変動は問われている知識はシンプルでも、事例が複雑です。「図」を描いて事例を整理しながら問題を解きましょう。

解説

❶ 誤り。　転々譲渡における前主と後主の関係

不動産に関する所有権の取得は、原則として、登記をしなければ、第三者に対抗できない。このような、登記がなければ対抗できない「第三者」のことを「対抗関係にある第三者」というが、不動産の転々譲渡の場合における前主は、後主と「対抗関係にある第三者」に該当しない。この場合、後主は、前主に対しては、登記がなくても、所有権を主張できる。

❷ 正しい。借地権者と土地の新所有者との関係

土地の賃借人として当該土地上に登記ある建物を所有する者（借地権者）は、当該土地の所有権を新たに取得した者と「対抗関係にある第三者」に該当する。この場合、土地の新所有者（新賃貸人）は、登記を備えなければ、賃貸人たる地位の移転を土地の賃借人に対抗できない。

❸ 正しい。時効取得者と時効完成前の第三者との関係

第三者のなした登記後に時効が完成して不動産の所有権を取得しているので、当該第三者は、時効完成前の第三者である。時効取得した者は、時効完成前の第三者に対しては、登記がなくても、時効取得を対抗できる。

❹ 正しい。相続と登記

相続財産に属する不動産の所有権の全部を譲渡した共同相続人の1人は、他の共同相続人の持分については無権利である。したがって、この者から譲渡を受けた第三者は、移転登記を備えていても、他の共同相続人の持分については無権利である。そして、無権利者に対しては、登記がなくても、所有権の取得を対抗できる。したがって、この第三者に対して、他の共同相続人は、自己の持分を登記なくして対抗できる。

登記の要否のまとめ

1. 不動産に関する所有権の取得は、当事者間では、登記がなくても対抗できる。
2. 不動産に関する所有権の取得は、原則として、登記をしなければ、第三者に対抗できない。この場合、第三者の善意・悪意は関係ない。

きほんの教科書 L10-1・2・3 復習

解答 ❶

物権変動

AがBから甲土地を購入したところ、甲土地の所有者を名のるCがAに対して連絡してきた。この場合における次の記述のうち、民法の規定及び判例によれば、正しいものはどれか。

❶ CもBから甲土地を購入しており、その売買契約書の日付とBA間の売買契約書の日付が同じである場合、登記がなくても、契約締結の時刻が早い方が所有権を主張することができる。

❷ 甲土地はCからB、BからAと売却されており、CB間の売買契約がBの強迫により締結されたことを理由として取り消された場合には、BA間の売買契約締結の時期にかかわらず、Cは登記がなくてもAに対して所有権を主張することができる。

❸ Cが時効により甲土地の所有権を取得した旨主張している場合、取得時効の進行中にBA間で売買契約及び所有権移転登記がなされ、その後に時効が完成しているときには、Cは登記がなくてもAに対して所有権を主張することができる。

❹ Cは債権者の追及を逃れるために売買契約の実態はないのに登記だけBに移し、Bがそれに乗じてAとの間で売買契約を締結した場合には、CB間の売買契約が存在しない以上、Aは所有権を主張することができない。

アプローチ

肢2の強迫による取消しの事例では、Cが「取消前の第三者」の場合と、「取消後の第三者」の場合を考えることができたか確認しましょう。

解説

❶ 誤り。　不動産の二重譲渡の優劣

不動産の二重譲渡の場合、一方の買主は、登記をしなければ他方の買主に対して所有権を主張することができない。契約締結の先後は関係ない。したがって、契約締結の時刻が早くても、登記がなければ、所有権を主張することはできない。

❷ 誤り。　取消権者と第三者

強迫による取消しは、取消前の第三者に対しては対抗することができるが、取消後の第三者との関係は、登記の先後で決まる。したがって、BA間の売買契約締結がCの取消しより後の場合（＝Aが取消後の第三者の場合）には、Cは登記がなければAに対して所有権を主張することができない。したがって、「BA間の売買契約締結の時期にかかわらず」とする本肢は誤り。

❸ 正しい。時効取得者と時効完成前の第三者

時効取得した者は、時効完成前の第三者に対しては、登記がなくても時効取得を対抗することができる。Aは、Cの時効完成前に売買契約をしているので、時効完成前の第三者である。したがって、Cは、時効が完成すれば、登記がなくてもAに対して所有権を主張することができる。

❹ 誤り。　虚偽の外観を作出した所有者と第三者

所有者が、他人名義の登記という虚偽の外観を作り出した場合には、虚偽表示の場合と同様に考えて、善意の第三者に対しては所有権を主張することができない。Cは、B名義の登記という虚偽の外観を作り出しているので、第三者Aは、善意であれば所有権を主張することができる。捨

ポイント整理

強迫取消しと第三者のまとめ

強迫取消前の第三者との関係	強迫取消後の第三者との関係
強迫による取消しは、善意無過失の第三者にも主張できる	登記を先にした者が勝つ（第三者の善意悪意は関係なし）

きほんの教科書 L10-1・2 復習

解答 ③

45 物権変動

令4-1

次の１から４までの記述のうち、民法の規定、判例及び下記判決文によれば、正しいものはどれか。

（判決文）

所有者甲から乙が不動産を買い受け、その登記が未了の間に、丙が当該不動産を甲から二重に買い受け、更に丙から転得者丁が買い受けて登記を完了した場合に、たとい丙が背信的悪意者に当たるとしても、丁は、乙に対する関係で丁自身が背信的悪意者と評価されるのでない限り、当該不動産の所有権取得をもって乙に対抗することができるものと解するのが相当である。

❶ 所有者ＡからＢが不動産を買い受け、その登記が未了の間に、Ｃが当該不動産をＡから二重に買い受けて登記を完了した場合、Ｃは、自らが背信的悪意者に該当するときであっても、当該不動産の所有権取得をもってＢに対抗することができる。

❷ 所有者ＡからＢが不動産を買い受け、その登記が未了の間に、背信的悪意者ではないＣが当該不動産をＡから二重に買い受けた場合、先に買い受けたＢは登記が未了であっても当該不動産の所有権取得をもってＣに対抗することができる。

❸ 所有者ＡからＢが不動産を買い受け、その登記が未了の間に、背信的悪意者であるＣが当該不動産をＡから二重に買い受け、更にＣから転得者Ｄが買い受けて登記を完了した場合、ＤもＢに対する関係で背信的悪意者に該当するときには、Ｄは当該不動産の所有権取得をもってＢに対抗することができない。

❹ 所有者ＡからＢが不動産を買い受け、その登記が未了の間に、Ｃが当該不動産をＡから二重に買い受け登記を完了した場合、Ｃが背信的悪意者に該当しなくてもＢが登記未了であることにつき悪意であるときには、Ｃは当該不動産の所有権取得をもってＢに対抗することができない。

解説

❶ 誤り。　**不動産の二重譲渡と登記**

背信的悪意者に対しては、登記がなくても、不動産の所有権取得を対抗（主張）できる。したがって、Bは、登記が未了の間でも、背信的悪意者Cに対して、不動産の所有権取得を対抗できる。その反面、Cは、登記を完了したとしても、不動産の所有権取得をBに対抗できない。

❷ 誤り。　**不動産の二重譲渡と登記**

不動産の所有権取得を第三者に対抗するには、原則として、**登記が必要である。売買契約の先後は関係ない。**したがって、先に買い受けたBであっても、登記が未了であれば、不動産の所有権取得を後に買い受けたCに対抗できない。

❸ 正しい。**不動産の二重譲渡と登記**

判決文は、「丁（転得者）は、乙（第一の買主）に対する関係で**丁自身が背信的悪意者と評価されるのでない限り、当該不動産の所有権取得をもって乙に対抗することができる**」としている。逆にいえば、第二の買主Cだけでなく転得者Dも第一の買主Bに対する関係で背信的悪意者に該当するときは、Dは、登記を完了したとしても、不動産の所有権取得をBに対抗できないことになる。

❹ 誤り。　**不動産の二重譲渡と登記**

不動産の所有権取得は、原則として、**登記をしなければ、第三者に対抗できない。第三者の善意・悪意は関係ない。**したがって、登記を完了したCが単なる悪意の場合、登記未了のBはCに不動産の所有権取得を対抗できず、その反面、CはBに対抗できる。

きほんの教科書 L10-1 復習

解答 ❸

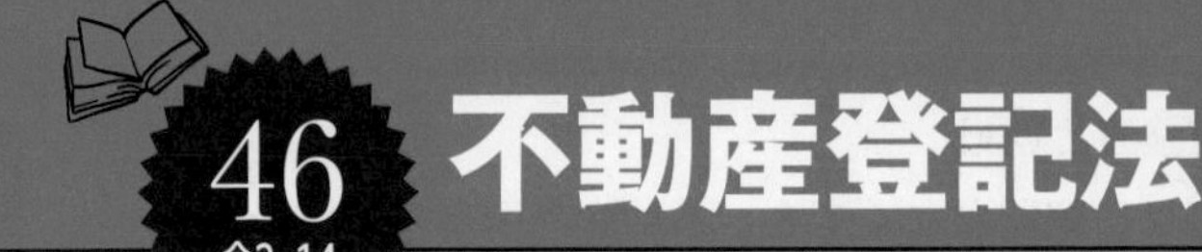

不動産の登記に関する次の記述のうち、不動産登記法の規定によれば、正しいものはどれか。

❶ 敷地権付き区分建物の表題部所有者から所有権を取得した者は、当該敷地権の登記名義人の承諾を得なければ、当該区分建物に係る所有権の保存の登記を申請することができない。

❷ 所有権に関する仮登記に基づく本登記は、登記上の利害関係を有する第三者がある場合であっても、その承諾を得ることなく、申請することができる。

❸ 債権者Ａが債務者Ｂに代位して所有権の登記名義人ＣからＢへの所有権の移転の登記を申請した場合において、当該登記を完了したときは、登記官は、Ａに対し、当該登記に係る登記識別情報を通知しなければならない。

❹ 配偶者居住権は、登記することができる権利に含まれない。

アプローチ

不動産登記法は細かい知識からの出題もあります。最初は分からなくても、2回3回と解きながら知識を身に付けましょう。

解説

❶ 正しい。所有権の保存の登記

区分建物の場合、表題部所有者から所有権を取得した者も、所有権の保存の登記を申請することができる。この場合、敷地権付き区分建物であるときは、当該敷地権の登記名義人の承諾を得なければならない。

❷ 誤り。 所有権に関する仮登記に基づく本登記の申請

所有権に関する仮登記に基づく本登記は、登記上の利害関係を有する第三者がある場合には、当該第三者の承諾があるときに限り、申請することができる。

❸ 誤り。 登記識別情報の通知

登記識別情報の通知が必要なのは、申請人自らが登記名義人になる場合である。本肢では、Bへの所有権の移転の登記を申請しているので、登記名義人になるのはBである。ところが、申請人はAなので、「申請人自らが登記名義人になる場合」にあたらない。したがって、Aへの登記識別情報の通知は必要ない。捨

❹ 誤り。 登記することができる権利

配偶者居住権は、登記することができる権利に含まれている。

登記することができる権利

登記することができる権利は、**所有権**、地上権、永小作権、地役権、先取特権、質権、**抵当権**、**賃借権**、**配偶者居住権**、採石権がある。なお、配偶者短期居住権は含まれない。

きほんの教科書 L11-1・2・6 復習

解答 ❶

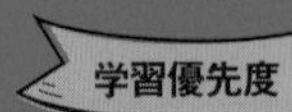

47 不動産登記法

平28-14

不動産の登記に関する次の記述のうち、不動産登記法の規定によれば、誤っているものはどれか。

❶ 新築した建物又は区分建物以外の表題登記がない建物の所有権を取得した者は、その所有権の取得の日から1月以内に、所有権の保存の登記を申請しなければならない。

❷ 登記することができる権利には、抵当権及び賃借権が含まれる。

❸ 建物が滅失したときは、表題部所有者又は所有権の登記名義人は、その滅失の日から1月以内に、当該建物の滅失の登記を申請しなければならない。

❹ 区分建物の所有権の保存の登記は、表題部所有者から所有権を取得した者も、申請することができる。

アプローチ

問題を読む際、「表示に関する登記」の問題か、「権利に関する登記」の問題かを意識するとケアレスミスが防げます。

解説

❶ 誤り。　表示に関する登記（表題登記）

新築した建物または区分建物以外の表題登記がない建物の所有権を取得した者は、その所有権の取得の日から１カ月以内に、表題登記を申請しなければならない。「所有権の保存の登記」ではない。

❷ 正しい。登記することができる権利

登記することができる権利は、所有権、地上権、永小作権、地役権、先取特権、質権、抵当権、賃借権、配偶者居住権、採石権である。

❸ 正しい。表示に関する登記（建物の滅失の登記の申請）

建物が滅失したときは、表題部所有者または所有権の登記名義人は、その滅失の日から１カ月以内に、当該建物の滅失の登記を申請しなければならない。

❹ 正しい。権利に関する登記（所有権の保存の登記）

区分建物にあっては、表題部所有者から所有権を取得した者も、所有権の保存の登記を申請することができる。

ポイント整理

表示に関する登記（申請義務が課せられる場合）

どんな場合	誰が	いつまでに
新たに生じた土地・表題登記がない土地の所有権を取得	所有権を取得した者	所有権の取得の日から１カ月以内
新築した建物・区分建物以外の表題登記がない建物の所有権を取得	所有権を取得した者	所有権の取得の日から１カ月以内
建物が滅失	・表題部所有者 ・所有権の登記名義人	滅失の日から１カ月以内

きほんの教科書 L11-1・2・3 復習

解答 ❶

48 平30-14 不動産登記法

理解度チェック

不動産の登記に関する次の記述のうち、誤っているものはどれか。

❶ 登記は、法令に別段の定めがある場合を除き、当事者の申請又は官庁若しくは公署の嘱託がなければ、することができない。

❷ 表示に関する登記は、登記官が、職権ですることができる。

❸ 所有権の登記名義人は、建物の床面積に変更があったときは、当該変更のあった日から1月以内に、変更の登記を申請しなければならない。

❹ 所有権の登記名義人は、その住所について変更があったときは、当該変更のあった日から1月以内に、変更の登記を申請しなければならない。

アプローチ

普段の学習で、「表示に関する登記」の問題か、「権利に関する登記」の問題かを意識すると、知識の整理がしやすくなります。

解説

❶ 正しい。**権利に関する登記（申請主義）**

登記は、法令に別段の定めがある場合を除き、当事者の申請または官庁もしくは公署の嘱託がなければ、することができない。この場合の「法令に別段の定め」とは、職権による表示に関する登記（肢2）などのことを指す。

❷ 正しい。**表示に関する登記（登記官の職権に基づく登記）**

表示に関する登記は、登記官が、職権ですることができる。

❸ 正しい。**表示に関する登記（申請義務が課せられる場合）**

建物の種類・構造・床面積などに変更があったときは、表題部所有者または所有権の登記名義人は、当該変更のあった日から1カ月以内に、変更の登記を申請しなければならない。

❹ 誤り。　**権利に関する登記（申請主義）**

所有権の登記名義人の住所の変更の登記は、権利に関する登記なので、申請義務は課されていない。

ポイント整理

表示に関する登記と権利に関する登記のまとめ

表示に関する登記	①当事者の申請または官庁もしくは公署の嘱託に基づく登記 ②登記官の職権に基づく登記	一定の場合に申請義務あり	
権利に関する登記	当事者の申請または官庁もしくは公署の嘱託に基づく登記	原則	申請義務なし
		例外	相続登記は、申請義務あり

きほんの教科書 L11-3 復習

解答 ❹

49 不動産登記法

平20-16

理解度チェック

不動産の登記の申請に関する次の記述のうち、誤っているものはどれか。

❶ 所有権に関する仮登記に基づく本登記は、登記上の利害関係を有する第三者がある場合には、当該第三者の承諾があるときに限り、申請することができる。

❷ 仮登記の登記義務者の承諾がある場合であっても、仮登記権利者は単独で当該仮登記の申請をすることができない。

❸ 二筆の土地の表題部所有者又は所有権の登記名義人が同じであっても、持分が相互に異なる土地の合筆の登記は、申請することができない。

❹ 二筆の土地の表題部所有者又は所有権の登記名義人が同じであっても、地目が相互に異なる土地の合筆の登記は、申請することができない。

解説

❶ 正しい。所有権に関する仮登記に基づく本登記の申請

所有権に関する仮登記に基づく本登記は、登記上の利害関係を有する第三者がある場合には、当該第三者の承諾があるときに限り、申請することができる。

❷ 誤り。 仮登記の申請

権利に関する登記は、原則として、登記義務者と登記権利者が共同で申請しなければならない（共同申請主義）。ただし、仮登記の登記義務者の承諾があるときは、単独で仮登記の申請をすることができる。

❸ 正しい。合筆できない場合

持分が相互に異なる土地について合筆をすることはできない。

❹ 正しい。合筆できない場合

地目が相互に異なる土地について合筆をすることはできない。

共同申請主義の例外

単独で登記を申請することができる場合
①相続・合併による権利の移転の登記
②所有権保存登記
③所有権の抹消登記（所有権移転登記がなされていない所有権の登記（所有権保存登記）を抹消する場合）
④登記名義人の氏名・名称・住所の変更・更正の登記
⑤判決（登記手続きを命じる確定判決）による登記
⑥相続人に対する遺贈による所有権の移転の登記
⑦仮登記（仮登記義務者の承諾がある場合）
⑧仮登記の抹消登記
⑨信託に関する登記

合筆できない場合

合筆できない場合
①相互に接続していない土地の合筆の登記
②地目・地番区域が相互に異なる土地の合筆の登記
③表題部所有者・所有権の登記名義人が相互に異なる土地の合筆の登記
④所有権の登記がない土地と所有権の登記がある土地との合筆の登記

解答 ❷

抵当権

理解度チェック

抵当権に関する次の記述のうち、民法の規定及び判例によれば、正しいものはどれか。

❶ 債権者が抵当権の実行として担保不動産の競売手続をする場合には、被担保債権の弁済期が到来している必要があるが、対象不動産に関して発生した賃料債権に対して物上代位をしようとする場合には、被担保債権の弁済期が到来している必要はない。

❷ 抵当権の対象不動産が借地上の建物であった場合、特段の事情がない限り、抵当権の効力は当該建物のみならず借地権についても及ぶ。

❸ 対象不動産について第三者が不法に占有している場合、抵当権は、抵当権設定者から抵当権者に対して占有を移転させるものではないので、事情にかかわらず抵当権者が当該占有者に対して妨害排除請求をすることはできない。

❹ 抵当権について登記がされた後は、抵当権の順位を変更することはできない。

抵当権の登場人物を確認しましょう。右の図は肢2を図示したものです。

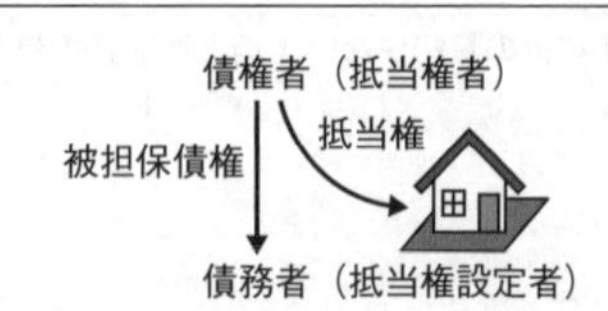

解説

❶ 誤り。　物上代位

抵当権の実行として競売手続をする場合も、賃料債権に対して物上代位をする場合も、被担保債権が債務不履行になっていることが必要である。したがって、「物上代位をしようとする場合には、被担保債権の弁済期が到来している必要はない」とする本肢は誤り。

❷ 正しい。抵当権の効力が及ぶ範囲

借地上の建物に対する抵当権は、特段の事情がない限り、借地権にも及ぶ。この場合、借地権がなければ建物を建てておけないので、借地権にも抵当権の効力が及ぶことにして一緒に競売できるようにしているのである。

❸ 誤り。　抵当権に基づく妨害排除請求

第三者が不動産を不法占有することにより、不動産の交換価値の実現が妨げられ抵当権者の優先弁済請求権の行使が困難となるような状態があるときは、抵当権者は、抵当権に基づく妨害排除請求をすることができる。したがって、「事情にかかわらず抵当権者が当該占有者に対して妨害排除請求をすることはできない」とする本肢は誤り。

❹ 誤り。　抵当権の順位の変更

同一の不動産について数個の抵当権が設定されたときは、その抵当権の順位は、登記の前後による。抵当権の順位は、各抵当権者の合意によって変更することができる。ただし、利害関係を有する者があるときは、その承諾を得なければならない。

ステップアップ

順位上昇の原則

同一不動産に数個の抵当権が設定された場合（第一順位抵当権者A、第二順位抵当権者B、第三順位抵当権者C）に、第一順位の抵当権の被担保債権が全額弁済されれば、第一順位の抵当権は、消滅する。この場合、後順位抵当権の順位が上昇し、第二順位が第一順位に、第三順位が第二順位（第一順位B、第二順位C）となる（順位上昇の原則）。

きほんの教科書 L12-2・7 復習

解答 ❷

抵当権

物上代位に関する次の記述のうち、民法の規定及び判例によれば、誤っているものはどれか。なお、物上代位を行う担保権者は、物上代位の対象とする目的物について、その払渡し又は引渡しの前に差し押さえるものとする。

❶ Aの抵当権設定登記があるB所有の建物の賃料債権について、Bの一般債権者が差押えをした場合には、Aは当該賃料債権に物上代位することができない。

❷ Aの抵当権設定登記があるB所有の建物の賃料債権について、Aが当該建物に抵当権を実行していても、当該抵当権が消滅するまでは、Aは当該賃料債権に物上代位することができる。

❸ Aの抵当権設定登記があるB所有の建物が火災によって焼失してしまった場合、Aは、当該建物に掛けられた火災保険契約に基づく損害保険金請求権に物上代位することができる。

❹ Aの抵当権設定登記があるB所有の建物について、CがBと賃貸借契約を締結した上でDに転貸していた場合、Aは、CのDに対する転貸賃料債権に当然に物上代位することはできない。

肢４を図示すると右の図のようになります。

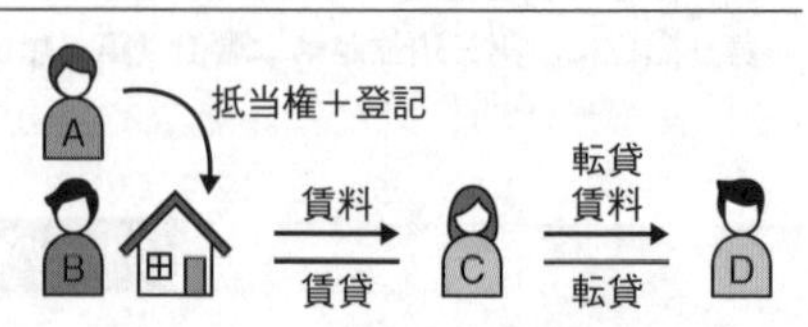

解説

❶ 誤り。 **物上代位の要件**

一般債権者が賃料債権を差し押さえた後でも、抵当権者は、当該賃料債権を差し押さえて物上代位することができる。

❷ 正しい。**物上代位の要件**

抵当権が実行されている場合でも、当該抵当権が消滅するまでの間は、賃料債権に対して物上代位することができる。

❸ 正しい。**物上代位の対象（保険金請求権）**

抵当権の目的物に掛けられた保険の保険金請求権は、物上代位の対象に含まれる。

❹ 正しい。**物上代位の対象（転貸賃料債権）**

抵当権者は、原則として、転貸賃料債権に対しては物上代位できない。なぜなら、賃貸人（本問では抵当権設定者B）は自分の建物に抵当権を設定しているので、自分が受け取るはずの賃料を抵当権者に差し押さえられても仕方がないが、賃借人（本問では転貸人C）は自分が抵当権を負担しているわけではないので、自分が受け取るはずの転貸賃料を抵当権者に持って行かれる理由がないからである。したがって、Aは、原則としてCのDに対する転貸賃料債権には物上代位することができない。

物上代位の対象のまとめ

1. 抵当権者は、**保険金請求権**、**賃料債権**等に対して、**物上代位**することができる。ただし、その払渡しの前に差押えをしなければならない。
2. **転貸賃料債権**に対しては、原則として、**物上代位することはできない**。

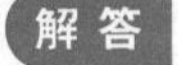

52 平23-6改 抵当権・相殺・債権譲渡

理解度チェック

Ａは自己所有の甲建物をＢに賃貸し賃料債権を有している。この場合における次の記述のうち、民法の規定及び判例によれば、正しいものはどれか。

❶ Ａの債権者Ｃが、ＡのＢに対する賃料債権を差し押さえた場合、Ｂは、その差し押さえ前に取得していたＡに対する債権と、差し押さえにかかる賃料債務とを、その弁済期の先後にかかわらず、相殺適状になった段階で相殺し、Ｃに対抗することができる。

❷ 甲建物の抵当権者Ｄが、物上代位権を行使してＡのＢに対する賃料債権を差し押さえた場合、Ｂは、Ｄの抵当権設定登記の後に取得したＡに対する債権と、差し押さえにかかる賃料債務とを、相殺適状になった段階で相殺し、Ｄに対抗することができる。

❸ 甲建物の抵当権者Ｅが、物上代位権を行使してＡのＢに対する賃料債権を差し押さえた場合、その後に賃貸借契約が終了し、目的物が明け渡されたとしても、Ｂは、差し押さえにかかる賃料債務につき、敷金の充当による当然消滅を、Ｅに対抗することはできない。

❹ ＡがＢに対する賃料債権をＦに適法に譲渡し、その旨をＢに通知したときは、通知より前にＢがＡに対する債権を有しており相殺適状になっていたとしても、Ｂは、通知後はその債権と譲渡にかかる賃料債務とを相殺することはできない。

本問は抵当権と相殺・債権譲渡を問う、いわゆる総合問題です。一つ一つ事例を図示し整理して、知識を確認しながら解き進めてください。

解説

❶ 正しい。相殺（受働債権の差押えと相殺）

受働債権が差し押さえられた場合、差押え前に自働債権を取得していれば、弁済期の先後にかかわらず、相殺適状になった段階で相殺し、差押債権者に対抗することができる。Bは受働債権である賃料債権の差押え前にAに対する自働債権を取得しているので、相殺適状になった段階で相殺し、Cに対抗することができる。

❷ 誤り。 抵当権（物上代位権に基づく賃料債権の差押えと相殺の優劣）

抵当権者による物上代位権に基づく賃料債権の差押えと、賃料債権の債務者による相殺との優劣は、抵当権設定登記と賃料債権の債務者による自働債権の取得の先後により決まる。本肢では、Bは、Dの抵当権設定登記後に、Aに対して債権を取得しているので、Dに相殺を対抗することができない。

❸ 誤り。 抵当権（賃料債権の差押えと敷金への充当の優劣）

抵当権者による物上代位権に基づく賃料債権の差押えがあった後に、賃貸借契約が終了し目的物が明け渡された場合、賃料債権は敷金が充当される限度で当然消滅し、賃借人はそのことを抵当権者に対抗できる。すなわち、明渡時に敷金は未払の賃料債務に充当され、その分の賃料債務と敷金返還請求権が当然に消滅するので、賃借人は残りの賃料のみを抵当権者に支払えばすむ。

❹ 誤り。 債権譲渡（債権の譲渡における債務者の抗弁）

債務者は、対抗要件具備時より前に取得した譲渡人に対する債権による相殺をもって譲受人に対抗することができる。したがって、受働債権の対抗要件具備時より前に自働債権を取得していれば、相殺を対抗することができる。本肢では、通知より前にBがAに対して自働債権を有しているので、Bは相殺することができる。

キーワード 敷金とは？

敷金とは、いかなる名目によるかを問わず、賃料債務など賃貸借に基づいて生ずる賃借人の賃貸人に対する債務を担保する目的で、賃借人が賃貸人に交付する金銭をいう。

きほんの教科書 L6-5・6、L12-3 復習

解答 ❶

53 平30-6 抵当権

学習優先度 高

理解度チェック

Ａが所有する甲土地上にＢが乙建物を建築して所有権を登記していたところ、ＡがＢから乙建物を買い取り、その後、Ａが甲土地にＣのために抵当権を設定し登記した。この場合の法定地上権に関する次の記述のうち、民法の規定及び判例によれば、誤っているものはどれか。

❶ Ａが乙建物の登記をＡ名義に移転する前に甲土地に抵当権を設定登記していた場合、甲土地の抵当権が実行されたとしても、乙建物のために法定地上権は成立しない。

❷ Ａが乙建物を取り壊して更地にしてから甲土地に抵当権を設定登記し、その後にＡが甲土地上に丙建物を建築していた場合、甲土地の抵当権が実行されたとしても、丙建物のために法定地上権は成立しない。

❸ Ａが甲土地に抵当権を設定登記するのと同時に乙建物にもＣのために共同抵当権を設定登記した後、乙建物を取り壊して丙建物を建築し、丙建物にＣのために抵当権を設定しないまま甲土地の抵当権が実行された場合、丙建物のために法定地上権は成立しない。

❹ Ａが甲土地に抵当権を設定登記した後、乙建物をＤに譲渡した場合、甲土地の抵当権が実行されると、乙建物のために法定地上権が成立する。

アプローチ

法定地上権の問題の多くは、成立要件からのものです。選択肢ごとにどの成立要件の問題なのか、特に「抵当権設定時」に着目しながら解き進めてください。

解説

法定地上権の成立要件は、①抵当権設定当時、土地の上に建物が存在すること、②抵当権設定当時、土地と建物の所有者が同一であること、③抵当権の実行により、土地と建物の所有者が異なるに至ったこと、である。

❶ 誤り。　法定地上権の成立要件

法定地上権が成立するためには、抵当権設定当時、土地と建物の所有者が同一であることが必要であるが（上記②）、登記名義まで同一である必要はない。本問では、AがBから乙建物を買い取った時点で、甲土地と乙建物の所有者が同一になっており、その後に抵当権が設定されているので、②の要件を満たす。したがって、法定地上権は成立しないとする本肢は誤り。

❷ 正しい。法定地上権の成立要件

法定地上権が成立するためには、抵当権設定当時、土地の上に建物が存在することが必要である（上記①）。したがって、更地の状態で抵当権が設定されている本肢では、法定地上権は成立しない。

❸ 正しい。法定地上権の成立要件

土地とその土地上の建物に共同抵当権を設定した後、建物が取り壊されて新たに建物が建築された場合、特段の事情がない限り、新建物のために法定地上権は成立しない。もし法定地上権の成立を認めると、競売で土地が安い価額でしか売れず、抵当権者が困るからである。したがって、本肢では、法定地上権は成立しない。

❹ 正しい。法定地上権の成立要件

土地と建物の所有者が同一という要件は、抵当権設定当時に満たしていればよく（上記②）、その後に土地または建物が譲渡されていてもかまわない。本問では、抵当権設定時には土地と建物の所有者がAなので、建物が譲渡された後に抵当権が実行されても、法定地上権が成立する。

きほんの教科書 L12-4 復習

解答 ❶

54 令4-4 抵当権

A所有の甲土地にBのCに対する債務を担保するためにCの抵当権（以下この問において「本件抵当権」という。）が設定され、その旨の登記がなされた場合に関する次の記述のうち、民法の規定によれば、正しいものはどれか。

❶ Aから甲土地を買い受けたDが、Cの請求に応じてその代価を弁済したときは、本件抵当権はDのために消滅する。

❷ Cに対抗することができない賃貸借により甲土地を競売手続の開始前から使用するEは、甲土地の競売における買受人Fの買受けの時から6か月を経過するまでは、甲土地をFに引き渡すことを要しない。

❸ 本件抵当権設定登記後に、甲土地上に乙建物が築造された場合、Cが本件抵当権の実行として競売を申し立てるときには、甲土地とともに乙建物の競売も申し立てなければならない。

❹ BがAから甲土地を買い受けた場合、Bは抵当不動産の第三取得者として、本件抵当権について、Cに対して抵当権消滅請求をすることができる。

アプローチ

肢3を図示すると右の図のようになります。このような場合、抵当権者は一括競売ができます。問題は、一括競売をすることが抵当権者にとって義務かどうかです。

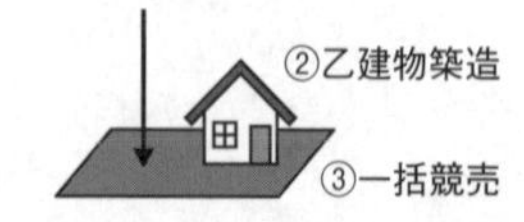

解説

❶ 正しい。**代価弁済**

抵当不動産を買い受けた第三者（**第三取得者**）が、抵当権者の請求に応じてその抵当権者にその代価を弁済（**代価弁済**）したときは、抵当権は、その第三者のために消滅する。

❷ 誤り。 **明渡し猶予制度**

抵当権者に対抗することができない賃貸借により抵当権の目的である「建物」の使用・収益をする者であって、競売手続の開始前から使用・収益をする者は、その建物の競売における買受人の買受けの時から6カ月を経過するまでは、その建物を買受人に引き渡す必要はない（**明渡し猶予制度**）。しかし、抵当権の目的物が「土地」の場合、明渡し猶予制度はない。

❸ 誤り。 **一括競売**

土地に抵当権が設定された後、抵当地に建物が築造された場合、抵当権者は、土地とともにその建物を競売できる（**一括競売**）。ただし、一括競売をするかどうかは、抵当権者の任意であって、義務ではない。したがって、「甲土地とともに乙建物の競売も申し立てなければならない」というのは、誤り。

❹ 誤り。 **抵当権消滅請求**

抵当不動産の被担保債権の主たる**債務者**や保証人などは、**抵当権消滅請求**ができない。

きほんの教科書 L12-4・5・6 復習

解答 ❶

抵当権

債務者Aが所有する甲土地には、債権者Bが一番抵当権（債権額2,000万円）、債権者Cが二番抵当権（債権額2,400万円）、債権者Dが三番抵当権（債権額4,000万円）をそれぞれ有しており、Aにはその他に担保権を有しない債権者E（債権額2,000万円）がいる。甲土地の競売に基づく売却代金5,400万円を配当する場合に関する次の記述のうち、民法の規定によれば、誤っているものはどれか。

❶ BがEの利益のため、抵当権を譲渡した場合、Bの受ける配当は0円である。

❷ BがDの利益のため、抵当権の順位を譲渡した場合、Bの受ける配当は800万円である。

❸ BがEの利益のため、抵当権を放棄した場合、Bの受ける配当は1,000万円である。

❹ BがDの利益のため、抵当権の順位を放棄した場合、Bの受ける配当は1,000万円である。

本問の事例を図示すると右の図のようになります。

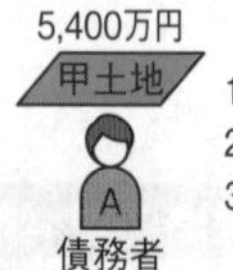

	債権額	本来の配当額
1番抵当権	B(2,000万円)	2,000万円
2番抵当権	C(2,400万円)	2,400万円
3番抵当権	D(4,000万円)	1,000万円
無担保	E(2,000万円)	0円

解説

抵当権の順位の譲渡・放棄は、抵当権者間で行い、抵当権の譲渡・放棄は、抵当権者が無担保債権者に対して行う。いずれも、譲渡では、譲渡された者が譲渡した者より優先的に配当を受け、放棄では、放棄した者と放棄された者が債権額に応じて配当を受ける。どの場合も、他の抵当権者の配当額は影響しない。配当額は、まず、譲渡・放棄がなかった場合の本来の配当額を計算する。本問では、Bに2,000万円、Cに2,400万円、Dに1,000万円を配当し、Eは配当されない。次に、譲渡・放棄した者とされた者の配当額を計算しなおす。

❶ 正しい。抵当権の譲渡の場合

抵当権の譲渡の場合、譲渡した抵当権者の本来の配当額から、まず譲渡された無担保債権者が配当を受け、残りがあれば譲渡した抵当権者に配当される。本肢では、Bの本来の配当額2,000万円からEが2,000万円の配当を受けるので、Bへの配当は0円である。

❷ 誤り。 抵当権の順位の譲渡の場合

抵当権の順位の譲渡の場合、譲渡した抵当権者と譲渡された抵当権者の本来の配当額を合計し、そこからまず譲渡された抵当権者が配当を受け、残りがあれば譲渡した抵当権者に配当される。本肢では、BとDの本来の配当額を合計すると、(2,000万円＋1,000万円＝) 3,000万円である。ここからDが3,000万円の配当を受けるので、Bへの配当は0円である。

❸ 正しい。抵当権の放棄の場合

抵当権の放棄の場合、放棄した抵当権者の本来の配当額から、放棄した抵当権者と放棄された無担保債権者に対し、それらの者の債権額に応じて配当される。本肢では、Bの本来の配当額2,000万円から、債権額（BもEも2,000万円）に応じて配当を受けるので、配当額は、BもEも（2,000万円×2,000万円/(2,000万円＋2,000万円)＝）1,000万円になる。

❹ 正しい。抵当権の順位の放棄の場合

抵当権の順位の放棄の場合、放棄した抵当権者と放棄された抵当権者の本来の配当額を合計し、そこから債権額に応じて配当される。本肢では、BとDの本来の配当額を合計すると、3,000万円である。ここから債権額（Bは2,000万円、Dは4,000万円）に応じて配当を受けるので、配当額は、Bが(3,000万円×2,000万円/(2,000万円＋4,000万円)＝) 1,000万円、Dが(3,000万円×4,000万円/(2,000万円＋4,000万円)＝) 2,000万円になる。

抵当権

根抵当権に関する次の記述のうち、民法の規定によれば、正しいものはどれか。

❶ 根抵当権者は、総額が極度額の範囲内であっても、被担保債権の範囲に属する利息の請求権については、その満期となった最後の2年分についてのみ、その根抵当権を行使することができる。

❷ 元本の確定前に根抵当権者から被担保債権の範囲に属する債権を取得した者は、その債権について根抵当権を行使することはできない。

❸ 根抵当権設定者は、担保すべき元本の確定すべき期日の定めがないときは、一定期間が経過した後であっても、担保すべき元本の確定を請求することはできない。

❹ 根抵当権設定者は、元本の確定後であっても、その根抵当権の極度額を、減額することを請求することはできない。

アプローチ

たとえば、A社が商品の仕入れをするために、自社の土地に抵当権を設定してB銀行からお金を借りたとします。この場合は、個人がマイホームを買うときに抵当権を設定するのと違って、A社は、商品が売れたら借金を返して抵当権を消滅させ、また、商品を仕入れるときに借金をして抵当権の設定を繰り返すことになります。これは非常に面倒なことです。そこで、このような場合に設定するのが根抵当権です。「(普通) 抵当権とは違いがありそうだ。」という視点で学習し、問題を解くと理解がしやすいです。

解説

❶ 誤り。　根抵当権～利息について極度額を限度として担保

根抵当権においては、利息請求権も極度額の範囲内であれば担保され、最後の２年分に限られない。

❷ 正しい。根抵当権～根抵当権者から債権を取得した者

元本の確定前に根抵当権者から債権を取得した者は、その債権について根抵当権を行使することができない

❸ 誤り。　根抵当権～元本の確定請求

確定期日の定めがない場合、根抵当権設定者は、根抵当権の設定の時から3年を経過したときは、元本の確定を請求することができる。なお、根抵当権者は、確定期日の定めがない場合、いつでも、元本の確定を請求することができる。捨

❹ 誤り。　根抵当権～根抵当権の極度額の減額請求

元本の確定後は、根抵当権設定者は、その根抵当権の極度額を、現に存する債務の額と以後２年間に生ずべき利息その他の定期金および債務の不履行による損害賠償の額とを加えた額に減額することを請求することができる。

根抵当権のまとめ

1. 根抵当権は、**一定の範囲内**に属する**不特定の債権**を**極度額**を限度として担保する目的で設定される。
2. 根抵当権の被担保債権は、一定の範囲に属する不特定の債権でなくてはならない。たとえば、「債務者との消費貸借取引から生じる債権」というように、被担保債権の範囲を一定の種類の取引から生じる債権に限定する必要がある。
3. 根抵当権は、設定の段階ではどの債権を担保するのかは決まっていない。このままでは、根抵当権は実行できない。そこで、どの債権を担保するのかを決めるのが元本の確定である。このように、**元本の確定**とは、**根抵当権によって担保される債権を定めること**をいう。

きほんの教科書 L12-8

解答 ❷

57 抵当権

平15-6

理解度チェック

普通抵当権と元本確定前の根抵当権に関する次の記述のうち、民法の規定及び判例によれば、正しいものはどれか。

❶ 普通抵当権でも、根抵当権でも、設定契約を締結するためには、被担保債権を特定することが必要である。

❷ 普通抵当権でも、根抵当権でも、現在は発生しておらず、将来発生する可能性がある債権を被担保債権とすることができる。

❸ 普通抵当権でも、根抵当権でも、被担保債権を譲り受けた者は、担保となっている普通抵当権又は根抵当権を被担保債権とともに取得する。

❹ 普通抵当権でも、根抵当権でも、遅延損害金については、最後の2年分を超えない利息の範囲内で担保される。

アプローチ

問われている知識の多くは基本的なものです。普通抵当件と根抵当権の違いを意識して問題を解きましょう。なお、元本の確定とは、根抵当権によって担保される債権を定めることをいいます。

解説

❶ 誤り。　被担保債権の特定の要否

普通抵当権は、特定の債権を担保するものなので、設定契約において被担保債権を特定する必要がある。しかし、根抵当権は、不特定の債権を担保するものなので、設定契約時に被担保債権を特定する必要はない。

❷ 正しい。将来債権の担保

普通抵当権においては、将来発生する可能性のある特定の債権を被担保債権とすることができる。また、根抵当権は、継続的な取引関係にある当事者間で生じる不特定の債権を担保するものなので、将来発生する債権も被担保債権になる。

❸ 誤り。　随伴性

普通抵当権においては、被担保債権を譲り受けた者は、抵当権も取得する（随伴性）。これに対し、元本の確定前に根抵当権者から債権を譲り受けた者は、根抵当権を取得しない。

❹ 誤り。　被担保債権の範囲（遅延損害金）

普通抵当権においては、遅延損害金については、最後の２年分に限り担保される。これに対し、根抵当権においては、極度額の範囲内であれば担保され、最後の２年分に限られない。

ポイント整理

普通抵当権と根抵当権の比較

	普通抵当権	根抵当権
被担保債権	特定の債権	一定の範囲に属する不特定の債権
利息等	原則として、満期となった最後の２年分についてのみ担保	極度額を限度として担保
被担保債権を取得した者	抵当権を行使できる	元本確定前の根抵当権の場合、根抵当権を行使できない

きほんの教科書 L12-1・2・8 復習

解答 ❷

58 平21-5 抵当権・その他の担保物権

理解度チェック

担保物権に関する次の記述のうち、民法の規定によれば、正しいものはどれか。

❶ 抵当権者も先取特権者も、その目的物が火災により焼失して債務者が火災保険金請求権を取得した場合には、その火災保険金請求権に物上代位することができる。

❷ 先取特権も質権も、債権者と債務者との間の契約により成立する。

❸ 留置権は動産についても不動産についても成立するのに対し、先取特権は動産については成立するが不動産については成立しない。

❹ 留置権者は、善良な管理者の注意をもって、留置物を占有する必要があるのに対し、質権者は、自己の財産に対するのと同一の注意をもって、質物を占有する必要がある。

アプローチ

本問では、肢1と肢2の正誤の判断が確実にできたか確認しながら解き進めましょう。

解説

❶ 正しい。**物上代位**

抵当権者も先取特権者も、物上代位をすることができる。そして、保険金請求権は、物上代位の対象になる。

❷ 誤り。　**法定担保物権と約定担保物権**

先取特権は、法律上自動的に発生する権利（＝法定担保物権）である。したがって、先取特権が「契約により成立する」とする本肢は誤り。なお、質権は、契約によって成立する約定担保物権である。

❸ 誤り。　**担保の目的物**

先取特権は、動産についてだけでなく、不動産についても成立する（不動産保存・工事・売買の先取特権）。したがって、「不動産については成立しない」とする本肢は誤り。なお、留置権も、動産についても不動産についても成立する。捨

❹ 誤り。　**担保権者の注意義務**

留置権者も質権者も、善良な管理者の注意をもって目的物を占有する必要がある。したがって、質権者は「自己の財産に対するのと同一の注意」とする本肢は誤り。なお、「自己の財産に対するのと同一の注意」とは、「善良な管理者の注意」よりも軽い注意義務であるとされている。捨

留置権と先取特権

たとえば、AのアパートをBが借りて住んでいるとする。

留置権	アパートの窓ガラスが壊れてBがその修理代金を出した場合、Aがその修理代金を払うまで、Bは、賃貸借契約が終了していてもそのアパートを明け渡さなくてもいい、つまり、留置することができる。
先取特権	Bが家賃を払わない場合、AはそのアパートのBのテレビやタンス等をお金に換えて、そのお金を家賃の支払いに充てることができる。イメージとしては抵当権と似ている。

きほんの教科書 L12-9 復習

解答 ❶

59 保証

令2-7改

理解度チェック

保証に関する次の記述のうち、民法の規定及び判例によれば、誤っているものはどれか。なお、保証契約は令和7年4月1日以降に締結されたものとする。

❶ 特定物売買における売主の保証人は、特に反対の意思表示がない限り、売主の債務不履行により契約が解除された場合には、原状回復義務である既払代金の返還義務についても保証する責任がある。

❷ 主たる債務の目的が保証契約の締結後に加重されたときは、保証人の負担も加重され、主たる債務者が時効の利益を放棄すれば、その効力は連帯保証人に及ぶ。

❸ 委託を受けた保証人が主たる債務の弁済期前に債務の弁済をしたが、主たる債務者が当該保証人からの求償に対して、当該弁済日以前に相殺の原因を有していたことを主張するときは、保証人は、債権者に対し、その相殺によって消滅すべきであった債務の履行を請求することができる。

❹ 委託を受けた保証人は、履行の請求を受けた場合だけでなく、履行の請求を受けずに自発的に債務の消滅行為をする場合であっても、あらかじめ主たる債務者に通知をしなければ、同人に対する求償が制限されることがある。

アプローチ

保証の問題には、「債権者」「主たる債務者（主債務者)」「保証人」が登場します。

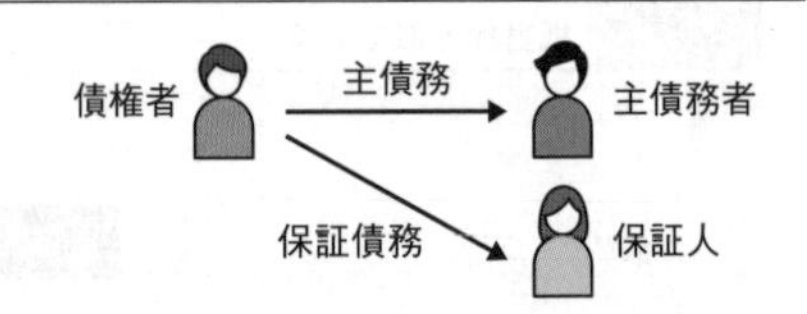

解説

❶ 正しい。**特定物売買における売主の保証人の責任の範囲**

特定物売買における**売主の保証人**は、特に反対の意思表示がない限り、売主の債務不履行により契約が解除された場合には、**原状回復義務**である既払代金の返還義務についても保証する責任がある。

❷ 誤り。 **保証人の負担**

主たる債務（以下、主債務という）の目的が**保証契約の締結後に加重**されても、**保証人の負担は**加重されない（付従性の例外）。また、主債務者が時効の利益を放棄しても、その効力は連帯保証人に及ばない。時効の利益の放棄は、相対的効力しかないからである。

❸ 正しい。**保証人の求償権**

保証人が主債務者の委託を受けて保証をした場合、主債務の弁済期前に債務の弁済などの消滅行為をしたとき、その保証人は、主債務者に対し、主債務者がその当時利益を受けた限度において求償権を有する。この場合、主債務者が債務の消滅行為の日以前に相殺の原因を有していたことを主張するとき、保証人は、債権者に対し、その相殺によって消滅すべきであった債務の履行を請求できる。たとえば、保証人が期限前に50万円を弁済したが、主債務者が債権者に30万円の債権を持っていてその分は相殺できたはずだった場合、保証人は、主債務者には50万円－30万円＝20万円しか求償できないが、債権者には相殺があれば消滅するはずだった30万円の支払を請求できる。要するに、保証人は、主債務者が支払わなくて済んだはずの分は求償できないが、その分を債権者に請求できることになる。

❹ 正しい。**保証人の求償権の制限**

保証人が主債務者の委託を受けて保証をした場合、主債務者にあらかじめ通知しないで債務の弁済などの消滅行為をしたときは、主債務者は、債権者に対抗することができた事由（相殺の抗弁権など）をもってその保証人に対抗することができる（通知を怠った保証人の求償の制限）。この保証人の求償の制限には、保証人が履行の請求を受けたことは要件とされていないので、本肢のように、保証人が履行の請求を受けた場合でも、自発的に債務の消滅行為をする場合でも、あらかじめ主たる債務者に通知をしなければ、主債務者に対する求償が制限されることがある。

きほんの教科書 L13-1・2 復習

解答 ❷

60 保証

平22-8

理解度チェック

保証に関する次の記述のうち、民法の規定及び判例によれば、誤っているものはどれか。

❶ 保証人となるべき者が、主たる債務者と連絡を取らず、同人からの委託を受けないまま債権者に対して保証したとしても、その保証契約は有効に成立する。

❷ 保証人となるべき者が、口頭で明確に特定の債務につき保証する旨の意思表示を債権者に対してすれば、その保証契約は有効に成立する。

❸ 連帯保証ではない場合の保証人は、債権者から債務の履行を請求されても、まず主たる債務者に催告すべき旨を債権者に請求できる。ただし、主たる債務者が破産手続開始の決定を受けたとき、又は行方不明であるときは、この限りでない。

❹ 連帯保証人が2人いる場合、連帯保証人間に連帯の特約がなくとも、連帯保証人は各自全額につき保証責任を負う。

アプローチ

保証の問題では、問題に登場する「保証人」が、「普通の保証人（本問では「連帯保証ではない場合の保証人」という）」なのか、「連帯保証人」なのか、必ず読み取ってから問題を解きましょう。ここを見逃すと正誤の判断を見誤ります。

解説

❶ 正しい。**保証契約の成立要件**

保証契約は、保証人と債権者**との契約**であり、主たる債務者の委託を受けていなくても（さらには、主たる債務者の意思に反していても）有効に締結することができる。

❷ 誤り。**保証契約の成立要件**

保証契約は、書面または電磁的記録によってしなければ**効力を生じない**。

❸ 正しい。**催告の抗弁権**

債権者が**保証人**に債務の履行を**請求**したときは、連帯保証人でない**保証人**は、まず**主たる債務者**に催告をすべき旨を**請求**することができる（**催告の抗弁権**）。ただし、主たる債務者が破産手続開始の決定を受けたとき、または行方不明であるときは、この限りではない（＝催告の抗弁権を主張できない）。

❹ 正しい。**分別の利益**

数人の保証人がいる場合、**通常の保証**であれば、**各保証人**は、原則として、主債務の額を均等に分割した額**の保証債務を負う**（**分別の利益**）。これに対し、**連帯保証**の場合には、分別の利益**がなく**、連帯保証人は各自全額について保証債務を負う。

ポイント整理

普通の保証と連帯保証の比較

	普通の保証	連帯保証
催告の抗弁権	○	×
検索の抗弁権※	○	×
分別の利益	○	×

○：あり　×：なし

※債権者が主たる債務者に催告をした後でも、保証人が、主たる債務者に弁済の資力があり、かつ、強制執行が容易にできることを証明した場合、債権者は、まず、主たる債務者の財産について執行をしなければならない（検索の抗弁権）。

きほんの教科書 L13-1・3・4 復習

解答 ❷

学習優先度 中

61 保証
平15-7改

理解度チェック

Aは、Aの所有する土地をBに売却し、Bの売買代金の支払債務についてCがAとの間で保証契約を締結した。この場合、民法の規定によれば、次の記述のうち誤っているものはどれか。

❶ Cの保証債務がBとの連帯保証債務である場合、AがCに対して保証債務の履行を請求してきても、CはAに対して、まずBに請求するよう主張できる。

❷ Cの保証債務にBと連帯して債務を負担する特約がない場合、AがCに対して保証債務の履行を請求してきても、Cは、Bに弁済の資力があり、かつ、執行が容易であることを証明することによって、Aの請求を拒むことができる。

❸ Cの保証債務がBとの連帯保証債務である場合、Cに対する履行の請求による時効の完成猶予及び更新は、原則としてBに対してはその効力を生じない。

❹ Cの保証債務にBと連帯して債務を負担する特約がない場合、Bに対する履行の請求その他の事由による時効の完成猶予及び更新は、Cに対してもその効力を生ずる。

アプローチ

保証の問題では、問題に登場する「保証人」が、「普通の保証人（本問では「Cの保証債務にBと連帯して債務を負担する特約がない場合」という)」なのか、「連帯保証人」なのか、必ず読み取ってから問題を解きましょう。ここを見逃すと正誤の判断を見誤ります。

解説

❶ 誤り。　連帯保証における催告の抗弁権・検索の抗弁権

連帯保証人には、催告の抗弁権・検索の抗弁権がない。したがって、連帯保証人Ｃは、まずＢに請求するように主張すること（＝催告の抗弁権）ができない。

❷ 正しい。普通の保証における催告の抗弁権・検索の抗弁権

普通の保証人には、催告の抗弁権・検索の抗弁権がある。したがって、保証人Ｃは、債務者Ｂに弁済の資力があり、かつ、執行が容易であることを証明することによって、まずＢの財産に対して執行せよと主張し（＝検索の抗弁権）、Ａの請求を拒むことができる。

❸ 正しい。連帯保証人に生じた事由の効力（請求）

連帯保証人に対する請求の効力は、原則として、主たる債務者には及ばない。したがって、Ｃに対する履行の請求は、原則として、Ｂに対して時効の完成猶予や更新の効力を生じない。

❹ 正しい。主たる債務者に生じた事由の効力

主たる債務者に生じた事由の効力は、原則として、保証人にも及ぶ。したがって、Ｂに対する履行の請求その他の事由による時効の完成猶予や更新は、保証人Ｃに対しても効力を生じる。

普通の保証と連帯保証の比較

普通の保証		連帯保証	
主債務者に生じた事由	⇒原則として、保証人に影響する	主債務者に生じた事由	⇒原則として、連帯保証債務にも影響する
保証人に生じた事由	⇒原則として、主債務者に影響しない	連帯保証人に生じた事由	⇒原則として、主債務に影響しない※

※主債務者に影響しない事由であっても、債権者と主債務者の特約によって、主債務者に影響すると定めることができる。

きほんの教科書 L13-3・4 

解答 ❶

62
令3-2改

連帯債務

理解度チェック

債務者A、B、Cの3名が、令和7年7月1日に、内部的な負担部分の割合は等しいものとして合意した上で、債権者Dに対して300万円の連帯債務を負った場合に関する次の記述のうち、民法の規定によれば、誤っているものはどれか。

❶ DがAに対して裁判上の請求を行ったとしても、特段の合意がなければ、BとCがDに対して負う債務の消滅時効の完成には影響しない。

❷ BがDに対して300万円の債権を有している場合、Bが相殺を援用しない間に300万円の支払の請求を受けたCは、BのDに対する債権で相殺する旨の意思表示をすることができる。

❸ DがCに対して債務を免除した場合でも、特段の合意がなければ、DはAに対してもBに対しても、弁済期が到来した300万円全額の支払を請求することができる。

❹ AとDとの間に更改があったときは、300万円の債権は、全ての連帯債務者の利益のために消滅する。

アプローチ

本問（連帯債務）の事例を図示してから解き始めましょう。

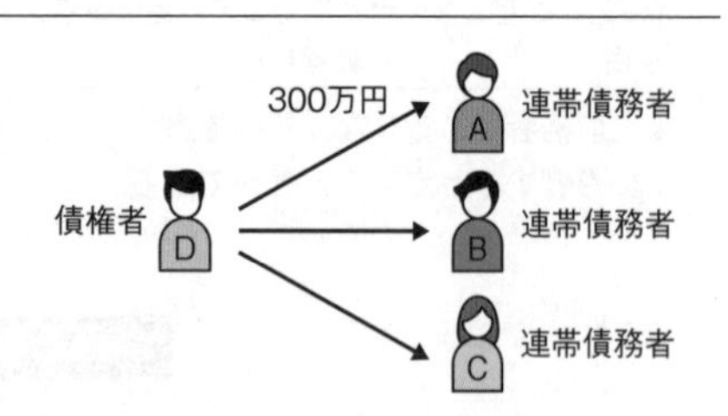

解説

❶ 正しい。**連帯債務者の１人に対する請求の効力（相対効）**

連帯債務者の１人に対する**請求**の効力は、債権者および他の連帯債務者の１人が別段の意思を表示したときを除き、**他の連帯債務者に及ばない**ので、裁判上の請求に関する時効の完成猶予・更新の効力も他の連帯債務者に生じない。したがって、ＢとＣの債務の消滅時効の完成には影響しない。

❷ 誤り。 **連帯債務者の１人が相殺しない場合の履行拒絶権**

連帯債務者の１人が債権者に対して債権を有する場合において、その債権を有する**連帯債務者が相殺を援用しない間**は、その連帯債務者の**負担部分の限度**において、他の連帯債務者は、債権者に対して債務の履行を拒むことができる。したがって、Ｃは、Ｂの負担部分（300万円×1/3＝100万円）の限度で、Ｄに債務の履行を拒むことができるが、Ｂの債権で相殺することはできない。

❸ 正しい。**連帯債務者の１人に対する免除の効力（相対効）**

連帯債務者の１人に対する**免除**の効力は、債権者および他の連帯債務者の１人が別段の意思を表示したときを除き、**他の連帯債務者に及ばない**。したがって、Ｄは、ＡおよびＢに対して、300万円全額の支払を請求することができる。

❹ 正しい。**連帯債務者の１人に対する更改の効力（絶対効）**

連帯債務者の１人と債権者との間に**更改**があったときは、**債権**は、**すべての連帯債務者の利益のために消滅**する。なお、更改とは、新たな債務を成立させ、従来の債務を消滅させる契約をいう。たとえば、ＤとＡの間で、300万円の連帯債務を消滅させる代わりに、Ａの土地の所有権をＤに移転させる債務を成立させるような場合である。

連帯債務の相対効と絶対効

原則	**連帯債務者の１人について生じた事由は、他の債務者に影響しない**（相対効）。 なお、相対効とされている事由について、債権者および他の連帯債務者が**特約**をしたときは、当該他の連帯債務者に対する効力は、その**特約に従う**。
例外	連帯債務者の１人について、①弁済等、②更改、③相殺、④混同があったときは、他の債務者に影響する（絶対効）。

きほんの教科書 L13-5 復習

解答 ❷

63 平20-6改 保証・連帯債務

AからBとCとが負担部分２分の１として連帯して1,000万円を借り入れる場合と、DからEが1,000万円を借り入れ、Fがその借入金返済債務についてEと連帯して保証する場合とに関する次の記述のうち、民法の規定によれば、正しいものはどれか。なお、民法の規定により相対的効力とされる事由について、別段の意思表示はないものとする。

❶ Aが、Bに対して債務を免除した場合にはCが、Cに対して債務を免除した場合にはBが、それぞれ500万円分の債務を免れる。Dが、Eに対して債務を免除した場合にはFが、Fに対して債務を免除した場合にはEが、それぞれ全額の債務を免れる。

❷ Aが、Bに対して履行を請求した効果はCに及ばず、Cに対して履行を請求した効果はBに及ばない。Dが、Eに対して履行を請求した効果はFに及ぶが、Fに対して履行を請求した効果はEに及ばない。

❸ Bが1,000万円について相殺した場合には、Cの債務も消滅し、Cが1,000万円について相殺した場合は、Bの債務も消滅する。Eが1,000万円について相殺した場合は、Fの債務も消滅するが、Fが1,000万円について相殺しても、Eの債務は消滅しない。

❹ AB間の契約が無効であった場合にはCが、AC間の契約が無効であった場合にはBが、それぞれ1,000万円の債務を負う。DE間の契約が無効であった場合はFが、DF間の契約が無効であった場合はEが、それぞれ1,000万円の債務を負う。

1つの肢に複数の事例が登場します。一つ一つていねいに事例を分析して「図」を描きましょう。面倒がっては絶対にだめです！

解説

❶ 誤り。　連帯債務者と連帯保証人に対する免除の効力

連帯債務者の１人に対する免除の効力は、他の連帯債務者には及ばない。したがって、前半は誤り。他方、主たる債務者に対する免除の効力は、連帯保証人に及ぶので後半のこの部分は正しい。しかし、連帯保証人に対する免除の効力は、主たる債務者には及ばない。したがって、この部分は誤り。

❷ 正しい。連帯債務者と連帯保証人に対する請求の効力

連帯債務者の１人に対する請求の効力は、他の債務者には及ばない。したがって、前半は正しい。他方、主たる債務者に対する請求の効力は連帯保証人にも及ぶが、連帯保証人に対する請求の効力は主たる債務者には及ばない。したがって、後半も正しい。

❸ 誤り。　連帯債務者と連帯保証人の相殺の効力

連帯債務者の１人による相殺の効力は他の連帯債務者にも及ぶ。したがって、前半は正しい。他方、主たる債務者が相殺した効力は、連帯保証人に及ぶので、後半のこの部分は正しい。同様に、連帯保証人が相殺した効力も、主たる債務者に及ぶので、この部分は誤り。

❹ 誤り。　連帯債務と主債務の無効の効力

連帯債務者の１人について連帯債務を負担する契約の無効の原因があっても、他の連帯債務者にはその効果は及ばない。したがって、前半は正しい。他方、主たる債務者と債権者間の契約が無効であった場合、連帯保証債務も無効となるので、この部分は誤り。しかし、債権者と連帯保証人間の契約が無効であった場合には、主たる債務者と債権者間の契約は無効にはならないのでこの部分は正しい。

ステップアップ
問題解法テクニック

1つの肢で複数の知識を問う問題がある。この場合「問われている知識が、すべて正しい」ときにその肢は「正しい」と判断する。逆にいうと「問われている知識のどこかに間違いがある」場合にはその肢は『誤り』と判断できる。したがって、本問の肢1では、「前半部分が間違い」と判断できれば、その時点で肢1は『誤り』と判断できる。

解答 ❷

賃貸借

AはBにA所有の甲建物を令和7年7月1日に賃貸し、BはAの承諾を得てCに適法に甲建物を転貸し、Cが甲建物に居住している場合における次の記述のうち、民法の規定及び判例によれば、誤っているものはどれか。

❶ Aは、Bとの間の賃貸借契約を合意解除した場合、解除の当時Bの債務不履行による解除権を有していたとしても、合意解除したことをもってCに対抗することはできない。

❷ Cの用法違反によって甲建物に損害が生じた場合、AはBに対して、甲建物の返還を受けた時から1年以内に損害賠償を請求しなければならない。

❸ AがDに甲建物を売却した場合、AD間で特段の合意をしない限り、賃貸人の地位はDに移転する。

❹ BがAに約定の賃料を支払わない場合、Cは、Bの債務の範囲を限度として、Aに対して転貸借に基づく債務を直接履行する義務を負い、Bに賃料を前払いしたことをもってAに対抗することはできない。

アプローチ

本問（肢3）の事例を図示すると右の図のようになります。

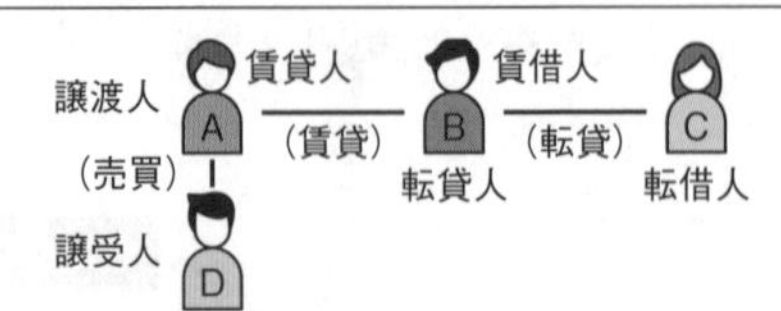

解説

❶ 誤り。 **賃貸借の合意解除と転貸借**

賃借人が適法に賃借物を転貸した場合には、**賃貸人は**、**原則**として、**賃借人との間の賃貸借を合意により解除**したことをもって**転借人に**対抗することができない。ただし、その解除の当時、**賃貸人が賃借人の債務不履行による解除権を有していたときは**、例外である。したがって、賃貸人Aは、賃借人Bとの間の賃貸借契約を合意解除した場合、解除の当時Bの債務不履行による解除権を有していれば、合意解除したことをもって転借人Cに対抗することができる。

❷ 正しい。**賃借人に対する損害賠償の期間制限**

賃貸借契約の本旨に反する使用・収益によって生じた**損害の賠償**は、賃貸人が**返還を受けた時から**1年以内**に請求**しなければならない。したがって、転借人Cの用法違反によって甲建物に損害が生じた場合、賃貸人Aは賃借人Bに対して、甲建物の返還を受けた時から1年以内に損害賠償を請求しなければならない。

❸ 正しい。**賃貸人たる地位の移転**

賃貸借の対抗要件（建物賃貸借の場合、賃借権の登記または**建物の引渡し**）**を備えた**場合において、その**不動産が譲渡**されたときは、不動産の譲渡人と譲受人の間で特段の合意をしたときを除き、その不動産の**賃貸人たる地位**は、その譲受人に移転する。本問のように転借人Cが甲建物に居住している場合、建物の引渡しという建物賃貸借の対抗要件を備えたといえる。したがって、賃貸人であるAがDに甲建物を売却した場合、AD間で特段の合意をしない限り、賃貸人の地位はDに移転する。

❹ 正しい。**転借人の賃貸人に対する債務**

賃借人が適法に賃借物を転貸したときは、**転借人**は、賃貸人と賃借人との間の賃貸借に基づく賃借人の債務の範囲を限度として、**賃貸人に対して転貸借に基づく債務を直接履行する義務を負う**。この場合には、賃料の前払いをもって賃貸人に対抗することができない。したがって、賃借人Bが賃貸人Aに約定の賃料を支払わない場合、転借人Cは、Bの債務の範囲を限度として、Aに対して転貸借に基づく債務を直接履行する義務を負い、Bに賃料を前払いしたことをもってAに対抗することはできない。

解答 ❶

学習優先度 高

65 賃貸借

令2-4改

理解度チェック

建物の賃貸借契約が期間満了により終了した場合における次の記述のうち、民法の規定によれば、正しいものはどれか。なお、賃貸借契約は、令和7年7月1日付けで締結され、原状回復義務について特段の合意はないものとする。

❶ 賃借人は、賃借物を受け取った後にこれに生じた損傷がある場合、通常の使用及び収益によって生じた損耗も含めてその損傷を原状に復する義務を負う。

❷ 賃借人は、賃借物を受け取った後にこれに生じた損傷がある場合、賃借人の帰責事由の有無にかかわらず、その損傷を原状に復する義務を負う。

❸ 賃借人から敷金の返還請求を受けた賃貸人は、賃貸物の返還を受けるまでは、これを拒むことができる。

❹ 賃借人は、未払賃料債務がある場合、賃貸人に対し、敷金をその債務の弁済に充てるよう請求することができる。

アプローチ

たとえば、アパートを借りて普通に使っていても、畳はすり減るし壁紙も汚れます。この修補代まで借主が負担するの？　という感覚で選択肢1と2は解いてみましょう。

解説

❶ 誤り。　賃借人の原状回復義務

賃借人は、通常の使用収益によって生じた賃借物の損耗および賃借物の経年変化については、原状回復義務を負わない。

❷ 誤り。　賃借人の原状回復義務

賃借人は、賃借物を受け取った後に生じた損傷がある場合でも、その損傷が賃借人の帰責事由によらないものであるときは、原状回復義務を負わない。

❸ 正しい。敷金の返還請求権の発生時期

敷金の返還請求権の発生時期は、賃貸借が終了し、かつ、賃貸物の返還を受けたときである。つまり、賃貸物の返還が先であるから、賃貸人は、賃貸物の返還を受けるまで、敷金の返還を拒むことができる。

❹ 誤り。　敷金の充当

賃借人は、賃貸人に対し、敷金をその債務の弁済に充てることを請求することができない。

敷金の充当

敷金とは、いかなる名目によるかを問わず、賃料債務など賃貸借に基づいて生ずる賃借人の賃貸人に対する債務を担保する目的で、賃借人が賃貸人に交付する金銭をいう。

1. 賃貸人は、賃借人が賃貸借に基づいて生じた債務を履行しないときは、敷金をその債務の弁済に充てることができる。
2. 賃借人は、賃貸人に対し、敷金をその債務の弁済に充てることを請求することはできない。

きほんの教科書 L14-2・7 

解答 ❸

66 平28-8 賃貸借

学習優先度 高

理解度チェック

AがBに甲建物を月額10万円で賃貸し、BがAの承諾を得て甲建物をCに適法に月額15万円で転貸している場合における次の記述のうち、民法の規定及び判例によれば、誤っているものはどれか。

❶ Aは、Bの賃料の不払いを理由に甲建物の賃貸借契約を解除するには、Cに対して、賃料支払の催告をして甲建物の賃料を支払う機会を与えなければならない。

❷ BがAに対して甲建物の賃料を支払期日になっても支払わない場合、AはCに対して、賃料10万円をAに直接支払うよう請求することができる。

❸ AがBの債務不履行を理由に甲建物の賃貸借契約を解除した場合、CのBに対する賃料の不払いがなくても、AはCに対して、甲建物の明渡しを求めることができる。

❹ AがBとの間で甲建物の賃貸借契約を合意解除した場合、AはCに対して、Bとの合意解除に基づいて、当然には甲建物の明渡しを求めることができない。

アプローチ

賃貸人A・賃借人（転貸人）B・転借人Cを図に描いてから問題を解きましょう。手抜きは厳禁です。

解説

❶ 誤り。　賃貸借契約の債務不履行解除と転貸借

賃借人の債務不履行を理由に賃貸借契約を解除する場合、転借人に対して催告をする必要はない。したがって、「賃料支払の催告をして甲建物の賃料を支払う機会を与えなければならない」とする本肢は誤り。

❷ 正しい。転借人の賃貸人に対する債務

承諾転貸の場合、転借人は、賃貸借に基づく賃借人の債務の範囲を限度として、賃貸人に対して、転貸借に基づく債務を直接履行する義務を負う。本肢ではAB間の賃料が10万円、BC間の賃料が15万円なので、AはCに対して、賃料10万円をAに直接支払うよう請求することができる。

❸ 正しい。賃貸借契約の債務不履行解除と転貸借

賃貸人は、賃借人の債務不履行を理由とする賃貸借契約の解除を転借人に対抗することができる。したがって、AはCに対して甲建物の明渡しを請求することができる。このことは、CのBに対する賃料不払いの有無に関係がない。

❹ 正しい。賃貸借契約の合意解除と転貸借

賃貸人と賃借人が賃貸借契約を合意解除しても、その解除の当時、賃貸人が賃借人の債務不履行による解除権を有していたときを除き、合意解除を転借人に対抗することはできない。したがって、AはCに対して、当然には甲建物の明渡しを求めることができない。

転貸・賃借権の譲渡と賃料請求のまとめ

転貸の場合	賃貸人→賃借人、転借人に対し賃料請求できる
賃借権の譲渡の場合	賃貸人→新賃借人に対してのみ賃料請求できる

きほんの教科書 L14-4・5 復習

解答 ❶

賃貸借

理解度チェック

賃貸人Aから賃借人Bが借りたA所有の甲土地の上に、Bが乙建物を所有する場合における次の記述のうち、民法の規定及び判例によれば、正しいものはどれか。なお、Bは、自己名義で乙建物の保存登記をしているものとする。

❶ BがAに無断で乙建物をCに月額10万円の賃料で貸した場合、Aは、借地の無断転貸を理由に、甲土地の賃貸借契約を解除することができる。

❷ Cが甲土地を不法占拠してBの土地利用を妨害している場合、Bは、Aの有する甲土地の所有権に基づく妨害排除請求権を代位行使してCの妨害の排除を求めることができるほか、自己の有する甲土地の賃借権に基づいてCの妨害の停止を求めることができる。

❸ BがAの承諾を得て甲土地を月額15万円の賃料でCに転貸した場合、AB間の賃貸借契約がBの債務不履行で解除されても、AはCに解除を対抗することができない。

❹ AB間で賃料の支払時期について特約がない場合、Bは、当月末日までに、翌月分の賃料を支払わなければならない。

本問は複雑な事例です。図示すると以下のようになります。

解説

❶ 誤り。　**借地上の建物の賃貸と借地の無断転貸**

借地上の「建物」を賃貸することは、「借地」の転貸にあたらない。この場合は建物を貸しただけなので、土地の転貸にはならない。したがって、Aは、借地の無断転貸を理由に甲土地の賃貸借契約を解除することができない。

❷ 正しい。**不動産賃借権に基づく妨害停止請求**

土地の所有者は、自分の土地の不法占拠者に対して「出て行け」と請求できる（妨害排除請求）。一方、賃借人は、賃貸人（所有者）に対して「借りている物を使わせろ」と請求する権利（＝賃借権）を持っている。その権利を守るために、賃借人は、所有者が有する妨害排除請求権を債権者代位権に基づき行使して、不法占拠者に対して妨害の排除を請求するこができる。また、**対抗要件を備えた不動産賃借人**は、不法占拠者に対して**賃借権に基づいて妨害の停止**を請求できる。Bは借地上の建物について自己名義の登記をしているので、賃借権の対抗要件を備えている。したがって、Bは賃借権に基づいて妨害の停止を求めることができる。

❸ 誤り。　**賃貸借契約の債務不履行解除と転貸借**

債務不履行を理由とする賃貸借契約の解除は、**転借人に**対抗することができる。したがって、AはCに解除を対抗することができる。

❹ 誤り。　**賃料は、原則、毎月末支払い**

宅地や建物の賃料は、原則として、毎月末に**支払わなければならない**。すなわち、後払いが原則であり、その月の分の賃料を末日までに払うのである。したがって、「当月末日までに、翌月分の賃料」とする本肢は誤り。

キーワード　債権者代位権

たとえば、債権者Aが債務者Bに対して100万円の金銭債権を有しているが、Bには現金等の財産がなく、Cに対して100万円の金銭債権を有しているとする。この場合、Aは、BのCに対する債権を行使して、Cから100万円を取り立てることができる。このように、債権者が自己の債権を保全するために（＝自分の債権を守るために）債務者の権利を行使できる権利を、債権者代位権という。

きほんの教科書 L14-1・3・4・6

解答　❷

賃貸借

理解度チェック

次の１から４までの記述のうち、民法の規定及び下記判決文によれば、誤っているものはどれか。

（判決文）

賃借人は、賃貸借契約が終了した場合には、賃借物件を原状に回復して賃貸人に返還する義務があるところ、賃貸借契約は、賃借人による賃借物件の使用とその対価としての賃料の支払を内容とするものであり、賃借物件の損耗の発生は、賃貸借という契約の本質上当然に予定されているものである。それゆえ、建物の賃貸借においては、賃借人が社会通念上通常の使用をした場合に生ずる賃借物件の劣化又は価値の減少を意味する通常損耗に係る投下資本の減価の回収は、通常、減価償却費や修繕費等の必要経費分を賃料の中に含ませてその支払を受けることにより行われている。そうすると、建物の賃借人にその賃貸借において生ずる通常損耗についての原状回復義務を負わせるのは、賃借人に予期しない特別の負担を課すことになるから、賃借人に同義務が認められるためには、（中略）その旨の特約（以下「通常損耗補修特約」という。）が明確に合意されていることが必要であると解するのが相当である。

❶ 賃借物件を賃借人がどのように使用しても、賃借物件に発生する損耗による減価の回収は、賃貸人が全て賃料に含ませてその支払を受けることにより行っている。

❷ 通常損耗とは、賃借人が社会通念上通常の使用をした場合に生ずる賃借物件の劣化又は価値の減少を意味する。

❸ 賃借人が負担する通常損耗の範囲が賃貸借契約書に明記されておらず口頭での説明等もない場合に賃借人に通常損耗についての原状回復義務を負わせるのは、賃借人に予期しない特別の負担を課すことになる。

❹ 賃貸借契約に賃借人が原状回復義務を負う旨が定められていても、それをもって、賃借人が賃料とは別に通常損耗の補修費を支払う義務があるとはいえない。

解説

❶ 誤り。　**通常損耗による減価の回収**

判決文によれば、**通常損耗**（＝通常の使用をした場合に生ずる価値の減少等）**による減価の回収は、賃料の中に含ませて**その支払を受けることにより行われている。要するに、通常ではない使用による減価分は賃料に含まれていないのである。したがって、どのように使用しても賃料に含まれるとする本肢は誤り。

❷ 正しい。**通常損耗とは？**

判決文は、**通常損耗**とは「**賃借人が社会通念上通常の使用をした場合に生ずる賃借物件の劣化又は価値の減少を意味する**」としている。

❸ 正しい。**通常損耗についての原状回復義務が認められるための要件**

判決文は、通常損耗の減価回収分は賃料に含まれており、通常損耗についての原状回復義務を負わせるのは、賃借人に予期しない特別の負担を課すことになり妥当ではないと考えられるから、**通常損耗についての原状回復義務が認められるためには、通常損耗補修特約が「明確に合意」されていることが必要**だとしている。したがって、本肢のように、契約書への明記も口頭での説明等もない場合に賃借人に通常損耗についての原状回復義務を負わせることは、賃借人に予期しない特別の負担を課すことになる。

❹ 正しい。**通常損耗についての原状回復義務が認められるための要件**

判決文は、**通常損耗についての原状回復義務が認められるためには、その旨の特約が明確に合意されていることが必要**だとしている。本肢のように、賃借人が原状回復義務を負う旨が定められていても、それだけでは、通常損耗について原状回復義務を負うことの明確な合意とはいえない。したがって、賃借人が賃料とは別に通常損耗の補修費を支払う義務があるとはいえない。

ステップアップ　判決文問題の解法テクニック

本問のようないわゆる「判決文問題」では、問題にある判決の「事例」と「結論」をていねいに押さえよう。そして、その「結論」を肢ごとに当てはめて正誤の判断をしよう。判決の「結論」と明らかに違っている内容の肢が正解である。それ以外の肢の判断ができなくても、消去法で正解を導き出すことができる。

きほんの教科書 L14-2 復習

解答 ❶

69 使用貸借

平17-10改

学習優先度 高

理解度チェック

Ａは、自己所有の建物について、災害により居住建物を失った友人Ｂと、適当な家屋が見つかるまでの一時的住居とするとの約定のもとに、使用貸借契約を締結した。この場合に関する次の記述のうち、民法の規定及び判例によれば、誤っているものはどれか。

❶ Ｂが死亡した場合、使用貸借契約は当然に終了する。

❷ ＡがこのＡ建物をＣに売却し、その旨の所有権移転登記を行った場合でも、Ａによる売却の前にＢがこの建物の引渡しを受けていたときは、Ｂは使用貸借契約をＣに対抗できる。

❸ Ｂは、Ａの承諾がなければ、この建物の一部を、第三者に転貸して使用収益させることはできない。

❹ 適当な家屋が現実に見つかる以前であっても、適当な家屋を見つけるのに必要と思われる客観的な時間を経過した場合は、Ａは使用貸借契約を解除することができる。

アプローチ

使用貸借契約とは、貸主がある物を引き渡すことを約束し、借主がその受け取った物について無償で使用収益をして契約が終了したときに返還をすることを約束する契約です。「貸主」と「借主」が登場します。

解説

❶ 正しい。**借主の死亡と使用貸借契約**

借主が死亡した場合、使用貸借契約は当然に終了する。

❷ 誤り。 **使用借権の対抗力**

使用借権には、対抗力がない。したがって、AがCに建物を売却した場合、Bは使用貸借契約をCに対抗することができない。

❸ 正しい。**借用物の転貸**

借主は、貸主の承諾を得なければ、第三者に借用物の使用または収益をさせることができない。

❹ 正しい。**使用貸借契約の解除**

期間を定めなかったが、使用収益の目的を定めた場合において、借主が目的に従い使用収益するのに足りる期間を経過したときは、貸主は、使用貸借契約を解除することができる。したがって、適当な家屋を見つけるのに必要と思われる客観的な時間を経過した場合は、Aは、使用貸借契約を解除することができる。

使用貸借の終了と解除

ケース		使用貸借の終了と解除
期間を定めた		・期間満了により終了 →借主は、いつでも契約を解除できる
期間を定めなかった	使用収益の目的を定めた	・借主が定めた目的に従い使用収益を終えると終了 →貸主は、借主が目的に従い借主が使用収益をするのに足りる期間を経過したときは、契約を解除できる →借主は、いつでも契約を解除できる
	使用収益の目的も定めなかった	→貸主は、いつでも契約を解除できる →借主は、いつでも契約を解除できる

きほんの教科書 L14-8 復習

解答 ❷

70 令4-6 賃貸借・使用貸借

Aを貸主、Bを借主として、A所有の甲土地につき、資材置場とする目的で期間を2年として、AB間で、①賃貸借契約を締結した場合と、②使用貸借契約を締結した場合に関する次の記述のうち、民法の規定によれば、正しいものはどれか。

❶ Aは、甲土地をBに引き渡す前であれば、①では口頭での契約の場合に限り自由に解除できるのに対し、②では書面で契約を締結している場合も自由に解除できる。

❷ Bは、①ではAの承諾がなければ甲土地を適法に転貸することはできないが、②ではAの承諾がなくても甲土地を適法に転貸することができる。

❸ Bは、①では期間内に解約する権利を留保しているときには期間内に解約の申入れをし解約することができ、②では期間内に解除する権利を留保していなくてもいつでも解除することができる。

❹ 甲土地について契約の本旨に反するBの使用によって生じた損害がある場合に、Aが損害賠償を請求するときは、①では甲土地の返還を受けた時から5年以内に請求しなければならないのに対し、②では甲土地の返還を受けた時から1年以内に請求しなければならない。

アプローチ

本問は、賃貸借と使用貸借の双方の知識を問う問題です。借りる側に立って、「賃貸借はお金を払って借りる」「使用貸借はタダで借りる」という違いを意識して解き進めてください。

解説

❶ 誤り。 **賃貸借契約・使用貸借契約の解除**

①の賃貸借契約の場合、貸主は、借主が賃借物を受け取る前でも、**自由に契約を解除**できない。口頭での契約でも、同様である。これに対して、②の使用貸借契約の場合、貸主は、**借主が借用物を受け取るまで**、原則として契約の解除ができるが、**書面による使用貸借**については例外的に解除できない。

❷ 誤り。 **賃借物・借用物の転貸**

①の賃貸借契約の場合、賃借人は、賃貸人の承諾を得なければ、賃借権の譲渡または賃借物の**転貸ができない**。これとほぼ同様に、②の使用貸借契約の場合、借主は、貸主の承諾を得なければ、**第三者に借用物の使用または収益をさせることができない**。

❸ 正しい。**賃貸借契約・使用貸借契約の中途解約**

①の賃貸借契約の場合、当事者が賃貸借の期間を定めた場合でも、その期間内に**解約をする権利を留保**した当事者は、いつでも**解約の申入れ**ができる。これに対して、②の使用貸借契約の場合、**借主**は、期間内に解除する権利を留保していなくても、いつでも**契約の解除**ができる。

❹ 誤り。**借主の損害賠償請求権の期間制限**

①の賃貸借契約の場合でも、②の使用貸借契約の場合でも、**契約の本旨に反する使用・収益によって生じた損害の賠償**および借主が支出した費用の償還は、**賃貸人・貸主が**返還を受けた時**から**1年以内に請求しなければならない。したがって、②だけでなく①でも、Aは、甲土地の返還を受けた時から1年以内に請求しなければならない。

ポイント整理

不動産賃貸借と使用貸借の比較

不動産賃貸借	使用貸借
賃借権の登記があれば第三者に対抗できる	使用借権を第三者に対抗できない
無断で賃借権の譲渡・転貸が行われた場合、原則として賃貸人は賃貸借契約を解除できる	無断で使用借権の譲渡・転貸が行われた場合、貸主は使用貸借契約を解除できる

きほんの教科書 L14-8 復習

解答 ❸

71 借地借家法（借家）

平27-11

理解度チェック

ＡがＢとの間で、Ａ所有の甲建物について、期間３年、賃料月額10万円と定めた賃貸借契約を締結した場合に関する次の記述のうち、民法及び借地借家法の規定並びに判例によれば、正しいものはどれか。

❶ ＡがＢに対し、賃貸借契約の期間満了の6か月前までに更新しない旨の通知をしなかったときは、ＡとＢは、期間3年、賃料月額10万円の条件で賃貸借契約を更新したものとみなされる。

❷ 賃貸借契約を期間を定めずに合意により更新した後に、ＡがＢに書面で解約の申入れをした場合は、申入れの日から3か月後に賃貸借契約は終了する。

❸ Ｃが、ＡＢ間の賃貸借契約締結前に、Ａと甲建物の賃貸借契約を締結していた場合、ＡがＢに甲建物を引き渡しても、Ｃは、甲建物の賃借権をＢに対抗することができる。

❹ ＡＢ間の賃貸借契約がＢの賃料不払を理由として解除された場合、ＢはＡに対して、Ａの同意を得てＢが建物に付加した造作の買取りを請求することはできない。

アプローチ

借地借家法の規定は、建物の賃貸借契約に適用されます。ただし、建物の賃貸借であっても、一時使用のために建物を賃借したことが明らかな場合には適用しません。この場合は、民法の規定を適用します。借地借家法の適用の有無で結論が異なることがあります。問題を解く際には、「借地借家法の適用の有無」を見極めてから解答しましょう。

解説

❶ 誤り。　**期間の定めがある建物賃貸借における更新**

期間の定めがある建物賃貸借において、当事者が期間の満了の1年前から6カ月前までの間に相手方に対して更新をしない旨の通知または条件を変更しなければ更新をしない旨の通知をしなかったときは、**従前の契約と同一の条件で契約を更新したものとみなされ、その期間は、**定めがないもの**とされる**。したがって、「期間3年」とする本肢は誤り。

❷ 誤り。　**期間の定めのない建物賃貸借における解約申入れ**

期間の定めのない建物賃貸借において、**賃貸人が**正当事由のある解約申入れをした場合、賃貸借は、解約申入れの日から6カ月後**に終了する**。本肢の場合、正当事由の有無が不明なので、賃貸借が終了するとは限らない。また、終了する場合でも、「3か月後」ではなく6カ月後である。

❸ 誤り。　**二重賃貸の優劣**

目的物が二重に賃貸された場合、賃貸借契約の先後で優劣が決まるのではなく、先に対抗要件を備えた者**が優先する。建物賃借権の対抗要件**は、賃借権の登記か建物の引渡しである。本肢では、Bが引渡しにより対抗要件を備えている。したがって、Cがそれより先に対抗要件を備えていなければBが優先し、その場合には、Cは賃借権をBに対抗することができない。

❹ 正しい。**造作買取請求権**

造作買取請求権が認められるのは、**建物賃貸借が期間の満了または解約の申入れによって終了するときである。債務不履行を理由として解除**された場合には、造作買取請求権は認められない。

ポイント整理

民法と借地借家法の比較

期間の定め	民法	借家
あり	最長：50年 最短：制限なし	最長：制限なし 最短：1年未満の期間を定めたときは、原則として期間の定めのないものとなる
なし	設定可能	設定可能

きほんの教科書 L15-3・4・6 復習　解答 ❹

72 借地借家法（借家）

令2追-12改

理解度チェック

賃貸人Aと賃借人Bとの間で令和7年7月1日に締結した居住用建物の賃貸借契約に関する次の記述のうち、民法及び借地借家法の規定並びに判例によれば、誤っているものはどれか。

❶ 当該建物の修繕が必要である場合において、BがAに修繕が必要である旨を通知したにもかかわらずAが相当の期間内に必要な修繕をしないときは、Bは自ら修繕をすることができる。

❷ BがAに無断でCに当該建物を転貸した場合であっても、Aに対する背信行為と認めるに足りない特段の事情があるときは、Aは賃貸借契約を解除することができない。

❸ 賃貸借契約に期間を定め、賃貸借契約を書面によって行った場合には、AがBに対しあらかじめ契約の更新がない旨を説明していれば、賃貸借契約は期間満了により終了する。

❹ Bが相続人なしに死亡した場合、Bと婚姻の届出をしていないが事実上夫婦と同様の関係にあった同居者Dは、Bが相続人なしに死亡したことを知った後1月以内にAに反対の意思表示をしない限り、賃借人としてのBの権利義務を承継する。

アプローチ

肢3は「定期建物賃貸借」の問題であると理解できたか確認してください。定期建物賃貸借は、「期間を定め」たが、「契約の更新がない」ことが特徴です。しっかり復習してください。定期建物賃貸借は頻出です。

解説

❶ 正しい。**賃借物の修繕義務**

賃借物の修繕が必要である場合において、賃借人が賃貸人に修繕が必要である旨を通知し、または賃貸人がその旨を知ったにもかかわらず、**賃貸人が相当の期間内に必要な修繕をしない**ときは、**賃借人**は、その**修繕**をすることができる。したがって、賃借人Bは、自ら修繕をすることができる。なお、急迫の事情があるときも、同様である。

❷ 正しい。**無断での賃借権の譲渡と転貸の効果**

賃貸借において賃貸人に**無断で賃借権の譲渡・転貸**が行われた場合、賃貸人は、**原則**として、**賃貸借契約を解除**することができる。ただし、例外として、背信的行為と認めるに足りない特段の事情があるときは、**解除することができない**。したがって、賃貸人Aは、賃貸借契約を解除することができない。

❸ 誤り。　**定期建物賃貸借**

定期建物賃貸借をしようとするときは、建物の賃貸人は、あらかじめ、建物の賃借人に対し、建物の賃貸借は契約の更新がなく、期間の満了により当該建物の賃貸借は終了することについて、その旨を記載した**書面を交付して**説明しなければならない。したがって、「契約の更新がない」旨などを記載した書面を交付して説明しなければ、賃貸借契約は期間満了により終了しない。なお、建物の賃貸人は、書面の交付に代えて、建物の賃借人の承諾を得て、当該書面に記載すべき事項を電磁的方法（電子情報処理組織を使用する方法その他の情報通信の技術を利用する方法）により提供することで、書面を交付したものとみなされる。

❹ 正しい。**居住用建物の賃借人が相続人なしに死亡した場合**

居住の用に供する建物の賃借人が相続人なしに死亡した場合、その当時婚姻または縁組の届出をしていないが、建物の賃借人と事実上夫婦または養親子と同様の関係にあった同居者があるときは、その同居者は、相続人なしに死亡したことを知った後1カ月以内に建物の賃貸人に反対の意思を表示したときを除き、建物の賃借人の権利義務を承継する。したがって、賃借人Bの同居者Dは、所定の期間内に賃貸人Aに反対の意思表示をしない限り、賃借人としてのBの権利義務を承継する。

きほんの教科書 L14-1・4、L15-8 復習

解答 ❸

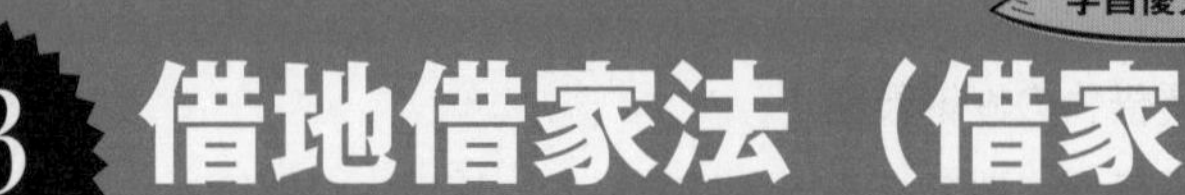

73 借地借家法（借家）

令2-12

ＡとＢとの間でＡ所有の甲建物をＢに対して、居住の用を目的として、期間2年、賃料月額10万円で賃貸する旨の賃貸借契約（以下この問において「本件契約」という。）を締結し、Ｂが甲建物の引渡しを受けた場合に関する次の記述のうち、民法及び借地借家法の規定並びに判例によれば、誤っているものはどれか。

❶ ＡがＣに甲建物を売却した場合、Ｂは、それまでに契約期間中の賃料全額をＡに前払いしていたことを、Ｃに対抗することができる。

❷ 本件契約が借地借家法第38条の定期建物賃貸借契約であって、賃料改定に関する特約がない場合、経済事情の変動により賃料が不相当となったときは、ＡはＢに対し、賃料増額請求をすることができる。

❸ 本件契約が借地借家法第38条の定期建物賃貸借契約である場合、Ａは、転勤、療養、親族の介護その他のやむを得ない事情があれば、Ｂに対し、解約を申し入れ、申入れの日から1月を経過することによって、本件契約を終了させることができる。

❹ 本件契約が借地借家法第38条の定期建物賃貸借契約であって、造作買取請求に関する特約がない場合、期間満了で本件契約が終了するときに、Ｂは、Ａの同意を得て甲建物に付加した造作について買取請求をすることができる。

本問では、「ＡとＢとの間でＡ所有の甲『建物…賃貸借契約』を締結」という部分で借地借家法の適用を確定し、「Ｂが甲『建物の引渡し』を受けた場合」という部分で、対抗要件を備えたことを読み取れたか確認してください。

解説

❶ 正しい。賃貸人たる地位の移転

不動産が譲渡され、その不動産の賃借人が対抗要件を備えている場合、賃貸人たる地位は、譲受人に移転する。そして、建物の賃借人は、賃料の前払いの効果をその建物の所有権を取得した新賃貸人に主張することができる。したがって、Bは、賃料全額の前払いを、Cに対抗することができる。

❷ 正しい。定期建物賃貸借において借賃改定特約がある場合

定期建物賃貸借で、借賃の改定に係る特約がある場合には、借賃増減請求権の規定は適用されない。しかし、本肢では、「賃料改定に関する特約がない」ので、AはBに対し、賃料増額請求をすることができる。

❸ 誤り。　定期建物賃貸借における「賃借人」による解約申入れ

居住用建物（床面積200m²未満）の定期建物賃貸借においては、建物の「賃借人」は、一定の場合に、解約を申し入れ、申入れの日から１カ月後に賃貸借を終了させることができる。本肢は、「賃貸人」Aに中途解約権が認められるとしているので誤り。

❹ 正しい。定期建物賃貸借と造作買取請求

定期建物賃貸借にも、造作買取請求権の規定の適用がある。したがって、特約がなければ、Bは本肢のような造作買取請求をすることができる。

キーワード　借賃増減請求権

建物の借賃が、経済事情の変動等により不相当となったときは、契約の条件にかかわらず、当事者は、将来に向かって建物の借賃の額の増減（増額・減額）を請求することができる。ただし、一定の期間建物の借賃を増額しない旨の特約がある場合には、その定めに従うことになる。

きほんの教科書 L14-3、L15-6・7・8 復習

解答 ❸

74 令5-12改 借地借家法（借家）

令和７年７月１日に締結された建物の賃貸借契約（定期建物賃貸借契約及び一時使用目的の建物の賃貸借契約を除く。）に関する次の記述のうち、民法及び借地借家法の規定並びに判例によれば、正しいものはどれか。

❶ 期間を１年未満とする建物の賃貸借契約は、期間を１年とするものとみなされる。

❷ 当事者間において、一定の期間は建物の賃料を減額しない旨の特約がある場合、現行賃料が不相当になったなどの事情が生じたとしても、この特約は有効である。

❸ 賃借人が建物の引渡しを受けている場合において、当該建物の賃貸人が当該建物を譲渡するに当たり、当該建物の譲渡人及び譲受人が、賃貸人たる地位を譲渡人に留保する旨及び当該建物の譲受人が譲渡人に賃貸する旨の合意をしたときは、賃貸人たる地位は譲受人に移転しない。

❹ 現行賃料が定められた時から一定の期間が経過していなければ、賃料増額請求は、認められない。

まずは、基本知識を問う肢１と肢２の正誤判断に集中！　この２肢での判断ミスが合否を分けます。慎重に読み解きましょう！

解説

❶ 誤り。1年未満の期間の定め

期間を1年未満とする建物の賃貸借契約は、期間の定めがない建物の賃貸借契約とみなされる。期間1年とみなされるのではない。

❷ 誤り。借賃増減請求権（減額しない旨の特約）

建物の賃貸借契約において、借賃が不相当になった場合、当事者は、原則として、将来に向かって借賃の額の増減を請求できる（**借賃増減請求権**）。一定期間は借賃を減額しない旨の特約がある場合でも、この特約は無効である。

❸ 正しい。賃貸人たる地位の移転

賃借権の登記または借地借家法の規定による**賃貸借の対抗要件**を備えた不動産が譲渡された場合、その不動産の賃貸人たる地位は、原則として、その譲受人に移転する。ただし、不動産の譲渡人および譲受人が、**賃貸人たる地位を**譲渡人に留保する旨およびその不動産を**譲受人が**譲渡人に賃貸する旨の合意をしたときは、賃貸人たる地位は、**譲受人に移転しない**。

❹ 誤り。借賃増減請求権（行使時期の制限）

肢2で説明した借賃増減請求権について、**行使時期の制限はない**。したがって、現行賃料が定められた時から一定の期間が経過していなくても、借賃が不相当になった場合であれば、賃料増額請求が認められる。

借賃の増減請求

建物の**借賃が不相当**になった場合、当事者は、将来に向かって、借賃の額の増減（**増額**や**減額**）を請求できる。

一定期間は借賃を「増額」しない旨の特約がある場合	その期間内の借賃の**増額請求はできない**
一定期間は借賃を「減額」しない旨の特約がある場合	この特約は、賃借人に不利なものとして無効となる ⇒　借賃の**減額請求ができる**

きほんの教科書 L14-3、L15-2・7  解答 ❸

75 平29-12 借地借家法（借家）

学習優先度 高

理解度チェック

Ａが所有する甲建物をＢに対して３年間賃貸する旨の契約をした場合における次の記述のうち、借地借家法の規定によれば、正しいものはどれか。なお、借地借家法38条第３項に定める書面の交付に代えて、建物の賃借人の承諾を得て、当該書面に記載すべき事項を電磁的方法により提供する場合については考慮しないものとする。

❶ ＡがＢに対し、甲建物の賃貸借契約の期間満了の1年前に更新をしない旨の通知をしていれば、AB間の賃貸借契約は期間満了によって当然に終了し、更新されない。

❷ Ａが甲建物の賃貸借契約の解約の申入れをした場合には申入れ日から3月で賃貸借契約が終了する旨を定めた特約は、Ｂがあらかじめ同意していれば、有効となる。

❸ Ｃが甲建物を適法に転借している場合、AB間の賃貸借契約が期間満了によって終了するときに、Ｃがその旨をＢから聞かされていれば、ＡはＣに対して、賃貸借契約の期間満了による終了を対抗することができる。

❹ AB間の賃貸借契約が借地借家法第38条の定期建物賃貸借で、契約の更新がない旨を定めるものである場合、当該契約前にＡがＢに契約の更新がなく期間の満了により終了する旨を記載した書面を交付して説明しなければ、契約の更新がない旨の約定は無効となる。

肢４の「定期建物賃貸借」は頻出、かつ、同じことを繰り返し問われます。この手の知識は、また出題されます。しっかり復習してください。

解説

❶ 誤り。　賃貸人から更新拒絶の通知の要件

更新拒絶の通知の期間は期間満了の1年前から6カ月前までであるが、賃貸人から更新拒絶の通知には、正当事由が必要である。したがって、Aの更新拒絶の通知に正当事由がなければ、契約は更新されたものとみなされる。

❷ 誤り。　期間の定めのある賃貸借契約と中途解約の可否

期間の定めのある賃貸借契約は、原則として、中途解約はできない。ただし、解約をする権利を留保（＝解約することができる旨の特約）したときは、解約申入れをすることができる。そして、賃借人には不利な特約は無効となる。したがって、賃貸人が解約申入れをした場合に3カ月で建物の賃貸借契約が終了する旨の特約は、賃借人に不利な特約なので、無効となる。

❸ 誤り。　建物賃貸借の終了と転貸借

建物賃貸借が期間満了または解約申入れによって終了するときは、賃貸人は、転借人にその旨の通知をしなければ、その終了を転借人に対抗することができない。転貸借は、通知がされた日から6カ月で終了する。本肢では、賃貸人AがCに通知しなければならない。

❹ 正しい。定期建物賃貸借

定期建物賃貸借の場合、賃貸人は、賃借人に対して、契約前に、契約の更新がなく期間の満了により終了する旨を記載した書面を交付して説明しなければならない。これに違反したときは、契約の更新がない旨の定めは無効となる。なお、建物の賃貸人は、書面の交付に代えて、建物の賃借人の承諾を得て、当該書面に記載すべき事項を電磁的方法により提供することで、書面を交付したものとみなされる。

ステップアップ

正当事由の有無の判断

賃貸人による更新拒絶の通知には、「正当事由」が必要です。そして、正当事由の有無は次の①から④を総合的に考慮して決める。

①建物の賃貸人および賃借人が建物の使用を必要とする事情
②建物の賃貸借に関する従前の経過
③建物の利用状況および建物の現況
④建物の賃貸人が提供する財産上の給付（立退料・移転料）の申出

きほんの教科書 L15-1・3・5・8

解答 ④

76 平30-12 借地借家法（借家）

ＡとＢとの間で、Ａが所有する甲建物をＢが５年間賃借する旨の契約を締結した場合における次の記述のうち、民法及び借地借家法の規定によれば、正しいものはどれか（借地借家法第39条に定める取壊し予定の建物の賃貸借及び同法第40条に定める一時使用目的の建物の賃貸借は考慮しないものとする。）。

❶ AB間の賃貸借契約が借地借家法第38条の定期建物賃貸借で、契約の更新がない旨を定めた場合には、5年経過をもって当然に、AはBに対して、期間満了による終了を対抗することができる。

❷ AB間の賃貸借契約が借地借家法第38条の定期建物賃貸借で、契約の更新がない旨を定めた場合には、当該契約の期間中、Bから中途解約を申し入れることはできない。

❸ AB間の賃貸借契約が借地借家法第38条の定期建物賃貸借でない場合、A及びBのいずれからも期間内に更新しない旨の通知又は条件変更しなければ更新しない旨の通知がなかったときは、当該賃貸借契約が更新され、その契約は期間の定めがないものとなる。

❹ CがBから甲建物を適法に賃貸された転借人で、期間満了によってAB間及びBC間の賃貸借契約が終了する場合、Aの同意を得て甲建物に付加した造作について、BはAに対する買取請求権を有するが、CはAに対する買取請求権を有しない。

アプローチ

本問では、肢1と肢2は「定期建物賃貸借」からの出題で、肢3は定期建物賃貸借ではありません。少し紛らわしいのですが、この点も確認しながら解き進めてください。

解説

❶ 誤り。 **定期建物賃貸借終了の要件**

期間が1年以上の定期建物賃貸借の場合、賃貸人は、期間の満了の1年前から6カ月前までの間に賃借人に対し期間の満了により賃貸借が終了する旨の通知をしなければ、終了を賃借人に対抗することができない。本肢は、期間5年の定期建物賃貸借なので、上記の通知が必要であり、「5年経過をもって当然に」終了を対抗できるわけではない。

❷ 誤り。 **定期建物賃貸借における解約申入れ**

床面積200m²未満の居住用建物の定期建物賃貸借において、転勤、療養、親族の介護その他のやむを得ない事情により、賃借人が建物を自己の生活の本拠として使用することが困難となったときは、賃借人は、解約の申入れをすることができる。本肢では、この規定による途中解約の申入れができる可能性がある。

❸ 正しい。**期間の定めのある建物賃貸借更新後の期間**

期間の定めのある建物賃貸借において、期間満了の1年前から6カ月前までの間に更新拒絶等の通知がなかったときは、従前の契と同一の条件で契約を更新したものとみなされるが、期間は定めのないものとなる。

❹ 誤り。 **転借人の造作買取請求**

建物の賃貸借が期間の満了または解約の申入れによって終了する場合、賃借人だけでなく転借人も、原則として賃貸人に対して造作買取請求権を有する。したがって、CはAに対する買取請求権を有しないとする本肢は誤り。

民法と借地借家法の比較

期間の定めがある建物賃貸借（肢3）	当事者が期間の満了の1年前から6カ月前までの間に更新をしない旨等の通知をしなかった場合、更新したものとみなす。なお、賃貸人による更新拒絶の通知には、正当事由が必要。
定期建物賃貸借（肢1）	契約の更新がなく期間満了により契約が終了する。

きほんの教科書 L15-3・6・8 復習

解答 ❸

77 借地借家法（借家）

令1-12

AがBに対し、A所有の甲建物を３年間賃貸する旨の契約をした場合における次の記述のうち、民法及び借地借家法の規定によれば、正しいものはどれか（借地借家法第39条に定める取壊し予定の建物の賃貸借及び同法第40条に定める一時使用目的の建物の賃貸借は考慮しないものとする。）。

❶ AB間の賃貸借契約について、契約の更新がない旨を定めるには、公正証書による等書面によって契約すれば足りる。

❷ 甲建物が居住の用に供する建物である場合には、契約の更新がない旨を定めることはできない。

❸ AがBに対して、期間満了の3月前までに更新しない旨の通知をしなければ、従前の契約と同一の条件で契約を更新したものとみなされるが、その期間は定めがないものとなる。

❹ Bが適法に甲建物をCに転貸していた場合、Aは、Bとの賃貸借契約が解約の申入れによって終了するときは、特段の事情がない限り、Cにその旨の通知をしなければ、賃貸借契約の終了をCに対抗することができない。

アプローチ

「期間の定めがある」建物賃貸借をする場合に、公正証書による等書面等によって契約をするときに限り、契約の「更新がない」こととする旨を定めることができます（定期建物賃貸借）。「期間の定めがある（本問では、甲建物を３年間賃貸する旨の契約）」と「更新がない」がキーワードです。これを前提に肢１と肢２を解いてみてください。

解説

❶ 誤り。 **定期建物賃貸借の成立要件**

定期建物賃貸借をする場合には、書面を交付して事前説明をする必要がある。書面で契約するだけでは足りない。なお、建物の賃貸人は、書面の交付に代えて、建物の賃借人の承諾を得て、当該書面に記載すべき事項を電磁的方法により提供することで、書面を交付したものとみなされる。

❷ 誤り。 **定期建物賃貸借の成立要件**

定期建物賃貸借には、建物の用途の制限はない。したがって、居住の用に供する建物の賃貸借であっても、定期建物賃貸借をすることができる。

❸ 誤り。 **契約更新後の期間**

期間の定めのある建物賃貸借の場合、期間満了の1年前から6カ月前までの間に更新しない旨の通知等をしなければ、従前の契約と同一の条件で契約を更新したものとみなされるが、期間は定めのないものとされる。期間満了の「3月前」ではない。

❹ 正しい。**転貸借の終了**

建物の転貸借がされている場合において、建物賃貸借が期間満了または解約申入れによって終了するときは、賃貸人は、転借人にその旨の通知をしなければ、賃貸借の終了を転借人に対抗することができない。

定期建物賃貸借

1. **期間の定めがある**建物賃貸借をする場合に、公正証書による等書面（または電磁的記録）によって契約をするときに限り、**契約の更新がない**こととする旨を定めることができる（定期建物賃貸借）。
2. 定期建物賃貸借をしようとするときは、建物の賃貸人は、**あらかじめ**、**契約の更新がなく**、**期間の満了**により当該建物の賃貸借は**終了**することについて、その旨を記載した**書面を交付して**（または**建物の賃貸人の承諾を得て**、当該書面に記載すべき事項を**電磁的方法により提供して**）**説明**しなければならない。
3. 建物の賃貸人が説明をしなかったときは、契約の更新がないこととする旨の定めは、無効となる。

きほんの教科書 L14-2、L15-4・8

解答 ❹

78 令2-11改 借地借家法（借地）

理解度チェック

A所有の甲土地につき、令和7年7月1日にBとの間で居住の用に供する建物の所有を目的として存続期間30年の約定で賃貸借契約（以下この問において「本件契約」という。）が締結された場合に関する次の記述のうち、民法及び借地借家法の規定並びに判例によれば、正しいものはどれか。

❶ Bは、借地権の登記をしていなくても、甲土地の引渡しを受けていれば、甲土地を令和7年7月2日に購入したCに対して借地権を主張することができる。

❷ 本件契約で「一定期間は借賃の額の増減を行わない」旨を定めた場合には、甲土地の借賃が近傍類似の土地の借賃と比較して不相当となったときであっても、当該期間中は、AもBも借賃の増減を請求することができない。

❸ 本件契約で「Bの債務不履行により賃貸借契約が解除された場合には、BはAに対して建物買取請求権を行使することができない」旨を定めても、この合意は無効となる。

❹ AとBとが期間満了に当たり本件契約を最初に更新する場合、更新後の存続期間を15年と定めても、20年となる。

アプローチ

借地でも図を描きましょう。本問では、Aが「借地権設定者」、Bが「借地権者」となります。

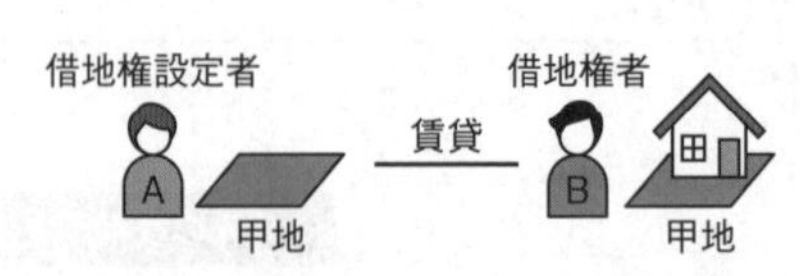

解説

❶ 誤り。 **借地権の対抗要件**

借地権の対抗要件は、借地権の登記、借地権者名義の建物の登記、滅失の場合の掲示のいずれかである。借家の場合と異なり、引渡しは対抗要件にならない。したがって、Bは、引渡しを受けていても、Cに対して借地権を主張することができない。

❷ 誤り。 **地代等の増減を請求の特約**

当事者は、地代等が不相当になったときは、契約の条件にかかわらず、地代等の「増」「減」を請求することができるのが原則であるが、一定の期間「増」額しない旨の特約がある場合には、その定めに従う。これに対し、「減」額しない旨の特約は、借地権者に不利なので無効になる。本肢では、借賃の増額を請求することはできないが、借賃の減額を請求することはできる。

❸ 誤り。 **建物買取請求権**

債務不履行を理由に契約が解除された場合、借地権者は、建物買取請求権を有しない。したがって、本肢の合意は、借地借家法の規定より借地権者に不利なものではなく、有効である。

❹ 正しい。**更新後の存続期間**

最初の更新の場合、存続期間は20年（20年より長い期間を定めた場合は、その期間）になり、20年未満の期間を定めた場合には、20年になる。したがって、15年と定めたとしても、存続期間は20年になる。

借地権の対抗要件

1. 借地権の登記か**借地権者名義**の**建物の登記**がある場合、借地権を第三者に対抗できる。
・建物の登記は、**表示に関する登記**でもよい。
・登記名義が借地権者「**以外**」の場合、**借地権を第三者に対抗できない**。

2. 借地上の**借地権者名義の登記**のある建物が滅失した場合、一定事項を**掲示**すれば、**2年間**借地権を第三者に対抗できる。

きほんの教科書 L15-7、L16-2･3･5

解答 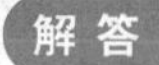

学習優先度 高

79 借地借家法（借地）

令2追-11

理解度チェック

次の記述のうち、借地借家法の規定及び判例によれば、正しいものはどれか。

❶ 借地権者が借地権の登記をしておらず、当該土地上に所有権の登記がされている建物を所有しているときは、これをもって借地権を第三者に対抗することができるが、建物の表示の登記によっては対抗することができない。

❷ 借地権者が登記ある建物を火災で滅失したとしても、建物が滅失した日から2年以内に新たな建物を築造すれば、2年を経過した後においても、これをもって借地権を第三者に対抗することができる。

❸ 土地の賃借人が登記ある建物を所有している場合であっても、その賃借人から当該土地建物を賃借した転借人が対抗力を備えていなければ、当該転借人は転借権を第三者に対抗することができない。

❹ 借地権者が所有する数棟の建物が一筆の土地上にある場合は、そのうちの一棟について登記があれば、借地権の対抗力が当該土地全部に及ぶ。

アプローチ

本問は手ごわい問題です。肢1と肢2については確実に知識を身につけるように学習してください。

解説

❶ 誤り。　**借地権の対抗要件（借地上の建物登記）**

借地権は、その登記がなくても、土地の上に借地権者が自己名義で**登記されている建物**を所有するときは、これをもって第三者に**対抗することができる**。この借地上の建物の「登記」は、**所有権の登記**のほか、表示の登記でもよいとされている。したがって、建物の表示の登記によっても、借地権を第三者に対抗することができる。

❷ 誤り。　**借地権の対抗要件（借地上の登記がなされている建物の滅失）**

借地権者が借地上の建物の登記によって借地権の対抗力を備えていた場合に建物の滅失があっても、借地権者は、その建物を特定するために必要な事項などを土地の上の見やすい場所に掲示するときは、建物の滅失があった日から2年間、借地権を第三者に対抗することができる。その一方で、2年を経過した後においては、その前に**建物を新たに築造**し、かつ、その**建物につき**登記した場合でなければ、**借地権を第三者に対抗することができない**。したがって、「2年以内に新たな建物を築造」するだけでなく、その建物につき登記をしなければ、対抗することができない。

❸ 誤り。　**借地権の対抗要件（転借人の対抗力）**

土地の賃借人が登記ある建物を所有している場合には、その賃借人から当該土地建物を賃借した転借人が対抗力を備えていなくても、当該転借人は、転貸人（賃借人）の賃借権を援用して、転借権を第三者に対抗することができる。（捨）

❹ 正しい。**借地権の対抗要件（借地上の建物登記）**

借地権者が所有する数棟の建物が一筆の土地上にある場合は、そのうちの一棟について登記があれば、借地権の対抗力が当該土地全部に及ぶ。（捨）

きほんの教科書 L16-5 復習

解答 ❹

80 借地借家法（借地）

平23-11

理解度チェック

借地借家法に関する次の記述のうち、誤っているものはどれか。

❶ 建物の用途を制限する旨の借地条件がある場合において、法令による土地利用の規制の変更その他の事情の変更により、現に借地権を設定するにおいてはその借地条件と異なる建物の所有を目的とすることが相当であるにもかかわらず、借地条件の変更につき当事者間に協議が調わないときは、裁判所は、当事者の申立てにより、その借地条件を変更することができる。

❷ 賃貸借契約の更新の後において、借地権者が残存期間を超えて残存すべき建物を新たに築造することにつきやむを得ない事情があるにもかかわらず、借地権設定者がその建物の築造を承諾しないときは、借地権設定者が土地の賃貸借の解約の申入れをすることができない旨を定めた場合を除き、裁判所は、借地権者の申立てにより、借地権設定者の承諾に代わる許可を与えることができる。

❸ 借地権者が賃借権の目的である土地の上の建物を第三者に譲渡しようとする場合において、その第三者が賃借権を取得しても借地権設定者に不利となるおそれがないにもかかわらず、借地権設定者がその賃借権の譲渡を承諾しないときは、裁判所は、その第三者の申立てにより、借地権設定者の承諾に代わる許可を与えることができる。

❹ 第三者が賃借権の目的である土地の上の建物を競売により取得した場合において、その第三者が賃借権を取得しても借地権設定者に不利となるおそれがないにもかかわらず、借地権設定者がその賃借権の譲渡を承諾しないときは、裁判所は、その第三者の申立てにより、借地権設定者の承諾に代わる許可を与えることができる。

アプローチ

問題文の文字量が多い問題です。「何を問われているのか」を読み取ることが重要です。

解説

❶ 正しい。**裁判所による借地条件の変更**

建物の種類、構造、規模、用途を制限する旨の借地条件がある場合において、法令による土地利用の規制の変更、付近の土地の利用状況の変化その他の事情の変更により現に借地権を設定するにおいてはその借地条件と異なる建物の所有を目的とすることが相当であるにもかかわらず、**借地条件の変更**につき当事者間に協議が調わないときは、**裁判所は、当事者の申立てにより、その借地条件を変更することができる**。たとえば、住宅を建てるという条件で土地を賃借したが、用途地域が住居系から商業系に変わったため店舗を建築したいという場合に、この制度を利用することが考えられる。

❷ 正しい。**更新後の建物築造についての裁判所の許可の申立権者**

更新後の存続期間に建物が滅失した場合、借地権者が残存期間を超えて存続すべき**建物を新たに築造すること**につきやむを得ない事情があるにもかかわらず、借地権設定者がその建物の築造を承諾しないときは、借地権設定者が地上権の消滅の請求または土地の賃貸借の解約の申入れをすることができない旨を定めた場合を除き、**裁判所は、借地権者の申立てにより、借地権設定者の承諾に代わる許可**を与えることができる。

❸ 誤り。 **借地上建物の譲渡についての裁判所の許可の申立権者**

借地権者が賃借権の目的である土地の上の**建物を第三者に譲渡しようとする場合**において、その第三者が賃借権を取得し、または転借をしても借地権設定者に不利となるおそれがないにもかかわらず、借地権設定者がその賃借権の譲渡または転貸を承諾しないときは、**裁判所は、借地権者の申立てにより、借地権設定者の承諾に代わる許可**を与えることができる。したがって、「第三者の申立てにより」とする本肢は誤り。

❹ 正しい。**借地上建物の競売による取得についての裁判所の許可の申立権者**

第三者が賃借権の目的である土地の上の**建物を競売等により取得**した場合において、その第三者が賃借権を取得しても借地権設定者に不利となるおそれがないにもかかわらず、借地権設定者がその賃借権の譲渡を承諾しないときは、**裁判所は、その第三者の申立てにより、借地権設定者の承諾に代わる許可**を与えることができる。

81 借地借家法（借地）

平29-11改

Ａ所有の甲土地につき、令和７年10月１日にＢとの間で賃貸借契約（以下「本件契約」という。）が締結された場合に関する次の記述のうち、民法及び借地借家法の規定並びに判例によれば、正しいものはどれか。

❶ Ａが甲土地につき、本件契約とは別に、令和7年9月1日にＣとの間で建物所有を目的として賃貸借契約を締結していた場合、本件契約が資材置場として更地で利用することを目的とするものであるときは、本件契約よりもＣとの契約が優先する。

❷ 賃借権の存続期間を10年と定めた場合、本件契約が居住の用に供する建物を所有することを目的とするものであるときは存続期間が30年となるのに対し、本件契約が資材置場として更地で利用することを目的とするものであるときは存続期間は10年である。

❸ 本件契約が建物所有を目的として存続期間60年とし、賃料につき3年ごとに1%ずつ増額する旨を公正証書で定めたものである場合、社会情勢の変化により賃料が不相当となったときであっても、ＡもＢも期間満了まで賃料の増減額請求をすることができない。

❹ 本件契約が建物所有を目的としている場合、契約の更新がなく、建物の買取りの請求をしないこととする旨を定めるには、Ａはあらかじめ Ｂに対してその旨を記載した書面を交付して説明しなければならない。

本問の賃貸借契約が、「甲土地につき…建物所有を目的」であれば借地借家法の適用があり、「資材置場として更地で利用することを目的」であれば民法の適用となることを的確に読み取りながら解いてください。

解説

❶ 誤り。　二重賃貸借の場合の優劣

二重賃貸借の場合、先に対抗力を備えた賃借人が優先する。このことは、建物所有を目的とするかどうかに関係ない。本肢では、AがBとCに二重に賃貸しているので、契約締結の先後ではなく、先に対抗要件を備えたほうが優先する。

❷ 正しい。賃貸借と借地権の存続期間

建物所有を目的とする土地賃借権は、借地借家法の適用があり、借地権に該当する。事業用定期借地権以外の借地権の場合、30年未満の存続期間を定めると30年になるので、本肢前半は正しい。これに対し、本肢後半は更地で利用する目的なので、民法が適用される。民法では、存続期間は50年を超えてはならないが、最短期間の制限はないので、10年とする定めは有効である。したがって、本肢後半も正しい。

❸ 誤り。　賃料についての条件と増減額請求の可否

借地契約において、社会情勢の変化により賃料が不相当となったときは、契約の条件にかかわらず、原則として、賃料の増減額請求をすることができる。したがって、賃料の増減額請求をすることができないとする本肢は誤り。

❹ 誤り。　事業用定期借地契約の締結

契約の更新がなく、建物の買取りの請求をしない旨を定めた借地権（定期借地権）を設定する場合、一般定期借地権であれば特約を書面でしなければならず、事業用定期借地権であれば契約を公正証書でしなければならない。しかし、あらかじめ書面を交付して説明する義務はない。一般定期借地権の特約がその内容を記録した電磁的記録によってされたときは、その特約は、書面によってされたものとみなされる。

ポイント整理

定期借地権

	一般定期借地権	事業用定期借地権
存続期間	50年以上	10年以上50年未満
更新	認めない	認めない
建物買取請求	認めない	認めない
書面	必要（または電磁的記録）	公正証書が必要

きほんの教科書 L14-2、L16-1・5・8 復習

解答 ❷

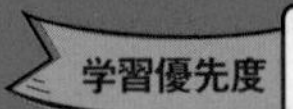

82 令5-11 借地借家法（借地）

ＡがＢとの間で、Ａ所有の甲土地につき建物所有目的で期間を50年とする賃貸借契約（以下この問において「本件契約」という。）を締結する場合に関する次の記述のうち、借地借家法の規定及び判例によれば、正しいものはどれか。

❶ 本件契約に、当初の10年間は地代を減額しない旨の特約を定めた場合、その期間内は、ＢはＡに対して地代の減額請求をすることはできない。

❷ 本件契約が甲土地上で専ら賃貸アパート事業用の建物を所有する目的である場合、契約の更新や建物の築造による存続期間の延長がない旨を定めるためには、公正証書で合意しなければならない。

❸ 本件契約に建物買取請求権を排除する旨の特約が定められていない場合、本件契約が終了したときは、その終了事由のいかんにかかわらず、ＢはＡに対してＢが甲土地上に所有している建物を時価で買い取るべきことを請求することができる。

❹ 本件契約がＢの居住のための建物を所有する目的であり契約の更新がない旨を定めていない契約であって、期間満了する場合において甲土地上に建物があり、Ｂが契約の更新を請求したとしても、Ａが遅滞なく異議を述べ、その異議に更新を拒絶する正当な事由があると認められる場合は、本件契約は更新されない。

アプローチ

本問の事例を図示すると右の図のようになります。

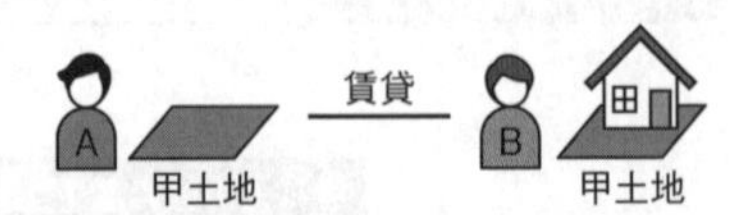

解説

❶ 誤り。**地代等増減請求権**

借地契約において、地代または土地の借賃（地代等）が不相当になった場合、当事者は、原則として、将来に向かって地代等の額の増減を請求できる（**地代等増減請求権**）。一定期間は地代等を**減額しない旨の特約**がある場合でも、この特約は無効である。したがって、Bは、本肢の特約にかかわらず、Aに対して、地代の減額請求をすることができる場合がある。

❷ 誤り。**一般定期借地権**

土地上の建物の**用途に関係なく**、存続期間を50**年以上**として借地権を設定する場合であれば、**契約の更新および建物の築造による存続期間の延長がなく、建物買取請求をしないこととする旨を定めることができる**（**一般定期借地権**）。この場合においては、その特約は、書面または電磁的記録によってしなければならないが、**公正証書でなくてもかまわない**。

❸ 誤り。**建物買取請求権**

借地権の存続期間が満了した場合において、契約の更新がないときは、借地権者は、借地権設定者に対して、**建物買取請求権**を行使できる。これに対して、借地権者の債務不履行**によって借地契約が解除**された場合には、借地権者は、建物買取請求権を**行使できない**。債務不履行をした借地権者を保護する必要はないからである。したがって、Bは、本件契約の「終了事由のいかんにかかわらず」建物買取請求権を行使できるというわけではない。

❹ 正しい。**更新請求による更新**

借地権の存続期間が満了する場合において、借地権者が契約の**更新を請求**したときは、建物がある場合に限り、**更新**したものとみなされる（請求による更新）。ただし、借地権設定者が遅滞なく正当事由**ある異議**を述べたときは、**更新されない**。したがって、Bが契約の更新を請求したとしても、Aが遅滞なく正当事由ある異議を述べた場合は、本件契約は更新されない。

きほんの教科書 L16-3・7・8 復習

解答 ④

借地借家法（借地）

甲土地につき、期間を50年と定めて賃貸借契約を締結しようとする場合（以下「ケース①」という。）と、期間を15年と定めて賃貸借契約を締結しようとする場合（以下「ケース②」という。）に関する次の記述のうち、民法及び借地借家法の規定によれば、正しいものはどれか。

❶ 賃貸借契約が建物を所有する目的ではなく、資材置場とする目的である場合、ケース①は期間の定めのない契約になり、ケース②では期間は15年となる。

❷ 賃貸借契約が建物の所有を目的とする場合、公正証書で契約を締結しなければ、ケース①の期間は30年となり、ケース②の期間は15年となる。

❸ 賃貸借契約が居住の用に供する建物の所有を目的とする場合、ケース①では契約の更新がないことを書面で定めればその特約は有効であるが、ケース②では契約の更新がないことを書面で定めても無効であり、期間は30年となる。

❹ 賃貸借契約が専ら工場の用に供する建物の所有を目的とする場合、ケース①では契約の更新がないことを公正証書で定めた場合に限りその特約は有効であるが、ケース②では契約の更新がないことを公正証書で定めても無効である。

アプローチ

本問の賃貸借契約が、「賃貸借契約が建物の所有を目的」であれば借地借家法の適用があり、「資材置場とする目的」であれば民法の適用となることを的確に読み取りながら解いてください。「居住の用に供する建物」とするか「専ら工場の用に供する建物」でも結論が異なります。ここも要注意です。

解説

❶ 誤り。 建物所有を目的としない土地の賃借権の存続期間

建物所有を目的としない土地の賃借権には借地借家法は適用されず、民法が適用される。民法では、賃貸借の存続期間は50年を超えることができない。したがって、ケース①では期間は50年となるので本肢は誤り。民法には、賃貸借の存続期間の下限はないので、ケース②については正しい記述である。

❷ 誤り。 普通の借地権の存続期間の上限と下限

建物所有を目的とする土地の賃借権は、借地権にあたる。そして、普通の借地権には存続期間の上限がなく、下限は30年であり、書面によらずに契約してもかまわない。したがって、普通の借地権であれば、ケース①では期間は50年となり、ケース②では期間は30年となる。

❸ 正しい。一般定期借地権の存続期間

居住の用に供する建物を所有する目的の場合、事業用定期借地権は設定できず、更新がない旨を定められるのは一般定期借地権だけである。一般定期借地権の存続期間は50年以上でなければならず、更新がない旨等を書面で定める必要がある。ケース①は期間50年なので、更新がない旨の特約は有効である。ケース②は期間15年なので、一般定期借地権にはならない。その結果、更新がない旨の特約は無効となり、普通の借地権となり期間は30年となる。

❹ 誤り。 一般定期借地権と事業用定期借地権

一般定期借地権は、土地上の建物の用途に関係なく設定することができるので、ケース①でも設定することができる。その場合、書面（または電磁的記録）で定めればよく、公正証書でなくてもかまわない。したがって、「契約の更新がないことを公正証書で定めた場合に限りその特約は有効」とする本肢は誤り。次に、事業用定期借地権は、専ら事業の用に供する建物（居住の用に供するものを除く）を所有する目的の場合に設定することができ、存続期間は10年以上50年未満であって、公正証書で契約しなければならない。ケース②は、工場を所有する目的で期間15年なので、事業用定期借地権を設定することができる。したがって、本肢は、契約の更新がないことを公正証書で定めても無効とする点でも誤り。

きほんの教科書 L14-2、L16-1・2・8 復習

解答 ❸

84 平12-11 借地借家法（借地）

学習優先度 高

理解度チェック

Ａを賃借人、Ｂを賃貸人としてＢ所有の土地に建物譲渡特約付借地権を設定する契約（その設定後30年を経過した日に借地上の建物の所有権がＡからＢに移転する旨の特約が付いているものとする。）を締結した場合に関する次の記述のうち、借地借家法の規定によれば、誤っているものはどれか。

❶ 本件契約における建物譲渡の特約は、必ずしも公正証書によって締結する必要はない。

❷ Ａの借地権は、その設定後30年を経過した日における建物譲渡とともに消滅し、本件契約がABの合意によらずに法定更新されることはない。

❸ 建物譲渡によりＡの借地権が消滅した場合で、Ａがその建物に居住しているときは、Ａは、直ちに、Ｂに対して建物を明け渡さなければならず、賃借の継続を請求することはできない。

❹ Ｃが、建物をＡから賃借し、Ａの借地権消滅後もそこに居住している場合で、Ｂに対して賃借の継続を請求したときは、一定の場合を除き、BC間に期間の定めのない建物賃貸借がされたものとみなされる。

アプローチ

本問では、肢1と肢2について確実に正誤の判断ができたか確認してください。復習もその知識を中心にしてください。

解説

❶ 正しい。建物譲渡特約付き借地権（書面の要否）

建物譲渡特約付き借地権の契約締結には、書面は必要ない。したがって、公正証書によって締結する必要はない。

❷ 正しい。建物譲渡特約付き借地権（更新）

建物譲渡特約付き借地権は、更新のない借地権である。したがって、借地権は建物譲渡とともに消滅し、法定更新されることはない。

❸ 誤り。 建物譲渡特約付き借地権（借地権消滅後の建物使用継続）

建物譲渡特約付き借地権において、建物譲渡により借地権が消滅した後に、建物使用を継続している借地権者が請求したときは、建物につき期間の定めのない賃貸借がされたものとみなされる。したがって、Aは、賃借の継続を請求することができる。

❹ 正しい。建物譲渡特約付き借地権（借地権消滅後の建物使用継続）

借地上の建物の賃借人が請求した場合も、肢3と同様、期間の定めのない賃貸借がされたものとみなされる。

定期借地権と建物譲渡特約付き借地権

	一般定期借地権	事業用定期借地権	建物譲渡特約付き借地権
存続期間	50年以上	10年以上50年未満	30年以上
更新	認めない	認めない	建物譲渡により借地権が消滅するので更新なし
建物買取請求	認めない	認めない	—
書面	必要※	公正証書が必要	不要

※電磁的記録によってなされたときは、書面によってなされたものとみなす。

解答 ❸

85 不法行為

平24-9

Ａに雇用されているＢが、勤務中にＡ所有の乗用車を運転し、営業活動のため得意先に向かっている途中で交通事故を起こし、歩いていたＣに危害を加えた場合における次の記述のうち、民法の規定及び判例によれば、正しいものはどれか。

❶ ＢのＣに対する損害賠償義務が消滅時効にかかったとしても、ＡのＣに対する損害賠償義務が当然に消滅するものではない。

❷ Ｃが即死であった場合には、Ｃには事故による精神的な損害が発生する余地がないので、ＡはＣの相続人に対して慰謝料についての損害賠償責任を負わない。

❸ Ａの使用者責任が認められてＣに対して損害を賠償した場合には、ＡはＢに対して求償することができるので、Ｂに資力があれば、最終的にはＡはＣに対して賠償した損害額の全額を常にＢから回収することができる。

❹ Ｃが幼児である場合には、被害者側に過失があるときでも過失相殺が考慮されないので、ＡはＣに発生した損害の全額を賠償しなければならない。

本問では、A使用者、B被用者、C被害者として図を描きましょう。

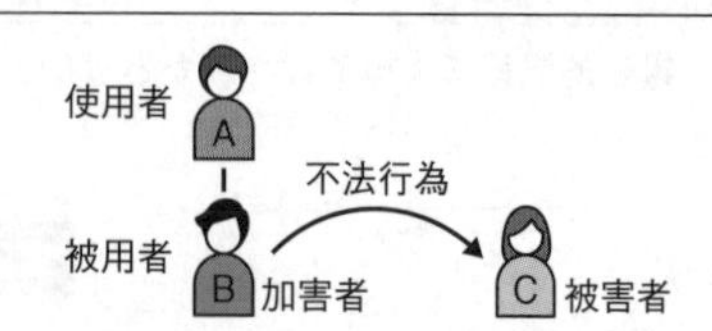

解説

❶ 正しい。**使用者責任（使用者と被用者の不法行為責任）**

加害者Bは被害者Cに対して不法行為責任を負う。また、Bが営業活動のため（Aの事業の執行について）Cに損害を与えているので、使用者Aは、Cに対して使用者責任を負う。この場合、**使用者Aと被用者Bは、連帯債務を負うので、1人についての時効の完成は他の者に影響しない**（相対効）。

❷ 誤り。 **被害者死亡の場合の不法行為責任**

即死の場合でも、被害者に損害賠償請求権が発生し、それを**相続人が**相続する。このことは、財産的損害・精神的損害のどちらでも変わりない。したがって、Aは、Cの相続人に対して慰謝料（＝精神的損害に対する賠償）についての損害賠償責任を負う。

❸ 誤り。 **使用者責任（被用者に対する求償）**

使用者責任に基づき被害者に損害賠償をした**使用者は**、損害の公平な分担の見地から信義則上相当と認められる限度において、**被用者に対して求償することができる**。したがって、AのBに対する求償額は制限される可能性があるので、全額を常に回収（請求）できるとはいえない。

❹ 誤り。 **被害者側の過失**

被害者側に過失がある場合には、被害者自身に過失がなくても、過失相殺をすることができる。「被害者側」とは、具体的には、未成熟の子とその親、夫婦など家族関係や生活において一体と見られる関係にある者のことである。たとえば、幼児Xを親であるYがつれて歩いていたところ、Yが目を離したすきにXが道に飛び出してZの運転する車にひかれたとする。この場合、XのZに対する損害賠償請求において、Xの親であるY（＝被害者側）の過失を理由に、過失相殺できる。なぜなら、被害者側の落ち度による損害額は、賠償額の減額を通じて被害者に負担させたほうが公平だからである。したがって、Aは全額を賠償しなければならないとする本肢は誤りである。捨

きほんの教科書 L17-1・2、L13-5 復習

解答 ❶

86 不法行為

平18-11

事業者Ａが雇用している従業員Ｂが行った不法行為に関する次の記述のうち、民法の規定及び判例によれば、正しいものはどれか。

❶ Bの不法行為がAの事業の執行につき行われたものであり、Aに使用者としての損害賠償責任が発生する場合、Bには被害者に対する不法行為に基づく損害賠償責任は発生しない。

❷ Bが営業時間中にA所有の自動車を運転して取引先に行く途中に前方不注意で人身事故を発生させても、Aに無断で自動車を運転していた場合、Aに使用者としての損害賠償責任は発生しない。

❸ Bの不法行為がAの事業の執行につき行われたものであり、Aに使用者としての損害賠償責任が発生する場合、Aが被害者に対して売買代金債権を有していれば、被害者は不法行為に基づく損害賠償債権で売買代金債務を相殺することができる。

❹ Bの不法行為がAの事業の執行につき行われたものであり、Aが使用者としての損害賠償責任を負担した場合、A自身は不法行為を行っていない以上、Aは負担した損害額の2分の1をBに対して求償できる。

アプローチ

本問では、事業者Ａ（被用者）、従業員Ｂ（使用者）とありますが、被害者には名前がありません。ここは被害者に「C」とでも名前を振って、図を描いて、解き進めましょう。

解説

❶ 誤り。　**使用者責任（被用者の責任）**

使用者は、被用者が事業の執行について第三者に加えた損害を賠償する責任を負うが（使用者責任）、加害行為を行った**被用者自身も損害賠償責任を負う。**

❷ 誤り。　**使用者責任（事業の執行について）**

使用者責任の要件の1つである「事業の執行について」には、**外見上、職務の執行と見分けがつかない場合が含まれる。**Bは営業時間中にA所有の自動車を運転して取引先に行く途中に事故を起こしているので、事業の執行について加害行為をしたといえる。したがって、Aに使用者としての損害賠償責任が発生する。

❸ 正しい。**不法行為に基づく損害賠償と相殺**

不法行為に基づく損害賠償債権を受働債権とする相殺はできない場合があるが、**自働債権とする相殺はできる。**すなわち、不法行為の加害者からは相殺できない場合があるが、**被害者からは相殺できる。**

❹ 誤り。　**使用者責任（被用者への求償）**

使用者責任に基づき被害者に損害賠償をした**使用者**は、損害の公平な分担の見地から信義則上**相当と認められる限度**において、**被用者に対して求償することができる。**したがって、求償できる額は損害額の2分の1とは限らない。

不法行為等に基づく損害賠償債権と相殺

1. ①悪意（加害の意思）による不法行為に基づく損害賠償債権、②人の生命・身体の侵害（たとえば人身事故）による損害賠償債権を**受働債権とする相殺はできない。**⇒**加害者**は相殺できない。
2. ①悪意による不法行為に基づく損害賠償債権、②人の生命・身体の侵害による損害賠償債権を**自働債権とする相殺はできる。**⇒**被害者**は相殺できる。

きほんの教科書 L17-2・5、L6-5 復習

解答 ❸

不法行為

Aが１人で居住する甲建物の保存に瑕疵があったため、令和５年７月１日に甲建物の壁が崩れて通行人Bがケガをした場合（以下この問において「本件事故」という。）における次の記述のうち、民法の規定によれば、誤っているものはどれか。

❶ Aが甲建物をCから賃借している場合、Aは甲建物の保存の瑕疵による損害の発生の防止に必要な注意をしなかったとしても、Bに対して不法行為責任を負わない。

❷ Aが甲建物を所有している場合、Aは甲建物の保存の瑕疵による損害の発生の防止に必要な注意をしたとしても、Bに対して不法行為責任を負う。

❸ 本件事故について、AのBに対する不法行為責任が成立する場合、BのAに対する損害賠償請求権は、B又はBの法定代理人が損害又は加害者を知らないときでも、本件事故の時から20年間行使しないときには時効により消滅する。

❹ 本件事故について、AのBに対する不法行為責任が成立する場合、BのAに対する損害賠償請求権は、B又はBの法定代理人が損害及び加害者を知った時から5年間行使しないときには時効により消滅する。

肢１の事例を図示すると右の図のようになります。

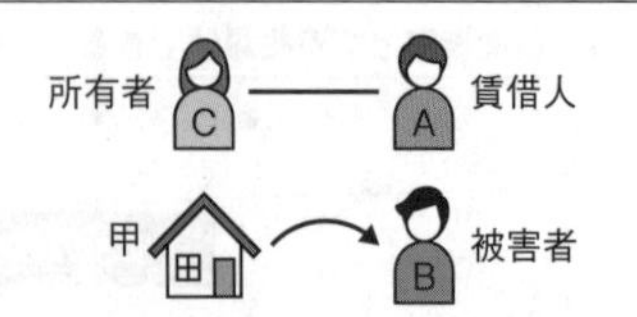

解説

❶ 誤り。 **工作物責任（第一次的には占有者、第二次的には所有者が負う）**

土地の工作物の設置・保存に瑕疵があることによって他人に損害を生じた場合、その工作物の**占有者**は、損害の発生を防止するのに必要な注意をしたときを**除き、その損害を賠償する責任を負う**。したがって、甲建物の占有者である賃借人Aは、損害の発生の防止に必要な注意をしなかった場合、不法行為責任を負う。

❷ 正しい。**工作物責任（第一次的には占有者、第二次的には所有者が負う）**

土地の工作物の設置・保存に瑕疵があることによって他人に損害が生じた場合、その工作物の占有者が**不法行為責任を負わない**ときは、所有者が**責任を負う**。この場合の所有者は損害の発生を防止するのに必要な注意をしていたとしても、**責任を免れることはできない**。したがって、甲建物の所有者Aは、損害の発生の防止に必要な注意をしたとしても、不法行為責任を負う。

❸ 正しい。**不法行為に基づく損害賠償請求権の時効期間**

不法行為による損害賠償請求権は、①被害者またはその法定代理人が**損害および加害者を知った時から**3年間（**人の生命・身体を害する不法行為の場合**は5年間）行使しないとき、または、②**不法行為の時から**20年間行使しないときは、時効によって消滅する。したがって、BのAに対する損害賠償請求権は、BまたはBの法定代理人が損害または加害者を知らない場合でも、本件事故の時から20年間行使しないときは、②にあたり、時効消滅する。

❹ 正しい。**不法行為に基づく損害賠償請求権の時効期間**

本問では、通行人Bはケガをしているので、BのAに対する損害賠償請求権は、**人の身体を害する不法行為**にあたる。したがって、BのAに対する損害賠償請求権は、BまたはBの法定代理人が**損害および加害者を知った時から**5年間行使しないときは、時効消滅する。

ポイント整理

土地の工作物による責任を負う者

第一次的な責任を負う者	占有者	必要な注意をしたときは、責任を免れる
第二次的な責任を負う者	所有者	必要な注意をしても、責任を免れない※

※所有者は無過失責任を負う。

解答 ❶

88 不法行為

平25-9

Ａに雇用されているＢが、勤務中にＡ所有の乗用車を運転し、営業活動のため顧客Ｃを同乗させている途中で、Ｄが運転していたＤ所有の乗用車と正面衝突した（なお、事故についてはＢとＤに過失がある。）場合における次の記述のうち、民法の規定及び判例によれば、正しいものはどれか。

❶ Ａは、Ｃに対して事故によって受けたＣの損害の全額を賠償した。この場合、Ａは、ＢとＤの過失割合に従って、Ｄに対して求償権を行使することができる。

❷ Ａは、Ｄに対して事故によって受けたＤの損害の全額を賠償した。この場合、Ａは、被用者であるＢに対して求償権を行使することはできない。

❸ 事故によって損害を受けたＣは、ＡとＢに対して損害賠償を請求することはできるが、Ｄに対して損害賠償を請求することはできない。

❹ 事故によって損害を受けたＤは、Ａに対して損害賠償を請求することはできるが、Ｂに対して損害賠償を請求することはできない。

アプローチ

本問は登場人物も多く事例も複雑です。今までの努力を最大限に発揮して「図」を描いてください。

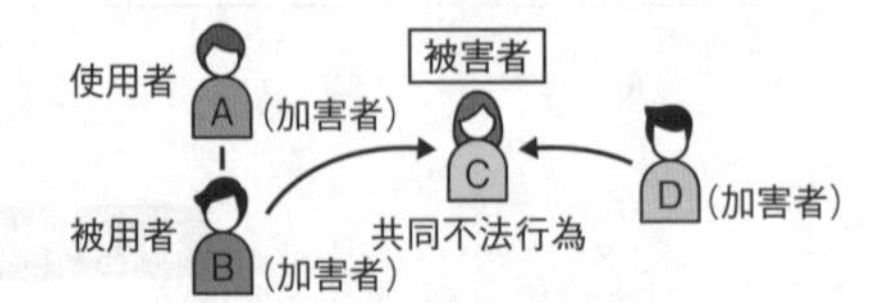

解説

複数の者が共同で不法行為を行った場合、それらの者は各自連帯して損害賠償責任を負う（共同不法行為）。ＢとＤは衝突事故を起こしているので、事故によってＣに生じた損害を賠償する責任を連帯して負う。また、使用者は、被用者が事業の執行について第三者に与えた損害について、被用者と連帯して損害賠償責任を負う（使用者責任）。したがって、使用者Ａは被用者Ｂと連帯して損害賠償責任を負う。そして、上記のとおり、ＢとＤは連帯してＣに対して損害賠償責任を負っているので、結果として、Ａ、Ｂ、Ｄが連帯してＣに対して損害賠償責任を負うことになる。

次に、共同不法行為者は、被害者に対して損害を賠償した場合、過失割合に従って、他の共同不法行為者に対して求償することができる。そして、被用者である共同不法行為者の使用者が使用者責任を負う場合、使用者と他の共同不法行為者間では、使用者と被用者を一体と考えて、共同不法行為者の過失割合に従って求償することができる。したがって、本問では、共同不法行為者の１人である被用者Ｂと他の共同不法行為者Ｄの過失割合に従って、使用者Ａと他の共同不法行為者Ｄとの間で求償をすることができる。

❶ 正しい。**共同不法行為者の責任割合**

上記のとおり、Ａは、ＢとＤの過失割合に従って、Ｄに対して求償権を行使することができる。

❷ 誤り。 **使用者責任（被用者への求償）**

Ｂは、過失により衝突事故を起こしているので、それによってＤに生じた損害を賠償する責任を負い、ＡはＢの使用者なので、やはりＤに対して賠償責任を負う。そして、使用者責任に基づいて被害者に損害を賠償した使用者は、被用者に対して求償することができる。したがって、Ａは、Ｂに対して求償権を行使することができる。

❸ 誤り。 **共同不法行為者の責任**

上記のとおり、Ａ、Ｂ、Ｄは連帯してＣに対して損害賠償責任を負う。したがって、Ｃは、Ｄに対しても損害賠償を請求することができる。

❹ 誤り。 **使用者責任（被用者の責任）**

上記のとおり、使用者責任が成立する場合、被用者も損害賠償責任を負う。したがって、Ｄは、Ｂに対しても損害賠償を請求することができる。

解答 ❶

学習優先度 中

89 所有権

令2-1

Aが購入した甲土地が他の土地に囲まれて公道に通じない土地であった場合に関する次の記述のうち、民法の規定及び判例によれば、正しいものはどれか。

❶ 甲土地が共有物の分割によって公道に通じない土地となっていた場合には、Aは公道に至るために他の分割者の所有地を、償金を支払うことなく通行することができる。

❷ Aは公道に至るため甲土地を囲んでいる土地を通行する権利を有するところ、Aが自動車を所有していても、自動車による通行権が認められることはない。

❸ Aが、甲土地を囲んでいる土地の一部である乙土地を公道に出るための通路にする目的で賃借した後、甲土地をBに売却した場合には、乙土地の賃借権は甲土地の所有権に従たるものとして甲土地の所有権とともにBに移転する。

❹ Cが甲土地を囲む土地の所有権を時効により取得した場合には、AはCが時効取得した土地を公道に至るために通行することができなくなる。

アプローチ

本問では、肢1と肢4について右の図でイメージを付けて解き進めてください。

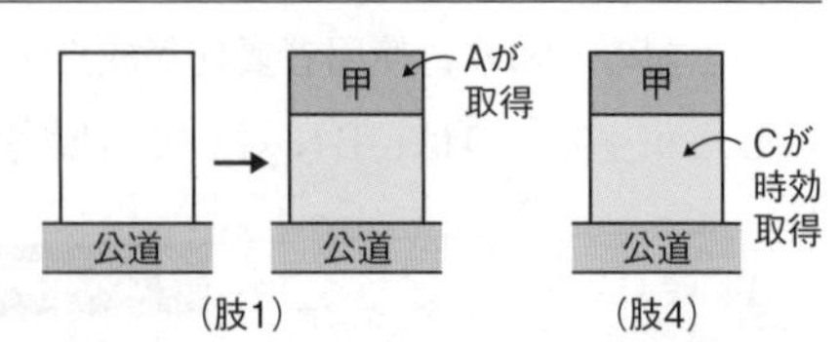

解説

❶ 正しい。**分割により生じた土地のための隣地通行権**

分割によって公道に通じない土地が生じたときは、所有者は、公道に至るため、他の分割者の所有地のみを通行することができ、償金を支払うことを要しない。したがって、Aは他の分割者の所有地を、償金を支払わずに通行することができる。

❷ 誤り。 **自動車による隣地通行権**

自動車による隣地通行権の成否・具体的内容は、自動車による通行を認める必要性、周辺の土地の状況、他の土地の所有者が被る不利益等の諸事情を総合考慮して判断される。つまり、事情によっては、自動車による通行権が認められる。捨

❸ 誤り。 **隣地通行権と賃借権**

不動産が譲渡された場合に隣地の賃借権も移転する旨の規定はない。したがって、Aが甲土地をBに売却しても、乙土地の賃借権は当然にはBに移転しない。捨

❹ 誤り。 **隣地通行権**

隣地通行権は、公道に通じない土地とその土地を囲んでいる土地の所有者間で認められる権利である。所有者が変われば、新たな所有者間で隣地通行権が成立する。したがって、Cが時効取得したことは、Aの隣地通行権に影響しない。

ポイント整理

公道に至るための他の土地の通行権（隣地通行権）

誰が	他の土地に囲まれて公道に通じない土地の所有者は、**その土地を囲んでいる他の土地**を通行できる。
どんな方法で	①通行権を有する者のために**必要**、**かつ**、他の土地のために**損害が最も少ない場所**を通らなければならない。 ②必要があれば、**通路を開設**することができる。 ③通行権を有する者は、その通行する他の土地の損害に対して**償金**を支払わなければならない。

きほんの教科書 L18-1 復習

解答 ①

90 所有権

平21-4改

理解度チェック

相隣関係に関する次の記述のうち、民法の規定によれば、誤っているものはどれか。

❶ 土地の所有者は、境界における障壁の修繕のため必要な範囲内で、隣地を使用することができる。

❷ 複数の筆の他の土地に囲まれて公道に通じない土地の所有者は、公道に至るため、その土地を囲んでいる他の土地を自由に選んで通行することができる。

❸ Aの隣地の竹木の枝が境界線を越えている場合、竹木の所有者Bに枝を切除するよう催告したにもかかわらず、Bが相当の期間内に切除しないとき、Aは、その枝を切り取ることができる。これに対して、Aの隣地の竹木の根が境界線を越えるときは、Aは、竹木の所有者Bに根の切除を催告しなくても、その根を切り取ることができる。

❹ 異なる慣習がある場合を除き、境界線から1m未満の距離において他人の宅地を見通すことができる窓を設ける者は、目隠しを付けなければならない。

アプローチ

肢3は、「隣地の竹木の枝＝隣の家の柿の木の枝」「隣地の竹木の根＝隣の家の竹林から伸びてきたタケノコ」をイメージしてください。

解説

❶ 正しい。**隣地の使用**

土地の所有者は、①境界またはその付近における障壁（へだてや仕切りのための壁）、建物その他の工作物の築造、収去または修繕、②境界標の調査または境界に関する測量、③隣地の枝の切取りのため必要な範囲内で、隣地を使用することができる。

❷ 誤り。 **公道に至るための他の土地の通行権（隣地通行権）**

他の土地に囲まれて公道に通じない土地の所有者は、公道に至るため、その土地を囲んでいる他の土地を通行することができる（**隣地通行権**）。ただし、**通行の場所**および**方法**は、通行権を有する者のために必要であり、かつ、他の土地のために損害が最も少ないもの**を選ばなければならない**。したがって、「自由に選んで通行することができる」とする本肢は誤り。

❸ 正しい。**竹木の枝の切除と根の切取り**

土地の所有者は、隣地の**竹木の「枝」**が境界線を越えるときは、その竹木の所有者に、その枝を切除させることができる。ただし、竹木の所有者に枝を切除するよう催告したにもかかわらず、竹木の所有者が相当の期間内に切除しないとき、土地の所有者は、その「枝」を切り取ることができる。他方、土地の所有者は、隣地の**竹木の「根」**が境界線を越えるときは、その「根」を切り取ることができる。

❹ 正しい。**境界線付近の建築の制限**

異なる慣習がある場合を除き、境界線から1m未満の距離において他人の宅地を見通すことのできる窓または縁側（ベランダを含む）を設ける者は、目隠しを付けなければならない。捨

きほんの教科書 L18-1 復習　解答 ❷

地役権

理解度チェック

Aは、自己所有の甲土地の一部につき、通行目的で、隣地乙土地の便益に供する通行地役権設定契約（地役権の付従性について別段の定めはない。）を、乙土地所有者Bと締結した。この場合、民法の規定及び判例によれば、次の記述のうち正しいものはどれか。

❶ この通行地役権の設定登記をしないまま、Aが、甲土地をCに譲渡し、所有権移転登記を経由した場合、Cは、通路として継続的に使用されていることが客観的に明らかであり、かつ、通行地役権があることを知っていたときでも、Bに対して、常にこの通行地役権を否定することができる。

❷ この通行地役権の設定登記を行った後、Bが、乙土地をDに譲渡し、乙土地の所有権移転登記を経由した場合、Dは、この通行地役権が自己に移転したことをAに対して主張できる。

❸ Bは、この通行地役権を、乙土地と分離して、単独で第三者に売却することができる。

❹ Bが、契約で認められた部分ではない甲土地の部分を、継続的に行使され、かつ、外形上認識することができる形で、乙土地の通行の便益のために利用していた場合でも、契約で認められていない部分については、通行地役権を時効取得することはできない。

本問の事例を図に表わすと右の図になります。

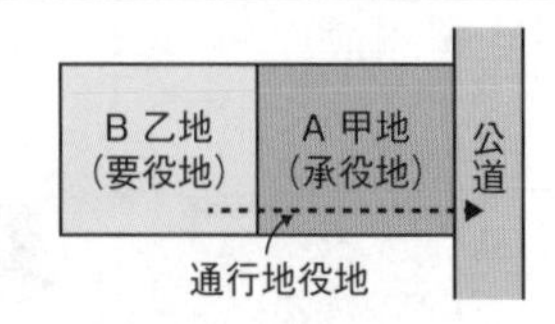

解説

地役権とは、ある土地の利益のために、他人の土地を利用する権利である。そして、地役権によって利益を受ける土地を要役地（ようえきち）、地役権によって負担を受ける土地を承役地（しょうえきち）という。

❶ 誤り。　地役権の対抗要件

地役権を第三者に対抗するためには、登記が必要である。ただし、承役地が継続的に地役権者によって通路として使用されていることが客観的に明らかであり、かつ承役地の譲受人がそのことを認識可能であれば、特段の事情がない限り、譲受人は「第三者」にあたらず、地役権者は、登記がなくても、地役権を譲受人に主張することができる。したがって、Cは常にBの通行地役権を否定できるとする本肢は誤り。

❷ 正しい。地役権の付従性

要役地の所有権を取得した者は、地役権も取得し、所有権取得について対抗要件を備えれば、地役権についても第三者に対抗することができる。したがって、Dは、所有権移転登記を経由した場合には、地役権をAに対して主張できる。

❸ 誤り。　地役権の付従性

地役権は、要役地と分離して処分することができない。(捨)

❹ 誤り。　地役権の時効取得

地役権は、継続的に行使され、かつ、外形上認識することができるものに限り、時効によって取得することができる。したがって、契約で認められていない部分について時効取得することはできないとする本肢は誤り。

地役権の時効取得

継続的に行使され、かつ、外形上認識することができるものに限って、地役権を時効取得することができる。「継続的に行使され」といえるためには、**承役地上に通路が開設**され、しかも、その**開設が要役地所有者によってなされている**ことが必要である。

きほんの教科書 L18-2 復習

解答 ❷

学習優先度 中

92 所有権・地役権

平25-3

甲土地の所有者Aが、他人が所有している土地を通行することに関する次の記述のうち、民法の規定及び判例によれば、誤っているものはどれか。

❶ 甲土地が他の土地に囲まれて公道に通じない場合、Aは、公道に出るために甲土地を囲んでいる他の土地を自由に選んで通行できるわけではない。

❷ 甲土地が共有物分割によって公道に通じなくなった場合、Aは、公道に出るために、通行のための償金を支払うことなく、他の分割者の土地を通行することができる。

❸ 甲土地が公道に通じているか否かにかかわらず、他人が所有している土地を通行するために当該土地の所有者と賃貸借契約を締結した場合、Aは当該土地を通行することができる。

❹ 甲土地の隣接地の所有者が自らが使用するために当該隣接地内に通路を開設し、Aもその通路を利用し続けると、甲土地が公道に通じていない場合には、Aは隣接地に関して時効によって通行地役権を取得することがある。

右の図は、肢1・2の事例を図示したものです。

甲土地
隣地
隣地通行権
公道

解説

❶ 正しい。**公道に至るための他の土地の通行権（隣地通行権）**

他の土地に囲まれて公道に通じない土地の所有者は、公道に至るため、その土地を囲んでいる他の土地を通行することができる（隣地通行権）。ただし、通行の場所および方法は、通行権を有する者のために必要であり、かつ、他の土地のために損害が最も少ないものを選ばなければならない。したがって、自由に選んで通行できるわけではない。

❷ 正しい。**分割により生じた土地のための隣地通行権**

分割によって公道に通じない土地が生じたときは、その土地の所有者は、公道に出るため、他の分割者の所有地のみを通行することができる。この場合は、償金を支払う必要はない。

❸ 正しい。**土地を通行するための賃貸借契約**

賃借人は、契約に従い賃借した物を使用収益することができる。したがって、通行するために土地を賃借したAは、当該土地を通行することができる。このことは、甲土地が公道に通じているか否かに関係ない。

❹ 誤り。 **地役権の時効取得**

地役権は、継続的に行使され、かつ、外形上認識することができものに限り、時効によって取得することができる。「継続的に行使され」といえるためには、承役地上に通路が開設され、かつ、その開設が要役地所有者によってなされていることが必要である。本肢では、要役地所有者Aではなく、隣接地の所有者が通路を開設しており、Aは時効によって通行地役権を取得することはない。

ポイント整理

隣地通行権と地役権

隣地通行権	地役権
他の土地に囲まれて公道に通じない土地の所有者は、公道に至るため、その土地を囲んでいる他の土地を通行することができる。	ある土地の利益のために、他人の土地を利用する権利をいう。地役権によって利益を受ける土地を**要役地**、地役権によって負担を受ける土地を**承役地**という。
法律上当然発生する	当事者の契約で成立

きほんの教科書 L18-1・2 復習

解答 ❹

93 所有権（共有）

令2追-10改

理解度チェック

不動産の共有に関する次の記述のうち、民法の規定によれば、誤っているものはどれか。

❶ 共有物の各共有者の持分が不明な場合、持分は平等と推定される。

❷ 各共有者は、他の共有者の同意を得なければ、共有物に変更（その形状又は効用の著しい変更を伴わないものを除く。）を加えることができない。

❸ 共有物の保存行為については、各共有者が単独ですることができる。

❹ 共有者の一人が死亡して相続人がないときは、その持分は国庫に帰属する。

解説

❶ 正しい。**共有持分の割合の推定**

各共有者の持分は、相等しいものと推定する。したがって、共有物の各共有者の持分が不明な場合、持分は平等と推定される。

❷ 正しい。**共有物の変更**

各共有者は、他の共有者の全員同意を得なければ、**共有物に変更（その形状または効用の著しい変更を伴わないもの（＝軽微変更）を除く）**を加えることができない。

❸ 正しい。**共有物の保存行為**

共有物の保存行為については、各共有者が単独ですることができる。

❹ 誤り。　**持分の放棄及び共有者の死亡**

共有者の１人が、**死亡して相続人がないとき**は、その持分は、**特別縁故者**（相続権は有しないが、死亡した者と生計を同じくしていた場合や死亡した者の療養看護に努めていた場合など特別な縁故がある者）がいれば特別縁故者への財産分与の対象となるが、**特別縁故者への財産分与が行われないとき**は、他の共有者**に帰属する**。したがって、「国庫」に帰属するわけではない。

ポイント整理

共有物の変更・管理・保存行為のまとめ

行為	どのように行うか
変更（軽微変更以外）	共有者全員の同意
管理（軽微変更を含む）	持分価格の過半数
保存	単独

きほんの教科書 L18-3 復習

解答 ❹

94 所有権（共有）

平23-3改

理解度チェック

共有に関する次の記述のうち、民法の規定及び判例によれば、誤っているものはどれか。

❶ 各共有者は、いつでも共有物の分割を請求することができるが、5年を超えない期間内であれば、分割をしない旨の契約をすることができる。

❷ 裁判所は、共有者に債務を負担させて、他の共有者の持分の全部又は一部を取得させる方法により、共有物の分割を命ずることができる。

❸ 各共有者は、共有物の不法占拠者に対し、妨害排除の請求を単独で行うことができる。

❹ 他の共有者との協議に基づかないで、自己の持分に基づいて1人で現に共有物全部を占有する共有者に対し、他の共有者は単独で自己に対する共有物の明渡しを請求することができる。

解説

❶ 正しい。共有物の分割請求

各共有者はいつでも共有物の分割を請求できるのが原則である。ただし、5年を超えない期間内（＝5年以内）であれば分割をしない旨の契約をすることができる。

❷ 正しい。共有物の変更

裁判所は、①共有物の現物を分割する方法、②共有者に債務を負担させて、他の共有者の持分（の全部または一部）を取得させる方法により、共有物の分割を命ずることができる。

❸ 正しい。共有物の保存行為

共有物の保存行為は単独で行うことができる。したがって、各共有者は、単独で不法占拠者に対して妨害排除の請求をすることができる。

❹ 誤り。　共有物の使用

各共有者は、共有物の全部につきその持分の割合に応じて使用することができるので、他の共有者は、本肢のような共有者に対して明渡しを請求することができない。なお、このような場合には、共有者間で協議して使用方法を決めることになる（利用行為なので、持分の価格の過半数で決定する）。

裁判による共有物の分割のまとめ

裁判所は、次の①～③に掲げる方法により、共有物の分割を命ずることができる。

方法
①共有物の現物を分割する方法（現物分割）
②共有者に債務を負担させて、他の共有者の持分の全部または一部を取得させる方法（賠償分割＝たとえば、ABCの共有する建物を分割する場合、Aに建物を取得させ、AからB・Cに対して持分の価格を賠償させる方法）
③①②の方法により共有物を分割することができないとき、または分割によってその価格を著しく減少させるおそれがあるときは、裁判所は、その競売を命ずることができる（競売分割）。

きほんの教科書 L18-3

解答 ❹

95 区分所有法

令2追-13

理解度チェック

建物の区分所有等に関する法律に関する次の記述のうち、誤っているものはどれか。

❶ 規約の保管場所は、建物内の見やすい場所に掲示しなければならない。

❷ 管理者は、規約に特別の定めがあるときは、共用部分を所有することができる。

❸ 規約及び集会の決議は、区分所有者の特定承継人に対しては、その効力を生じない。

❹ 区分所有者は、規約に別段の定めがない限り集会の決議によって、管理者を解任することができる。

規約とは、マンションとその敷地や附属施設の管理・使用に関する区分所有者相互間の事項などについて定めたもので、マンションに住む人が守るルールです。このイメージで問題を解き進めてください。

解説

❶ 正しい。規約の保管

規約の保管場所は、建物内の見やすい場所に掲示しなければならない。なお、集会の議事録の保管場所についても、同様である。

❷ 正しい。管理所有

管理者は、規約に特別の定めがあるときは、共用部分を所有することができる（管理所有）。共用部分の管理に関する事項は原則として集会の決議で決することになっているが、それでは不便な場合もある。そこで、共用部分を便宜的に管理者の所有として、管理者単独で共用部分を管理できるようにしたのである。

❸ 誤り。　規約および集会の決議の効力

規約および集会の決議は、区分所有者の特定承継人（マンションの買主など）に対しても、その効力を生じる。

❹ 正しい。管理者の選任および解任

区分所有者は、規約に別段の定めがない限り、集会の決議によって管理者を選任し、または解任することができる。

きほんの教科書 L19-1・2・3・4 復習　解答 ❸

96 区分所有法

令1-13

学習優先度 高

建物の区分所有等に関する法律（以下この問において「法」という。）に関する次の記述のうち、正しいものはどれか。

❶ 専有部分が数人の共有に属するときは、共有者は、集会においてそれぞれ議決権を行使することができる。

❷ 区分所有者の承諾を得て専有部分を占有する者は、会議の目的たる事項につき利害関係を有する場合には、集会に出席して議決権を行使することができる。

❸ 集会においては、規約に別段の定めがある場合及び別段の決議をした場合を除いて、管理者又は集会を招集した区分所有者の1人が議長となる。

❹ 集会の議事は、法又は規約に別段の定めがない限り、区分所有者及び議決権の各4分の3以上の多数で決する。

アプローチ

本問で問われている「集会」に関する知識も頻出なので、確実に身につけましょう。

解説

❶ 誤り。　**議決権行使者の指定**

専有部分が数人の共有に属するときは、共有者は、議決権を行使すべき者1人を定めなければならない。「それぞれ議決権を行使することができる」のではない。集会の招集通知は、各区分所有者にしなければならないのが原則であるが、専有部分が数人の共有に属するときは、上記の規定により定められた議決権を行使すべき者（その者がないときは、共有者の1人）にすれば足りる。

❷ 誤り。　**占有者の意見陳述権**

区分所有者の承諾を得て**専有部分を占有する者**（たとえば、マンションの賃借人）は、会議の目的たる事項につき利害関係を有する場合には、集会に出席して意見を述べることが**できるが、議決権を行使することはできない。**

❸ 正しい。**集会における議長**

集会においては、規約に別段の定めがある場合および別段の決議をした場合を除いて、管理者または集会を招集した区分所有者の1人が**議長**となる。

❹ 誤り。　**集会の議事**

集会の議事は、区分所有法または規約に別段の定めがない限り、区分所有者および議決権の各過半数で**決する**。「各4分の3以上」ではない。

ステップアップ
区分所有者と議決権

たとえば、「区分所有者および議決権の各4分の3以上の多数による集会の決議」という場合の『区分所有者』とは区分所有者の頭数のことをいう。各区分所有者の『議決権』は、規約で別段の定めがない限り、その有する専有部分の床面積の割合による。

きほんの教科書 L19-4 復習　解答 ❸

97 区分所有法

平28-13

理解度チェック

建物の区分所有等に関する法律に関する次の記述のうち、正しいものはどれか。

❶ 管理者は、集会において、毎年2回一定の時期に、その事務に関する報告をしなければならない。

❷ 管理者は、規約に特別の定めがあるときは、共用部分を所有することができる。

❸ 管理者は、自然人であるか法人であるかを問わないが、区分所有者でなければならない。

❹ 各共有者の共用部分の持分は、規約で別段の定めをしない限り、共有者数で等分することとされている。

アプローチ

本問で問われている「集会」に関する知識も頻出です。肢1で問われている「数字」も含め、確実に身につけましょう。

解説

❶ 誤り。　管理者（事務の報告）

管理者は、集会において、毎年１回一定の時期に、その事務に関する報告をしなければならない。「毎年２回」ではない。

❷ 正しい。管理者（管理共有）

管理者は、規約に特別の定めがあるときは、共用部分を所有することができる。

❸ 誤り。　管理者（管理者の資格）

管理者になることができる者には、特に制限がない。自然人（私たち１人ひとり（個人）のこと）でも法人（たとえば、会社のこと）でもよく、区分所有者でなくてもよい。

❹ 誤り。　共用部分の持分の割合

各共有者の共用部分の持分は、規約に別段の定めがなければ、専有部分の床面積の割合による。

ポイント整理

管理者のまとめ

選任・解任	・規約に別段の定めがない限り、**集会の決議**による。 ・区分所有者**以外の者**から選任できる。
権限	・管理者は、その職務に関し、区分所有者を代理する ・管理者は、規約または集会の決議により、その職務に関し、区分所有者のために、原告または被告となることができる。
管理所有と事務の報告	・管理者は、規約に特別の定めがあるときは、**共用部分を所有することができる。** ・管理者は、集会において、**毎年１回**一定の時期に、その**事務に関する報告**をしなければならない。

きほんの教科書 L19-2 復習

解答 ❷

98 平30-13 区分所有法

学習優先度 高

理解度チェック  

建物の区分所有等に関する法律に関する次の記述のうち、誤っているものはどれか。

❶ 規約の設定、変更又は廃止を行う場合は、区分所有者の過半数による集会の決議によってなされなければならない。

❷ 規約を保管する者は、利害関係人の請求があったときは、正当な理由がある場合を除いて、規約の閲覧を拒んではならず、閲覧を拒絶した場合は20万円以下の過料に処される。

❸ 規約の保管場所は、建物内の見やすい場所に掲示しなければならない。

❹ 占有者は、建物又はその敷地若しくは附属施設の使用方法につき、区分所有者が規約又は集会の決議に基づいて負う義務と同一の義務を負う。

解説

❶ 誤り。　規約の設定、変更または廃止

規約の設定、変更または廃止は、区分所有者および議決権の各4分の3以上の多数による集会の決議によって行う。「区分所有者の過半数」ではない。

❷ 正しい。規約の閲覧

規約を保管する者は、利害関係人の請求があったときは、正当な理由がある場合を除いて、規約の閲覧を拒んではならない。この規定に違反して、正当な理由がないのに閲覧を拒んだときは、20万円以下の過料に処される。

❸ 正しい。規約の保管場所

規約の保管場所は、建物内の見やすい場所に掲示しなければならない。

❹ 正しい。占有者の義務

占有者（マンションの賃借人など）は、建物またはその敷地もしくは附属施設の使用方法につき、区分所有者が規約または集会の決議に基づいて負う義務と同一の義務を負う。

集会の議事のまとめ

原則	**集会の議事**は、区分所有法または規約に別段の定めがない限り、区分所有者および議決権の**各過半数**で決する。
例外	（区分所有法に別段の定めがある例） ・**規約の設定、変更または廃止**は、区分所有者および議決権の各**4分の3以上**の多数による集会の決議によってする。 ・共用部分の変更（その形状または効用の著しい変更を伴わないものを除く＝**重大変更**）は、区分所有者および議決権の各**4分の3以上**の多数による集会の決議で決する。 ・区分所有者および議決権の各**5分の4以上**の多数で、建物を取り壊し、かつ、当該建物の敷地もしくはその一部の土地または当該建物の敷地の全部もしくは一部を含む土地に新たに建物を建築する旨の決議（**建替え決議**）をすることができる。

きほんの教科書 L19-3・4 復習

解答 ❶

99 令5-13 区分所有法

建物の区分所有等に関する法律（以下この問において「法」という。）に関する次の記述のうち、誤っているものはどれか。

❶ 集会においては、法で集会の決議につき特別の定数が定められている事項を除き、規約で別段の定めをすれば、あらかじめ通知した事項以外についても決議することができる。

❷ 集会は、区分所有者の４分の３以上の同意があるときは、招集の手続を経ないで開くことができる。

❸ 共用部分の保存行為は、規約に別段の定めがある場合を除いて、各共有者がすることができるため集会の決議を必要としない。

❹ 一部共用部分に関する事項で区分所有者全員の利害に関係しないものについての区分所有者全員の規約は、当該一部共用部分を共用すべき区分所有者が８人である場合、３人が反対したときは変更することができない。

アプローチ

肢４にドキッとするかもしれませんが、所詮は捨て肢。このことをサッと見抜いて、誰もが学習する肢１～３だけで勝負しましょう！

解説

❶ 正しい。**集会での決議事項**

集会においては、あらかじめ招集通知で通知された事項以外については、決議できないのが原則である。しかし、区分所有法で集会の決議につき特別の定数が定められている事項（特別決議事項）を除く事項、すなわち、区分所有者および議決権の各過半数の賛成により成立する決議事項（**普通決議事項**）については、規約で別段の定めをすれば、**あらかじめ通知した事項以外についても決議**することができる。

❷ 誤り。**招集手続きの省略**

集会は、区分所有者**全員の同意**があるときは、**招集の手続きを経ないで開**くことができる。「４分の３以上の同意があるとき」ではない。

❸ 正しい。**共用部分の保存行為**

共用部分の**保存行為**は、規約に別段の定めがある場合を除いて、各区分所有者が**単独**ですることができる。

❹ 正しい。**一部共用部分に関する規約の変更**

一部共用部分に関する事項で区分所有者全員の利害に関係しないものについての区分所有者全員の規約の設定・変更・廃止は、当該一部共用部分を共用すべき区分所有者の４分の１を超える者またはその議決権の４分の１を超える議決権を有する者が反対したときは、することができない。したがって、一部共用部分を共用すべき区分所有者が８人である場合、その４分の１（＝２人）を超える「３人」が反対したときは、当該規約を変更することはできない。

捨

ポイント整理

集会のまとめ

集会の招集	管理者は、少なくとも**毎年１回**集会を招集しなければならない。
集会の招集請求	区分所有者の**5分の１以上**で議決権の**5分の１以上**を有するものは、管理者に対し、会議の目的たる事項を示して、集会の招集を請求することができる。ただし、この定数は、規約で減ずることができる。
通知期間	原則：会日より少なくとも**１週間前**（規約で伸縮できる） 建替え決議目的の場合：会日より少なくとも2カ月前（規約で伸長できる）
手続きの省略	区分所有者**全員の同意**があるとき

きほんの教科書 L19-2・3・4 復習

解答 ❷

区分所有法

建物の区分所有等に関する法律に関する次の記述のうち、正しいものはどれか。

❶ 共用部分の変更（その形状又は効用の著しい変更を伴わないものを除く。）は、区分所有者及び議決権の各4分の3以上の多数による集会の決議で決するが、この区分所有者の定数は、規約で2分の1以上の多数まで減ずることができる。

❷ 共用部分の管理に係る費用については、規約に別段の定めがない限り、共有者で等分する。

❸ 共用部分の保存行為をするには、規約に別段の定めがない限り、集会の決議で決する必要があり、各共有者ですることはできない。

❹ 一部共用部分は、これを共用すべき区分所有者の共有に属するが、規約で別段の定めをすることにより、区分所有者全員の共有に属するとすることもできる。

アプローチ

ここまで学習を進めて、区分所有法の問題は「知識」があれば正誤の判断がしやすい問題が多いことに気づいたと思います。このテキスト掲載の知識が出題された場合には得点できるように、しっかり復習してください。

解説

❶ 誤り。　**共用部分の変更（重大変更の定数）**

共用部分の変更（その形状または効用の著しい変更を伴わないものを除く）とは、いわゆる**重大変更**のことである。重大変更は、区分所有者および議決権の各4分の3以上の多数による集会の決議で決するが、区分所有者の定数は、規約でその過半数まで減ずることができる。「2分の1以上」ではない。過半数は、半数を超えるという意味なので、半数（2分の1）ちょうどを含まない。これに対し、2分の1以上の場合は、2分の1ちょうどを含む。

❷ 誤り。　**共用部分の負担**

各共有者は、規約に別段の定めがない限りその持分に応じて、**共用部分の負担に任じる**。したがって、共用部分の管理に係る費用も、原則として持分の割合に応じて負担するのであり、「等分」ではない。

❸ 誤り。　**共用部分の管理（保存行為）**

保存行為は、規約に別段の定めがない限り、**各共有者が**することができる。

❹ 正しい。**共用部分の共有関係（一部共用部分）**

一部共用部分は、これを共用すべき区分所有者の共有に属するが、規約で別段の定めをすることにより、区分所有者全員の共有にすることもできる。別段の定めによって一部共用部分の所有者にすることができるのは、管理者か区分所有者である。したがって、区分所有者全員の共有にすることも認められる。なお、共用部分は、区分所有者全員の共有に属する部分（全体共用部分）と一部の区分所有者のみが共有すべき部分（一部共用部分）に区別できる。この区別は、規約共用部分については規約の定めによって定まり、法定共用部分については建物の構造により定まる。たとえば、1階部分が店舗用で、2階以上が居住用となっているマンションで、2階以上の居住者のみが使用するエントランスなどは、法定共用部分における一部共用部分にあたる。

きほんの教科書 L19-2 復習　解答 ④

相続

1億2,000万円の財産を有するAが死亡した。Aには、配偶者はなく、子B、C、Dがおり、Bには子Eが、Cには子Fがいる。Bは相続を放棄した。また、Cは生前のAを強迫して遺言作成を妨害したため、相続人となることができない。この場合における法定相続分に関する次の記述のうち、民法の規定によれば、正しいものはどれか。

❶ Dが4,000万円、Eが4,000万円、Fが4,000万円となる

❷ Dが1億2,000万円となる。

❸ Dが6,000万円、Fが6,000万円となる。

❹ Dが6,000万円、Eが6,000万円となる。

アプローチ

法定相続分を問う問題では、「①図を描く。②相続人を確定する。③相続分を確定する」の順で解き進めてください。

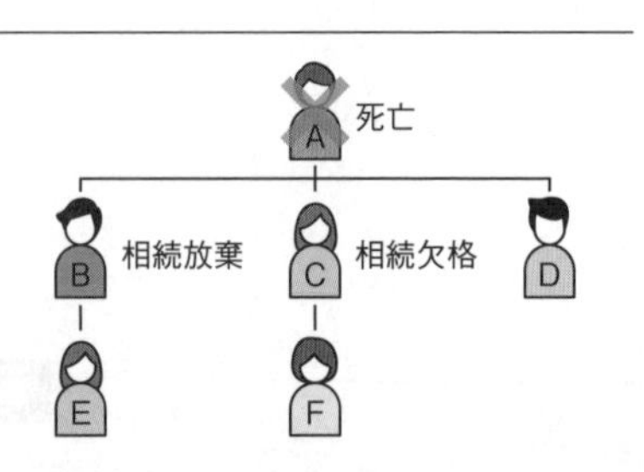

解説

Aには配偶者がなく、子がいるので、本来であれば子B、C、Dが相続人になるはずである。ところが、Bは**相続を放棄**しているので相続人にならず、相続放棄の場合には代襲相続しないので、Bの子Eも相続人にならない。また、Cは**相続欠格事由に該当**し相続人にならないが、相続欠格の場合は代襲相続するので、Cの子Fは相続人になる。したがって、**相続人**は、**DとF**である。

次に相続分についてである。**CとDが相続人**であれば、**相続分**は1/2ずつになる。そして、**FはCの相続分を引き継ぐ**ので、相続分は**DとFが**1/2ずつになる。額にすれば、Dが6,000万円、Fが6,000万円となるので、肢3が正しい。

相続人と相続順

配偶者※1 ＝常に相続人となる※2	①第一順位　子※3
	②第二順位　直系尊属（父母・祖父母）
	③第三順位　兄弟姉妹※4

※1　**法律上の婚姻関係がある場合に限る**。したがって、離婚をした者やいわゆる内縁関係にある者（内縁の妻、内縁の夫）は相続人とはならない。

※2　**配偶者がいない場合**には、それぞれの順位に従い（子→直系尊属→兄弟姉妹）、高い順位にある者だけが相続人となる。

※3　被相続人の子が、相続の開始以前に死亡・相続欠格・廃除により**相続権を失った場合**には、その者の子（**被相続人の孫**）が代襲して**相続人となる**（代襲相続）。ただし、被相続人の子が、**相続放棄**した場合には、その者の子（**被相続人の孫**）は代襲して**相続人とはならない**（代襲相続はできない）。

※4　被相続人の**兄弟姉妹**が相続の開始以前に死亡・相続欠格・廃除により**相続権を失った場合**には、その者の子（**被相続人の甥・姪**）が代襲して**相続人となる**（代襲相続）。ただし、被相続人の兄弟姉妹が、**相続放棄**した場合には、その者の子（**被相続人の甥・姪**）は代襲して**相続人とはならない**（代襲相続はできない）。

解答 ③

相続

理解度チェック

1億2,000万円の財産を有するAが死亡した場合の法定相続分についての次の記述のうち、民法の規定によれば、正しいものの組み合わせはどれか。

ア Aの長男の子B及びC、Aの次男の子Dのみが相続人になる場合の法定相続分は、それぞれ4,000万円である。

イ Aの長男の子B及びC、Aの次男の子Dのみが相続人になる場合の法定相続分は、B及びCがそれぞれ3,000万円、Dが6,000万円である。

ウ Aの父方の祖父母E及びF、Aの母方の祖母Gのみが相続人になる場合の法定相続分は、それぞれ4,000万円である。

エ Aの父方の祖父母E及びF、Aの母方の祖母Gのみが相続人になる場合の法定相続分は、E及びFがそれぞれ3,000万円、Gが6,000万円である。

❶ ア、ウ

❷ ア、エ

❸ イ、ウ

❹ イ、エ

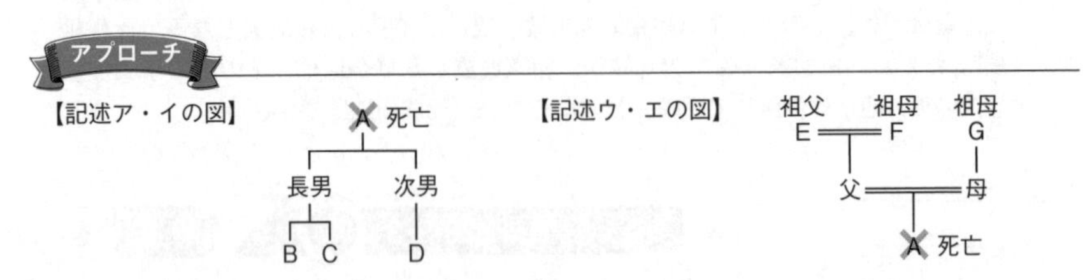

解説

ア 誤り。 **子の法定相続分**

被相続人の子は相続人となるが、子が複数いる場合、子の相続分は平等（頭割り）である。また、**被相続人の子が相続の開始以前に死亡**したなどの場合には被相続人の孫**が子を代襲して相続人**となるが（代襲相続）、この場合、**孫は、**子の相続分**を引き継ぐ**。本問で、仮にAの長男と次男のみが相続人になるのであれば、Aの長男と次男の相続分は、1/2ずつである。Aの長男を代襲相続するB・CはAの長男の相続分を引き継ぐので、B・Cそれぞれの相続分は1/2×1/2＝1/4、額にすれば1億2,000万円×1/4＝3,000万円ずつである。これに対して、Aの次男を代襲相続するDはAの次男の相続分を引き継ぐので、Dの相続分は1/2、額にすれば1億2,000万円×1/2＝6,000万円である。したがって、BおよびCがそれぞれ3,000万円、Dが6,000万円である。

イ 正しい。**子の法定相続分**

アで述べたとおり、法定相続分は、BおよびCがそれぞれ3,000万円、Dが6,000万円である。

ウ 正しい。**直系尊属の法定相続分**

相続人となる直系尊属が複数いる場合、直系尊属の相続分は平等（頭割り）である。本問では、相続人となる直系尊属はE・F・Gの3人なので、E・F・Gそれぞれの相続分は1/3、額にすれば1億2,000万円×1/3＝4,000万円ずつである。

エ 誤り。 **直系尊属の法定相続分**

ウで述べたとおり、E・F・Gの法定相続分は、それぞれ4,000万円である。

きほんの教科書 L20-2・3 復習

解答 ③

103 相続
平26-10改

理解度チェック

Aには、父のみを同じくする兄Bと、両親を同じくする弟C及び弟Dがいたが、C及びDは、Aより先に死亡した。Aの両親は既に死亡しており、Aには内縁の妻Eがいるが、子はいない。Cには子F及び子Gが、Dには子Hがいる。Aが、令和7年8月1日に遺言を残さずに死亡した場合の相続財産の法定相続分として、民法の規定によれば、正しいものはどれか。

❶ Eが2分の1、Bが6分の1、Fが9分の1、Gが9分の1、Hが9分の1である。

❷ Bが3分の1、Fが9分の2、Gが9分の2、Hが9分の2である。

❸ Bが5分の1、Fが5分の1、Gが5分の1、Hが5分の2である。

❹ Bが5分の1、Fが15分の4、Gが15分の4、Hが15分の4である。

アプローチ

法定相続分を問う問題では、「①図を描く。②相続人を確定する。③相続分を確定する」の順で解き進めてください。

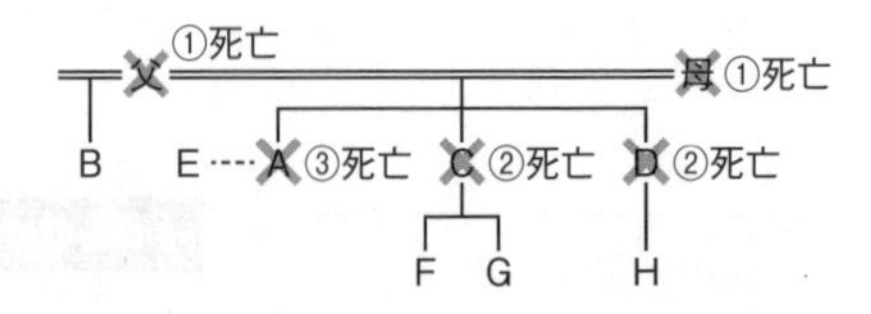

解説

相続人になるのは、**配偶者**と相続人（子等→直系尊属→兄弟姉妹等の順）である。**配偶者**とは、法律的に婚姻している者（＝婚姻届を出している者）のことなので、**内縁の妻**Eは、相続人**にならない**。また、Aには子がなく、両親も死亡している。そこで、Aの**兄弟**であるB、C、Dが相続人になりそうだが、CとDがAより**先に死亡している**ので、それらを代襲するF、G、H（＝Aの**甥姪**）が、Bとともに**相続人**になる。

次は、相続分についてである。被相続人に、**両親が同じ兄弟姉妹**と、**片方の親だけが同じ兄弟姉妹**がいる場合、**後者の相続分は前者の**2分の1になる。したがって、Bの相続分はCやDの2分の1になるので、**Bの相続分は5分の1、CとDの相続分はそれぞれ5分の2**である。そして、Cの相続分をFとGが均等に代襲するので、**FとGの相続分はそれぞれ5分の1**になる。**Hの相続分は5分の2**である。

以上から、「Bが5分の1、Fが5分の1、Gが5分の1、Hが5分の2である。」とする肢3が正解となる。

ポイント整理

同順位の相続人が複数いる場合の相続分

相続人	相続分
子が複数いる場合	子の相続分は**平等**（頭数で割る）
直系尊属が複数いる場合	直系尊属の相続分は**平等**（頭数で割る）
兄弟姉妹が複数いる場合	①兄弟姉妹の相続分は**平等**（頭数で割る） ②ただし、**父母の一方のみを同じくする兄弟姉妹**の相続分は、**父母の双方**を同じくする兄弟姉妹の相続分の**2分の1**となる

きほんの教科書 L20-2・3 復習

解答 ③

学習優先度 高

104 相続
令5-1

理解度チェック

次の１から４までの記述のうち、民法の規定、判例及び下記判決文によれば、誤っているものはどれか。

（判決文）

遺産は、相続人が数人あるときは、相続開始から遺産分割までの間、共同相続人の共有に属するものであるから、この間に遺産である賃貸不動産を使用管理した結果生ずる金銭債権たる賃料債権は、遺産とは別個の財産というべきであって、各共同相続人がその相続分に応じて分割単独債権として確定的に取得するものと解するのが相当である。

❶ 遺産である不動産から、相続開始から遺産分割までの間に生じた賃料債権は、遺産である不動産が遺産分割によって複数の相続人のうちの一人に帰属することとなった場合、当該不動産が帰属することになった相続人が相続開始時にさかのぼって取得する。

❷ 相続人が数人あるときは、相続財産は、その共有に属し、各共同相続人は、その相続分に応じて被相続人の権利義務を承継する。

❸ 遺産分割の効力は、相続開始の時にさかのぼって生ずる。ただし、第三者の権利を害することはできない。

❹ 遺産である不動産が遺産分割によって複数の相続人のうちの一人に帰属することとなった場合、当該不動産から遺産分割後に生じた賃料債権は、遺産分割によって当該不動産が帰属した相続人が取得する。

アプローチ

あらかじめ覚えてなければいけないのは、肢２と肢３本文（遺産分割の効力の原則論）の内容だけです。肢１は判決文の受け売りで見当がつけば十分ですし、肢４はそもそも捨て肢です。

解説

❶ 誤り。**相続開始から遺産分割までの賃料債権**

判決文では、「遺産は…相続開始から遺産分割までの間、共同相続人の共有に属する」としたうえで、「この間に遺産である賃貸不動産を使用管理した結果生ずる金銭債権たる**賃料債権は…各共同相続人**がその相続分に応じて分割単独債権として**確定的に取得する**」と述べている。つまり、相続開始から遺産分割までの間の賃料債権については、各共同相続人が相続分に応じて確定的に取得するということである。したがって、遺産分割によって当該不動産が帰属することになった相続人であっても、当該賃料債権を相続開始時にさかのぼって取得することはできない。

❷ 正しい。**相続財産に関する権利関係**

相続人が数人あるときは、相続財産は、その共有に属する。判決文でも、「遺産は、相続人が数人あるときは…共同相続人の共有に属する」と述べている。この場合、各共同相続人は、その**相続分に応じて被相続人の権利義務を承継する**。

❸ 正しい。**遺産分割の効力**

遺産分割は、相続開始**の時にさかのぼってその効力を生じる**。ただし、第三者の権利を害することはできない。なお、ここでの「第三者」とは、たとえば、遺産分割前に共同相続人の一人から遺産に属する不動産の持分の譲渡を受けて所有権移転登記を備えた者などのことをいう。判決文では直接言及していないが、正しい内容の記述である。

❹ 正しい。**遺産分割後に生じた賃料債権**

遺産である賃貸不動産から「遺産分割後に生じた賃料債権」については、遺産分割によって当該不動産が帰属した相続人が取得する。なお、判決文は、「相続開始から遺産分割までの間」に当該不動産から生じる賃料債権について、「各共同相続人がその相続分に応じて分割単独債権として確定的に取得する」と述べているだけであるので、肢４の判断に影響しない。捨

きほんの教科書 L20-4・5 復習

解答 ❶

相続

理解度チェック

被相続人Ａの配偶者Ｂが、Ａ所有の建物に相続開始の時に居住していたため、遺産分割協議によって配偶者居住権を取得した場合に関する次の記述のうち、民法の規定によれば、正しいものはどれか。

❶ 遺産分割協議でＢの配偶者居住権の存続期間を20年と定めた場合、存続期間が満了した時点で配偶者居住権は消滅し、配偶者居住権の延長や更新はできない。

❷ Ｂは、配偶者居住権の存続期間内であれば、居住している建物の所有者の承諾を得ることなく、第三者に当該建物を賃貸することができる。

❸ 配偶者居住権の存続期間中にＢが死亡した場合、Ｂの相続人ＣはＢの有していた配偶者居住権を相続する。

❹ Ｂが配偶者居住権に基づいて居住している建物が第三者Ｄに売却された場合、Ｂは、配偶者居住権の登記がなくてもＤに対抗することができる。

アプローチ

「図」を描いてから問題の検討に入りましょう。
本問を図示すると右の図のようになります。

解説

❶ 正しい。**配偶者居住権の存続期間**

配偶者居住権の存続期間は、原則として**配偶者の**終身の間である。ただし、**遺産分割協議や遺言**に別段の定めがある場合は、その定めた期間となる。この場合、配偶者居住権は、その期間が満了することによって消滅し、その延長や更新はできない。

❷ 誤り。　**配偶者居住権対象建物の使用・収益**

配偶者居住権を取得した配偶者は、居住建物の所有者の承諾を得なければ、居住建物の改築・増築をし、または**第三者に居住建物の使用・収益**をさせることができない。したがって、Bは、建物の所有者の承諾を得なければ、第三者に建物を賃貸できない。

❸ 誤り。　**配偶者居住権の消滅事由**

配偶者居住権は、これを有する配偶者の死亡によって消滅する。したがって、Bの相続人Cは、Bの配偶者居住権を相続しない。

❹ 誤り。　**配偶者居住権の対抗要件**

配偶者居住権は、その**登記**がなければ、居住建物の購入者などの第三者に対抗することができない。

ポイント整理

配偶者居住権と配偶者短期居住権の比較

	配偶者居住権	配偶者短期居住権
要件	相続開始時に被相続人の財産に属した建物に居住していた	被相続人の財産に属した建物に、相続開始の時に無償で居住していた
使用・収益	使用・収益できる	使用できる（収益はできない）
期間	原則：配偶者の終身の間存続 例外：遺産分割等で存続期間を定めることもできる	・相続開始時から一定の期間 ・遺産分割や消滅申入れ等によって終了
登記	できる	できない

きほんの教科書 L20-7 復習

解答 ❶

相続

理解度チェック

相続に関する次の記述のうち、民法の規定によれば、誤っているものはどれか。

❶ 被相続人の生前においては、相続人は、家庭裁判所の許可を受けることにより、遺留分を放棄することができる。

❷ 家庭裁判所への相続放棄の申述は、被相続人の生前には行うことができない。

❸ 相続人が遺留分の放棄について家庭裁判所の許可を受けると、当該相続人は、被相続人の遺産を相続する権利を失う。

❹ 相続人が被相続人の兄弟姉妹である場合、当該相続人には遺留分がない。

アプローチ

令和４年度本試験の権利関係で、合格者と不合格者の正解率の差が最も大きい問題です。特に、基本知識である肢４の判断ミスに要注意！

解説

❶ 正しい。**遺留分の放棄**

相続開始前には、家庭裁判所の許可を受けたときに限り、**遺留分を放棄**できる。

❷ 正しい。**相続の放棄**

相続の放棄は、相続開始前にはできない。なお、相続の放棄をする者は、その旨を家庭裁判所に申述しなければならない。

❸ 誤り。　**遺留分の放棄**

遺留分を放棄しても、**相続を放棄**したことにはならない。したがって、遺留分を放棄した相続人でも、被相続人の遺産を相続する権利を失わない。

❹ 正しい。**遺留分権利者**

兄弟姉妹には**遺留分**がない。

遺留分

1. 遺留分を侵害する遺贈も有効であるが、遺留分権利者は、**遺留分侵害額に相当する金銭の支払いを請求**することができる。
2. **兄弟姉妹**および**甥・姪**には、**遺留分はない**。
3. 直系尊属以外の**遺留分**＝被相続人の財産の**1/2**。
4. 相続開始前の遺留分の放棄には、家庭裁判所の許可が必要である。
5. 遺留分を放棄しても、相続を放棄したことにはならない⇒相続をすることはできる

きほんの教科書 L20-8 

解答 ❸

MEMO

2025年版

ユーキャンの

宅建士

きほんの問題集

= 第2分冊 =

第2編［宅建業法］

宅建業法

宅建業法 過去10年間の出題一覧

ここでは、出題一覧と学習優先度を掲載しています。出題一覧は過去10年間のうち、出題された年度に●をつけています。学習優先度は、受験者の問題ごとの正答率データをもとに合格に必要な知識か否かを徹底的に解析し、ここ30年の出題傾向を踏まえて、合格するための学習優先度を総合的に判断したものです。学習優先度が高いと思われるものから順に、高・中・低の3段階で表示しています。(各問題にも設定しています。)

テーマ	H 26	27	28	29	30	R1	2	3	4	5	学習優先度
宅建業・宅建業者とは	●	●	●	●	●	●	●	●	●	●	高
免許①(免許の申請、免許の基準)	●	●	●		●	●	●	●	●		高
免許②(免許の効力等)	●		●	●	●	●	●			●	高
宅建士①(宅建士登録)	●	●	●	●	●	●	●	●	●	●	高
宅建士②(宅建士証等)	●	●	●	●	●	●	●	●	●	●	高
営業保証金	●	●	●	●	●	●	●	●	●	●	高
弁済業務保証金	●	●	●	●	●	●	●	●	●	●	高
媒介契約	●	●	●	●	●	●	●	●	●	●	高
広告に関する規制	●	●	●	●	●	●	●	●	●	●	高
重要事項の説明等	●	●	●	●	●	●	●	●	●	●	高
37条書面等	●	●	●	●	●	●	●	●	●		高
その他の業務上の規制	●	●	●	●	●	●	●	●	●	●	高
自ら売主制限①	●	●	●	●	●	●	●	●	●	●	高
自ら売主制限②	●	●	●	●	●	●	●	●	●		高
自ら売主制限③	●	●	●	●	●	●	●	●	●	●	高
報酬に関する制限①(売買・交換)	●	●	●		●	●	●	●	●		高
報酬に関する制限②(貸借・要求制限等)	●	●	●	●	●	●	●	●	●	●	高
監督処分・罰則	●	●	●	●	●	●				●	中
住宅瑕疵担保履行法	●	●	●	●	●	●	●	●	●	●	高

目標得点 16点/20問

論点別の傾向と対策

宅建業・宅建業者とは：1問出題されることが多いです。事例問題で出題されますが、出題パターンが出尽くしている感があるので、過去問題などをきちんと解いておけば、確実に得点できるでしょう。

免許：1～3問出題されます。免許の基準、変更の届出、廃業等の届出について出題されることが多くなっています。欠格要件、届出事由、届出期間、届出義務者などをしっかりと覚えておく必要があります。

宅建士：1～3問出題されます。免許の基準と登録の基準、廃業等の届出と死亡等の届出のように、「免許」分野の類似事項と比較しつつ学習することにより、知識が整理され記憶しやすくなります。

営業保証金・弁済業務保証金：それぞれ1問出題されます（あわせて1問のときもあります）。知識をストレートに問う問題がほとんどです。保証金の金額や届出期間など、数字が問われることが多いので、数字を覚えておくことも重要です。

業務に関する規制：5～9問程度出題されます。媒介契約、重要事項の説明、37条書面に関する出題が多く、特に重要事項の説明は2問以上出題されることが多くなっています。重要事項の説明における説明事項を覚えるのは大変ですが、問題演習を繰り返して少しずつ覚えていきましょう。重要事項の説明と37条書面との比較もよく出題されています。媒介契約書面も含め、いつ交付するのか、誰に対して交付するのか、記載内容は何か、誰の記名が必要なのか等を比較しながら覚えるとよいでしょう。

自ら売主制限：2～4問程度出題されます。クーリング・オフや手付金等の保全措置については、独立した問題が出題されることが多く、それ以外の制度については、選択肢の1つか2つ程度の出題がほとんどです。自ら売主制限は、事例問題・総合問題の出題が多い分野なので、問題演習を特にしっかり行っておきましょう。

報酬に関する制限：1問出題（平成30年度は2問）されています。近年は比較的簡単な問題が続いているので、基本的な問題はマスターしておくとよいでしょう。なお、試験では電卓等を使用することができませんので、報酬額の計算も手計算で行う必要があります。

監督処分・罰則：独立した問題のほか、選択肢の1つとして出題されることもあります。なかでも、免許取消処分対象事由や処分権者がよく問われます。

住宅瑕疵担保履行法：毎年1問出題されています。一見すると難しく見えますが、4肢のうち2～3肢は同じ内容が繰り返し出題されています。

個数問題：出題テーマではなく出題形式の話ですが、宅建業法では個数問題が数多く出題されます（3～8問）。個数問題は、1肢でも正誤判定を誤ると正解できないので、難しく感じます。しかし、1つ1つの肢を見れば普通の問題ですから、普段から1肢ずつ正確に解くようにして行けば怖くありません。

01 宅地とは

令2追-44

理解度チェック

宅地建物取引業法に関する次の記述のうち、正しいものはいくつあるか。

ア 宅地には、現に建物の敷地に供されている土地に限らず、将来的に建物の敷地に供する目的で取引の対象とされる土地も含まれる。

イ 農地は、都市計画法に規定する用途地域内に存するものであっても、宅地には該当しない。

ウ 建物の敷地に供せられる土地であれば、都市計画法に規定する用途地域外に存するものであっても、宅地に該当する。

エ 道路、公園、河川等の公共施設の用に供せられている土地は、都市計画法に規定する用途地域内に存するものであれば宅地に該当する。

❶ 一つ
❷ 二つ
❸ 三つ
❹ 四つ

アプローチ

宅地の意味に関しては、用途地域内の土地に関する例外が重要です。イとエについては、用途地域内の土地であっても「宅地」に当たらない場合が5つあったことを思い出しましょう。

解説

ア 正しい。**建物の敷地に供される土地**

現に建物の敷地に供されている土地は、宅地に当たる。また、建物の敷地に供する目的で取引される土地も、宅地に当たる。

イ 誤り。　**用途地域内の土地**

用途地域内の土地は、現在、道路、公園、河川、広場、水路であるものを除き、宅地に当たる。したがって、用途地域内の農地は、宅地に当たる。

ウ 正しい。**建物の敷地に供される土地**

現に建物の敷地に供されている土地は、宅地に当たる。どこの土地かは関係ないので、用途地域外であっても、現に建物の敷地に供されている土地は宅地である。

エ 誤り。　**用途地域内の土地**

用途地域内の土地は、現在、道路、公園、河川、広場、水路であるものを除き、宅地に当たる。したがって、道路、公園、河川等である土地は、宅地に当たらない。

以上より、正しいものはア、ウの二つであり、肢2が正解になる。

宅地にあたる土地

①現に建物の**敷地**に供されている土地（現在、建物が建っている土地）
②建物の敷地に供する**目的**で取引される土地（建物を建てる目的で取引する土地）
③上記以外（建物が建っておらず、建てる目的もない）で、**用途地域**内の土地
ただし、現に**道路**、**公園**、**河川**、**広場**、**水路**であるものは除く

解答 ②

免許の要否

理解度チェック

宅地建物取引業の免許（以下この問において「免許」という。）に関する次の記述のうち、正しいものはどれか。

❶ Aが、競売により取得した宅地を10区画に分割し、宅地建物取引業者に販売代理を依頼して、不特定多数の者に分譲する場合、Aは免許を受ける必要はない。

❷ Bが、自己所有の宅地に自ら貸主となる賃貸マンションを建設し、借主の募集及び契約をCに、当該マンションの管理業務をDに委託する場合、Cは免許を受ける必要があるが、BとDは免許を受ける必要はない。

❸ 破産管財人が、破産財団の換価のために自ら売主となって、宅地又は建物の売却を反復継続して行い、その媒介をEに依頼する場合、Eは免許を受ける必要はない。

❹ 不特定多数の者に対し、建設業者Fが、建物の建設工事を請け負うことを前提に、当該建物の敷地に供せられる土地の売買を反復継続してあっせんする場合、Fは免許を受ける必要はない。

アプローチ

「宅地」または「建物」の「取引」を「業として」行い、かつ免許不要な者に該当しなければ、免許が必要です。特に「宅地建物取引業」の「取引」の意味を理解しておくことが重要です。

解説

❶ 誤り。　分譲の代理を依頼した場合

Aが宅建業者に分譲の代理を依頼しても、法律的には、Aが自ら分譲をしたことになる。したがって、Aは、宅地を不特定多数の者に分譲（＝宅地を不特定多数の者に反復継続して売却）しているので、免許を受ける必要がある。

❷ 正しい。貸借の代理・自ら貸借・管理業務

Cは、借主の募集および契約を委託されているので、貸借の代理を行うことになり、免許を受ける必要がある。これに対し、自ら貸借を行う（＝貸主または借主になる）ことやマンションの管理業務は宅建業にあたらないので、BとDは免許を受ける必要はない。

❸ 誤り。　破産管財人から依頼された場合

Eは、宅地建物の売却の媒介を反復継続して行っているので、免許を受ける必要がある。破産管財人から依頼されていることは、免許の要否に関係ない。

❹ 誤り。　建設業者

建設業者は、免許不要な者に含まれないので、宅建業を営む場合には、宅建業の免許を受ける必要がある。Fは、土地の売買のあっせん（＝代理・媒介）を反復継続して行っているので、免許を受ける必要がある。

「宅地建物取引業」の「取引」の意味

「取引」の意味	①売買・交換・貸借の媒介・代理 ②自ら売買・交換
「取引」にあたらない行為の例	自ら貸借、建築、建築の請負、管理業務

きほんの教科書 L1-1・2 復習

解答 ❷

03 免許の要否

平30-41

理解度チェック

次の記述のうち、宅地建物取引業の免許を要する業務が含まれるものはどれか。

❶ A社は、所有する土地を10区画にほぼ均等に区分けしたうえで、それぞれの区画に戸建住宅を建築し、複数の者に貸し付けた。

❷ B社は、所有するビルの一部にコンビニエンスストアや食堂など複数のテナントの出店を募集し、その募集広告を自社のホームページに掲載したほか、多数の事業者に案内を行った結果、出店事業者が決まった。

❸ C社は賃貸マンションの管理業者であるが、複数の貸主から管理を委託されている物件について、入居者の募集、貸主を代理して行う賃貸借契約の締結、入居者からの苦情・要望の受付、入居者が退去した後の清掃などを行っている。

❹ D社は、多数の顧客から、顧客が所有している土地に住宅や商業用ビルなどの建物を建設することを請け負って、その対価を得ている。

解説

❶ 含まれない。**土地の区分け・建築・自ら貸借**

土地を区分けすることや、建物を建築することは、宅建業にあたらない。また、自ら貸借をすることも、宅建業にあたらない。

❷ 含まれない。**自ら貸借**

自ら貸借することは宅建業にあたらないので、そのための募集広告をすること等は、宅建業にあたらない。

❸ 含まれる。　**貸借の代理・管理業者**

建物の貸借の代理を行うことは、宅建業にあたる。そして、管理業者は免許不要な者に含まれないので、宅建業を営む場合には、宅建業の免許を要する。

❹ 含まれない。**建築の請負**

建物の建築を請け負うことは、宅建業にあたらない。

ポイント整理

免許不要な者

宅建業法が適用されない者	国、地方公共団体、独立行政法人都市再生機構、地方住宅供給公社等	免許を受けずに宅建業を営むことができ、宅建業法上の規制も適用されない。
免許に関する規定が適用されない者	信託会社、信託業を兼営する金融機関	宅建業を営む場合は、国土交通大臣への届出が必要。 免許以外の規制の適用は受ける。

解答 ❸

04 令3-27 免許の基準

宅地建物取引業の免許（以下この問において「免許」という。）に関する次の記述のうち、宅地建物取引業法の規定によれば、正しいものはどれか。

❶ 個人Aが不正の手段により免許を受けた後、免許を取り消され、その取消しの日から5年を経過した場合、その間に免許を受けることができない事由に該当することがなかったとしても、Aは再び免許を受けることはできない。

❷ 免許を受けようとする個人Bが破産手続開始の決定を受けた後に復権を得た場合においても、Bは免許を受けることができない。

❸ 免許を受けようとするC社の役員Dが刑法第211条（業務上過失致死傷等）の罪により地方裁判所で懲役1年の判決を言い渡された場合、当該判決に対してDが高等裁判所に控訴し裁判が係属中であっても、C社は免許を受けることができない。

❹ 免許を受けようとするE社の役員に、宅地建物取引業法の規定に違反したことにより罰金の刑に処せられた者がいる場合、その刑の執行が終わって5年を経過しなければ、E社は免許を受けることができない。

アプローチ

肢3と肢4では、役員が欠格要件に該当するかが問われています。本問はどの肢も基本的かつ重要ですので、間違えた場合にはしっかり復習しましょう。

解説

❶ 誤り。　免許取消処分

不正の手段により免許を受けたとして免許取消処分を受けた者は、取消しの日から5年間、欠格要件に該当する。取消しの日から5年を経過すれば、他の欠格要件に該当しない限り、免許を受けることができる。

❷ 誤り。　破産手続開始の決定を受けた者

破産手続開始の決定を受けて復権を得ない者は、欠格要件に該当するが、復権を得れば、すぐに免許を受けることができる。

❸ 誤り。　控訴中

刑に処せられたとは、刑が確定したことをいう。控訴して裁判が係属中の場合には、刑が確定していないので、欠格要件に該当しない。

❹ 正しい。罰金刑

宅建業法の規定に違反して罰金の刑に処せられた者は、刑の執行を終え、または刑の執行を受けることがなくなった日から5年間、欠格要件に該当する。したがって、そのような者を役員にしているE社は、免許を受けることができない。

キーワード　刑の重さ

刑は、おおむね、死刑→懲役→禁錮→罰金→拘留→科料の順に軽くなっていく。

「禁錮以上の刑」として宅建試験で出題されるのは、懲役と禁錮である。これらの刑の場合、犯罪の種類に関係なく、欠格要件にあたる。

罰金の場合は、犯罪の種類による。大まかにいえば、宅建業法違反、暴力関係の犯罪、背任罪の場合、欠格要件にあたる。

拘留や科料の場合は、欠格要件にあたらない。

解答 ❹

免許の基準

宅地建物取引業の免許（以下この問において「免許」という。）に関する次の記述のうち、宅地建物取引業法の規定によれば、正しいものはどれか。

❶ 免許を受けようとする法人の非常勤役員が、刑法第246条（詐欺）の罪により懲役1年の刑に処せられ、その刑の執行が終わった日から5年を経過していなくても、当該法人は免許を受けることができる。

❷ 免許を受けようとする法人の政令で定める使用人が、刑法第252条（横領）の罪により懲役1年執行猶予2年の刑に処せられ、その刑の執行猶予期間を満了している場合、その満了の日から5年を経過していなくても、当該法人は免許を受けることができる。

❸ 免許を受けようとする法人の事務所に置く専任の宅地建物取引士が、刑法第261条（器物損壊等）の罪により罰金の刑に処せられ、その刑の執行が終わった日から5年を経過していない場合、当該法人は免許を受けることができない。

❹ 免許を受けようとする法人の代表取締役が、刑法第231条（侮辱）の罪により拘留の刑に処せられ、その刑の執行が終わった日から5年を経過していない場合、当該法人は免許を受けることができない。

アプローチ

本問では、各肢について、(1)役員または政令で定める使用人にあたるかどうかと、(2)あたるとした場合に、その者が欠格要件にあたるかどうか、を判断する必要があります。

解説

❶ 誤り。 **非常勤役員**

禁錮**以上**の刑に処せられ、その刑の執行を終わり、または刑の執行を受けることがなくなった日から5年を経過していないことは、欠格要件に該当する。そして、役員**または**政令で定める使用人**が欠格要件に該当する法人は、免許を受けることができない。「非常勤役員」も役員であるから、役員が欠格要件に該当する本肢の法人は、免許を受けることができない。**

❷ 正しい。**執行猶予**

執行猶予付きで禁錮以上の刑に処せられた場合、執行猶予期間中は欠格要件に該当するが、**執行猶予期間が**満了**すれば、欠格要件に該当しなくなる。**したがって、本肢の政令で定める使用人は欠格要件に該当しないので、本肢の法人は免許を受けることができる。

❸ 誤り。 **罰金刑**

専任の宅建士であるというだけでは、役員や政令で定める使用人には該当しない。また、**器物損壊罪**で**罰金**の刑に処せられたことは、**欠格要件に該当**しないので、本肢の専任の宅建士は、欠格要件に該当しない。したがって、本肢の法人は免許を受けることができる。

❹ 誤り。 **拘留**

拘留の刑（罰金刑よりさらに軽い刑である）に処せられたことは、**欠格要件に該当しない**。したがって、本肢の法人は免許を受けることができる。

ステップアップ
罰金刑の場合

罰金刑で欠格要件に該当するのは、宅建業法・暴力団員による不当な行為の防止等に関する法律の規定に違反した場合や、傷害罪・傷害現場助勢罪・暴行罪・凶器準備集合罪・脅迫罪・背任罪・暴力行為等処罰に関する法律の罪を犯した場合である。

大まかにいえば、**宅建業法**違反、**暴力**関係の犯罪、**背任**罪の場合、欠格要件にあたる。

解答 ❷

免許の基準

学習優先度 高

宅地建物取引業の免許（以下この問において「免許」という。）に関する次の記述のうち、誤っているものはどれか。

❶ A社の役員Bは、宅地建物取引業者C社の役員として在籍していたが、その当時、C社の役員Dがかつて禁錮以上の刑に処せられ、その刑の執行が終わった日から5年を経過していないとしてC社は免許を取り消されている。この場合、A社は、C社が免許を取り消されてから5年を経過していなくても、免許を受けることができる。

❷ E社の役員のうちに、刑法第246条の詐欺罪により罰金の刑に処せられ、その刑の執行が終わった日から5年を経過しない者がいる場合、E社は免許を受けることができない。

❸ F社の役員のうちに、暴力団員による不当な行為の防止等に関する法律第2条第6号に規定する暴力団員がいる場合、F社は免許を受けることができない。

❹ 宅地建物取引業者G社は、引き続いて1年以上事業を休止したときは、免許の取消しの対象となる。

アプローチ

やや難しい肢を含んでいますが、正解肢は難しくありません。

解説

❶ 正しい。免許取消処分

C社はその役員が禁錮以上の刑に処せられていたことを理由に免許を取り消されているので、Bは、その当時C社の役員であっても、欠格要件に該当しない。したがって、Bを役員にしているA社は、免許を受けることができる。

❷ 誤り。 罰金刑

詐欺罪により罰金刑に処された場合は、免許欠格要件にあたらない。したがって、そのような者を役員にしているE社は、免許を受けることができる。

❸ 正しい。暴力団員等

免許を受けようとする者やその役員・政令で定める使用人が、暴力団員による不当な行為の防止等に関する法律に規定する暴力団員または暴力団員でなくなった日から5年を経過しない者であるときは、免許を受けることができない。

❹ 正しい。1年以内に事業を開始しない等

免許を受けてから1年以内に事業を開始せず、または引き続いて1年以上事業を休止したときは、免許取消処分の対象となる。

免許取消処分を受けた場合

免許取消しの日から5年間免許を受けられなくなるのは、(1) 不正の手段により宅建業の免許を受けた、(2) 業務停止事由に該当し情状が特に重い、(3) 業務停止処分に違反した、のいずれかによる取消しの場合である。

大まかにいえば、宅建業者自身の不正行為・違反行為により免許を取り消された場合である。

本問の肢①は、C社自身ではなく、その役員に問題があったケースであり、上記 (1) ～ (3) に該当しない。

きほんの教科書 L2-2、L18-1 復習

解答 ❷

07 免許の基準

平21-27改

理解度チェック

宅地建物取引業の免許（以下この問において「免許」という。）に関する次の記述のうち、正しいものはいくつあるか。

ア 破産手続開始の決定を受けた個人Aは、復権を得てから5年を経過しなければ、免許を受けることができない。

イ 宅地建物取引業法の規定に違反したことにより罰金の刑に処せられた取締役がいる法人Bは、その刑の執行が終わった日から5年を経過しなければ、免許を受けることができない。

ウ 宅地建物取引業者Cは、業務停止処分の聴聞の期日及び場所が公示された日から当該処分をする日又は当該処分をしないことを決定する日までの間に、相当の理由なく廃業の届出を行った。この場合、Cは、当該届出の日から5年を経過しなければ、免許を受けることができない。

エ 宅地建物取引業に係る営業に関し成年者と同一の行為能力を有する未成年者Dは、その法定代理人が禁錮（こ）以上の刑に処せられ、その刑の執行が終わった日から5年を経過しなければ、免許を受けることができない。

❶ 一つ
❷ 二つ
❸ 三つ
❹ 四つ

個数問題も、1つ1つの肢を見れば普通の問題と変わりません。普段から各肢の正誤をきちんと判断できるように学習していれば、個数問題も怖くありません。

解説

ア 誤り。 **破産手続開始の決定を受けた者**

破産手続開始の決定を受け復権を得ない者は、免許を受けることができないが、復権**を得ればすぐに免許を受けることができ、5年待つ必要はない。**

イ 正しい。**罰金刑**

宅建業法違反により**罰金**刑に処された者は、その執行を終えまたは執行を受けることがなくなった日から5年間免許を受けることができない。そして、法人の役員**または**政令で定める使用人が欠格要件に該当する場合、その法人は免許を受けることができない。したがって、法人Bは、取締役の刑の執行が終わった日から5年を経過しなければ、免許を受けることができない。

ウ 誤り。 **業務停止処分**

免許の不正取得等の理由で免許取消**処分**の聴聞の期日および場所が公示された日から、その処分をする日またはその処分をしないことを決定する日までの間に相当の理由なく廃業・解散の届出をした者は、**届出の日から**5年間免許を受けることができない。

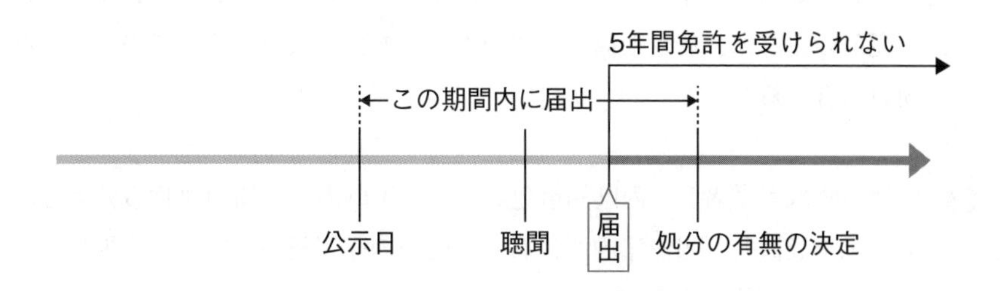

しかし、Cは**業務停止処分**の聴聞の公示をされただけなので、上記に該当しない。

エ 誤り。 **未成年者**

成年者と同一の行為能力を有しない未成年者は、未成年者自身または法定代理人が欠格要件に該当する場合は、免許を受けることができない。しかし、Dは成年者と同一の行為能力を有する未成年者なので、法定代理人が欠格要件に該当することは、関係ない。

以上より、正しいものはイの一つであり、肢1が正解になる。

08 免許の効力

平21-26

学習優先度 高

次の記述のうち、宅地建物取引業法の規定によれば、正しいものはどれか。

❶ 本店及び支店1か所を有する法人Aが、甲県内の本店では建設業のみを営み、乙県内の支店では宅地建物取引業のみを営む場合、Aは乙県知事の免許を受けなければならない。

❷ 免許の更新を受けようとする宅地建物取引業者Bは、免許の有効期間満了の日の2週間前までに、免許申請書を提出しなければならない。

❸ 宅地建物取引業者Cが、免許の更新の申請をしたにもかかわらず、従前の免許の有効期間の満了の日までに、その申請について処分がなされないときは、従前の免許は、有効期間の満了後もその処分がなされるまでの間は、なお効力を有する。

❹ 宅地建物取引業者D（丙県知事免許）は、丁県内で一団の建物の分譲を行う案内所を設置し、当該案内所において建物の売買契約を締結する場合、国土交通大臣へ免許換えの申請をしなければならない。

アプローチ

誰の免許を受けるべきかは、事務所の場所で判断します。本問では、事務所にあたるかどうかの判断も必要になります。

解説

❶ 誤り。　**免許の申請**

支店で宅建業を営んでいる場合、本店は、そこで宅建業を直接に営まなくても事務所にあたる。Aは、甲県内（本店）と乙県内（支店）に事務所を有するので、「乙県知事」ではなく、国土交通大臣の免許を受けなければならない。

❷ 誤り。　**免許の更新申請**

免許の更新を受けようとする者は、有効期間満了の日の90日前から30日前までに免許申請書を提出しなければならない。

❸ 正しい。**免許の更新申請**

宅建業者が免許の更新申請をしたにもかかわらず、従前の免許の有効期間の満了の日までに、その申請について処分がなされないときは、従前の免許は、有効期間の満了後もその処分がなされるまでの間は、効力を有する。つまり、新たな免許を与えるかどうかが決まるまで、前の免許の有効期間が延びる。

❹ 誤り。　**免許の申請**

誰の免許を受けるべきかは、事務所の場所で決まり、案内所は関係ない。したがって、案内所を設置しても、免許換えの申請は必要ない。

ポイント整理

事務所・免許権者

事務所とは	①**本店** ②**宅建業**を営む支店 ③継続的に業務を行うことができる施設を有する場所で、宅建業に関する契約を締結する権限を有する使用人を置くもの	支店で宅建業を営んでいれば、本店は、そこで宅建業を直接に営まなくても事務所にあたる。
免許権者	①2以上の都道府県内に事務所を設置 →**国土交通大臣** ②1つの都道府県内のみに事務所を設置 →**都道府県知事**	事務所の場所で決まり、案内所は関係ない。

きほんの教科書 L2-1、L3-2 復習

解答 ❸

09 免許の効力

平18-31改

理解度チェック

宅地建物取引業者Ａ社（甲県知事免許）に関する次の記述のうち、宅地建物取引業法の規定によれば、正しいものはどれか。

❶ Ａ社の唯一の専任の宅地建物取引士であるＢが退職したとき、Ａ社は2週間以内に新たな成年者である専任の宅地建物取引士を設置し、設置後30日以内に当該変更に係る事項を記載した届出書を甲県知事に提出しなければならない。

❷ 宅地建物取引士ではないＣがＡ社の非常勤の取締役に就任したとき、Ａ社は甲県知事に変更の届出をする必要はない。

❸ Ａ社がＤ社に吸収合併され消滅したとき、Ｄ社を代表する役員Ｅは、合併の日から30日以内にその旨を甲県知事に届け出なければならない。

❹ Ａ社について、破産手続開始の決定があったとき、Ａ社の免許は当然にその効力を失うため、Ａ社の破産管財人Ｆは、その旨を甲県知事に届け出る必要はない。

アプローチ

変更の届出の問題では、届出事項と届出期間の検討が必要です。また、廃業等の届出では、さらに届出義務者の検討も必要になります。

解説

❶ 正しい。専任の宅建士設置義務・変更の届出

宅建業者は、専任の宅建士設置義務に抵触する（＝専任の宅建士が不足する）こととなった場合は、2週間以内に必要な措置を執らなければならない。そして、宅建業者は、事務所に置かれる専任の宅建士の氏名に変更があったときは、30日以内に当該変更に係る事項を記載した届出書を免許権者に提出しなければならない。

❷ 誤り。 変更の届出

宅建業者は、役員の氏名に変更があったときは、30日以内に当該変更に係る事項を記載した届出書を免許権者に提出しなければならない。非常勤であっても取締役は役員にあたるので、本肢では変更の届出が必要である。

❸ 誤り。 廃業等の届出

法人が合併により消滅した場合、その合併消滅した法人を代表する役員であった者は、30日以内にその旨を免許権者に届け出なければならない。本肢では、「D社を代表する役員E」ではなく、A社を代表する役員であった者が届け出なければならない。

❹ 誤り。 廃業等の届出

宅建業者が破産手続開始の決定を受けた場合、破産管財人は、30日以内にその旨を免許権者に届け出なければならない。免許の効力は届出時に失われる。「当然にその効力を失う」「届け出る必要はない」とする本肢は誤り。

ポイント整理

廃業等の届出

届出事項	届出義務者	免許失効時期
死亡	相続人	死亡時
合併消滅	消滅した法人の代表役員であった者	合併消滅時
破産手続開始の決定	破産管財人	届出時
合併・破産以外による解散	清算人	
宅建業の廃止	個人→本人 法人→その法人の代表役員	

きほんの教科書 L3-1・4、L4-5 復習　解答 ❶

学習優先度 高

10 免許の効力

平29-36

理解度チェック

次の記述のうち、宅地建物取引業法の規定によれば、正しいものはどれか。なお、この問において「免許」とは、宅地建物取引業の免許をいう。

❶ 宅地建物取引業者Aは、免許の更新を申請したが、免許権者である甲県知事の申請に対する処分がなされないまま、免許の有効期間が満了した。この場合、Aは、当該処分がなされるまで、宅地建物取引業を営むことができない。

❷ Bは、新たに宅地建物取引業を営むため免許の申請を行った。この場合、Bは、免許の申請から免許を受けるまでの間に、宅地建物取引業を営む旨の広告を行い、取引する物件及び顧客を募ることができる。

❸ 宅地建物取引業者Cは、宅地又は建物の売買に関連し、兼業として、新たに不動産管理業を営むこととした。この場合、Cは兼業で不動産管理業を営む旨を、免許権者である国土交通大臣又は都道府県知事に届け出なければならない。

❹ 宅地建物取引業者である法人Dが、宅地建物取引業者でない法人Eに吸収合併されたことにより消滅した場合、一般承継人であるEは、Dが締結した宅地又は建物の契約に基づく取引を結了する目的の範囲内において宅地建物取引業者とみなされる。

アプローチ

肢1は免許の更新申請をした場合の話、肢2は新しく免許を申請した場合の話、肢4は免許がなくなった場合の話です

解説

❶ 誤り。　**免許の更新申請**

宅建業者が免許の更新申請をしたにもかかわらず、従前の免許の有効期間の満了の日までに、その申請について処分がなされないときは、従前の免許は、有効期間の満了後もその処分**がなされるまでの間は、効力を有する**。したがって、Aは、処分がなされるまで、宅建業を営むことができる。

❷ 誤り。　**無免許営業等の禁止**

宅建業の免許を受けない者は、**宅建業を営む旨の表示**をし、または宅建業を営む目的をもって、広告をしてはならない。したがって、Bは、免許の申請をしただけでは、広告をすることができない。

❸ 誤り。　**変更の届出**

「宅建業以外の事業を行っているときは、その事業の種類」は宅建業者名簿の登載事項であるが、当該事項に変更があっても、**変更の届出をする必要は**ない。したがって、Cは、不動産管理業を営む旨の届出をする必要はない。

❹ 正しい。**取引の結了**

宅建業者の免許が失効したり取り消されたりした場合であっても、その宅**建業者や**一般承継人（相続人、合併でできた会社）は、その宅建業者が締結した契約に基づく**取引を**結了**する目的の範囲内**においては宅建業者とみなされる。したがって、Eは、Dが締結した契約に基づく取引を結了する目的の範囲内において宅建業者とみなされる。

ポイント整理

変更の届出

	届出事項
宅建業者	①商号・名称 ②事務所の名称・所在地
役員等	次の者の氏名 ①法人業者の場合は役員、個人業者の場合はその個人 ②政令で定める使用人 ③専任の宅建士

きほんの教科書 L1-2、L3-1・2・4 復習

解答 ❹

11 免許総合

令2-26

理解度チェック  

宅地建物取引業の免許（以下この問において「免許」という。）に関する次の記述のうち、宅地建物取引業法の規定によれば、正しいものはどれか。

❶ 宅地建物取引業者Ａ社（甲県知事免許）が宅地建物取引業者ではないＢ社との合併により消滅した場合には、Ｂ社は、Ａ社が消滅した日から30日以内にＡ社を合併した旨を甲県知事に届け出れば、Ａ社が受けていた免許を承継することができる。

❷ 信託業法第3条の免許を受けた信託会社が宅地建物取引業を営もうとする場合には、国土交通大臣の免許を受けなければならない。

❸ 個人Ｃが、転売目的で競売により取得した宅地を多数の区画に分割し、宅地建物取引業者Ｄに販売代理を依頼して、不特定多数の者に分譲する事業を行おうとする場合には、免許を受けなければならない。

❹ 宅地建物取引業者Ｅ（乙県知事免許）は、乙県内に2以上の事務所を設置してその事業を営もうとする場合には、国土交通大臣に免許換えの申請をしなければならない。

アプローチ

免許に関する総合問題です。ここまでの学習の総復習のつもりで解いてみましょう。

解説

❶ 誤り。　免許の承継の可否

合併の場合に存続会社が消滅会社の免許を承継することができる旨の規定はない。なお、合併消滅した旨の届出（廃業等の届出）をするのは、合併消滅した会社（A社）を代表する役員であった者である。捨

❷ 誤り。　免許の要否

信託会社や信託業を兼営する金融機関が宅建業を営もうとするときは、国土交通大臣に届出をしなければならないが、免許を受ける必要はない。

❸ 正しい。免許の要否

Cは、宅地を不特定多数の者に分譲しようとしているので、免許を受けなければならない。このことは、宅建業者に販売代理を依頼しても、変わりがない。

❹ 誤り。　免許換え

1つの都道府県内にのみ事務所を有する場合は、事務所の数がいくつであっても、都道府県知事の免許である。Eは乙県知事免許なので、乙県内にのみ事務所を有している。したがって、乙県内に2以上の事務所を設置しても、乙県知事免許のままでよく、免許換えの申請をする必要はない。

ステップアップ

免許換えの要否

事務所等の設置・移転・廃止後に誰の免許が必要になるかを考え、それが現在の免許と異なっていれば、免許換えの申請が必要になる。

たとえば、甲県内にのみ事務所を有し、甲県知事の免許を受けている宅建業者が、乙県内にも事務所を設置した場合、2以上の都道府県内に事務所を有することになるので、国土交通大臣の免許を受けなければならない。したがって、免許換えの申請が必要になる。

なお、免許換えの申請に関しては、「○日以内」のような規定はないが、免許換えが必要なのにその申請を怠っていることが判明したときは、免許取消処分の対象になる。

解答 ❸

宅建士

学習優先度 中

理解度チェック

宅地建物取引業法に規定する宅地建物取引士資格登録（以下この問において「登録」という。）に関する次の記述のうち、正しいものはどれか。

❶ 業務停止の処分に違反したとして宅地建物取引業の免許の取消しを受けた法人の政令で定める使用人であった者は、当該免許取消しの日から5年を経過しなければ、登録を受けることができない。

❷ 宅地建物取引業者A（甲県知事免許）に勤務する宅地建物取引士（甲県知事登録）が、宅地建物取引業者B（乙県知事免許）に勤務先を変更した場合は、乙県知事に対して、遅滞なく勤務先の変更の登録を申請しなければならない。

❸ 甲県知事登録を受けている者が、甲県から乙県に住所を変更した場合は、宅地建物取引士証の交付を受けていなくても、甲県知事に対して、遅滞なく住所の変更の登録を申請しなければならない。

❹ 宅地建物取引士資格試験に合格した者は、宅地建物取引に関する実務の経験を有しない場合でも、合格した日から1年以内に登録を受けようとするときは、登録実務講習を受講する必要はない。

アプローチ

複数の都道府県知事が出てくる問題の場合には、届出先等に注意しましょう。

解説

❶ 誤り。 **登録の基準**

免許の不正取得等の理由で法人が免許を取り消された場合、その法人の役員であった者は、登録の欠格要件に該当することがある。しかし、**政令で定める使用人**であった者は、この規定に該当しない。

❷ 誤り。 **変更の登録**

登録を受けている者は、登録を受けている事項（氏名、住所、本籍、勤務先の宅建業者の商号・名称・免許証番号等）に変更があったときは、遅滞なく、登録**をしている都道府県知事**に変更の登録を申請しなければならない。本肢では、乙県知事ではなく、甲県知事に対して申請する必要がある。

❸ 正しい。**変更の登録**

登録**を受けている者**は、登録を受けている事項に変更があったときは、遅滞なく、登録をしている都道府県知事に変更の登録を申請しなければならない。登録を受けている者の義務なので、宅建士証の交付を受けていない者でも、変更の登録の申請義務を負う。

❹ 誤り。 **登録の基準**

宅建試験に合格した者が登録をするためには、2年以上の実務経験を有するか、または、その者と同等以上の能力を有すると国土交通大臣が認めた場合（たとえば、国土交通大臣の登録を受けた登録実務講習を修了した者）でなければならない。この場合、**合格から1年以内であれば登録実務講習を受講しなくてよいとの規定はない**。合格から1年以内であれば免除されるのは、宅建士証の交付を受ける際の法定講習（登録をしている都道府県知事の指定する講習）である。

きほんの教科書 L4-2・3 復習

解答 ❸

宅建士

理解度チェック

次の記述のうち、宅地建物取引業法の規定によれば、正しいものはどれか。

❶ 都道府県知事は、不正の手段によって宅地建物取引士資格試験を受けようとした者に対しては、その試験を受けることを禁止することができ、また、その禁止処分を受けた者に対し2年を上限とする期間を定めて受験を禁止することができる。

❷ 宅地建物取引士の登録を受けている者が本籍を変更した場合、遅滞なく、登録をしている都道府県知事に変更の登録を申請しなければならない。

❸ 宅地建物取引士の登録を受けている者が死亡した場合、その相続人は、死亡した日から30日以内に登録をしている都道府県知事に届出をしなければならない。

❹ 甲県知事の宅地建物取引士の登録を受けている者が、その住所を乙県に変更した場合、甲県知事を経由して乙県知事に対し登録の移転を申請することができる。

アプローチ

「変更の登録」と「登録の移転」は、言葉が似ていますが、別の制度です。しっかり区別して解きましょう。

解説

❶ 誤り。 受験の禁止

都道府県知事は、不正の手段によって宅建試験を受けようとした者に対して、その試験を受けることを禁止することができ、その禁止処分を受けた者に対して、3年以内の期間を定めて受験を禁止することができる。したがって、「2年を上限とする」とする本肢は誤り。

❷ 正しい。変更の登録

登録を受けている者は、登録を受けている事項に変更があったときは、遅滞なく、登録をしている都道府県知事に変更の登録を申請しなければならない。本籍は登録事項なので、変更の登録の対象である。

❸ 誤り。 死亡等の届出

登録を受けている者が死亡した場合、その相続人は、死亡の事実を知った日から30日以内に登録をしている都道府県知事に届け出なければならない。「死亡した日から」ではない。

❹ 誤り。 登録の移転

登録を受けている者は、登録を受けている都道府県以外の都道府県に所在する宅建業者の事務所の業務に従事し、または従事しようとするときは、登録の移転を申請することができる。しかし、本肢では、住所を移転しているだけなので、登録の移転を申請することはできない。

ポイント整理

「変更の登録」と「登録の移転」

	変更の登録	登録の移転
事由	氏名，本籍，住所，勤務先の宅建業者の商号・名称・免許証番号等の変更	登録をしている都道府県以外の都道府県に所在する宅建業者の事務所の業務に従事または従事しようとするとき
期間制限	遅滞なく	なし
申請義務	あり	なし

きほんの教科書 L4-2・3・4・5 復習

解答 ❷

宅建士

理解度チェック

宅地建物取引士に関する次の記述のうち、宅地建物取引業法の規定によれば、正しいものはどれか。なお、この問において「登録」とは、宅地建物取引士の登録をいうものとする。

❶ 甲県知事の登録を受けている宅地建物取引士は、乙県に主たる事務所を置く宅地建物取引業者の専任の宅地建物取引士となる場合、乙県知事に登録の移転を申請しなければならない。

❷ 宅地建物取引士の氏名等が登載されている宅地建物取引士資格登録簿は一般の閲覧に供されることとはされていないが、専任の宅地建物取引士は、その氏名が宅地建物取引業者名簿に登載され、当該名簿が一般の閲覧に供される。

❸ 宅地建物取引士が、刑法第204条（傷害）の罪により罰金の刑に処せられ、登録が消除された場合、当該登録が消除された日から5年を経過するまでは、新たな登録を受けることができない。

❹ 未成年者は、宅地建物取引業に係る営業に関し成年者と同一の行為能力を有していたとしても、成年に達するまでは登録を受けることができない。

アプローチ

正解肢ではやや細かい事項が問われていますが、他の肢の正誤から消去法で解答を出すことが可能です。

解説

❶ 誤り。　**登録の移転**

登録を受けている者は、登録を受けている都道府県以外の都道府県に所在する宅建業者の事務所の業務に従事し、または従事しようとするときは、**登録の移転を申請することができる**。登録の移転の申請は「することができる」という任意的なものなので、「しなければならない」とする本肢は誤り。

❷ 正しい。**宅建士登録簿・宅建業者名簿**

宅建士登録簿には宅建士の氏名等が登載されており、閲覧の規定はない。宅建業者名簿には専任の宅建士の氏名が登載されており、一般の閲覧に供される。

❸ 誤り。　**登録の基準**

傷害の罪により罰金の刑に処せられ、その刑の執行を終わり、または執行を受けることがなくなった日から5年を経過しない者は、登録を受けることができない。「消除された日から5年」ではない。

❹ 誤り。　**登録の基準**

成年者と同一の行為能力を有しない未成年者は登録を受けることができないが、成年者と同一の行為能力を有する未成年者は、他の登録欠格要件に該当しなければ、**登録を受けることができる**。

登録の移転と宅建士証

1. 登録の移転があったときは、宅建士証は効力を失う。
2. 登録の移転の申請とともに新たな宅建士証の交付を申請する場合、法定講習を受講する必要は**ない**。
3. 2の場合、新たな宅建士証の有効期間は、前の宅建士証の有効期間の**残り**の期間である。
4. 2の場合、新たな宅建士証は、前の宅建士証と**引換え**に交付される。

解答 ❷

宅建士

理解度チェック

次の記述のうち、宅地建物取引業法（以下この問において「法」という。）の規定によれば、正しいものはどれか。

❶ 宅地建物取引士が死亡した場合、その相続人は、死亡した日から30日以内に、その旨を当該宅地建物取引士の登録をしている都道府県知事に届け出なければならない。

❷ 甲県知事の登録を受けている宅地建物取引士は、乙県に所在する宅地建物取引業者の事務所の業務に従事しようとするときは、乙県知事に対し登録の移転の申請をし、乙県知事の登録を受けなければならない。

❸ 宅地建物取引士は、事務禁止の処分を受けたときは宅地建物取引士証をその交付を受けた都道府県知事に提出しなくてよいが、登録消除の処分を受けたときは返納しなければならない。

❹ 宅地建物取引士は、法第37条に規定する書面を交付する際、取引の関係者から請求があったときは、専任の宅地建物取引士であるか否かにかかわらず宅地建物取引士証を提示しなければならない。

解説

❶ 誤り。　死亡等の届出

登録を受けている者が死亡した場合、その相続人は、死亡の事実を知った日から30日以内に登録をしている都道府県知事に届け出なければならない。「死亡した日から」ではない。

❷ 誤り。　登録の移転

登録を受けている者は、登録を受けている都道府県以外の都道府県に所在する宅建業者の事務所の業務に従事し、または従事しようとするときは、登録の移転を申請することができる。登録の移転は「することができる」という任意的なものなので、申請しなければならないとする本肢は誤り。

❸ 誤り。　宅建士証の提出・返納

宅建士は、事務禁止処分を受けたときは、宅建士証をその交付を受けた都道府県知事に提出しなければならない。したがって、「提出しなくてよい」とする本肢は誤り。なお、登録消除処分を受けたときは返納しなければならない点は正しい。

❹ 正しい。宅建士証の提示

宅建士は、取引の関係者から請求があったときは、宅建士証を提示しなければならない。このことは、専任の宅建士であるかどうかに関係ない。

ここが狙われる！　専任であることの必要性

宅建士としてすべき事務（宅建士しかできない仕事）は、
①重要事項説明書（35条書面）への**記名**
②重要事項の説明をすること
③37条書面への**記名**
の3つであるが、いずれも宅建士であればよく、専任の宅建士でなくてもよい。
専任であることが必要なのは、宅建士の**設置**義務だけである。

きほんの教科書 L4-4･5、L5-3 復習

解答 ❹

宅建士

宅地建物取引業法に規定する宅地建物取引士及びその登録（以下この問において「登録」という。）に関する次の記述のうち、正しいものはどれか。

❶ 登録を受けている者が精神の機能の障害により宅地建物取引士の事務を適正に行うに当たって必要な認知、判断及び意思疎通を適切に行うことができない者となった場合、本人がその旨を登録をしている都道府県知事に届け出ることはできない。

❷ 甲県知事の登録を受けている宅地建物取引士が乙県知事に登録の移転の申請を行うとともに宅地建物取引士証の交付の申請を行う場合、交付の申請前6月以内に行われる乙県知事が指定した講習を受講しなければならない。

❸ 宅地建物取引士が、事務禁止処分を受け、宅地建物取引士証をその交付を受けた都道府県知事に速やかに提出しなかったときは、50万円以下の罰金に処せられることがある。

❹ 宅地建物取引士が、刑法第222条（脅迫）の罪により、罰金の刑に処せられ、登録が消除された場合、刑の執行を終わり又は執行を受けることがなくなった日から5年を経過するまでは、新たな登録を受けることができない。

アプローチ

肢1の死亡等の届出については、届出義務者を覚えておく必要があります。また、肢4の登録の基準については、免許の基準と同じように考えればOKです。

解説

❶ 誤り。　**死亡等の届出**

登録を受けている者が精神の機能の障害により宅建士の事務を適正に行うに当たって必要な認知、判断および意思疎通を適切に行うことができない者となった場合、30日以内に、本人またはその法定代理人もしくは同居の親族は、登録をしている都道府県知事に届け出なければならない。

❷ 誤り。　**法定講習**

登録の移転の申請とともに宅建士証の交付の申請を行う場合は、都道府県知事の指定する講習（法定講習）を受講する必要はない。

❸ 誤り。　**宅建士証の提出**

宅建士は、事務禁止処分を受けたときは、速やかに、宅建士証をその交付を受けた都道府県知事に提出しなければならず、これに違反したときは、10万円以下の過料に処されることがある。「50万円以下」「罰金」ではない。

❹ 正しい。**登録の基準**

脅迫罪で罰金刑の場合、刑の執行を終わりまたは執行を受けることがなくなった日から5年を経過するまでは、新たな登録を受けることができない。

ポイント整理

死亡等の届出

届出事由	届出義務者
①死亡したとき	相続人
②登録の欠格要件とほぼ同様の事由が発生したとき	本人
③心身の故障により宅建士の事務を適正に行うことができない者として国土交通省令で定めるものになったとき	本人、法定代理人、同居の親族

届出期間	その日から（死亡の場合は、相続人が事実を知った日から）30日以内

きほんの教科書 L4-2・5、L5-1・3 復習

解答 ❹

宅建士

理解度チェック 

宅地建物取引士に関する次の記述のうち、宅地建物取引業法の規定によれば、誤っているものはどれか。

❶ 宅地建物取引士は、禁錮以上の刑に処せられた場合、刑に処せられた日から30日以内に、その旨を宅地建物取引士の登録を受けた都道府県知事に届け出なければならない。

❷ 宅地建物取引士は、業務に関して事務禁止の処分を受けた場合、速やかに、宅地建物取引士証をその交付を受けた都道府県知事に提出しなければならず、これを怠った場合には罰則の適用を受けることがある。

❸ 宅地建物取引士は、有効期間の満了日が到来する宅地建物取引士証を更新する場合、国土交通大臣が指定する講習を受講しなければならず、また、当該宅地建物取引士証の有効期間は5年である。

❹ 宅地建物取引士は、宅地建物取引士の信用を害するような行為をしてはならず、信用を害するような行為には、宅地建物取引士の職務に必ずしも直接関係しない行為や私的な行為も含まれる。

アプローチ

誤りが肢の最後の部分にあるとは限りません。肢の前半が誤っている場合もあるので、読み飛ばさないようにしましょう。

解説

❶ 正しい。**死亡等の届出**

登録を受けている者が、禁錮以上の刑に処せられ、その刑の執行を終わり、または執行を受けることがなくなった日から5年を経過しない者になった場合、本人は、その日から30日以内に、登録を受けた都道府県知事に届け出なければならない。

❷ 正しい。**宅建士証の提出**

宅建士は、事務禁止処分を受けたときは、速やかに、宅建士証をその交付を受けた都道府県知事に提出しなければならない。これを怠ると、10万円以下の過料に処される。

❸ 誤り。**法定講習**

宅建士証の更新の際には、登録をしている都道府県知事が指定する講習を受講しなければならない。「国土交通大臣が指定する講習」ではない。

❹ 正しい。**信用失墜行為の禁止**

宅建士は、宅建士の信用または品位を害するような行為をしてはならない。信用を害する行為には、職務に必ずしも直接関係しない行為や私的な行為も含まれる。

ポイント整理

宅建士証の提示・提出・返納義務

	対象事由	違反に対する罰則
提示	取引の関係者から**請求**があったとき	罰則なし
提示	**重要事項の説明**を行うとき	**10万円**以下の過料
返納	① 宅建士証が効力を失ったとき ② 登録が**消除**されたとき	**10万円**以下の過料
提出	**事務禁止**処分を受けたとき	**10万円**以下の過料

きほんの教科書 L4-3・5、L5-1・3 復習

解答 ③

18 宅建士

令2追-38

理解度チェック

宅地建物取引士に関する次の記述のうち、宅地建物取引業法及び民法の規定によれば、正しいものはいくつあるか。

ア 宅地建物取引業者は、事務所に置く唯一の専任の宅地建物取引士が退任した場合、その日から30日以内に新たな専任の宅地建物取引士を設置し、その設置の日から2週間以内に、専任の宅地建物取引士の変更があった旨を免許権者に届け出なければならない。

イ 未成年者も、法定代理人の同意があれば、宅地建物取引業者の事務所に置かれる専任の宅地建物取引士となることができる。

ウ 宅地建物取引士は、重要事項説明書を交付するに当たり、相手方が宅地建物取引業者である場合、相手方から宅地建物取引士証の提示を求められない限り、宅地建物取引士証を提示する必要はない。

エ 成年被後見人又は被保佐人は、宅地建物取引士として都道府県知事の登録を受けることができない。

❶ 一つ
❷ 二つ
❸ 三つ
❹ なし

解説

ア 誤り。　**専任の宅建士設置義務・変更の届出**

宅建業者は、既存の事務所等が**専任の宅建士の設置義務に抵触**するに至ったときは、**2週間以内**に、必要な措置を執らなければならず、事務所の**専任の宅建士の氏名**に変更があったときは、**30日以内**にその旨を免許権者に届け出なければならない。本問は、「2週間」と「30日」が逆である。

イ 誤り。　**専任の宅建士**

未成年者は専任の宅建士になることができないのが原則である。例外として、宅建士である未成年者が、**宅建業者**または宅建業者の**役員**であるときは、専任の宅建士になることができる。本問のように法定代理人の同意があればよいとの規定はない。

ウ 正しい。**宅建士証の提示**

相手方が宅建業者の場合、重要事項説明書を**交付**すれば足り、**内容を説明する必要はない**。したがって、重要事項の説明時の**宅建士証の提示義務**もなく、取引の関係者から請求があった場合の宅建士証の提示義務しかない。

エ 誤り。　**登録の基準**

精神の機能の障害により宅建士の事務を適正に行うに当たって必要な認知、判断および意思疎通を適切に行うことができない者は、登録を受けることができない。すなわち、**成年被後見人・被保佐人**に関しては、一律に登録欠格要件に該当するのではなく、**個別的に登録の可否を判断**するのである。

以上より、正しいものはウの一つであり、**肢1**が正解になる。

ポイント整理

未成年者と免許・登録等

	宅建業の免許	宅建士の登録	専任の宅建士
成年者と同一の行為能力を**有しない**未成年者	法定代理人が欠格要件にあたることも欠格要件	欠格要件に**あたる**	登録できないので、専任の宅建士にもなれない
成年者と同一の行為能力を**有する**未成年者	欠格要件に**あたらない**	欠格要件に**あたらない**	**宅建業者**またはその**役員**であればなれる

きほんの教科書 L3-1、L4-2、L5-3・5 復習

解答 ①

学習優先度 高

19 宅建業者・宅建士総合

令2追-29

理解度チェック

次の記述のうち、宅地建物取引業法の規定によれば、正しいものはどれか。

❶ 宅地建物取引業者（甲県知事免許）が、乙県内に新たに事務所を設置して宅地建物取引業を営むため、国土交通大臣に免許換えの申請を行い、その免許を受けたときは、国土交通大臣から、免許換え前の免許（甲県知事）の有効期間が経過するまでの期間を有効期間とする免許証の交付を受けることとなる。

❷ 宅地建物取引士（甲県知事登録）が、乙県に所在する宅地建物取引業者の事務所の業務に従事することとなったため、乙県知事に登録の移転の申請とともに宅地建物取引士証の交付の申請をしたときは、乙県知事から、有効期間を5年とする宅地建物取引士証の交付を受けることとなる。

❸ 宅地建物取引士（甲県知事登録）が、乙県に所在する建物の売買に関する取引において宅地建物取引士として行う事務に関し不正な行為をし、乙県知事により事務禁止処分を受けたときは、宅地建物取引士証を甲県知事に提出しなければならない。

❹ 宅地建物取引業者（甲県知事免許）は、乙県内で一団の建物の分譲を行う案内所を設置し、当該案内所において建物の売買の契約を締結し、又は契約の申込みを受ける場合、国土交通大臣に免許換えの申請をしなければならない。

アプローチ

複数の項目から出題されている「総合問題」も、1つ1つの肢を見れば普通の問題なので、落ち着いて1肢ずつ解きましょう。

解説

❶ 誤り。　**免許換えによる免許の有効期間**

免許換えによって受けた免許の有効期間は、新たに免許を受けた場合と同様、5年である。したがって、有効期間を5年とする免許証が交付される。

❷ 誤り。　**登録の移転時の宅建士証の有効期間**

登録の移転の申請とともに宅建士証の交付の申請をしたときは、登録の移転前の宅建士証の有効期間が経過するまでの期間（前の宅建士証の有効期間の残りの期間）を有効期間とする宅建士証が交付される。

❸ 正しい。**宅建士証の提出**

宅建士は、事務禁止処分を受けた場合、宅建士証をその交付を受けた都道府県知事に速やかに提出しなければならない。本問の宅建士は、甲県知事の登録を受けているので、提出先は甲県知事である。

❹ 誤り。　**免許換え**

誰の免許を受けるかは、事務所の場所で決まる。案内所の場所は関係ない。したがって、甲県知事免許の宅建業者が乙県内に案内所を設置しても、免許換えの申請は必要ない。

ポイント整理

免許・宅建士登録・宅建士証の有効期間

	有効期間	備考
免許	5年	免許換えの場合も5年
宅建士の登録	期間の規定なし （消除されなければ一生有効）	―
宅建士証	原則5年	登録の移転の場合、前の宅建士証の有効期間の残りの期間

きほんの教科書 L3-3、L5-3・4 復習

解答 ❸

20 宅建業者・宅建士総合

平27-35

理解度チェック

宅地建物取引業法の規定に関する次の記述のうち、正しいものはどれか。

❶「宅地建物取引業者は、取引の関係者に対し、信義を旨とし、誠実にその業務を行わなければならない」との規定があるが、宅地建物取引士については、規定はないものの、公正かつ誠実に宅地建物取引業法に定める事務を行うとともに、宅地建物取引業に関連する業務に従事する者との連携に努めなければならないものと解されている。

❷「宅地建物取引士は、宅地建物取引業の業務に従事するときは、宅地建物取引士の信用又は品位を害するような行為をしてはならない」との規定がある。

❸「宅地建物取引士は、宅地建物取引業を営む事務所において、専ら宅地建物取引業に従事し、これに専念しなければならない」との規定がある。

❹「宅地建物取引業者は、その従業者に対し、その業務を適正に実施させるため、必要な教育を行うよう努めなければならない」との規定があり、「宅地建物取引士は、宅地又は建物の取引に係る事務に必要な知識及び能力の維持向上に努めなければならない」との規定がある。

平成26年の改正によって設けられた規定に関する問題です。改正直後なので詳しく出題されていますが、その後はほとんど出題されていません。とりあえず、問題を解いてみて、間違えた肢の解説を一読しておく程度で十分です。

解説

❶ 誤り。 **業務処理の原則**

宅建業法は、「宅地建物取引士は、宅地建物取引業の業務に従事するときは、宅地又は建物の取引の専門家として、購入者等の利益の保護及び円滑な宅地又は建物の流通に資するよう、公正かつ誠実にこの法律に定める事務を行うとともに、宅地建物取引業に関連する業務に従事する者との連携に努めなければならない。」と規定している。したがって、「規定はないものの」とする本肢は誤り。なお、宅建業者に関する本肢の前半の記述は正しい。

❷ 誤り。 **信用失墜行為の禁止**

宅建業法は、「宅地建物取引士は、宅地建物取引士の信用又は品位を害するような行為をしてはならない。」と規定している。**「宅地建物取引業の業務に従事するときは」という限定はない**。職務に直接関係しない行為や私的な行為においても「信用又は品位を害するような行為をしてはならない」のである。

❸ 誤り。 **専念義務の有無**

本肢のような規定はない。なお、専任の宅建士の「専任」とは、原則として、宅建業を営む事務所に常勤して、専ら宅建業に従事する状態をいう。しかし、専任でない者も含めた宅建士一般について、本肢のような義務が課されているわけではない。

❹ 正しい。**知識・能力の維持向上等**

宅建業法は、「**宅地建物取引業者**は、その**従業者に対し**、その業務を適正に実施させるため、**必要な教育を行う**よう努めなければならない。」「**宅地建物取引士**は、宅地又は建物の取引に係る事務に必要な知識**及び**能力**の維持向上に努め**なければならない。」と規定している。

きほんの教科書 L4-3 復習

解答 ❹

学習優先度 高

21 営業保証金

平24-33改

宅地建物取引業者Ａ社の営業保証金に関する次の記述のうち、宅地建物取引業法の規定によれば、正しいものはどれか。

❶ Ａ社が地方債証券を営業保証金に充てる場合、その価額は額面金額の100分の90である。

❷ Ａ社は、営業保証金を本店及び支店ごとにそれぞれ最寄りの供託所に供託しなければならない。

❸ Ａ社が本店のほかに5つの支店を設置して宅地建物取引業を営もうとする場合、供託すべき営業保証金の合計額は210万円である。

❹ Ａ社は、自ら所有する宅地を宅地建物取引業者でない買主に売却するに当たっては、当該売却に係る売買契約が成立するまでの間に、その買主に対して、供託している営業保証金の額を説明しなければならない。

アプローチ

肢３は、「弁済業務保証金分担金の納付額」と勘違いしないようにしましょう。営業保証金の額に関しては計算問題も出題されるので、有価証券の評価額と合わせて理解・記憶しておきましょう。

解説

❶ 正しい。**有価証券の評価**

有価証券で供託する場合、国債証券は額面金額の100%、地方債証券・政府保証債証券は額面金額の90%、その他の有価証券は額面金額の80%に評価される。

❷ 誤り。 **営業保証金の供託先**

宅建業者は、営業保証金を、主たる事務所の最寄りの供託所にまとめて供託しなければならない。「それぞれ最寄りの供託所に供託」するのではない。

❸ 誤り。 **営業保証金の供託額**

営業保証金の供託額は、主たる事務所について1,000万円、その他の事務所について1カ所あたり500万円の合計額である。本肢では、1,000万円＋500万円×5＝3,500万円である。

❹ 誤り。 **供託所等の説明**

保証協会の社員ではない宅建業者は、供託所等の説明において、営業保証金を供託した主たる事務所の最寄りの供託所およびその所在地を説明「するように」しなければならない。また、「営業保証金の額」は説明事項ではない。

営業保証金の供託

金　額	主たる事務所につき1,000万円、その他の事務所につき事務所ごとに500万円の合計額 (国債証券は額面金額の100%、地方債証券・政府保証債証券は額面金額の90%、その他の有価証券は額面金額の80%に評価)
供託場所	主たる事務所の最寄りの供託所
事業開始との関係	供託した旨の届出をした後でなければ、事業を開始してはならない

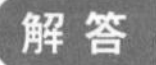

22 営業保証金

平26-29

学習優先度 高

理解度チェック

宅地建物取引業法に規定する営業保証金に関する次の記述のうち、正しいものはどれか。

❶ 新たに宅地建物取引業を営もうとする者は、営業保証金を金銭又は国土交通省令で定める有価証券により、主たる事務所の最寄りの供託所に供託した後に、国土交通大臣又は都道府県知事の免許を受けなければならない。

❷ 宅地建物取引業者は、既に供託した額面金額1,000万円の国債証券と変換するため1,000万円の金銭を新たに供託した場合、遅滞なく、その旨を免許を受けた国土交通大臣又は都道府県知事に届け出なければならない。

❸ 宅地建物取引業者は、事業の開始後新たに従たる事務所を設置したときは、その従たる事務所の最寄りの供託所に政令で定める額を供託し、その旨を免許を受けた国土交通大臣又は都道府県知事に届け出なければならない。

❹ 宅地建物取引業者が、営業保証金を金銭及び有価証券をもって供託している場合で、主たる事務所を移転したためその最寄りの供託所が変更したときは、金銭の部分に限り、移転後の主たる事務所の最寄りの供託所への営業保証金の保管替えを請求することができる。

アプローチ

わからない肢があっても、他の肢から消去法で正解が出せることがあります。

解説

❶ 誤り。 免許と供託の順序

営業保証金の供託は、免許を受けた後に行う。すなわち、①免許を受ける、②営業保証金を供託する、③供託した旨を届け出る、④事業開始という順序になる。したがって、営業保証金を供託した後に免許を受けるとする本肢は誤り。

❷ 正しい。変換の届出

宅建業者は、営業保証金の変換（＝営業保証金を差し替えること）のため新たに供託したときは、遅滞なく、その旨を免許権者に届け出なければならない。

❸ 誤り。 営業保証金の供託先

宅建業者は、事業の開始後新たに事務所を設置したときは、当該事務所についての営業保証金を主たる事務所の最寄りの供託所に供託し、その旨を免許権者に届け出なければならない。「従たる事務所の最寄りの供託所」ではない。

❹ 誤り。 主たる事務所が移転した場合

主たる事務所を移転したため最寄りの供託所が変更した場合、金銭と有価証券で供託しているときは、移転後の主たる事務所の最寄りの供託所に新たに供託しなければならない。「保管替えを請求すること」はできない。

保管替えの請求等

① **金銭のみで供託している場合**
営業保証金を供託している供託所に対し、**保管替え**を請求する。

② **①以外の場合**
移転後の主たる事務所の最寄りの供託所に**新たに供託**する。
⬇
移転前の主たる事務所の最寄りの供託所から取り戻す（公告**不要**）。

きほんの教科書 L6-2 復習

解答 ❷

23 営業保証金

平30-43

学習優先度 高

宅地建物取引業法に規定する営業保証金に関する次の記述のうち、正しいものはどれか。

❶ 宅地建物取引業者は、免許を受けた日から3月以内に営業保証金を供託した旨の届出を行わなかったことにより国土交通大臣又は都道府県知事の催告を受けた場合、当該催告が到達した日から1月以内に届出をしないときは、免許を取り消されることがある。

❷ 宅地建物取引業者に委託している家賃収納代行業務により生じた債権を有する者は、宅地建物取引業者が供託した営業保証金について、その債権の弁済を受けることができる。

❸ 宅地建物取引業者は、宅地建物取引業の開始後1週間以内に、供託物受入れの記載のある供託書の写しを添附して、営業保証金を供託した旨を免許を受けた国土交通大臣又は都道府県知事に届け出なければならない。

❹ 宅地建物取引業者は、新たに事務所を2か所増設するための営業保証金の供託について国債証券と地方債証券を充てる場合、地方債証券の額面金額が800万円であるときは、額面金額が200万円の国債証券が必要となる。

解説

❶ 正しい。免許を受けた者が供託した旨の届出をしない場合

国土交通大臣または都道府県知事は、免許をした日から3カ月以内に宅建業者が営業保証金を供託した旨の届出をしないときは、その届出をすべき旨の催告をしなければならず、催告が到達した日から1カ月以内に宅建業者が届出をしないときは、その免許を取り消すことができる。

❷ 誤り。 還付請求権者

宅建業者と宅建業に関し取引をした者（宅建業者を除く）は、その取引によって生じた債権に関し、営業保証金から弁済を受けることができる。家賃収納代行業務は、管理業務の一環であり、宅建業にはあたらない。したがって、本肢の債権は、宅建業に関する取引によって生じた債権にあたらないので、営業保証金から弁済を受けることができない。

❸ 誤り。 供託した旨の届出と事業の開始

宅建業者は、営業保証金を供託した旨の届出をした後でなければ、事業を開始してはならない。事業の開始後1週間以内に届け出るのではない。

❹ 誤り。 供託額・有価証券の評価

営業保証金の供託額は、主たる事務所について1,000万円、その他の事務所について1カ所あたり500万円の合計額である。有価証券で供託する場合、国債証券は額面金額の100%、地方債証券・政府保証債証券は額面金額の90%、その他の有価証券は額面金額の80%に評価される。本肢では、事務所2カ所を増設するので1,000万円を供託する必要がある。そして、額面金額800万円の地方債証券は720万円に評価されるので、額面金額280万円の国債証券が必要になる。

ここが狙われる！ 免許を受けたが供託した旨の届出をしない場合

肢1解説の「3カ月」と「1カ月」は、覚える必要がある。

また、催告は「しなければならない」と必要的なものであるが、免許取消しは「取り消すことができる」と任意的なものである。もし「免許を取り消さなければならない」と出題されれば、誤りの肢になる。

きほんの教科書 L6-2・3 復習

解答 ❶

24 営業保証金

平29-32

宅地建物取引業法に規定する営業保証金に関する次の記述のうち、誤っているものはどれか。

❶ 宅地建物取引業者は、主たる事務所を移転したことにより、その最寄りの供託所が変更となった場合において、金銭のみをもって営業保証金を供託しているときは、従前の供託所から営業保証金を取り戻した後、移転後の最寄りの供託所に供託しなければならない。

❷ 宅地建物取引業者は、事業の開始後新たに事務所を設置するため営業保証金を供託したときは、供託物受入れの記載のある供託書の写しを添附して、その旨を免許を受けた国土交通大臣又は都道府県知事に届け出なければならない。

❸ 宅地建物取引業者は、一部の事務所を廃止し営業保証金を取り戻そうとする場合には、供託した営業保証金につき還付を請求する権利を有する者に対し、6月以上の期間を定めて申し出るべき旨の公告をしなければならない。

❹ 宅地建物取引業者は、営業保証金の還付があったために営業保証金に不足が生じたときは、国土交通大臣又は都道府県知事から不足額を供託すべき旨の通知書の送付を受けた日から2週間以内に、不足額を供託しなければならない。

解説

❶ 誤り。　**主たる事務所が移転した場合**

主たる事務所を移転したため最寄りの供託所に変更があった場合、金銭のみで供託しているときは、遅滞なく、営業保証金を供託している供託所に対し、移転後の主たる事務所の最寄りの供託所への営業保証金の保管替えを請求しなければならない。

❷ 正しい。**供託した旨の届出**

宅建業者は、事業の開始後新たに事務所を設置するため営業保証金を供託したときは、供託物受入れの記載のある供託書の写しを添附して、その旨を免許を受けた国土交通大臣または都道府県知事に届け出なければならない。

❸ 正しい。**還付請求権者に対する公告**

宅建業者は、一部の事務所を廃止したことにより営業保証金の額が法定の額を超えたことを理由に営業保証金を取り戻す場合には、原則として、還付請求権者に対して、6カ月以上の期間を定めて申し出るべき旨の公告をしなければならない。

❹ 正しい。**不足額の供託**

宅建業者は、営業保証金の還付があったために営業保証金に不足が生じたときは、国土交通大臣または都道府県知事から不足額を供託すべき旨の通知書の送付を受けた日から2週間以内に、不足額を供託しなければならない。

営業保証金の不足額の供託

供託すべき旨の通知書の送付を受けた日から**2週間**以内に供託

⬇

供託したときは、**2週間以内**に免許権者へ**届出**

きほんの教科書 L6-2･3 復習　　解答 ❶

25 営業保証金

令5-30

宅地建物取引業者Ａ（甲県知事免許）の営業保証金に関する次の記述のうち、宅地建物取引業法の規定によれば、正しいものはいくつあるか。なお、Ａは宅地建物取引業保証協会の社員ではないものとする。

ア Ａが免許を受けた日から６か月以内に甲県知事に営業保証金を供託した旨の届出を行わないとき、甲県知事はその届出をすべき旨の催告をしなければならず、当該催告が到達した日から１か月以内にＡが届出を行わないときは、その免許を取り消すことができる。

イ Ａは、営業保証金を供託したときは、その供託物受入れの記載のある供託書の写しを添付して、その旨を甲県知事に届け出なければならず、当該届出をした後でなければ、その事業を開始することができない。

ウ Ａは、営業保証金が還付され、甲県知事から営業保証金が政令で定める額に不足が生じた旨の通知を受け、その不足額を供託したときは、30日以内に甲県知事にその旨を届け出なければならない。

エ Ａが免許失効に伴い営業保証金を取り戻す際、供託した営業保証金につき還付を受ける権利を有する者に対し、３か月を下らない一定期間内に申し出るべき旨を公告し、期間内にその申出がなかった場合でなければ、取り戻すことができない。

1 一つ
2 二つ
3 三つ
4 四つ

問題文に数字が出ている場合には、正しい数字かどうかを必ずチェックしましょう。そのために、普段の学習でも数字を覚える努力が大切です。

解説

ア 誤り。 **免許を受けた者が供託した旨の届出をしない場合**

免許権者は、免許をした日から3カ月以内に宅建業者が営業保証金を供託した旨の届出をしないときは、その届出をすべき旨の催告をしなければならない。「6か月」ではない。なお、本肢の後半は正しい。

イ 正しい。 **供託をした旨の届出と事業の開始**

宅建業者は、営業保証金を供託したときは、供託物受入れの記載のある供託書の写しを添附して、その旨を免許権者に届け出なければならず、当該届出をした後でなければ、事業を開始することができない。

ウ 誤り。 **不足額を供託した旨の届出**

宅建業者は、還付による営業保証金の不足額を供託したときは、2週間以内に、その旨を免許権者に届け出なければならない。「30日以内」ではない。

エ 誤り。 **還付請求権者に対する公告**

営業保証金の取戻しは、原則として、還付請求権者に対し6カ月を下らない一定期間内に申し出るべき旨を公告し、その期間内にその申出がなかった場合でなければすることができない。「3か月」ではない。

以上より、正しいものはイの一つであり、肢1が正解になる。

取戻しのための公告

営業保証金を取り戻そうとする場合、原則として、還付請求権者に対し、6カ月以上の期間を定めてその期間内に申し出るべき旨の**公告**をしなければならない。ただし、次の場合は、公告不要である。

①取戻し事由発生から**10年**を経過したとき
②主たる事務所の**移転**により最寄りの供託所が変更し、**新たに供託**したとき
③**保証協会**の社員になって、営業保証金の供託を免除されたとき

解答 ①

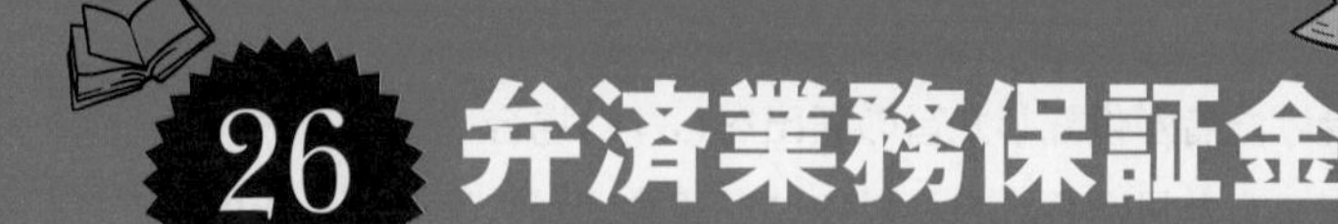

26 平26-39 弁済業務保証金

学習優先度 高

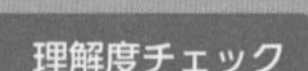

理解度チェック

宅地建物取引業保証協会（以下この問において「保証協会」という。）に関する次の記述のうち、正しいものはどれか。

❶ 還付充当金の未納により保証協会の社員の地位を失った宅地建物取引業者は、その地位を失った日から2週間以内に弁済業務保証金を供託すれば、その地位を回復する。

❷ 保証協会は、その社員である宅地建物取引業者から弁済業務保証金分担金の納付を受けたときは、その納付を受けた日から2週間以内に、その納付を受けた額に相当する額の弁済業務保証金を供託しなければならない。

❸ 保証協会は、弁済業務保証金の還付があったときは、当該還付に係る社員又は社員であった者に対して、当該還付額に相当する額の還付充当金を保証協会に納付すべきことを通知しなければならない。

❹ 宅地建物取引業者が保証協会の社員となる前に、当該宅地建物取引業者に建物の貸借の媒介を依頼した者は、その取引により生じた債権に関し、当該保証協会が供託した弁済業務保証金について弁済を受ける権利を有しない。

アプローチ

弁済業務保証金では、「2週間」という場合が多いですが、そうでない場合もあることに注意しましょう。また、弁済業務保証金制度では、保証協会が宅建業者と供託所の間に入り、社員（宅建業者）と保証協会、保証協会と供託所という関係で話が進みます。どちらの話なのかを意識しながら問題を解きましょう。

解説

❶ 誤り。　**社員の地位を失った場合**

保証協会の社員の地位を失った宅建業者について、本肢のような地位の回復に関する規定はない。なお、保証協会の社員が**社員としての地位を失った**ときは、その日から1週間**以内に営業保証金を供託**しなければならない。

❷ 誤り。　**弁済業務保証金の供託**

保証協会は、弁済業務保証金分担金の納付を受けたときは、その日から1週間**以内**に、その納付を受けた額に相当する額の弁済業務保証金を供託しなければならない。「2週間」ではない。

❸ 正しい。**還付充当金を納付すべき旨の通知**

保証協会は、弁済業務保証金の還付があったときは、当該還付に係る社員または社員であった者に対し、当該還付額に相当する額の還付充当金を保証協会**に納付**すべきことを**通知**しなければならない。

❹ 誤り。　**社員が社員となる前に取引した者**

弁済業務保証金から弁済を受けることができる者には、**社員が社員となる**前**に**（＝当該宅建業者が保証協会に加入する前に）**宅建業に関し取引をした者が含まれる**。そして、宅建業者に対して建物の貸借の媒介を依頼した者は、宅建業に関する取引をした者にあたる。したがって、「弁済を受ける権利を有しない」とする本肢は誤り。

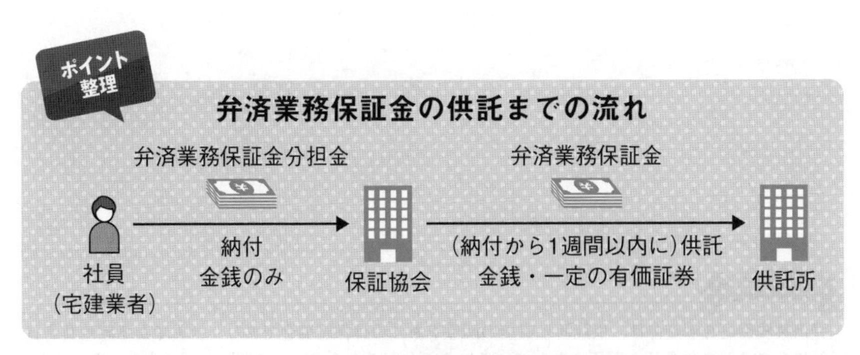

きほんの教科書 L7-2･3･5 復習

解答 ❸

27 令2-36 弁済業務保証金

宅地建物取引業保証協会（以下この問において「保証協会」という。）に関する次の記述のうち、宅地建物取引業法の規定によれば、正しいものはどれか。

❶ 保証協会の社員との宅地建物取引業に関する取引により生じた債権を有する者は、当該社員が納付した弁済業務保証金分担金の額に相当する額の範囲内で弁済を受ける権利を有する。

❷ 保証協会の社員と宅地建物取引業に関し取引をした者が、その取引により生じた債権に関し、弁済業務保証金について弁済を受ける権利を実行するときは、当該保証協会の認証を受けるとともに、当該保証協会に対し還付請求をしなければならない。

❸ 保証協会は、弁済業務保証金の還付があったときは、当該還付に係る社員又は社員であった者に対し、当該還付額に相当する額の還付充当金をその主たる事務所の最寄りの供託所に供託すべきことを通知しなければならない。

❹ 保証協会は、弁済業務保証金の還付があったときは、当該還付額に相当する額の弁済業務保証金を供託しなければならない。

弁済業務保証金制度では、供託所と直接の関係をもつのは保証協会であり、社員である宅建業者は保証協会を介して供託所と関係をもっているにすぎないことを意識して問題を解きましょう。また、還付に関しては、還付請求権者、社員（宅建業者）、保証協会がどのようなことを行うべきなのか、整理して覚えましょう。

解説

❶ 誤り。　**弁済業務保証金の還付額**

弁済業務保証金から弁済を受けられる額の限度は、**営業保証金の場合と同じ**（その宅建業者が営業保証金を供託するとした場合に供託すべき額）である。弁済業務保証金分担金の額の範囲内ではない。たとえば、事務所が1カ所の場合、弁済業務保証金分担金は60万円であるが、弁済限度額は1,000万円である。

❷ 誤り。　**還付請求・保証協会の認証**

還付請求は供託所に対して行うのであって、保証協会に対してではない。弁済業務保証金は供託所に供託されているからである。なお、**保証協会の認証**を受けなければならない点は正しい。

❸ 誤り。　**還付充当金を納付すべき旨の通知**

保証協会は、弁済業務保証金の還付があったときは、当該還付に係る社員または社員であった者に対し、当該還付額に相当する額の**還付充当金**を**保証協会に納付**すべきことを**通知**しなければならない。「供託所に供託」ではない。

❹ 正しい。**還付の場合の弁済業務保証金の供託**

保証協会は、弁済業務保証金の還付があったときは、国土交通大臣から還付の**通知を受けた日から2週間以内**に、当該還付額に相当する額の**弁済業務保証金を供託**しなければならない。

弁済業務保証金の還付に関する手続

1. 還付請求権者
   保証協会の認証を受けて、**供託所**に対して還付請求
2. 保証協会
   還付の**通知**を受けた日から**2週間**以内に弁済業務保証金を供託
   供託した旨を社員の免許権者に届出
3. 社員（宅建業者）
   通知を受けた日から**2週間**以内に還付充当金を**保証協会**に納付

解答 ❹

28 平28-31改 弁済業務保証金

宅地建物取引業保証協会（以下この問において「保証協会」という。）の社員である宅地建物取引業者に関する次の記述のうち、宅地建物取引業法の規定によれば、正しいものはどれか。

❶ 保証協会に加入することは宅地建物取引業者の任意であり、一の保証協会の社員となった後に、宅地建物取引業に関し取引をした者の保護を目的として、重ねて他の保証協会の社員となることができる。

❷ 保証協会に加入している宅地建物取引業者（甲県知事免許）は、甲県の区域内に新たに支店を設置した場合、その設置した日から1月以内に当該保証協会に追加の弁済業務保証金分担金を納付しないときは、社員の地位を失う。

❸ 保証協会から還付充当金の納付の通知を受けた社員は、その通知を受けた日から2週間以内に、その通知された額の還付充当金を主たる事務所の最寄りの供託所に供託しなければならない。

❹ 150万円の弁済業務保証金分担金を保証協会に納付して当該保証協会の社員となった者と宅地建物取引業に関し取引をした者（宅地建物取引業者である者を除く。）は、その取引により生じた債権に関し、2,500万円を限度として、当該保証協会が供託した弁済業務保証金から弁済を受ける権利を有する。

解説

❶ 誤り。　保証協会への加入

保証協会に加入することは宅建業者の任意であるが、宅建業者は、同時に複数の保証協会の社員になることはできない。

❷ 誤り。　新たな事務所を設置した場合

保証協会の社員は、新たに事務所を設置したときは、その日から2週間以内に、その事務所の分に相当する弁済業務保証金分担金を保証協会に納付しなければならず、納付しないときは社員の地位を失う。「1月以内」ではない。

❸ 誤り。　還付充当金の納付

保証協会から還付充当金の納付の通知を受けた社員は、その通知を受けた日から2週間以内に、その通知された額の還付充当金を保証協会に納付しなければならない。「主たる事務所の最寄りの供託所に供託」するのではない。

❹ 正しい。弁済業務保証金の還付額

弁済業務保証金から弁済を受けることができる額の限度は、営業保証金の場合と同じである。150万円の弁済業務保証金分担金を納付している宅建業者は、事務所を4カ所設置していることになる（主たる事務所60万円＋その他の事務所30万円×3＝150万円）。この宅建業者が営業保証金を供託する場合には、主たる事務所1,000万円＋その他の事務所500万円×3＝2,500万円を供託しなければならないので、弁済を受けることができる額の限度も2,500万円である。

ステップアップ

営業保証金と弁済業務保証金（分担金）の換算

「営業保証金**500万円**につき、弁済業務保証金（分担金）**30万円**」と考えれば簡単。たとえば、弁済業務保証金分担金の額が150万円の場合、30万円の5倍。したがって、営業保証金だと500万円の5倍である2,500万円になる。

きほんの教科書 L7-1・2・3 復習

解答 ❹

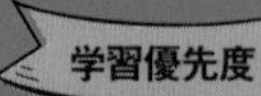

29 平30-44 弁済業務保証金

宅地建物取引業保証協会（以下この問において「保証協会」という。）の社員である宅地建物取引業者Aに関する次の記述のうち、宅地建物取引業法の規定によれば、正しいものはどれか。

❶ Aは、保証協会の社員の地位を失った場合、Aとの宅地建物取引業に関する取引により生じた債権に関し権利を有する者に対し、6月以内に申し出るべき旨の公告をしなければならない。

❷ 保証協会は、Aの取引の相手方から宅地建物取引業に係る取引に関する苦情を受けた場合は、Aに対し、文書又は口頭による説明を求めることができる。

❸ Aは、保証協会の社員の地位を失った場合において、保証協会に弁済業務保証金分担金として150万円の納付をしていたときは、全ての事務所で営業を継続するためには、1週間以内に主たる事務所の最寄りの供託所に営業保証金として1,500万円を供託しなければならない。

❹ Aは、その一部の事務所を廃止したときは、保証協会が弁済業務保証金の還付請求権者に対し、一定期間内に申し出るべき旨の公告をした後でなければ、弁済業務保証金分担金の返還を受けることができない。

宅建業法は個数問題も多いので、1肢ずつ正確に正誤の判断ができるようにしましょう。そうすれば、本問も消去法で正解を出すことができます。

解説

❶ 誤り。　社員の地位を失った場合の公告

保証協会は、社員が社員の地位を失ったときは、当該社員であった者に係る宅建業に関する取引により生じた債権に関し弁済業務保証金から弁済を受ける権利を有する者に対し、6カ月を下らない一定期間内に保証協会の認証を受けるため申し出るべき旨を公告しなければならない。本肢の場合、公告をするのは保証協会であり、Aではない。

❷ 正しい。苦情解決業務

保証協会は、宅建業者の相手方等の申出に係る苦情の解決について必要があると認めるときは、当該社員に対し、文書もしくは口頭による説明を求め、または資料の提出を求めることができる。したがって、保証協会は、Aに対し、文書または口頭による説明を求めることができる。

❸ 誤り。　弁済業務保証金分担金・営業保証金の額

宅建業者は、保証協会の社員の地位を失ったときは、1週間以内に、営業保証金を供託しなければならない。弁済業務保証金分担金として150万円の納付をしていた場合、事務所の数は4カ所なので（主たる事務所60万円＋その他の事務所30万円×3カ所）、営業保証金の額は、1,000万円＋500万円×3＝2,500万円である。したがって、「1,500万円」とする本肢は誤り。

❹ 誤り。　事務所の一部を廃止した場合の公告

保証協会は、社員が事務所の一部を廃止したことを理由として弁済業務保証金分担金を返還する場合は、公告をする必要がない。したがって、公告をした後でなければ弁済業務保証金分担金の返還を受けられないとする本肢は誤り。

ポイント整理

還付請求権者に対する公告の要否

社員が事務所の一部を廃止したとき	公告不要
社員が社員の地位を失ったとき	公告必要※

※公告をするのは、保証協会であり、社員（宅建業者）ではない。

きほんの教科書 L6-2、L7-4・5 復習

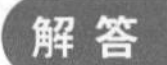

解答 ❷

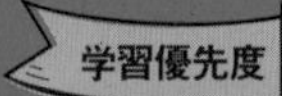

30 令1-33 弁済業務保証金

宅地建物取引業保証協会（以下この問において「保証協会」という。）に関する次の記述のうち、宅地建物取引業法の規定によれば、正しいものはどれか。

❶ 宅地建物取引業者で保証協会に加入した者は、その加入の日から2週間以内に、弁済業務保証金分担金を保証協会に納付しなければならない。

❷ 保証協会の社員となった宅地建物取引業者が、保証協会に加入する前に供託していた営業保証金を取り戻すときは、還付請求権者に対する公告をしなければならない。

❸ 保証協会の社員は、新たに事務所を設置したにもかかわらずその日から2週間以内に弁済業務保証金分担金を納付しなかったときは、保証協会の社員の地位を失う。

❹ 還付充当金の未納により保証協会の社員の地位を失った宅地建物取引業者は、その地位を失った日から2週間以内に弁済業務保証金を供託すれば、その地位を回復する。

アプローチ

数字に注意して問題を解きましょう。また、営業保証金・弁済業務保証金では、「2週間以内」という規定が多いので、「2週間」以外のものを積極的に覚えましょう。

解説

❶ 誤り。 弁済業務保証金分担金の納付

宅建業者で保証協会に加入しようとする者は、その加入しようとする日までに、弁済業務保証金分担金を保証協会に納付しなければならない。「加入した者は」「その加入の日から２週間以内」ではない。

❷ 誤り。 営業保証金の取戻し

保証協会の社員となった宅建業者が、保証協会に加入する前に供託していた営業保証金を取り戻すときは、還付請求権者に対する公告をする必要がない。

❸ 正しい。新たな事務所を設置した場合

保証協会の社員は、新たに事務所を設置したときは、その日から２週間以内に、その事務所の分に相当する弁済業務保証金分担金を保証協会に納付しなければならない。これに違反したときは、保証協会の社員の地位を失う。

❹ 誤り。 社員の地位を失った場合

保証協会の社員の地位を失った宅建業者に関し、本肢のような地位の回復の規定はない。なお、保証協会の社員が社員としての地位を失ったときは、その日から１週間以内に営業保証金を供託しなければならない。

ここが狙われる！ 「２週間」以外のもの

【１週間】

①**保証協会**は、弁済業務保証金分担金（加入時、事務所新設時）の納付を受けた日から１週間以内に、弁済業務保証金を**供託**しなければならない。

②社員は、**社員の地位を失った**日から１週間以内に、営業保証金を供託しなければならない。

【１カ月】

社員は、**特別弁済業務保証金分担金**を納付すべき旨の通知を受けた日から１カ月以内に、特別弁済業務保証金分担金を納付しなければならない。

きほんの教科書 L6-4、L7-2・5 復習

解答 ❸

31 保証金総合

平27-42改

営業保証金を供託している宅地建物取引業者Aと宅地建物取引業保証協会（以下この問において「保証協会」という。）の社員である宅地建物取引業者Bに関する次の記述のうち、宅地建物取引業法の規定によれば、正しいものはどれか。

❶ 新たに事務所を設置する場合、Aは、主たる事務所の最寄りの供託所に供託すべき営業保証金に、Bは、保証協会に納付すべき弁済業務保証金分担金に、それぞれ金銭又は有価証券をもって充てることができる。

❷ 一部の事務所を廃止した場合において、営業保証金又は弁済業務保証金を取り戻すときは、A、Bはそれぞれ還付を請求する権利を有する者に対して6か月以内に申し出るべき旨を官報に公告しなければならない。

❸ AとBが、それぞれ主たる事務所の他に3か所の従たる事務所を有している場合、Aは営業保証金として2,500万円の供託を、Bは弁済業務保証金分担金として150万円の納付をしなければならない。

❹ 宅地建物取引業に関する取引により生じた債権を有する者（宅地建物取引業者である者を除く。）は、Aに関する債権にあってはAが供託した営業保証金についてその額を上限として弁済を受ける権利を有し、Bに関する債権にあってはBが納付した弁済業務保証金分担金についてその額を上限として弁済を受ける権利を有する。

アプローチ

営業保証金と弁済業務保証金の比較問題ですが、1つの肢で2つの事項が問われているだけで、それぞれに分けて考えれば普通の問題です。

解説

❶ 誤り。　有価証券での供託・納付

弁済業務保証金分担金は、金銭で納付しなければならない。したがって、本肢は誤り。なお、営業保証金は金銭または有価証券で供託できる点は正しい。

❷ 誤り。　公告の要否

一部の事務所を廃止したことにより弁済業務保証金を取り戻す場合には、公告は不要である。したがって、本肢は誤り。なお、営業保証金の取戻しについては正しい。

❸ 正しい。営業保証金・弁済業務保証金分担金の額

営業保証金の額は、主たる事務所について1,000万円、その他の事務所について1カ所あたり500万円の合計額である。また、弁済業務保証金分担金の額は、主たる事務所について60万円、その他の事務所について1カ所あたり30万円の合計額である。

❹ 誤り。　還付限度額

弁済業務保証金からの還付限度額は、営業保証金の場合と同じである。また、還付は、保証協会が供託した弁済業務保証金から受けるのであり、社員が納付した弁済業務保証金分担金からではない。したがって、本肢は誤り。なお、営業保証金からの還付の場合には営業保証金の額が上限になる点は正しい。

・ここが狙われる！　間違いやすい部分をチェック

①金銭のみか有価証券もOKか
営業保証金と弁済業務保証金は有価証券もOK。弁済業務保証金**分担金**は金銭のみ

②還付請求権者への公告を行う者
営業保証金の場合は**宅建業者**、弁済業務保証金の場合は**保証協会**

③一部の事務所を廃止した場合
営業保証金の取戻しには公告**必要**。弁済業務保証金の場合は公告**不要**。

④還付があった場合に供託すべき者
営業保証金は**宅建業者**、弁済業務保証金は**保証協会**。社員は還付充当金を**保証協会**に納付

きほんの教科書 L6-2・3・4、L7-2・3・4

解答 ❸

32 媒介契約

令1-31

学習優先度 高

理解度チェック

宅地建物取引業者Aが、BからB所有の既存のマンションの売却に係る媒介を依頼され、Bと専任媒介契約（専属専任媒介契約ではないものとする。）を締結した。この場合における次の記述のうち、宅地建物取引業法の規定によれば、正しいものはいくつあるか。

ア Aは、専任媒介契約の締結の日から7日以内に所定の事項を指定流通機構に登録しなければならないが、その期間の計算については、休業日数を算入しなければならない。

イ AがBとの間で有効期間を6月とする専任媒介契約を締結した場合、その媒介契約は無効となる。

ウ Bが宅地建物取引業者である場合、Aは、当該専任媒介契約に係る業務の処理状況の報告をする必要はない。

エ AがBに対して建物状況調査を実施する者のあっせんを行う場合、建物状況調査を実施する者は建築士法第2条第1項に規定する建築士であって国土交通大臣が定める講習を修了した者でなければならない。

❶ 一つ
❷ 二つ
❸ 三つ
❹ 四つ

アプローチ

近年、媒介契約は個数問題の出題が多くなっています。その対策として、普段から1肢ずつ正確に正誤判断をするようにしましょう。

解説

ア 誤り。　**指定流通機構への登録**

宅建業者は、専属専任媒介契約ではない専任媒介契約を締結したときは、その日から7日（宅建業者の休業日を除く）以内に指定流通機構に登録しなければならない。したがって、「休業日数を算入しなければならない」とする本肢は誤り。

イ 誤り。　**専任媒介契約の有効期間**

専任媒介契約の有効期間は3カ月を超えてはならず、3カ月を超える定めをしたときは3カ月になる。媒介契約が無効となるのではない。

ウ 誤り。　**業務処理状況の報告**

宅建業者は、専属専任媒介契約ではない専任媒介契約を締結した場合には、2週間に1回以上、依頼者に対し、業務の処理状況を報告しなければならない。このことは、依頼者が宅建業者であっても変わりがない。

エ 正しい。**建物状況調査を行う者**

建物状況調査を実施する者のあっせんを行う場合、建物状況調査を実施する者は建築士であって国土交通大臣が定める講習を修了した者でなければならない。

以上より、正しいものはエの一つであり、肢1が正解になる。

建物状況調査
(既存建物の場合に追加される事項)

媒介契約書面	依頼者に対する建物状況調査を実施する者の**あっせん**に関する事項
重要事項の説明	① 建物状況調査（実施後**1年**※を経過していないものに限る）を**実施**しているかどうか、およびこれを実施している場合におけるその**結果の概要** ② 設計図書、点検記録その他の建物の建築および維持保全の状況に関する**書類**で国土交通省令で定めるものの**保存の状況**
37条書面	建物の構造耐力上主要な部分等の状況について当事者の双方が**確認**した事項

※鉄筋コンクリート造または鉄骨鉄筋コンクリート造の**共同住宅等**については**2年**

解答 ❶

33 媒介契約

平29-43改

宅地建物取引業者Ａが、ＢからＢ所有の中古マンションの売却の依頼を受け、Ｂと専任媒介契約（専属専任媒介契約ではない媒介契約）を締結した場合に関する次の記述のうち、宅地建物取引業法（以下この問において「法」という。）の規定によれば、正しいものはいくつあるか。なお、法第34条の2第6項に規定する書面に代えて電磁的方法により提供する場合については考慮しないものとする。

ア Ａは、2週間に1回以上当該専任媒介契約に係る業務の処理状況をＢに報告しなければならないが、これに加え、当該中古マンションについて購入の申込みがあったときは、遅滞なく、その旨をＢに報告しなければならない。

イ 当該専任媒介契約の有効期間は、3月を超えることができず、また、依頼者の更新しない旨の申出がなければ自動更新とする旨の特約も認められない。ただし、Ｂが宅地建物取引業者である場合は、ＡとＢの合意により、自動更新とすることができる。

ウ Ａは、当該専任媒介契約の締結の日から7日（ただし、Ａの休業日は含まない。）以内に所定の事項を指定流通機構に登録しなければならず、また、法第50条の6に規定する登録を証する書面を遅滞なくＢに提示しなければならない。

エ 当該専任媒介契約に係る通常の広告費用はＡの負担であるが、指定流通機構への情報登録及びＢがＡに特別に依頼した広告に係る費用については、成約したか否かにかかわらず、国土交通大臣の定める報酬の限度額を超えてその費用をＢに請求することができる。

❶ 一つ　　❷ 二つ
❸ 三つ　　❹ 四つ

解説

ア 正しい。**業務処理状況の報告・申込みがあった旨の報告**

宅建業者は、**専属専任媒介契約ではない専任媒介契約**を締結した場合には2週間**に1回以上**、依頼者に対し、**業務の処理状況を報告**しなければならない。また、媒介契約を締結した宅建業者は、当該媒介契約の目的物である宅地・建物の売買・交換の申込み**があったときは**、遅滞なく、その旨を依頼者に報告しなければならない。

イ 誤り。 **専任媒介契約の有効期間・更新**

専任媒介契約の有効期間は3カ月を超えてはならない。また、専任媒介契約の有効期間は、依頼者の申出**により更新**することができるが、この申出は更新のときにされなければならず、事前に**自動更新する旨の特約をすることは認められ**ない。このことは、依頼者が宅建業者であっても変わりがない。

ウ 誤り。 **登録を証する書面の引渡し**

指定流通機構へ登録をした宅建業者は、**登録を証する書面**を遅滞なく依頼者に引き渡さ**なければならない**。「提示」では足りない。なお、宅建業者は、**専属専任媒介契約でない専任媒介契約**を締結したときは、その日から7日以内（宅建業者の**休業日を**含まない）に指定流通機構に登録しなければならない。この点は正しい。

エ 誤り。 **広告費用等の受領**

依頼者の特別の依頼**による特別の費用**は、報酬のほかに受領することができる。したがって、BがAに特別に依頼した広告に係る費用は、報酬の限度額を超えて請求することができる。しかし、通常の広告の費用や指定流通機構への情報登録の費用は、Aの負担である。したがって、報酬の限度額を超えて情報登録の費用を請求できるとする本肢は誤り。

以上より、正しいものはアの一つであり、肢1が正解になる。

ステップアップ

難問だが復習は重要

ウが難しいので、初めて解いたときには「正しいものは二つ」と間違えても仕方がない。ア、イ、エはよく出題される肢なので、しっかり復習しよう。

きほんの教科書 L8-2、L17-2 復習

解答 ①

媒介契約

学習優先度 高

宅地建物取引業者Aは、Bが所有する宅地の売却を依頼され、専任媒介契約を締結した。この場合における次の記述のうち、宅地建物取引業法（以下この問において「法」という。）の規定に違反するものはいくつあるか。なお、法第34条の2第1項に規定する書面の交付に代えて電磁的方法により提供する場合については考慮しないものとする。

ア Aは、Bが宅地建物取引業者であったので、法第34条の2第1項に規定する書面を作成しなかった。

イ Aは、Bの要望により、指定流通機構に当該宅地を登録しない旨の特約をし、指定流通機構に登録しなかった。

ウ Aは、短期間で売買契約を成立させることができると判断したので指定流通機構に登録せず、専任媒介契約締結の日の9日後に当該売買契約を成立させた。

エ Aは、当該契約に係る業務の処理状況の報告日を毎週金曜日とする旨の特約をした。

❶ 一つ
❷ 二つ
❸ 三つ
❹ 四つ

アプローチ

「第34条の2第1項に規定する書面」とは、媒介契約書面のことです。条文の番号を覚える必要はありません。「条文の番号が間違っているから、誤り」という問題は出題されません。

解説

ア 違反する。　**媒介契約書面**

宅建業者は、売買・交換の媒介契約を締結したときは、遅滞なく、34条の2第1項の規定に基づく書面（媒介契約書面）を作成・交付しなければならない。このことは、依頼者が宅建業者であっても変わりがない。

イ 違反する。　**指定流通機構への登録**

宅建業者は、専任媒介契約を締結したときは、その日から7日（専属専任媒介契約の場合は5日）以内に指定流通機構に登録しなければならない。そして、登録義務に関し宅建業法の規定に反する特約は無効である。したがって、登録しない旨の特約は無効であり、Aは指定流通機構に登録しなければならない。

ウ 違反する。　**指定流通機構への登録**

イで述べたとおり、Aは指定流通機構に登録しなければならない。短期間で売買契約を成立することができると判断したことや、結果的に9日後に売買契約を成立させたことは関係ない。

エ 違反しない。**業務処理状況の報告**

宅建業者は、専任媒介契約を締結した場合には2週間に1回以上（専属専任媒介の場合は1週間に1回以上）、依頼者に対し、業務の処理状況を報告しなければならない。本肢のように報告日を毎週金曜日とした場合、1週間に1回報告をすることになるので、宅建業法の規定に違反しない。

以上より、違反するものはア、イ、ウの三つであり、肢3が正解になる。

ポイント整理

媒介契約の制限の比較

	専属専任媒介でない専任媒介	専属専任媒介	一般媒介
有効期間	3カ月以内		規制なし
更新	更新時に依頼者の申出が必要		
指定流通機構への登録	7日以内	5日以内	登録義務なし
	（宅建業者の休業日を含まない）		
業務処理状況の報告	2週間に1回以上	1週間に1回以上	報告義務なし

きほんの教科書 L8-2･3 復習

解答 ③

学習優先度 高

35 媒介契約

平25-28

理解度チェック

宅地建物取引業者Ａ社が、Ｂから自己所有の甲宅地の売却の媒介を依頼され、Ｂと媒介契約を締結した場合における次の記述のうち、宅地建物取引業法の規定によれば、正しいものはいくつあるか。

ア　Ａ社が、Ｂとの間に専任媒介契約を締結し、甲宅地の売買契約を成立させたときは、Ａ社は、遅滞なく、登録番号、取引価格、売買契約の成立した年月日、売主及び買主の氏名を指定流通機構に通知しなければならない。

イ　Ａ社は、Ｂとの間に媒介契約を締結し、Ｂに対して甲宅地を売買すべき価額又はその評価額について意見を述べるときは、その根拠を明らかにしなければならない。

ウ　Ａ社がＢとの間に締結した専任媒介契約の有効期間は、Ｂからの申出により更新することができるが、更新の時から3月を超えることができない。

❶ 一つ
❷ 二つ
❸ 三つ
❹ なし

解説

ア 誤り。 **契約成立の通知**

宅建業者は、指定流通機構へ登録した宅地建物の売買・交換契約が成立したときは、遅滞なく、①登録番号、②取引価格、③契約成立年月日を、指定流通機構へ通知しなければならない。しかし、「売主及び買主の氏名」は通知すべき事項に含まれていない。

イ 正しい。**売買すべき価額等の意見**

宅建業者は、依頼者に対し宅地建物を売買すべき価額・評価額について意見を述べるときは、その根拠を明らかにしなければならない。

ウ 正しい。**専任媒介契約の更新**

専任媒介契約の有効期間は、期間満了に際して依頼者の申出があれば、3カ月を限度として更新することができる。

以上より、正しいものはイ、ウの二つであり、肢2が正解になる。

ポイント整理

指定流通機構への登録

	非専属型専任媒介	専属専任媒介	一般媒介
登録義務	有	有	無
登録事項	①所在、規模、形質 ②売買すべき価額 ③法令に基づく制限で主要なもの ④交換契約の場合には、評価額 ⑤専属専任媒介契約である場合には、その旨		—
登録までの期間	7日以内 (宅建業者の休日を含まない)	5日以内 (宅建業者の休日を含まない)	—
書面の引渡し	登録後、遅滞なく依頼者へ		—
契約成立後の通知	契約成立後、遅滞なく指定流通機構へ ①登録番号、②取引価格、③契約成立年月日		—

きほんの教科書 L8-2・3 復習

解答 ❷

36 媒介契約

令5-40

理解度チェック

宅地建物取引業者Ａが、ＢからＢ所有の中古住宅の売却の依頼を受け、専任媒介契約（専属専任媒介契約ではないものとする。）を締結した場合に関する次の記述のうち、宅地建物取引業法（以下この問において「法」という。）の規定によれば、正しいものはどれか。

❶ Ａは、当該中古住宅について購入の申込みがあったときは、遅滞なく、その旨をＢに報告しなければならないが、Ｂの希望条件を満たさない申込みだとＡが判断した場合については報告する必要はない。

❷ Ａは、法第34条の２第１項の規定に基づく書面の交付後、速やかに、Ｂに対し、法第34条の２第１項第４号に規定する建物状況調査を実施する者のあっせんの有無について確認しなければならない。

❸ Ａは、当該中古住宅について法で規定されている事項を、契約締結の日から休業日数を含め７日以内に指定流通機構へ登録する義務がある。

❹ Ａは、Ｂが他の宅地建物取引業者の媒介又は代理によって売買の契約を成立させたときの措置を法第34条の２第１項の規定に基づく書面に記載しなければならない。

アプローチ

よく分からない肢は、無理して正誤を判断する必要はありません。

解説

❶ 誤り。　**申込みがあった旨の報告**

宅建業者は、媒介契約の目的物である宅地・建物の売買・交換の申込みがあったときは、遅滞なく、その旨を依頼者に報告しなければならない。本肢のような例外はない。

❷ 誤り。　**建物状況調査を行う者のあっせん**

既存建物の場合、建物状況調査を行う者のあっせんに関する事項を媒介契約書面に記載しなければならない。したがって、書面の交付後に確認するのではなく、書面を交付する前に確認する必要がある。

❸ 誤り。　**指定流通機構への登録**

宅建業者は、専任媒介契約を締結したときは、契約締結の日から休業日数を除いて７日以内（専属専任媒介契約では５日以内）に指定流通機構へ登録しなければならない。「休業日数を含め」ではない。

❹ 正しい。　**違反に対する措置**

専任媒介契約の場合、依頼者が他の宅建業者の媒介・代理によって売買・交換の契約を成立させたときの措置を媒介契約書面に記載しなければならない。

媒介契約書面の記載事項（主なもの）

①宅地・建物を売買すべき価額・評価額
②**既存建物**の場合、依頼者に対する建物状況調査を実施する者の**あっせん**に関する事項
③媒介契約の有効期間・解除に関する事項
④指定流通機構への登録に関する事項
⑤報酬に関する事項
⑥国土交通大臣が定める**標準媒介契約約款**に基づくか否か

解答 ④

37 媒介契約

平27-28改

宅地建物取引業者Aが行う業務に関する次の記述のうち、宅地建物取引業法（以下この問において「法」という。）の規定によれば、正しいものはいくつあるか。なお、法第34条の2第1項に規定する書面の交付に代えて電磁的方法により提供する場合については考慮しないものとする。

ア Aは、Bが所有する甲宅地の売却に係る媒介の依頼を受け、Bと専任媒介契約を締結した。このとき、Aは、法第34条の2第1項に規定する書面に記名押印し、Bに交付のうえ、宅地建物取引士をしてその内容を説明させなければならない。

イ Aは、Cが所有する乙アパートの売却に係る媒介の依頼を受け、Cと専任媒介契約を締結した。このとき、Aは、乙アパートの所在、規模、形質、売買すべき価額、依頼者の氏名、都市計画法その他の法令に基づく制限で主要なものを指定流通機構に登録しなければならない。

ウ Aは、Dが所有する丙宅地の貸借に係る媒介の依頼を受け、Dと専任媒介契約を締結した。このとき、Aは、Dに法第34条の2第1項に規定する書面を交付しなければならない。

❶ 一つ
❷ 二つ
❸ 三つ
❹ なし

アプローチ

媒介契約は、毎年2問程度出題されます。似た内容が繰り返し出題されるので、1つ1つの肢を丁寧に復習しておけば、得点源にすることができます。イについては、いろいろな物件を比較・検討する段階でどのような情報が必要かを考えてみましょう。

解説

ア 誤り。 **媒介契約書面**

法第34条の2第1項に規定する書面（＝媒介契約書面）に関しては、説明義務はない。なお、宅建業者が媒介契約書面に記名押印しなければならない点と、依頼者にその書面を交付しなければならない点は正しい記述である。

イ 誤り。 **指定流通機構への登録事項**

宅建業者は、専任媒介契約を締結したときは、当該専任媒介契約の目的物である宅地・建物につき、①所在、②規模、③形質、④売買すべき価額、⑤当該宅地・建物に係る都市計画法その他の法令に基づく制限で主要なもの、⑥当該専任媒介契約が宅地・建物の交換の契約に係るものである場合にあっては、当該宅地・建物の評価額、⑦当該専任媒介契約が専属専任媒介契約である場合にあっては、その旨を、指定流通機構に登録しなければならない。したがって、「依頼者の氏名」は登録する必要がない。

ウ 誤り。 **貸借の媒介**

宅建業者は、売買・交換の媒介契約を締結したときは、遅滞なく、媒介契約書面を作成・交付しなければならない。しかし、本肢では貸借の媒介契約を締結しているので、媒介契約書面を作成・交付する必要はない。

以上より、正しいものはないので、肢4が正解になる。

専属専任媒介の特徴

「専属専任媒介でない専任媒介」（＝非専属型）との違いは、次の点である。
①自己発見取引の禁止→違反の場合の措置を媒介契約書面に記載
②業務の処理状況を1週間に1回以上報告（非専属型は、2週間に1回以上）
③5日以内に指定流通機構へ登録（非専属型は、7日以内）
④専属専任媒介契約である旨が、指定流通機構への登録事項に含まれる。

解答 ④

38 広告に関する規制

平29-42

理解度チェック

宅地建物取引業者が行う広告に関する次の記述のうち、宅地建物取引業法の規定によれば、正しいものはいくつあるか。

ア 宅地の販売広告において、宅地の将来の環境について、著しく事実に相違する表示をしてはならない。

イ 宅地又は建物に係る広告の表示項目の中に、取引物件に係る現在又は将来の利用の制限があるが、この制限には、都市計画法に基づく利用制限等の公法上の制限だけではなく、借地権の有無等の私法上の制限も含まれる。

ウ 顧客を集めるために売る意思のない条件の良い物件を広告することにより他の物件を販売しようとした場合、取引の相手方が実際に誤認したか否か、あるいは損害を受けたか否かにかかわらず、監督処分の対象となる。

エ 建物の売却について代理を依頼されて広告を行う場合、取引態様として、代理であることを明示しなければならないが、その後、当該物件の購入の注文を受けたとき、広告を行った時点と取引態様に変更がない場合でも、遅滞なく、その注文者に対し取引態様を明らかにしなければならない。

❶ 一つ
❷ 二つ
❸ 三つ
❹ 四つ

ア、ウ、エは、確実に正誤判断できるようにしておきましょう。エのヒントは、注文者が広告を見ているとは限らないという点です。

解説

ア 正しい。**誇大広告等の禁止**

宅建業者は、その業務に関して広告をするときは、一定の事項について、著しく事実に相違する表示をし、または実際のものよりも著しく優良・有利であると人を誤認させるような表示をしてはならない。「将来の環境」は規制対象に含まれる。

イ 正しい。**誇大広告等の禁止**

誇大広告等の禁止の禁止の対象事項である「現在・将来の利用の制限」には、公法上の制限（都市計画法、建築基準法等による制限の設定等）と、私法上の制限（借地権、地上権等の有無等）が含まれる。

ウ 正しい。**誇大広告等の禁止**

販売する意思のない物件について販売する旨の広告をすること（おとり広告）は、誇大広告にあたる。誇大広告をすること自体が宅建業法の規定に違反し、相手方が実際に誤認したか否かや損害を受けたか否かには関係ない。そして、誇大広告等の禁止の規定に違反した場合、業務停止処分（情状が特に重いときは免許取消処分）の対象となる。

エ 正しい。 **取引態様の明示**

宅建業者は、①宅地・建物の売買・交換・貸借に関する広告をするとき、②宅地・建物の売買・交換・貸借に関する注文を受けたときに、遅滞なく、取引態様の別を明示しなければならない。これらは別々の義務なので、広告をするときに明示していても、注文を受けたときには遅滞なく明示しなければならない。

以上より、正しいものはア、イ、ウ、エの四つであり、肢4が正解になる。

誇大広告等の禁止の対象事項

①宅地・建物の所在、規模、形質
②現在・将来の利用の制限・環境・交通その他の利便
③代金・借賃等の対価の額・その支払方法、代金・交換差金に関する金銭の貸借のあっせん

解答 ④

39 広告に関する規制

宅地建物取引業者が行う広告に関する次の記述のうち、宅地建物取引業法(以下この問において「法」という。)の規定によれば、正しいものはいくつあるか。

ア 建物の所有者と賃貸借契約を締結し、当該建物を転貸するための広告をする際は、当該広告に自らが契約の当事者となって貸借を成立させる旨を明示しなければ、法第34条に規定する取引態様の明示義務に違反する。

イ 居住用賃貸マンションとする予定の建築確認申請中の建物については、当該建物の貸借に係る媒介の依頼を受け、媒介契約を締結した場合であっても、広告をすることができない。

ウ 宅地の売買に関する広告をインターネットで行った場合において、当該宅地の売買契約成立後に継続して広告を掲載していたとしても、最初の広告掲載時点で当該宅地に関する売買契約が成立していなければ、法第32条に規定する誇大広告等の禁止に違反することはない。

エ 新築分譲住宅としての販売を予定している建築確認申請中の物件については、建築確認申請中である旨を表示をすれば、広告をすることができる。

❶ 一つ
❷ 二つ
❸ 三つ
❹ 四つ

アプローチ

広告に関しては、毎年1問程度出題されます。媒介契約と同様、個数問題が多いので、1肢ずつ正確に正誤判断できるようにしておきましょう。アについては、そもそも宅建業にあたる行為なのかを検討しましょう。

解説

ア 誤り。 **自ら貸借**

賃借や転貸をすることは、自ら貸借を行うことに該当するので、宅建業ではない。したがって、本肢の広告は宅建業法の規制を受けないので、取引態様の明示義務に違反しない。

イ 正しい。**広告開始時期制限**

宅建業者は、工事の完了前においては、当該工事に必要とされる開発許可・建築確認等の処分があった後でなければ広告をすることができない（広告開始時期制限）。この広告開始時期制限は、**貸借の媒介・代理にも適用**される。したがって、「建築確認申請中」である本肢では、広告をすることができない。

ウ 誤り。 **誇大広告等の禁止**

取引**できない物件**の広告をすることは、おとり広告にあたり、誇大広告等の禁止に違反する。売買契約成立後の物件は、もはや取引できないので、そのような物件の広告を継続すると、誇大広告等の禁止に違反する。

エ 誤り。 **広告開始時期制限**

イで述べたとおり、宅建業者は、工事の完了前においては、当該工事に必要とされる開発許可・建築確認等の処分があった後でなければ広告をすることができない。したがって、建築確認申請中である旨を表示したとしても、広告をすることはできない。

以上より、正しいものはイの一つであり、肢１が正解になる。

・ここが狙われる！ 自ら貸借

自ら貸借を行うことは、宅建業にあたらないので、宅建業法は適用されない。したがって、宅建業の免許を受けずに行うことができるほか、宅建業法の各種の規制の適用も受けない。

実際に事例問題で出題されると見落としがちなので、宅建業法の事例問題で「貸借」と出てきたら自ら貸借ではないかチェックするようにクセをつけておこう。

きほんの教科書 L1-1、L9-1・2 復習

解答 ①

40 令4-37 広告に関する規制

宅地建物取引業者Aがその業務に関して行う広告に関する次の記述のうち、宅地建物取引業法（以下この問において「法」という。）の規定によれば、正しいものはいくつあるか。

ア Aが未完成の建売住宅を販売する場合、建築基準法第6条第1項に基づく確認を受けた後、同項の変更の確認の申請書を提出している期間においては、変更の確認を受ける予定であることを表示し、かつ、当初の確認内容を合わせて表示すれば、変更の確認の内容を広告することができる。

イ Aが新築住宅の売買に関する広告をインターネットで行った場合、実際のものより著しく優良又は有利であると人を誤認させるような表示を行ったが、当該広告について問合せや申込みがなかったときは、法第32条に定める誇大広告等の禁止の規定に違反しない。

ウ Aが一団の宅地の販売について、数回に分けて広告をするときは、そのたびごとに広告へ取引態様の別を明示しなければならず、当該広告を見た者から売買に関する注文を受けたときも、改めて取引態様の別を明示しなければならない。

❶ 一つ
❷ 二つ
❸ 三つ
❹ なし

アプローチ

アは難しいですが、イとウは確実に正誤判断できるようにしておきましょう。

解説

ア 正しい。**広告開始時期制限**

当初の建築確認を受けた後、変更の確認の申請を建築主事へ提出している期間、または提出を予定している場合においては、変更の確認を受ける予定である旨を表示し、かつ、当初の確認の内容も当該広告にあわせて表示すれば、変更の確認の内容を広告することができる。つまり、変更後の内容について建築確認をまだ受けていなくても、本問のような表示をすれば、変更の確認の内容を広告できる（広告開始時期制限に反しない）。

イ 誤り。 **誇大広告等の禁止**

宅建業法は誇大広告等をすること自体を禁止しているので、問合せや申込みがなかったとしても、誇大広告等の禁止の規定に違反する。

ウ 正しい。**取引態様の明示**

同じ物件について数回の広告を行うときでも、毎回、取引態様の別を明示しなければならない。また、広告をするときに明示していても、注文を受けたときに改めて明示しなければならない。

以上より、正しいものはア、ウの二つであり、肢2が正解となる。

取引態様の明示

1. 明示時期
   ① 宅地・建物の売買・交換・貸借に関する**広告**をするとき
   ② 宅地・建物の売買・交換・貸借に関する**注文**を受けたときに、遅滞なく
2. 明示方法
   特に規定なし（口頭でもよい）
3. 監督処分・罰則
   ① 業務停止処分の対象事由（情状が特に重いと、免許取消処分）
   ② 罰則規定なし

きほんの教科書 L9-1・2・3 復習

解答 ②

41 広告に関する規制

平30-26

宅地建物取引業者が行う広告に関する次の記述のうち、宅地建物取引業法（以下この問において「法」という。）の規定によれば、正しいものはどれか。

❶ 宅地の売買に関する広告をインターネットで行った場合において、当該宅地の売買契約成立後に継続して広告を掲載していたとしても、当該広告の掲載を始めた時点で当該宅地に関する売買契約が成立していなかったときは、法第32条に規定する誇大広告等の禁止に違反しない。

❷ 販売する宅地又は建物の広告に著しく事実に相違する表示をした場合、監督処分の対象となるほか、6月以下の懲役及び100万円以下の罰金を併科されることがある。

❸ 建築基準法第6条第1項の確認を申請中の建物については、当該建物の売買の媒介に関する広告をしてはならないが、貸借の媒介に関する広告はすることができる。

❹ 宅地建物取引業者がその業務に関して広告をするときは、実際のものより著しく優良又は有利であると人を誤認させるような表示をしてはならないが、宅地又は建物に係る現在又は将来の利用の制限の一部を表示しないことによりそのような誤認をさせる場合は、法第32条に規定する誇大広告等の禁止に違反しない。

アプローチ

罰則の数字は、基本的には覚える必要がありません。肢2には数字が出てきますが、正誤の判断がつかなければ、他の肢から先に検討しましょう。

解説

❶ 誤り。　**誇大広告等の禁止**

取引できない物件等の広告（おとり広告）や虚偽物件の広告は、誇大広告等にあたる。売買契約が成立した物件は、取引できない物件になるので、売買契約成立後に継続してインターネットにその広告を掲載した場合、誇大広告等の禁止に違反する。

❷ 正しい。**誇大広告等の禁止**

業務に関する広告に著しく事実に相違する表示をした場合、誇大広告等の禁止に違反し、監督処分の対象となるほか、6カ月以下の懲役もしくは100万円以下の罰金またはこれらの併科に処されることがある。

❸ 誤り。　**広告開始時期制限**

宅建業者は、工事の完了前においては、当該工事に必要とされる開発許可・建築確認等の処分があった後でなければ広告をすることができない（広告開始時期制限）。この制限は、貸借の媒介・代理にも適用されるので、「貸借の媒介に関する広告はすることができる」とする本肢は誤り。

❹ 誤り。　**誇大広告等の禁止**

誇大広告等の禁止の規定には、誤認させる方法についての限定がないので、制限の一部を表示しないことによって誤認をさせた場合も、誇大広告等の禁止に違反する。

ここが狙われる！　誇大広告等の禁止のポイント

①誤認させる方法についての限定がない。
②おとり広告も誇大広告にあたる。
③誇大広告をした時点で違反であり、誤認・損害等の有無を問わない。
④契約成立後も広告を継続すると、違反になる。
⑤業務停止処分（情状が特に重いときは免許取消処分）の対象である。
⑥6カ月以下の懲役もしくは100万円以下の罰金またはこれらの併科に処せられる。

きほんの教科書 L9-1・2 復習

解答 ❷

42 令3追-35改 重要事項の説明

学習優先度 高

理解度チェック

宅地建物取引業者が宅地及び建物の売買の媒介を行う場合における宅地建物取引業法第35条に規定する重要事項の説明及び重要事項説明書の交付に関する次の記述のうち、正しいものはどれか。なお、重要事項説明書の交付に代えて電磁的方法により提供する場合については考慮しないものとする。

❶ 宅地建物取引士は、テレビ会議等のITを活用して重要事項の説明を行うときは、相手方の承諾があれば宅地建物取引士証の提示を省略することができる。

❷ 宅地建物取引業者は、その媒介により売買契約が成立したときは、当該契約の各当事者に、遅滞なく、重要事項説明書を交付しなければならない。

❸ 宅地建物取引業者は、重要事項説明書の交付に当たり、専任の宅地建物取引士をして当該書面に記名させるとともに、売買契約の各当事者にも当該書面に記名押印させなければならない。

❹ 宅地建物取引業者は、買主が宅地建物取引業者であっても、重要事項説明書を交付しなければならない。

アプローチ

相手方が宅建業者の場合に省略できる事項は何かを考えてみましょう。なお、重要事項の説明では、説明内容の出題が多いですが、本問のように説明方法が出題されることもあります。説明方法の問題は確実に得点できるようにしておきましょう。

解説

❶ 誤り。　重要事項の説明の方法

ITを活用して重要事項の説明を行うときは、宅建士が、宅建士証を提示し、説明を受けようとする者が当該宅建士証を画面上で視認できたことを確認していることが必要である。相手方の承諾があれば提示を省略できる旨の規定はない。

❷ 誤り。　重要事項の説明の方法

重要事項の説明や重要事項説明書の交付（または電磁的記録による提供）の相手方は、物件を取得し、または借りようとしている者（＝買主、交換の両当事者、借主）である。本肢の場合、「契約の各当事者」ではなく、買主のみである。また、重要事項説明書の交付（または電磁的記録による提供）や重要事項の説明は、契約が成立するまでに行わなければならない。「契約が成立したときは～遅滞なく」ではない。

❸ 誤り。　重要事項の説明の方法

重要事項説明書への記名をするのは、宅建士であればよく、専任の宅建士でなくてもかまわない。また、契約の当事者の記名押印は必要がない。

❹ 正しい。重要事項の説明の方法

宅建業者は、相手方も宅建業者である場合、宅建士による説明を省略することはできるが、重要事項説明書の交付（または電磁的記録による提供）は省略することができない。

ポイント整理

重要事項の説明の方法

説明義務の主体（＝説明義務を負う者）	宅建業者
担当者	宅建士
相手方	物件を取得し、または借りようとする者
期　間	契約が成立するまで
方　法	① 宅建士が記名した書面を交付（または、電磁的方法により提供） ② 宅建士証を提示して説明

※相手方が宅建業者の場合は、宅建士が記名した書面の交付（または、電磁的方法による提供）で足り、説明は必要ない。

きほんの教科書 L10-1 復習

解答 ④

43 重要事項の説明

令2-41改

宅地建物取引業者が行う宅地建物取引業法第35条に規定する重要事項の説明に関する次の記述のうち、正しいものはどれか。なお、書面の交付に代えて電磁的方法により提供する場合については考慮しないものとする。

❶ 重要事項説明書には、代表者の記名押印があれば宅地建物取引士の記名は必要がない。

❷ 重要事項説明書に記名する宅地建物取引士は専任の宅地建物取引士でなければならないが、実際に重要事項の説明を行う者は専任の宅地建物取引士でなくてもよい。

❸ 宅地建物取引士証を亡失した宅地建物取引士は、その再交付を申請していても、宅地建物取引士証の再交付を受けるまでは重要事項の説明を行うことができない。

❹ 重要事項の説明は、宅地建物取引業者の事務所において行わなければならない。

アプローチ

肢3は、宅建士が重要事項の説明をする際、宅建士証を提示する必要があるという知識から推測してみましょう。なお、合格者は100%近く正解している問題です。1肢ずつ正確に正誤判断できるようにしておきましょう。

解説

❶ 誤り。　重要事項の説明の方法

重要事項説明書には、宅建士の記名が必要である。代表者の記名押印があれば宅建士の記名が不要になる旨の規定はない。

❷ 誤り。　重要事項の説明の方法

重要事項説明書への記名や重要事項の説明をするのは、宅建士であればよく、専任の宅建士である必要はない。専任でなければならないのは、宅建士の設置義務に関してだけである。

❸ 正しい。重要事項の説明の方法

宅建士は、重要事項の説明をするときは、説明の相手方に対し、宅建士証を提示しなければならない。宅建士証を亡失した場合、再交付を受けるまでは宅建士証を提示することができないので、重要事項の説明をすることができない。

❹ 誤り。　重要事項の説明の場所

重要事項の説明を行う場所に関しては、制限がない。したがって、事務所以外の場所で行うこともできる。

ポイント整理

テレビ会議等のITを活用した重要事項の説明

可能な場合	すべての取引態様（自ら売買・交換、売買・交換・貸借の代理・媒介）
要　件	① 宅建士と相手方が、図面等の書類・説明の内容について十分に理解できる程度に映像を視認でき、かつ、双方が発する音声を十分に聞き取ることができるとともに、双方向でやりとりできる環境において実施していること ② 宅建士により記名された重要事項説明書・添付書類を、相手方にあらかじめ交付（電磁的方法による提供を含む）していること ③ 相手方が、重要事項説明書・添付書類を確認しながら説明を受けることができる状態にあること。映像・音声の状況について、宅建士が重要事項の説明を開始する前に確認していること ④ 宅建士が、宅建士証を提示し、相手方が、当該宅建士証を画面上で視認できたことを確認していること

きほんの教科書 L10-1 復習

解答 ❸

44 令5-33 重要事項の説明

理解度チェック

宅地建物取引業法第35条に規定する重要事項の説明に関する次の記述のうち、正しいものはどれか。

❶ 甲宅地を所有する宅地建物取引業者Aが、乙宅地を所有する宅地建物取引業者ではない個人Bと、甲宅地と乙宅地の交換契約を締結するに当たって、Bに対して、甲宅地に関する重要事項の説明を行う義務はあるが、乙宅地に関する重要事項の説明を行う義務はない。

❷ 宅地の売買における当該宅地の引渡しの時期について、重要事項説明において説明しなければならない。

❸ 宅地建物取引業者が売主となる宅地の売買に関し、売主が買主から受領しようとする金銭のうち、買主への所有権移転の登記以後に受領するものに対して、宅地建物取引業法施行規則第16条の4に定める保全措置を講ずるかどうかについて、重要事項説明書に記載する必要がある。

❹ 重要事項説明書の電磁的方法による提供については、重要事項説明を受ける者から電磁的方法でよいと口頭で依頼があった場合、改めて電磁的方法で提供することについて承諾を得る必要はない。

アプローチ

肢１では、重要事項の説明は何のために行うのか、という視点から正誤を考えてみましょう。

解説

❶ 正しい。　重要事項の説明の方法

重要事項の説明は、相手方が取得または借りようとする宅地・建物について行うものである。したがって、Aは、相手方Bが取得する甲宅地に関しては説明を行う義務があるが、自分が取得する乙宅地に関しては説明を行う義務がない。

❷ 誤り。　宅地・建物の引渡しの時期

宅地・建物の引渡しの時期は、重要事項の説明の内容ではない。

❸ 誤り。　支払金・預り金の保全措置

登記以後に受領する金銭は支払金・預り金に該当しないので、施行規則16条の4に定める保全措置（＝支払金・預り金の保全措置）を講ずるかどうか等について重要事項説明書に記載する必要はない。

❹ 誤り。　電磁的方法による提供の承諾

重要事項説明書を電磁的方法によって提供するには、相手方から書面等（書面や電子メール等）による承諾を得る必要がある。

電磁的方法による提供に対する承諾

①指定流通機構が発行する登録を証する書面、②媒介契約書面、③重要事項説明書、④37条書面、⑤住宅瑕疵担保履行法における供託所の所在地等の説明書面の引渡し・交付に代えて電磁的方法によって提供する場合、書面等による承諾が必要である。

きほんの教科書 L10-1・2 復習　解答 ❶

45 重要事項の説明

令3追-44改

宅地建物取引業者が行う宅地建物取引業法第35条に規定する重要事項の説明についての次の記述のうち、正しいものはいくつあるか。なお、説明の相手方は宅地建物取引業者ではないものとする。

ア 賃貸借契約において、取引対象となる宅地又は建物が、水防法施行規則第11条第1号の規定により市町村（特別区を含む。）の長が提供する図面に当該宅地又は建物の位置が表示されている場合には、当該図面における当該宅地又は建物の所在地を説明しなければならない。

イ 賃貸借契約において、対象となる建物が既存の住宅であるときは、法第34条の2第1項第4号に規定する建物状況調査を実施しているかどうか、及びこれを実施している場合におけるその結果の概要を説明しなければならない。

ウ 建物の売買において、その建物の種類又は品質に関して契約の内容に適合しない場合におけるその不適合を担保すべき責任の履行に関し保証保険契約の締結などの措置を講ずるかどうか、また、講ずる場合はその措置の概要を説明しなければならない。

❶ 一つ
❷ 二つ
❸ 三つ
❹ なし

個数問題も、解き方は普通の問題と同じです。1つ1つの肢について、ていねいに正誤判断をするだけです。

解説

ア 正しい。**水害ハザードマップ**

宅建業者は、水防法施行規則11条1号の規定により市町村（特別区を含む）の長が提供する図面（水害ハザードマップ）に宅地・建物の位置が表示されているときは、当該水害ハザードマップにおける当該宅地・建物の所在地を重要事項として説明しなければならない。この規定は、貸借の媒介・代理の場合にも適用される。

イ 正しい。**建物状況調査の実施等**

既存住宅の場合、建物状況調査を実施しているかどうか、およびこれを実施している場合におけるその結果の概要を、重要事項として説明しなければならない。この規定は、貸借の媒介・代理の場合にも適用される。

ウ 正しい。**契約不適合責任に関する保証保険等**

宅建業者は、宅地・建物が種類・品質に関して契約の内容に適合しない場合におけるその不適合を担保すべき責任の履行に関し保証保険契約の締結などの措置を講ずるかどうか、およびその措置を講ずる場合はその措置の概要を、重要事項として説明しなければならない。

きほんの教科書 L10-1・2 復習

解答 ③

学習優先度 高

46 重要事項の説明

平22-36改

理解度チェック

宅地建物取引業法第35条に規定する重要事項の説明を宅地建物取引士が行う場合における次の記述のうち、同条の規定に違反しないものはどれか。なお、説明の相手方は宅地建物取引業者ではないものとする。

❶ 中古マンションの売買の媒介において、当該マンションに係る維持修繕積立金については説明したが、管理組合が保管している維持修繕の実施状況についての記録の内容については説明しなかった。

❷ 自ら売主となる新築住宅の売買において、重要事項の説明の時点での建物の種類又は品質に関して契約の内容に適合しない場合におけるその不適合を担保すべき責任の履行に関する責任保険の契約を締結する予定であることは説明したが、当該責任保険の概要については説明しなかった。

❸ 宅地の売買の媒介において、当該宅地が急傾斜地の崩壊による災害の防止に関する法律第3条の規定に基づく急傾斜地崩壊危険区域内にあることは説明したが、立木竹の伐採には都道府県知事の許可を受けなければならないことについては説明しなかった。

❹ 建物の売買の媒介において、登記された権利の種類及び内容については説明したが、移転登記の申請の時期については説明しなかった。

アプローチ

重要事項の説明事項と37条書面の記載事項を区別して覚えることが重要です。肢4は、37条書面の記載事項と勘違いしないよう注意して解きましょう。

解説

❶ 違反する。　維持修繕のための費用の積立て

区分所有建物の売買・交換において、当該一棟の建物の計画的な維持修繕のための費用の積立てを行う旨の規約の定め（案を含む）があるときは、その内容および既に積み立てられている額を説明しなければならない。また、当該一棟の建物の維持修繕の実施状況が記録されているときは、その内容を説明しなければならない。本肢は、後者を説明していないので、宅建業法の規定に違反する。

❷ 違反する。　契約不適合責任に関する保証保険等

重要事項の説明においては、種類・品質に関する契約不適合責任の履行に関し保証保険契約の締結その他の措置を講ずるかどうか、およびその措置を講ずる場合におけるその措置の概要を説明しなければならない。本肢は、後者を説明していないので、宅建業法の規定に違反する。

❸ 違反する。　法令上の制限の概要

宅地が急傾斜地崩壊危険区域内にあるときは、法令上の制限の概要の一内容として、立木竹の伐採等には都道府県知事の許可を受けなければならない旨を説明しなければならない。

❹ 違反しない。移転登記の申請時期

移転登記の申請の時期は、重要事項の説明の内容ではない。

ここが狙われる！　重要事項の説明の内容ではないもの

①代金、交換差金、借賃の額等
②宅地・建物の引渡しの時期
③売買・交換の場合、移転登記の申請時期

これらは、37条書面には必ず記載しなければならないが、重要事項の説明の内容ではない。

きほんの教科書 L10-2 

解答 ④

47 重要事項の説明

令1-41改

宅地建物取引業者が行う宅地建物取引業法第35条に規定する重要事項の説明（以下この問において「重要事項説明」という。）に関する次の記述のうち、正しいものはどれか。なお、説明の相手方は宅地建物取引業者ではないものとする。

❶ 建物管理が管理会社に委託されている建物の貸借の媒介をする宅地建物取引業者は、当該建物が区分所有建物であるか否かにかかわらず、その管理会社の商号及びその主たる事務所の所在地について、借主に説明しなければならない。

❷ 宅地建物取引業者である売主は、他の宅地建物取引業者に媒介を依頼して宅地の売買契約を締結する場合、重要事項説明の義務を負わない。

❸ 建物の貸借の媒介において、建築基準法に規定する建蔽率及び容積率に関する制限があるときは、その概要を説明しなければならない。

❹ 重要事項説明では、代金、交換差金又は借賃の額を説明しなければならないが、それ以外に授受される金銭の額については説明しなくてよい。

解説

❶ 正しい。管理の委託を受けている者の氏名等

区分所有建物以外の貸借の場合、当該宅地・建物の管理が委託されているときは、その委託を受けている者の氏名（法人にあっては、その商号・名称）・住所（法人にあっては、その主たる事務所の所在地）を重要事項として説明しなければならない。また、区分所有建物の場合、当該一棟の建物およびその敷地の管理が委託されているときは、その委託を受けている者の氏名（法人にあっては、その商号・名称）・住所（法人にあっては、その主たる事務所の所在地）を重要事項として説明しなければならない。したがって、本肢では、区分所有建物であるか否かにかかわらず、管理会社の商号およびその主たる事務所の所在地について、借主に説明しなければならない。

❷ 誤り。 重要事項の説明の方法

売主である宅建業者が他の宅建業者に媒介を依頼した場合には、媒介をする宅建業者も重要事項の説明をする義務を負うが、売主である宅建業者が重要事項説明の義務を免れるわけではない。

❸ 誤り。 法令上の制限の概要

宅建業者は、法令に基づく制限に関する事項の概要を重要事項として説明しなければならない。しかし、建物の貸借の媒介・代理の場合、容積率や建蔽率に関する制限の内容は、上記の説明事項に含まれていない。

❹ 誤り。 代金等の額・代金等以外の額

重要事項の説明においては、代金、交換差金および借賃以外に授受される金銭の額・授受目的を説明しなければならないが、代金、交換差金または借賃の額については説明する必要がない。本肢は、逆の記述である。

•ここが狙われる！ 法令上の制限の概要

説明事項の1つである「法令上の制限の概要」については、具体的内容を覚える必要はない。ただし、「建物の貸借の場合には、建蔽率・容積率が説明事項に含まれない」点は覚えておこう（肢3）。

きほんの教科書 L10-1・2 復習

解答 ❶

48 重要事項の説明

令1-28

学習優先度 高

理解度チェック

宅地建物取引業者が建物の貸借の媒介を行う場合における宅地建物取引業法第35条に規定する重要事項の説明に関する次の記述のうち、正しいものはどれか。なお、説明の相手方は宅地建物取引業者ではないものとする。

❶ 当該建物が住宅の品質確保の促進等に関する法律第5条第1項に規定する住宅性能評価を受けた新築住宅であるときは、その旨を説明しなければならない。

❷ 当該建物が既存の建物であるときは、既存住宅に係る住宅の品質確保の促進等に関する法律第6条第3項に規定する建設住宅性能評価書の保存の状況について説明しなければならない。

❸ 当該建物が既存の建物である場合、石綿使用の有無の調査結果の記録がないときは、石綿使用の有無の調査を自ら実施し、その結果について説明しなければならない。

❹ 当該建物が建物の区分所有等に関する法律第2条第1項に規定する区分所有権の目的であるものであって、同条第3項に規定する専有部分の用途その他の利用の制限に関する規約の定めがあるときは、その内容を説明しなければならない。

アプローチ

貸借の場合に加わる説明事項や、貸借の場合に説明不要になる事項があるので、それらの点に注意しながら解きましょう。

解説

❶ 誤り。　住宅性能評価

建物の売買・交換において、当該建物が住宅性能評価を受けた新築住宅であるときは、その旨を重要事項として説明しなければならない。しかし、本問は、貸借の媒介なので、説明する必要はない。

❷ 誤り。　建物の建築・維持保全の状況に関する書類

既存建物の売買・交換においては、設計図書、点検記録その他の建物の建築および維持保全の状況に関する書類で国土交通省令で定めるものの保存の状況を重要事項として説明しなければならない。しかし、本問は、貸借の媒介なので、説明する必要はない。

❸ 誤り。　石綿使用の有無の調査

取引物件が建物である場合において、当該建物について石綿の使用の有無の調査の結果が記録されているときは、その内容を重要事項として説明しなければならない。しかし、自ら調査を実施して説明する義務はない。

❹ 正しい。専有部分の利用の制限に関する規約

取引物件が区分所有建物である場合において、専有部分の用途その他の利用の制限に関する規約の定め（案を含む）があるときは、その内容を重要事項として説明しなければならない。この規定は、貸借の媒介・代理の場合も適用される。

貸借の場合に加わる説明事項 （P.101へ続く）

（宅地の貸借は②～⑦、建物の貸借は①～⑥）

①台所、浴室、便所その他の当該建物の設備の整備の状況
②契約期間・契約の更新に関する事項
③定期借地権・定期建物賃貸借・終身建物賃貸借の場合には、その旨
④当該宅地・建物（区分所有建物を除く）の用途その他の利用の制限に関する事項
⑤敷金その他契約終了時において精算することとされている金銭の精算に関する事項

解答 ❹

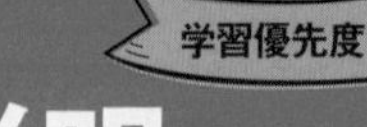

49 令2-31 重要事項の説明

理解度チェック

宅地建物取引業者が行う宅地建物取引業法第35条に規定する重要事項の説明に関する次の記述のうち、正しいものはどれか。なお、説明の相手方は宅地建物取引業者ではないものとする。

❶ 建物の売買の媒介だけでなく建物の貸借の媒介を行う場合においても、損害賠償額の予定又は違約金に関する事項について、説明しなければならない。

❷ 建物の売買の媒介を行う場合、当該建物について、石綿の使用の有無の調査の結果が記録されているか照会を行ったにもかかわらず、その存在の有無が分からないときは、宅地建物取引業者自らが石綿の使用の有無の調査を実施し、その結果を説明しなければならない。

❸ 建物の売買の媒介を行う場合、当該建物が既存の住宅であるときは、建物状況調査を実施しているかどうかを説明しなければならないが、実施している場合その結果の概要を説明する必要はない。

❹ 区分所有建物の売買の媒介を行う場合、建物の区分所有等に関する法律第2条第3項に規定する専有部分の用途その他の利用の制限に関する規約の定めがあるときは、その内容を説明しなければならないが、区分所有建物の貸借の媒介を行う場合は、説明しなくてよい。

解説

❶ 正しい。損害賠償額の予定・違約金

重要事項の説明においては、損害賠償額の予定または違約金に関する事項を説明しなければならない。このことは、貸借の媒介・代理であっても変わりがない。

❷ 誤り。 石綿使用の有無の調査

建物の場合、石綿の使用の有無の調査の結果が記録されているときは、その内容を重要事項として説明しなければならない。この規定は、記録がされているときにその内容を説明する義務を定めたものであって、記録がないとき等に宅建業者に独自に調査する義務を負わせるものではない。

❸ 誤り。 建物状況調査

既存建物の場合、建物状況調査（実施後1年※を経過していないものに限る）を実施しているかどうか、およびこれを実施している場合におけるその結果の概要を説明しなければならない。

※鉄筋コンクリート造または鉄骨鉄筋コンクリート造の共同住宅等については2年

❹ 誤り。 専有部分の利用の制限に関する規約

区分所有建物の場合、専有部分の用途その他の利用の制限に関する規約の定め（案を含む）があるときは、その内容を重要事項として説明しなければならない。この規定は、貸借の媒介・代理であっても適用される。

貸借の場合に加わる説明事項 (P.99の続き)

（宅地の貸借は②～⑦、建物の貸借は①～⑥）

⑥当該宅地・建物（区分所有建物を除く）の管理が委託されているときは、その委託を受けている者の氏名（法人にあっては、その商号・名称）・住所（法人にあっては、その主たる事務所の所在地）

⑦契約終了時における当該宅地の上の建物の取壊しに関する事項を定めようとするときは、その内容

解答 ❶

学習優先度 高

50 重要事項の説明

平20-37

理解度チェック

宅地建物取引業者Aが、マンションの分譲に際して行う宅地建物取引業法第35条の規定に基づく重要事項の説明に関する次の記述のうち、正しいものはどれか。なお、説明の相手方は宅地建物取引業者ではないものとする。

❶ 当該マンションの建物又はその敷地の一部を特定の者にのみ使用を許す旨の規約の定めがある場合、Aは、その内容だけでなく、その使用者の氏名及び住所について説明しなければならない。

❷ 建物の区分所有等に関する法律第2条第4項に規定する共用部分に関する規約がまだ案の段階である場合、Aは、規約の設定を待ってから、その内容を説明しなければならない。

❸ 当該マンションの建物の計画的な維持修繕のための費用の積立を行う旨の規約の定めがある場合、Aは、その内容を説明すれば足り、既に積み立てられている額については説明する必要はない。

❹ 当該マンションの建物の計画的な維持修繕のための費用を特定の者にのみ減免する旨の規約の定めがある場合、Aは、買主が当該減免対象者であるか否かにかかわらず、その内容を説明しなければならない。

解説

❶ 誤り。　建物・敷地の一部を特定の者のみに使用を許す旨の規約

一棟の建物またはその敷地の一部を特定の者のみに使用を許す旨の規約の定め（案を含む）があるときは、その内容を重要事項として説明しなければならないが、「その使用者の氏名及び住所」まで説明する必要はない。

❷ 誤り。　共用部分に関する規約

共用部分に関する規約の定め（案を含む）があるときは、その内容を重要事項として説明しなければならない。したがって、案の段階であるときはその案を説明しなければならない。

❸ 誤り。　計画的な維持修繕のための費用の積立ての規約

一棟の建物の計画的な維持修繕のための費用の積立てを行う旨の規約の定め（案を含む）があるときは、その内容・既に積み立てられている額を、重要事項として説明しなければならない。

❹ 正しい。費用を特定の者のみに減免する旨の規約

一棟の建物の計画的な維持修繕のための費用、通常の管理費用その他の当該建物の所有者が負担しなければならない費用を特定の者にのみ減免する旨の規約の定め（案を含む）があるときは、その内容を、重要事項として説明しなければならない。このことは、買主が減免対象者であるか否かに関係しない。

ポイント整理

区分所有の場合に加わる説明事項 （P.105へ続く）

（貸借の場合は③と⑧のみ）

①当該建物を所有するための１棟の建物の敷地に関する権利の種類・内容
②共用部分に関する規約の定め（案を含む）があるときは、その内容
③専有部分の用途その他の利用の制限に関する規約の定め（案を含む）があるときは、その内容
④当該１棟の建物またはその敷地の一部を特定の者にのみ使用を許す旨の規約の定め（案を含む）があるときは、その内容
⑤当該１棟の建物の計画的な維持修繕のための費用、通常の管理費用その他の当該建物の所有者が負担しなければならない費用を特定の者にのみ減免する旨の規約の定め（案を含む）があるときは、その内容

解答　④

51 重要事項の説明

令2-44

宅地建物取引業者が行う宅地建物取引業法第35条に規定する重要事項の説明に関する次の記述のうち、誤っているものはどれか。なお、特に断りのない限り、説明の相手方は宅地建物取引業者ではないものとする。

❶ 昭和55年に新築の工事に着手し完成した建物の売買の媒介を行う場合、当該建物が地方公共団体による耐震診断を受けたものであるときは、その内容を説明しなければならない。

❷ 貸借の媒介を行う場合、敷金その他いかなる名義をもって授受されるかを問わず、契約終了時において精算することとされている金銭の精算に関する事項を説明しなければならない。

❸ 自らを委託者とする宅地又は建物に係る信託の受益権の売主となる場合、取引の相手方が宅地建物取引業者であっても、重要事項説明書を交付して説明をしなければならない。

❹ 区分所有建物の売買の媒介を行う場合、一棟の建物の計画的な維持修繕のための費用の積立てを行う旨の規約の定めがあるときは、その内容を説明しなければならないが、既に積み立てられている額について説明する必要はない。

アプローチ

肢3はほとんど出題されない内容なので、気にしなくて大丈夫です。

解説

❶ 正しい。耐震診断

建物（昭和56年6月1日以降に新築の工事に着手したものを除く）が一定の耐震診断を受けたものであるときは、その内容を重要事項として説明しなければならない。本肢の建物は、昭和55年に新築の工事に着工しているので、説明が必要である。

❷ 正しい。貸借の終了時における金銭の精算

貸借の媒介・代理の場合、敷金その他いかなる名義をもって授受されるかを問わず、契約終了時において精算することとされている金銭の精算に関する事項を重要事項として説明しなければならない。

❸ 正しい。重要事項の説明の方法

相手方が宅建業者の場合、宅建士が記名した重要事項説明書を交付すれば足り、説明は不要なのが原則である。例外として、信託受益権の売主となる場合には、相手方が宅建業者であっても、重要事項説明書を交付して説明をしなければならない。

❹ 誤り。 計画的な維持修繕のための費用の積立ての規約

区分所有建物の売買・交換の場合、当該一棟の建物の計画的な維持修繕のための費用の積立てを行う旨の規約の定め（案を含む）があるときは、その内容および既に積み立てられている額を重要事項として説明しなければならない。

ポイント整理

区分所有の場合に加わる説明事項（P.103の続き）

（貸借の場合は③と⑧のみ）

⑥当該1棟の建物の計画的な維持修繕のための費用の積立てを行う旨の規約の定め（案を含む）があるときは、その内容・すでに積み立てられている額
⑦当該建物の所有者が負担しなければならない通常の管理費用の額
⑧当該1棟の建物およびその敷地の管理が委託されているときは、その委託を受けている者の氏名（法人にあっては、その商号・名称）・住所（法人にあっては、その主たる事務所の所在地）
⑨当該1棟の建物の維持修繕の実施状況が記録されているときは、その内容

きほんの教科書 L10-2

解答 ❹

学習優先度 高

52 平27-37 広告・契約時期制限

理解度チェック

次の記述のうち、宅地建物取引業法の規定によれば、正しいものはどれか。なお、この問において「建築確認」とは、建築基準法第６条第１項の確認をいうものとする。

❶ 宅地建物取引業者は、建築確認が必要とされる建物の建築に関する工事の完了前においては、建築確認を受けた後でなければ、当該建物の貸借の媒介をしてはならない。

❷ 宅地建物取引業者は、建築確認が必要とされる建物の建築に関する工事の完了前において、建築確認の申請中である場合は、その旨を表示すれば、自ら売主として当該建物を販売する旨の広告をすることができる。

❸ 宅地建物取引業者は、建築確認が必要とされる建物の建築に関する工事の完了前においては、建築確認を受けた後でなければ、当該建物の貸借の代理を行う旨の広告をしてはならない。

❹ 宅地建物取引業者は、建築確認が必要とされる建物の建築に関する工事の完了前において、建築確認の申請中である場合は、建築確認を受けることを停止条件とする特約を付ければ、自ら売主として当該建物の売買契約を締結することができる。

アプローチ

いつから広告・契約が可能になるのか、貸借の媒介・代理の場合に適用されるかどうかが重要です。

解説

宅建業者は、宅地の造成または建物の建築に関する工事の完了前においては、当該工事に必要とされる開発許可・建築確認等の処分があった後でなければ、その宅地・建物について、①広告をすることができず（広告開始時期制限）、また、②自ら売買・交換をすることや、売買・交換の代理・媒介をすることができない（契約締結時期制限）。すなわち、貸借の媒介・代理には、広告開始時期制限は適用されるが、契約締結時期制限は適用されない。

❶ 誤り。　契約締結時期制限

本肢は貸借の媒介なので、契約締結時期制限は適用されない。

❷ 誤り。　広告開始時期制限

建築確認を受けた後でなければ広告をすることができない。このことは、建築確認の申請中である旨を表示しても変わりがない。

❸ 正しい。広告開始時期制限

広告開始時期制限は貸借の代理にも適用される。

❹ 誤り。　契約締結時期制限

建築確認を受けた後でなければ契約を締結することができない。このことは、建築確認を受けることを停止条件とする特約を付けても変わりがない。

ポイント整理

広告開始時期制限と契約締結時期制限

	広告開始時期の制限	契約締結等の時期の制限
対　象	すべての取引態様	売買・交換を自ら行う 売買・交換の代理・媒介 （貸借の代理・媒介は制限されない）
監督処分	指示処分	業務停止処分 （情状が特に重いときは免許取消処分）
罰　則	なし	なし

きほんの教科書 L9-2、L11-1 復習

解答 ❸

53 37条書面

令1-34改

宅地建物取引業法（以下この問において「法」という。）第37条の規定により交付すべき書面（以下この問において「37条書面」という。）に関する次の記述のうち、法の規定によれば、正しいものはどれか。なお、37条書面の交付に代えて電磁的方法により提供する場合については考慮しないものとする。

❶ 宅地建物取引業者が自ら売主として建物の売買を行う場合、当事者の債務の不履行を理由とする契約の解除に伴う損害賠償の額として売買代金の額の10分の2を超えない額を予定するときは、37条書面にその内容を記載しなくてよい。

❷ 宅地建物取引業者が既存住宅の売買の媒介を行う場合、37条書面に当該建物の構造耐力上主要な部分等の状況について当事者の双方が確認した事項を記載しなければならない。

❸ 宅地建物取引業者は、その媒介により売買契約を成立させた場合、当該宅地又は建物に係る租税その他の公課の負担に関する定めについて、37条書面にその内容を記載する必要はない。

❹ 宅地建物取引業者は、その媒介により契約を成立させ、37条書面を作成したときは、法第35条に規定する書面に記名した宅地建物取引士をして、37条書面に記名させなければならない。

アプローチ

肢1については、規制範囲内の損害賠償額の予定であれば書面に残さなくても大丈夫なのかという視点で解いてみましょう。なお、37条書面に関しては、毎年2問程度出題されます。交付の方法、記載事項のどちらも重要です。

解説

❶ 誤り。　損害賠償額の予定・違約金の定め

損害賠償額の予定・違約金の定めがあるときは、その内容を37条書面に記載しなければならない。予定額が代金額の10分の2を超えるか否かは関係がない。

❷ 正しい。主要な部分等の状況について当事者の双方が確認した事項

既存建物の売買・交換の場合、建物の構造耐力上主要な部分等の状況について当事者の双方が確認した事項を37条書面に記載しなければならない。

❸ 誤り。　租税その他の公課の負担に関する定め

売買・交換の場合、宅地・建物に係る租税その他の公課の負担に関する定めがあるときは、その内容を37条書面に記載しなければならない。したがって、記載する必要はないとする本肢は誤り。

❹ 誤り。　宅建士の記名

宅建業者は、宅建士をして37条書面に記名させなければならないが、35条書面に記名した宅建士と同じ者であることまでは必要ない。

ポイント整理

建物状況調査（既存建物の場合に追加される事項）

媒介契約書面	依頼者に対する建物状況調査を実施する者のあっせんに関する事項
重要事項の説明	①建物状況調査（実施後1年※を経過していないものに限る）を実施しているかどうか、およびこれを実施している場合におけるその結果の概要 ※鉄筋コンクリート造または鉄骨鉄筋コンクリート造の共同住宅等については2年 ②設計図書、点検記録その他の建物の建築および維持保全の状況に関する書類で国土交通省令で定めるものの保存の状況（賃借では説明不要）
37条書面	建物の構造耐力上主要な部分等の状況について当事者の双方が確認した事項

❷

54 37条書面

令2-33改

宅地建物取引業者Aが宅地建物取引業法第37条の規定により交付すべき書面（以下この問において「37条書面」という。）に関する次の記述のうち、正しいものはどれか。なお、37条書面の交付に代えて電磁的方法により提供する場合については考慮しないものとする。

❶ Aが媒介により建物の貸借の契約を成立させたときは、37条書面に借賃の額並びにその支払の時期及び方法を記載しなければならず、また、当該書面を契約の各当事者に交付しなければならない。

❷ Aが媒介により宅地の貸借の契約を成立させた場合において、当該宅地の引渡しの時期について重要事項説明書に記載して説明を行ったときは、その内容を37条書面に記載する必要はない。

❸ Aが自ら売主として宅地建物取引業者である買主と建物の売買契約を締結した場合、37条書面に宅地建物取引士をして記名させる必要はない。

❹ Aが自ら売主として宅地の売買契約を締結した場合、代金についての金銭の貸借のあっせんに関する定めがある場合における当該あっせんに係る金銭の貸借が成立しないときの措置については、37条書面に記載する必要はない。

解説

❶ 正しい。借賃の額・支払時期・支払方法、交付の方法

貸借の代理・媒介の場合、借賃の額・支払時期・支払方法を37条書面に記載しなければならない。そして、37条書面は、契約の各当事者に交付しなければならない。

❷ 誤り。 引渡しの時期

37条書面には、宅地・建物の引渡しの時期を記載しなければならない。このことは、重要事項説明書に記載等をしたかどうかに関係ない。なお、引渡しの時期は、重要事項説明の対象ではない。

❸ 誤り。 宅建士の記名

宅建業者は、宅建士をして、37条書面に記名させなければならない。このことは、相手方が宅建業者であっても変わりがない。

❹ 誤り。 金銭の貸借が成立しないときの措置

売買・交換において、代金・交換差金についての金銭の貸借のあっせんに関する定めがある場合、当該あっせんに係る金銭の貸借が成立しないときの措置を37条書面に記載しなければならない。

重要事項説明書面と37条書面

両者は別の制度であり、一方に記載したことにより他方の記載が免除されることはない。両方の記載事項であれば、両方に記載しなければならない。

重要事項説明書と37条書面には、宅建士の記名が必要であるが、同じ宅建士である必要はない。また、宅建士であればよく、専任の宅建士である必要はない。

解答 ❶

55 37条書面

令2-37改

宅地建物取引業者Aが、自ら売主として宅地の売買契約を締結した場合に関する次の記述のうち、宅地建物取引業法の規定によれば、正しいものはいくつあるか。なお、この問において「37条書面」とは、同法第37条の規定に基づき交付すべき書面をいうものとし、書面の交付に代えて電磁的方法により提供する場合については考慮しないものとする。

ア Aは、専任の宅地建物取引士をして、37条書面の内容を当該契約の買主に説明させなければならない。

イ Aは、供託所等に関する事項を37条書面に記載しなければならない。

ウ Aは、買主が宅地建物取引業者であっても、37条書面を遅滞なく交付しなければならない。

エ Aは、買主が宅地建物取引業者であるときは、当該宅地の引渡しの時期及び移転登記の申請の時期を37条書面に記載しなくてもよい。

❶ 一つ
❷ 二つ
❸ 三つ
❹ なし

重要事項の説明では、相手方が宅建業者の場合の特例がありますが、37条書面でも同様の特例があるのか否かがポイントになります。また、本問は個数問題ですが、個数問題でも正解できるように、肢の1つ1つについて正確に理解・記憶していくことが合格につながります。

解説

ア 誤り。 交付の方法

37条書面は契約の各当事者に交付すれば足り、その内容を説明する必要はない。

イ 誤り。 供託所等に関する事項

供託所等に関する事項は、37条書面の記載事項ではない。

ウ 正しい。交付の方法

宅建業者は、契約後遅滞なく、37条書面を交付しなければならない。37条書面の作成・交付義務は、相手方が宅建業者であっても適用される。

エ 誤り。 引渡しの時期・移転登記の申請時期

宅地・建物の引渡しの時期、売買・交換の場合の移転登記の申請時期は、37条書面に必ず記載しなければならない。相手方が宅建業者であっても変わりがない。

以上より、正しいものはウの一つであり、肢1が正解になる。

37条書面の記載事項（売買・交換）

売買・交換の37条書面の記載事項のうち、「定めがあれば」との限定がないもの、すなわち定めの有無にかかわらず記載しなければならないものは、次の事項である。

①当事者の氏名（法人の場合、名称）・住所
②当該宅地・建物を特定するために必要な表示
③**代金**・交換差金の額・支払時期・支払方法
④宅地・建物の**引渡し**の時期
⑤**移転登記**の申請時期
⑥**既存**の建物であるときは、建物の構造耐力上主要な部分等の状況について当事者の双方が**確認**した事項

また、これらの事項は、重要事項の説明の内容に含まれていないということも覚えておこう。特に③～⑤は、出題可能性が高い事項である。

きほんの教科書 L11-2

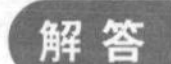

56 37条書面

平30-34改

理解度チェック

宅地建物取引業者が媒介により既存建物の貸借の契約を成立させた場合、宅地建物取引業法第37条の規定により、当該貸借の契約当事者に対して交付すべき書面に必ず記載しなければならない事項の組合せはどれか。なお、書面の交付に代えて電磁的方法により提供する場合については考慮しないものとする。

ア 建物の種類又は品質に関して契約の内容に適合しない場合におけるその不適合を担保すべき責任の内容

イ 当事者の氏名（法人にあっては、その名称）及び住所

ウ 建物の引渡しの時期

エ 建物の構造耐力上主要な部分等の状況について当事者双方が確認した事項

❶ ア、イ
❷ イ、ウ
❸ イ、エ
❹ ウ、エ

アプローチ

肢だけでなく、その上の問題文も重要です。

解説

ア 記載する必要はない。　　　　**保証保険契約の締結その他の措置**

売買・交換の場合には、当該宅地・建物の種類・品質に関する契約不適合責任または当該責任の履行に関して講ずべき保証保険契約の締結その他の措置についての**定めがあるときは**、その内容を記載しなければならない。しかし、本問は貸借なので、記載する必要はない。

イ 必ず記載しなければならない。**当事者の氏名・住所**

37条書面には、当事者の氏名（法人にあっては、その名称）および住所を記載しなければならない。

ウ 必ず記載しなければならない。**引渡しの時期**

37条書面には、宅地・建物の引渡しの時期を記載しなければならない。

エ 記載する必要はない。　　　　**主要な部分等について当事者の双方が確認した事項**

既存建物**の**売買・交換の場合には、建物の構造耐力上主要な部分等の状況について**当事者の双方が**確認**した事項**を37条書面に記載しなければならない。しかし、本問は貸借なので、記載する必要はない。

以上より、必ず記載しなければならないのはイ、ウであり、肢2が正解になる。

37条書面の記載事項（貸借の場合に含まれないもの）

貸借の場合の37条書面の記載事項は、売買・交換の場合と比較するのが覚えやすい。注意すべきなのは、次の事項が貸借の場合の37条書面の記載事項に含まれないということである。

①**登記**の申請の時期
②**既存**の建物であるときは、建物の構造耐力上主要な部分等の状況について当事者の双方が**確認**した事項
③借賃についての**金銭の貸借のあっせん**に関する定めがある場合において、当該あっせんに係る金銭の貸借が**成立しなかったときの措置**
④当該宅地・建物が種類または品質に関して契約の内容に適合しない場合におけるその**不適合を担保すべき責任**またはその履行に関して講ずべき**保証保険契約の締結等の措置**について定めのあるときは、その内容
⑤当該宅地・建物に係る**租税その他の公課**の負担に関する定めがあるときは、その内容

解答 ❷

重要事項の説明・37条書面

宅地建物取引業者が媒介により区分所有建物の貸借の契約を成立させた場合に関する次の記述のうち、宅地建物取引業法（以下この問において「法」という。）の規定によれば、正しいものはどれか。なお、この問において「重要事項説明書」とは法第35条の規定により交付すべき書面をいい、「37条書面」とは法第37条の規定により交付すべき書面をいうものとし、書面の交付に代えて電磁的方法により提供する場合については考慮しないものとする。

❶ 専有部分の用途その他の利用の制限に関する規約において、ペットの飼育が禁止されている場合は、重要事項説明書にその旨記載し内容を説明したときも、37条書面に記載しなければならない。

❷ 契約の解除について定めがある場合は、重要事項説明書にその旨記載し内容を説明したときも、37条書面に記載しなければならない。

❸ 借賃の支払方法が定められていても、貸主及び借主の承諾を得たときは、37条書面に記載しなくてよい。

❹ 天災その他不可抗力による損害の負担に関して定めなかった場合には、その旨を37条書面に記載しなければならない。

解説

❶ 誤り。　専有部分の用途その他の利用の制限に関する規約

専有部分の用途その他の利用の制限に関する規約の内容は、37条書面の記載事項ではない。なお、区分所有建物において、専有部分の用途その他の利用の制限に関する規約の定め（案を含む）があるときは、その内容が重要事項説明の対象とされている。

❷ 正しい。契約の解除

契約の解除に関する事項は、重要事項説明の対象である。また、契約の解除に関する定めがあるときは、その内容を37条書面に記載しなければならない。

❸ 誤り。　借賃の額・支払時期・支払方法

貸借の場合、借賃の額・支払時期・支払方法を37条書面に記載しなければならない。この記載義務は、当事者の承諾を得ても免除されない。

❹ 誤り。　天災その他不可抗力による損害の負担に関する定め

天災その他不可抗力による損害の負担に関する定めがあるときは、その内容を37条書面に記載しなければならない。損害の負担に関する定めをしたときにその内容を記載する義務があるだけで、損害の負担に関する定めがない場合にその旨を記載する必要はない。

・ここが狙われる！　必ず記載しなければならない事項かどうか

37条書面に関しては、「**必ず記載しなければならない事項**」と「**定めがあるときには記載しなければならない事項**」との区別が重要である。両者は、「～に関する定めがあるときは、～」のような文言の有無で区別がつく。

たとえば、「宅地・建物の引渡しの時期」は、必ず記載しなければならない事項である。

これに対し、「天災その他不可抗力による損害の負担に関する定めがあるときは、その内容」は、定めがあるときには記載しなければならない事項である。この場合、無理に定めをする必要はないし、定めがないときに、定めがない旨を記載する必要もない。

解答 ❷

重要事項の説明・37条書面

売主A、買主Bの間の宅地の売買について宅地建物取引業者Cが媒介をした場合の次の記述のうち、宅地建物取引業法（以下この問において「法」という。）に違反しないものはどれか。なお、なお、説明の相手方は宅地建物取引業者ではないものとし、書面の交付に代えて電磁的方法により提供する場合については考慮しないものとする。

❶ Cは、宅地建物取引士をして法第35条に基づく重要事項の説明（以下この問において「重要事項説明」という。）を行わせたが、AとBの同意があったため、法第37条の規定に基づく契約内容を記載した書面（以下この問において「契約書面」という。）を交付しなかった。

❷ Cの従業者である宅地建物取引士がBに対して重要事項説明を行う際に、Bから請求がなかったので、宅地建物取引士証を提示せず重要事項説明を行った。

❸ Cは、AとBとの契約が成立したので、宅地建物取引士に記名させ、AとBに対して契約書面を交付したが、両者に対して書面に記載された事項を説明しなかった。

❹ AとBどちらからも、早く契約したいとの意思表示があったため、Cは契約締結後に重要事項説明をする旨AとBの了解を得た後に契約を締結させ、契約書面を交付した。

本問では、重要事項の説明と37条書面の記述が混在しているので、どちらの記述なのかを意識して解くことが重要です。

解説

❶ 違反する。　37条書面の交付方法

宅建業者は、売買・交換・貸借契約の成立後、遅滞なく、契約の当事者に契約内容を記載した書面（37条書面、契約書面）を交付しなければならない。**37条書面の交付は当事者の同意を得ても省略することができない**ので、37条書面を交付しなかった本肢は、宅建業法に違反する。

❷ 違反する。　重要事項の説明方法

宅建士は、**重要事項の説明を行う際には、相手方からの請求が**なくても、**宅建士証を**提示しなければならない。したがって、宅建士証を提示しなかった本肢は、宅建業法に違反する。

❸ 違反しない。37条書面の交付方法

宅建業者は、37条書面に所定の事項を記載し、**宅建士をして**記名させた上で、**当事者に対して**交付すれば足り、**記載事項を説明する必要は**ない。

❹ 違反する。　重要事項の説明方法

宅建業者は、重要事項の説明を、**売買・交換・貸借の契約が**成立するまでの間に行わなければならず、当事者の了解を得たとしても、契約締結後に行うとすることはできない。したがって、「契約締結後に重要事項説明をする旨AとBの了解を得た後に契約を締結させ」た本肢は、宅建業法に違反する。

ポイント整理

重要事項の説明方法と37条書面の交付方法

	重要事項の説明方法	37条書面の交付方法
時　期	契約が成立するまで	契約後、遅滞なく
担当者	宅建士が説明※	誰が交付してもよい
相手方	取得しようとする者 借りようとする者	契約の当事者
記　名	宅建士	宅建士
説明の要否	必要※	不要
場　所	制限なし	制限なし

※相手方が宅建業者の場合は、宅建士が記名した書面の交付で足り、説明は必要ない。

きほんの教科書 L10-2、L11-2 復習

解答 ❸

59 守秘義務

令2追-36

理解度チェック  

宅地建物取引業者の守秘義務に関する次の記述のうち、宅地建物取引業法（以下この問において「法」という。）の規定によれば、正しいものはどれか。

❶ 宅地建物取引業者は、依頼者本人の承諾があった場合でも、秘密を他に漏らしてはならない。

❷ 宅地建物取引業者が、宅地建物取引業を営まなくなった後は、その業務上取り扱ったことについて知り得た秘密を他に漏らしても、法に違反しない。

❸ 宅地建物取引業者は、裁判の証人として、その取り扱った宅地建物取引に関して証言を求められた場合、秘密に係る事項を証言することができる。

❹ 宅地建物取引業者は、調査の結果判明した法第35条第1項各号に掲げる事項であっても、売主が秘密にすることを希望した場合は、買主に対して説明しなくてもよい。

解説

宅建業者は、正当な理由がある場合でなければ、その業務上取り扱ったことについて知り得た秘密を他に漏らしてはならない（守秘義務）。

❶ 誤り。　**正当な理由**

本肢のように**依頼者本人の承諾**があった場合には、「正当な理由」が認められる。

❷ 誤り。　**宅建業を営まなくなった場合**

宅建業を営まなくなった後でも、守秘義務は適用される。したがって、宅建業を営まなくなった後に、業務上取り扱ったことについて知り得た秘密を他に漏らせば、宅建業法に違反する。

❸ 正しい。**正当な理由**

法律上秘密を告げる義務がある場合には、「正当な理由」が認められる。したがって、本肢のように裁判の証人として証言を求められた場合、秘密に係る事項を証言することができる。

❹ 誤り。　**正当な理由**

宅建業者は、**重要事項の説明の対象事項等について真実を言う義務を負う**ので（重要事項の不告知等の禁止）、売主が秘密にすることを希望しても、買主に説明しなければならず、「正当な理由」が認められる。

従業者の守秘義務

宅建業者の**従業者**にも、次のように守秘義務が課されている。

宅建業者の使用人その他の従業者は、正当な理由がある場合でなければ、宅建業の業務を補助したことについて知り得た秘密を他に漏らしてはならない。宅建業者の使用人その他の従業者でなくなった後であっても、また同様とする。

きほんの教科書 L12-1 復習

解答 ❸

学習優先度 中

60 業務に関する禁止事項

平24-41

理解度チェック

宅地建物取引業者Ａ社による投資用マンションの販売の勧誘に関する次の記述のうち、宅地建物取引業法の規定に違反するものはいくつあるか。

ア Ａ社の従業員は、勧誘に先立ってＡ社の商号及び自らの氏名を告げてから勧誘を行ったが、勧誘の目的が投資用マンションの売買契約の締結である旨を告げなかった。

イ Ａ社の従業員は、「将来、南側に5階建て以上の建物が建つ予定は全くない。」と告げ、将来の環境について誤解させるべき断定的判断を提供したが、当該従業員には故意に誤解させるつもりはなかった。

ウ Ａ社の従業員は、勧誘の相手方が金銭的に不安であることを述べたため、売買代金を引き下げ、契約の締結を誘引した。

エ Ａ社の従業員は、勧誘の相手方から、「午後3時に訪問されるのは迷惑である。」と事前に聞いていたが、深夜でなければ迷惑にはならないだろうと判断し、午後3時に当該相手方を訪問して勧誘を行った。

❶ 一つ
❷ 二つ
❸ 三つ
❹ 四つ

アプローチ

知識で判断がつかない場合には、お客さんの保護の観点から許される行為かどうかを考えてみましょう。

解説

ア 違反する。　**勧誘に先立っての告知**

宅建業者等（＝宅建業者やその従業員等）は、勧誘に先立って、宅建業者の商号・名称、当該勧誘を行う者の氏名、当該契約の締結について勧誘をする目的である旨を告げなければ、勧誘を行ってはならない。本肢では、勧誘に先だって勧誘目的を告げていないので、宅建業法の規定に違反する。

イ 違反する。　**将来の環境等についての断定的判断の提供**

宅建業者等は、勧誘に際して、宅地・建物の将来の環境または交通その他の利便について誤解させるべき断定的判断を提供してはならない。この規定には「故意に」という言葉がないので、故意に誤解させるつもりがなかったときでも、宅建業法の規定に違反する。

ウ 違反しない。**手付貸与等の禁止**

本肢は、単なる値引きであり、手付について信用の供与（手付貸与、後払い・分割払いを認めるなど）にあたらない。

エ 違反する。　**迷惑を覚えさせるような時間の電話・訪問**

宅建業者等は、勧誘に際して、迷惑を覚えさせるような時間に電話し、または訪問してはならない。したがって、本肢のように相手方の都合に配慮しないで訪問をすることは、宅建業法の規定に違反する。

以上より、違反するものは、ア、イ、エの三つであり、肢３が正解になる。

キーワード　手付についての信用の供与

信用の供与とは、簡単に言えば、貸しをつくることをいう。

手付の貸与（手付金を貸してあげること）のほか、手付の**後払い**や**分割払い**を認めることも該当する。手付全額をすぐに払わず「貸し」にすることを認めるものだからである。

これに対し、手付の減額は、信用の供与に該当しない。減額された分は払わなくてよく、「貸し」にするものではないからである。

きほんの教科書 L12-2・3

解答 ③

61 業務に関する禁止事項

平27-41

学習優先度 中

理解度チェック

宅地建物取引業者が売主である新築分譲マンションを訪れた買主Aに対して、当該宅地建物取引業者の従業者Bが行った次の発言内容のうち、宅地建物取引業法の規定に違反しないものはいくつあるか。

ア A：眺望の良さが気に入った。隣接地は空地だが、将来の眺望は大丈夫なのか。

B：隣接地は、市有地で、現在、建築計画や売却の予定がないことを市に確認しました。将来、建つとしても公共施設なので、市が眺望を遮るような建物を建てることは絶対ありません。ご安心ください。

イ A：先日来たとき、5年後の転売で利益が生じるのが確実だと言われたが本当か。

B：弊社が数年前に分譲したマンションが、先日高値で売れました。このマンションはそれより立地条件が良く、また、近隣のマンション価格の動向から見ても、5年後値上がりするのは間違いありません。

ウ A：購入を検討している。貯金が少なく、手付金の負担が重いのだが。

B：弊社と提携している銀行の担当者から、手付金も融資の対象になっていると聞いております。ご検討ください。

エ A：昨日、申込証拠金10万円を支払ったが、都合により撤回したいので申込証拠金を返してほしい。

B：お預かりした10万円のうち、社内規程上、お客様の個人情報保護のため、申込書の処分手数料として、5,000円はお返しできませんが、残金につきましては法令に従いお返しします。

❶ 一つ　　❷ 二つ
❸ 三つ　　❹ なし

解説

ア 違反する。 **将来の環境等についての断定的判断の提供**

宅建業者等は、勧誘に際して、宅地・建物の将来の環境または交通その他の利便について誤解させるべき断定的判断を提供してはならない。したがって、「将来、建つとしても公共施設なので、市が眺望を遮るような建物を建てることは絶対ありません」との発言は、宅建業法の規定に違反する。

イ 違反する。 **利益が生ずることが確実と誤解させるべき断定的判断**

宅建業者等は、宅建業に係る契約の締結を勧誘するに際し、相手方に対し、利益が生ずることが確実であると誤解させるべき断定的判断を提供してはならない。したがって、「5年後値上がりするのは間違いありません」との発言は、宅建業法の規定に違反する。

ウ 違反しない。**手付貸与等の禁止**

宅建業者は、手付について貸付けその他の信用の供与（手付貸与、後払い・分割払いを認めるなど）により契約の締結を誘引してはならない。しかし、本肢では、提携銀行が手付金も融資対象にしている旨を告げているだけなので、「信用の供与」にはあたらない。

エ 違反する。 **預り金等の返還拒絶**

宅建業者は、相手方等が契約の申込みの撤回を行うに際し、既に受領した預り金を返還することを拒んではならない。したがって、5,000円分の返還を拒んだことは宅建業法の規定に違反する。

以上より、違反しないものはウの一つであり、肢1が正解になる。

きほんの教科書 L12-2・3 復習

解答 ❶

学習優先度 高

次の記述のうち、宅地建物取引業法の規定によれば、正しいものはどれか。

❶ 宅地建物取引業者は、従業者名簿の閲覧の請求があったときは、取引の関係者か否かを問わず、請求した者の閲覧に供しなければならない。

❷ 宅地建物取引業者は、その業務に従事させる者に従業者証明書を携帯させなければならず、その者が宅地建物取引士であり、宅地建物取引士証を携帯していても、従業者証明書を携帯させなければならない。

❸ 宅地建物取引業者は、その事務所ごとに従業者名簿を備えなければならないが、退職した従業者に関する事項は、個人情報保護の観点から従業者名簿から消去しなければならない。

❹ 宅地建物取引業者は、その業務に従事させる者に従業者証明書を携帯させなければならないが、その者が非常勤の役員や単に一時的に事務の補助をする者である場合には携帯させなくてもよい。

アプローチ

肢2については、従業者証明書と宅建士証がそれぞれ何を証明するものなのかを考えてみましょう。なお、従業者証明書や従業者名簿は、本問のように4肢まるごとではなく、肢の1つとして出題されることもあります。本問で、知識を整理しておきましょう。

解説

❶ 誤り。　従業者名簿の閲覧

宅建業者は、取引の関係者から請求があったときは、従業者名簿をその者の閲覧に供しなければならない。「取引の関係者か否かを問わず」ではない。

❷ 正しい。従業者証明書の携帯

宅建業者は、従業者に、従業者証明書を携帯させなければ、その者をその業務に従事させてはならない。このことは、宅建士証を携帯しているかどうかに関係ない。

❸ 誤り。　従業者名簿の保存

退職した従業者に関する事項を従業者名簿から消去する旨の規定はない。なお、宅建業者は、従業者名簿を最終の記載をした日から10年間保存しなければならない。事務所ごとに従業者名簿を備えなければならない点は正しい。

❹ 誤り。　従業者証明書の携帯

従業者証明書を携帯させるべき者には、非常勤の役員や単に一時的に事務の補助をする者も含まれる。

従業者証明書と宅建士証

従業者証明書は、宅建業者の従業者であることを証明するもので、宅建士であることを証明する宅建士証とは別のものである。したがって、宅建士証を提示しなければならないときに従業者証明書を提示しても、提示義務を果たしたことにならない。逆も同じである。また、従業者証明書の代わりに宅建業者の名称が入った名刺を提示しても、やはり提示義務を果たしたことにはならない。

従業者証明書も宅建士証も、取引の関係者から**請求**があったときは提示しなければならないが、その他に、宅建士証については、**重要事項の説明**の際に、必ず提示する義務がある（相手方が宅建業者の場合を除く）。

解答 ❷

帳簿

宅地建物取引業法第49条に規定する帳簿に関する次の記述のうち、正しいものはどれか。

❶ 宅地建物取引業者は、本店と複数の支店がある場合、支店には帳簿を備え付けず、本店に支店の分もまとめて備え付けておけばよい。

❷ 宅地建物取引業者は、宅地建物取引業に関し取引のあったつど、その年月日、その取引に係る宅地又は建物の所在及び面積その他国土交通省令で定める事項を帳簿に記載しなければならない。

❸ 宅地建物取引業者は、帳簿を各事業年度の末日をもって閉鎖するものとし、閉鎖後5年間当該帳簿を保存しなければならないが、自ら売主となり、又は売買の媒介をする新築住宅に係るものにあっては10年間保存しなければならない。

❹ 宅地建物取引業者は、帳簿の記載事項を、事務所のパソコンのハードディスクに記録し、必要に応じ当該事務所においてパソコンやプリンターを用いて明確に紙面に表示する場合でも、当該記録をもって帳簿への記載に代えることができない。

アプローチ

肢3については、重要なキーワードを見落とさないよう丁寧に読みましょう。なお、従業者証明書と同様、帳簿も、肢の1つとして出題されることがあります。本問で知識を整理しておきましょう。

解説

❶ 誤り。　帳簿の備付け

宅建業者は、事務所ごとに、業務に関する帳簿を備え付けなければならない。したがって、支店にもそれぞれ帳簿を備え付けなければならず、本店にまとめて備え付けておけばよいわけではない。

❷ 正しい。帳簿の記載事項

宅建業者は、宅建業に関し取引のあったつど、その年月日、その取引に係る宅地・建物の所在・面積その他国土交通省令で定める事項を帳簿に記載しなければならない。

❸ 誤り。　帳簿の保存

宅建業者は、帳簿を各事業年度の末日をもって閉鎖するものとし、閉鎖後5年間（当該宅建業者が自ら売主となる新築住宅に係るものにあっては、10年間）当該帳簿を保存しなければならない。本肢は、「又は売買の媒介をする」とする点で誤り。

❹ 誤り。　磁気ディスク等による記録

帳簿の記載事項が、電子計算機（パソコン等）に備えられたファイル・電磁的記録媒体（ハードディスク等）に記録され、必要に応じ当該事務所において電子計算機その他の機器（パソコン等やプリンター）を用いて明確に紙面に表示されるときは、当該記録をもって帳簿への記載に代えることができる。

ポイント整理

従業者名簿と帳簿

	従業者名簿	帳簿
備付場所	事務所ごと	
保存期間	最終の記載の日から10年	各事業年度末に閉鎖し。閉鎖後5年（自ら売主となる新築住宅に係るものは10年）
閲覧	取引の関係者からの請求	閲覧制度なし
電磁的記録媒体等による記録	可能	

きほんの教科書 L12-4 復習

解答 ❷

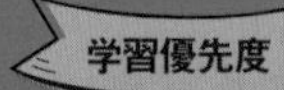

64 平26-28改 案内所等の規制

宅地建物取引業者Ａ（甲県知事免許）が乙県内に建設したマンション（100戸）の販売について、宅地建物取引業者Ｂ（国土交通大臣免許）及び宅地建物取引業者Ｃ（甲県知事免許）に媒介を依頼し、Ｂが当該マンションの所在する場所の隣接地（乙県内）にＣが甲県内にそれぞれ案内所を設置し、売買契約の申込みを受ける業務を行う場合における次の記述のうち、宅地建物取引業法（以下この問において「法」という。）の規定によれば、誤っているものはどれか。

❶ Ｂは国土交通大臣及び乙県知事に、Ｃは甲県知事に、業務を開始する日の10日前までに法第50条第2項に定める届出をしなければならない。

❷ Ａは、法第50条第2項に定める届出を甲県知事及び乙県知事へ届け出る必要はないが、当該マンションの所在する場所に法第50条第1項で定める標識を掲示しなければならない。

❸ Ｂは、その設置した案内所の業務に従事する者の数5人に対して1人以上の割合となる数の専任の宅地建物取引士を当該案内所に置かなければならない。

❹ Ａは、Ｃが設置した案内所においてＣと共同して契約を締結する業務を行うこととなった。この場合、Ａが当該案内所に専任の宅地建物取引士を設置すれば、Ｃは専任の宅地建物取引士を設置する必要はない。

アプローチ

案内所等の規制の問題では、誰が売主で誰が案内所を設置しているのか、それぞれの免許権者は誰か、案内所等はどこの都道府県にあるか等を確認しつつ問題文を読む必要があります。

解説

❶ 正しい。案内所等の届出

BとCは、案内所で売買契約の申込みを受けようとしているので、案内所等の届出が必要である。Bは免許権者である国土交通大臣と案内所の所在地を管轄する乙県知事に、また、Cは免許権者であると同時に案内所の所在地を管轄する甲県知事に、業務を開始する日の10日前までに案内所等の届出をしなければならない。

❷ 正しい。案内所等の届出・標識の掲示

宅地・建物の所在場所については、案内所等の届出は必要ないが、標識の掲示は必要である。したがって、Aは案内所等の届出をする必要はないが、マンションの所在する場所に標識を掲示しなければならない。

❸ 誤り。　専任の宅建士の設置義務

Bは、案内所で売買契約の申込みを受けようとしているので、専任の宅建士の設置が必要である。しかし、その人数は、業務に従事する者の数に関係なく、1人以上で足りる。

❹ 正しい。専任の宅建士の設置義務

同一の物件について、売主である宅建業者と代理・媒介を行う宅建業者が同一の場所で業務を行う場合、いずれかの宅建業者が専任の宅建士を1人以上置けば、専任の宅建士の設置義務を満たす。したがって、Aが専任の宅建士を設置すれば、それによって設置義務を満たすので、Cは専任の宅建士を設置する必要はない。

案内所等に必要なもの

おおまかに整理すると、次のとおりである。

①**契約の締結**または**申込みの受領**をする案内所等には、標識、**専任の宅建士**（1人以上）、**案内所等の届出**が必要。

②契約の締結も申込みの受領もしない案内所等と、宅地・建物の**所在場所**には、**標識**だけが必要。

きほんの教科書 L12-5 復習

解答 ❸

65 平27-44 案内所等の規制

宅地建物取引業者A（甲県知事免許）が乙県内に所在するマンション（100戸）を分譲する場合における次の記述のうち、宅地建物取引業法（以下この問において「法」という。）の規定によれば、正しいものはどれか。

❶ Aが宅地建物取引業者Bに販売の代理を依頼し、Bが乙県内に案内所を設置する場合、Aは、その案内所に、法第50条第1項の規定に基づく標識を掲げなければならない。

❷ Aが案内所を設置して分譲を行う場合において、契約の締結又は契約の申込みの受付を行うか否かにかかわらず、その案内所に法第50条第1項の規定に基づく標識を掲げなければならない。

❸ Aが宅地建物取引業者Cに販売の代理を依頼し、Cが乙県内に案内所を設置して契約の締結業務を行う場合、A又はCが専任の宅地建物取引士を置けばよいが、法第50条第2項の規定に基づく届出はCがしなければならない。

❹ Aが甲県内に案内所を設置して分譲を行う場合において、Aは甲県知事及び乙県知事に、業務を開始する日の10日前までに法第50条第2項の規定に基づく届出をしなければならない。

アプローチ

本問では、肢によって案内所を設置する者が異なっているので、誰がどこに設置しているのかを注意深く読み取る必要があります。

解説

❶ 誤り。　標識の掲示

宅建業者は、他の宅建業者が行う分譲の代理・媒介を案内所を設置して行う場合、当該案内所に標識を掲示しなければならない。この義務は案内所を設置して代理・媒介を行う宅建業者に課されているので、本肢では、Bが標識を掲示しなければならず、Aは標識を掲示する必要はない。

❷ 正しい。標識の掲示

宅建業者は、一団の宅地・建物の分譲を案内所を設置して行う場合、その案内所に、標識を掲示しなければならない。このことは、そこで契約の締結または契約の申込みの受付を行うか否かに関係ない。これらが関係するのは、専任の宅建士の設置義務や案内所等の届出（＝法第50条第2項の規定に基づく届出）義務である。

❸ 誤り。　専任の宅建士の設置義務・案内所等の届出

本肢では、Cが案内所を設置して契約の締結業務を行うので、Cが専任の宅建士の設置義務と案内所等の届出義務を負う。したがって、AまたはCが専任の宅建士を置けばよいとする本肢は誤り。

❹ 誤り。　案内所等の届出

本肢では、案内所で契約の締結または契約の申込みの受付を行うか否かが不明なので、Aは、案内所等の届出義務を負うとは限らない。また、届出先は、免許権者と案内所等の所在地を管轄する都道府県知事なので、本肢では、甲県知事だけである（マンションは乙県内に所在しているが、案内所は甲県内に設置されている）。

掲示義務等を負う者

案内所（標識、専任の宅建士、届出）　→　案内所を設置した宅建業者が負う。
宅地・建物の所在場所（標識）　→　売主である宅建業者が負う。

解答　❷

宅建業法

クーリング・オフ

宅地建物取引業者Aが、自ら売主として宅地建物取引業者でない買主Bとの間で締結した宅地の売買契約について、Bが宅地建物取引業法第37条の2の規定に基づき、いわゆるクーリング・オフによる契約の解除をする場合における次の記述のうち、正しいものはどれか。

❶ Aは、喫茶店でBから買受けの申込みを受け、その際にクーリング・オフについて書面で告げた上で契約を締結した。その7日後にBから契約の解除の書面を受けた場合、Aは、代金全部の支払を受け、当該宅地をBに引き渡していても契約の解除を拒むことができない。

❷ Aは、Bが指定した喫茶店でBから買受けの申込みを受け、Bにクーリング・オフについて何も告げずに契約を締結し、7日が経過した。この場合、Bが指定した場所で契約を締結しているので、Aは、契約の解除を拒むことができる。

❸ Bは、Aの仮設テント張りの案内所で買受けの申込みをし、その3日後にAの事務所でクーリング・オフについて書面で告げられた上で契約を締結した。この場合、Aの事務所で契約を締結しているので、Bは、契約の解除をすることができない。

❹ Bは、Aの仮設テント張りの案内所で買受けの申込みをし、Aの事務所でクーリング・オフについて書面で告げられた上で契約を締結した。この書面の中で、クーリング・オフによる契約の解除ができる期間を14日間としていた場合、Bは、契約の締結の日から10日後であっても契約の解除をすることができる。

アプローチ

肢4は、まずクーリング・オフの期間を14日にすることが、買主にとって、宅建業法の規定より不利なのかを検討しましょう。自ら売主制限の問題は、毎年3～4問出題されますが、そのうちの1問はクーリング・オフから出題されることが多いです。

解説

❶ 誤り。 **引渡しを受け、かつ代金の全部を支払った場合**

喫茶店で買受けの申込みをしているので、本肢の契約には、クーリング・オフ制度の適用がある。もっとも、**買主が引渡しを受け、かつ、代金の全部を支払った**ときには、クーリング・オフをすることができなくなる。したがって、Aは契約の解除を拒むことができる。

❷ 誤り。 **買主の申出による喫茶店での買受けの申込み**

喫茶店で買受けの申込みをしているので、本肢の契約にはクーリング・オフ制度の適用がある。このことは、**買主が指定したかどうかに関係ない**。

❸ 誤り。 **買受けの申込みと契約締結の場所が異なる場合**

買受けの申込みと売買契約の締結とが異なる場所で行われた場合、クーリング・オフができるかどうかは、**買受けの申込みを基準に判断**する。本肢では、**テント張りの案内所**で買受けの申込みがされているので、クーリング・オフ制度の適用がある。

❹ 正しい。**クーリング・オフに関する特約**

クーリング・オフについて、**申込者・買主に不利な特約は無効**である。しかし、本肢の特約は、クーリング・オフによる契約の解除ができる期間を8日間から14日間に延長するものなので、申込者・買主に不利ではなく有効である。したがって、Bは契約の締結の日から10日後であっても契約の解除をすることができる。

ここが狙われる！ クーリング・オフの適用がある場所の代表例

クーリング・オフの適用がある場所としてよく出題されるのは、次の場所である。
①ホテル（のロビー）、喫茶店
②テント張りの案内所
③買主側「以外」から申し出た場合の、買主の自宅・勤務場所

きほんの教科書 L13-2・3

解答 ❹

67 クーリング・オフ

令4-38

学習優先度 高

理解度チェック

宅地建物取引業者が自ら売主となる宅地の売買契約について、買受けの申込みを喫茶店で行った場合における宅地建物取引業法第37条の2の規定に基づくいわゆるクーリング・オフに関する次の記述のうち、正しいものはどれか。

❶ 買受けの申込みをした者が、売買契約締結後、当該宅地の引渡しを受けた場合、クーリング・オフによる当該売買契約の解除を行うことができない。

❷ 買受けの申込みをした者が宅地建物取引業者であった場合、クーリング・オフについて告げられていなくても、申込みを行った日から起算して8日を経過するまでは、書面により買受けの申込みの撤回をすることができる。

❸ 売主業者の申出により、買受けの申込みをした者の勤務先で売買契約を行った場合、クーリング・オフによる当該売買契約の解除を行うことはできない。

❹ クーリング・オフによる売買契約の解除がなされた場合において、宅地建物取引業者は、買受けの申込みをした者に対し、速やかに、当該売買契約の締結に際し受領した手付金その他の金銭を返還しなければならない。

アプローチ

自ら売主制限は、売主が宅建業者、買主が宅建業者でない場合にのみ適用されます。したがって、買主が宅建業者かどうかには常に注意を払いましょう。

解説

❶ 誤り。 **引渡しを受け、かつ代金の全部を支払った場合**

宅地・建物の引渡しを受け、かつ、その代金の全部を支払ったときは、クーリング・オフをすることができなくなる。したがって、引渡しを受けただけでクーリング・オフできなくなるとする本肢は誤り。

❷ 誤り。 **買主が宅建業者の場合**

クーリング・オフ制度は自ら売主制限なので、買主が宅建業者の場合には適用されない。

❸ 誤り。 **買受けの申込みと契約締結の場所が異なる場合**

買受けの申込みと売買契約の締結の場所が異なる場合には、買受けの申込みの場所を基準にクーリング・オフの可否を判断する。本肢の場合、喫茶店で買受けの申込みがされているので、クーリング・オフ制度の適用がある。なお、本肢の解答には影響しないが、買主の自宅・勤務場所は買主がそこで説明を受ける旨を申し出た場合には「事務所等」に該当する。しかし、本肢では売主が申し出ているので「事務所等」に該当しない。

❹ 正しい。**手付金その他の金銭の返還**

クーリング・オフがされた場合、宅建業者は、速やかに、買受けの申込みまたは売買契約の締結に際し受領した手付金その他の金銭を返還しなければならない。

クーリング・オフの適用のない場所

①宅建業者の事務所
②宅建業者の事務所以外の場所で継続的に業務を行うことができる施設を有するもの
③宅建業者の**案内所**（土地に**定着**したものに限る）
④売主である宅建業者から**代理**・**媒介**の依頼を受けた宅建業者の①～③の場所
⑤宅建業者（代理・媒介をする宅建業者を含む）が、宅建士を置くべき場所（土地に定着する建物内のものに限る）で契約に関する説明をした後、展示会等の催しを土地に定着する建物内において実施する場合の、**催し**を実施する場所

（②～⑤のうち、**専任の宅建士**の設置義務のあるもの）

⑥**相手方**（＝申込者・買主）からその自宅・勤務場所で売買契約に関する説明を受ける旨を申し出た場合の、相手方の**自宅**・**勤務場所**

きほんの教科書 L13-1・2・3 

解答 ❹

学習優先度 中

68 クーリング・オフ

平30-37

理解度チェック

宅地建物取引業者である売主Aが、宅地建物取引業者Bの媒介により宅地建物取引業者ではない買主Cと新築マンションの売買契約を締結した場合において、宅地建物取引業法第37条の2の規定に基づくいわゆるクーリング・オフに関する次の記述のうち、正しいものはいくつあるか。

ア AとCの間で、クーリング・オフによる契約の解除に関し、Cは契約の解除の書面をクーリング・オフの告知の日から起算して8日以内にAに到達させなければ契約を解除することができない旨の特約を定めた場合、当該特約は無効である。

イ Cは、Bの事務所で買受けの申込みを行い、その3日後に、Cの自宅近くの喫茶店で売買契約を締結した場合、クーリング・オフによる契約の解除はできない。

ウ Cは、Bからの提案によりCの自宅で買受けの申込みを行ったが、クーリング・オフについては告げられず、その10日後に、Aの事務所で売買契約を締結した場合、クーリング・オフによる契約の解除はできない。

エ クーリング・オフについて告げる書面には、Bの商号又は名称及び住所並びに免許証番号を記載しなければならない。

❶ 一つ
❷ 二つ
❸ 三つ
❹ なし

ウについては、8日の期間がスタートするスイッチが入ったかどうかも確認しましょう。なお、本問はエが難しいので、本試験での正解率は高くありませんでしたが、ア、イ、ウは重要です。

解説

ア 正しい。**クーリング・オフに関する特約**

クーリング・オフ期間は、クーリング・オフの書面による**告知の日から**起算して**8日間**であり、その期間内にクーリング・オフする旨の**書面を**発すれば、クーリング・オフの効力が生じる。そして、クーリング・オフに関し、**買主等に**不利**な特約は無効**である。したがって、本肢の8日以内に到達させなければ解除できない旨の特約は無効である。

イ 正しい。**買受けの申込みと契約締結の場所が異なる場合**

買受けの申込みと売買契約の締結とが異なる場所で行われた場合、クーリング・オフができるかどうかは、買受けの申込み**を基準に判断**する。本肢では、**売主Aから媒介・代理の依頼を受けた宅建業者Bの事務所**で買受けの申込みが行われているので、クーリング・オフによる契約の解除はできない。

ウ 誤り。 **自宅・勤務場所での買受けの申込み**

相手方（**＝申込者・買主**）**から自宅・勤務場所で売買契約に関する説明を受ける旨を申し出た場合**の自宅・勤務場所には、クーリング・オフ制度が適用されない。しかし、本肢では、媒介をしたBからの提案によりCの自宅で買受けの申込みが行われているので、クーリング・オフ制度が適用される。そして、クーリング・オフについて告げられていないので、告知の日から8日間という制限もまだ始まっていない。したがって、本肢の場合、クーリング・オフにより契約を解除できる。

エ 誤り。 **クーリング・オフについて告げる書面**

クーリング・オフについて告げる書面には、売主である宅建業者の商号または名称、住所、免許証番号を記載しなければならない。本問の場合、売主Aの商号等の記載が必要であり、媒介をしたBの商号等ではない。

以上より、正しいものはア、イの二つであり、肢2が正解になる。

きほんの教科書 L13-2・3 復習

解答 ❷

69 クーリング・オフ

令2-40

学習優先度 中

理解度チェック

宅地建物取引業者Aが、自ら売主として、宅地建物取引業者ではないBとの間で宅地の売買契約を締結した場合における、宅地建物取引業法第37条の2の規定に基づくいわゆるクーリング・オフに関する次の記述のうち、Bがクーリング・オフにより契約の解除を行うことができるものはいくつあるか。

ア Bが喫茶店で当該宅地の買受けの申込みをした場合において、Bが、Aからクーリング・オフについて書面で告げられた日の翌日から起算して8日目にクーリング・オフによる契約の解除の書面を発送し、10日目にAに到達したとき。

イ Bが喫茶店で当該宅地の買受けの申込みをした場合において、クーリング・オフによる契約の解除ができる期間内に、Aが契約の履行に着手したとき。

ウ Bが喫茶店で当該宅地の買受けの申込みをした場合において、AとBとの間でクーリング・オフによる契約の解除をしない旨の合意をしたとき。

エ Aの事務所ではないがAが継続的に業務を行うことができる施設があり宅地建物取引業法第31条の3第1項の規定により専任の宅地建物取引士が置かれている場所で、Bが買受けの申込みをし、2日後に喫茶店で売買契約を締結したとき。

❶ 一つ
❷ 二つ
❸ 三つ
❹ 四つ

アプローチ

イについては、解約手付の知識と混同しないよう注意して解きましょう。なお、本問は、本試験での正解率は高くありませんでしたが、今後、似た肢が出題される可能性はあるので、復習は重要です。

解説

ア 行うことができない。**クーリング・オフ期間**

クーリング・オフ期間は、クーリング・オフについて**書面で告げられた日から起算して8日間**である。したがって、告げられた日の「翌日」から起算して8日目（＝告げられた日から起算すると9日目）にクーリング・オフする旨の書面を発しても、解除することはできない。

イ 行うことができる。 **売主の履行の着手**

クーリング・オフできなくなるのは、①**クーリング・オフについて書面で告げられた日から起算して8日間を経過したとき**、②**買主が引渡しを受け、かつ代金の全部を支払ったとき**である。売主が契約の履行に着手したことは、クーリング・オフできない事由に当たらない。

ウ 行うことができる。 **クーリング・オフに関する特約**

クーリング・オフの規定より**買主等に不利な特約は無効**である。喫茶店で買受けの申込みをした場合にはクーリング・オフ制度の適用があるので、クーリング・オフしない旨の特約は無効である。

エ 行うことができない。**クーリング・オフの適用がない場所**

クーリング・オフの可否は、買受けの申込みの場所で決まる。そして、事務所以外で、**継続的に業務を行うことができる施設を有し、専任の宅建士の設置義務のある場所**で買受けの申込みがされた場合には、クーリング・オフ制度の適用がない。したがって、Bは、解除することができない。

以上より、契約の解除を行うことができるものはイ、ウの二つであり、肢2が正解になる。

ステップアップ 初日を算入するか否か

日数計算では、初日を算入しないのが原則である。たとえば、「契約締結の日から7日」の場合、契約締結日（＝初日）は算入せず、翌日から数える。

これに対し、クーリング・オフ期間は、「書面で告げられた日から起算して8日」と規定されているので、告げられた日（＝初日）を算入する。たとえば、月曜日に告げられた場合、月、火、水、木、金、土、日、月で8日間である。

解答 ❷

70 平17-35 自己の所有に属しない物件の制限

学習優先度 高

理解度チェック

宅地建物取引業者Ａが自ら売主となって宅地建物の売買契約を締結した場合に関する次の記述のうち、宅地建物取引業法の規定に違反するものはどれか。なお、この問において、ＡとＣ以外の者は宅地建物取引業者でないものとする。

❶ Ｂの所有する宅地について、ＢとＣが売買契約を締結し、所有権の移転登記がなされる前に、ＣはＡに転売し、Ａは更にＤに転売した。

❷ Ａの所有する土地付建物について、Ｅが賃借していたが、Ａは当該土地付建物を停止条件付でＦに売却した。

❸ Ｇの所有する宅地について、ＡはＧとの売買契約の予約をし、Ａは当該宅地をＨに転売した。

❹ Ｉの所有する宅地について、ＡはＩと停止条件付で取得する売買契約を締結し、その条件が成就する前に当該物件についてＪと売買契約を締結した。

アプローチ

人物関係が肢ごとに異なり、しかも複雑なので、１肢ずつ人物関係の図を描きましょう。

解説

宅建業者は、自ら売主となって、宅地・建物の売買契約（予約を含む）を締結することができないのが原則である。ただし、宅建業者が当該宅地建物を取得する契約・予約（停止条件付のものを除く）を締結しているときなど、宅建業者が当該宅地・建物を取得できることが明らかなときは、他人物売買契約を締結することができる。

❶ 違反しない。**転売を受けている場合**

Bの所有する宅地について、BとC、CとAが売買契約を締結しているので、Aは当該宅地を取得できることが明らかといえる。したがって、AがDと当該宅地の売買契約を締結しても、宅建業法の規定に違反しない。所有権の移転登記がなされていないことは、関係ない。

❷ 違反しない。**賃借人がいる場合等**

賃借人のいる宅地・建物を売却することや、停止条件付で宅地・建物を売却することは、いずれも宅建業法に違反しない。

❸ 違反しない。**売買の予約がある場合**

Gの所有する宅地について、AがGと売買契約の予約をしているので、Aは当該宅地を取得する契約の予約をしているといえる。したがって、AがHに当該宅地を売却しても、宅建業法の規定に違反しない。

❹ 違反する。　**停止条件付の売買契約をしている場合**

Iの所有する宅地について、AはIと売買契約を締結しているが、その契約には停止条件が付いているので、上記の例外にあたらない。したがって、AがJと売買契約を締結したことは、宅建業法の規定に違反する。

ここが狙われる！ 停止条件付の売買

肢4のように、所有者と宅建業者の間の契約に停止条件が付いていると、宅建業者と買主との間で他人物売買契約をすることができない。

これに対し、肢2のように、宅建業者と買主との間の売買契約に停止条件が付いていることは問題がない。

解答 ❹

71 手付金等の保全措置

平30-38改

宅地建物取引業者である売主は、宅地建物取引業者ではない買主との間で、戸建住宅の売買契約（所有権の登記は当該住宅の引渡し時に行うものとする。）を締結した。この場合における宅地建物取引業法第41条又は第41条の2の規定に基づく手付金等の保全措置（以下この問において「保全措置」という。）に関する次の記述のうち、正しいものはどれか。

❶ 当該住宅が建築工事の完了後で、売買代金が3,000万円であった場合、売主は、買主から手付金200万円を受領した後、当該住宅を引き渡す前に中間金300万円を受領するためには、手付金200万円と合わせて保全措置を講じた後でなければ、その中間金を受領することができない。

❷ 当該住宅が建築工事の完了前で、売買代金が2,500万円であった場合、売主は、当該住宅を引き渡す前に買主から保全措置を講じないで手付金150万円を受領することができる。

❸ 当該住宅が建築工事の完了前で、売主が買主から保全措置が必要となる額の手付金を受領する場合、売主は、事前に、国土交通大臣が指定する指定保管機関と手付金等寄託契約を締結し、かつ、当該契約を証する書面を買主に交付（電磁的方法を講じる場合を含む。）した後でなければ、買主からその手付金を受領することができない。

❹ 当該住宅が建築工事の完了前で、売主が買主から保全措置が必要となる額の手付金等を受領する場合において売主が銀行との間で締結する保証委託契約に基づく保証契約は、建築工事の完了までの間を保証期間とするものでなければならない。

アプローチ

肢4は、保全措置が不要になるのはいつかを考えれば、答えの想像がつきます。肢1～3は基本知識です。

解説

宅建業者は、自ら売主となる売買契約においては、原則として、保全措置を講じた後でなければ、手付金等を受領してはならない。ただし、

① 買主が登記をしたとき

または、

② 受領しようとする手付金等の額が、工事完了前に売買契約を締結した場合は、代金額の5%以下かつ1,000万円以下、工事完了後に売買契約を締結した場合は、代金額の10%以下かつ1,000万円以下のとき

は、保全措置を講じなくても手付金等を受領することができる。

❶ 正しい。**保全措置の要否**

保全措置の要否は、既に受領した額も含めて判断する。本肢で中間金300万円を受領する際には、手付金200万円と合計すると500万円になり、代金額の10%（300万円）を超えるので、保全措置が必要である。保全措置の対象は、既に受領した額も含めた全額なので、本肢では500万円である。

❷ 誤り。 **保全措置の要否**

工事完了前に売買契約を締結しているので、代金額の5%（125万円）を超える150万円の手付金を受領する際には、保全措置が必要である。

❸ 誤り。 **保全措置の方法**

工事完了前に売買契約を締結した場合、保全措置の方法は、①銀行等による保証、②保険事業者による保証保険のどちらかである。本肢の③指定保管機関による保管の方法は、工事完了後に売買契約を締結した場合にしか使えない。

❹ 誤り。 **保証契約の内容**

銀行等による保証の場合、保証契約は、少なくとも宅地・建物の引渡しまでを保証期間とする必要がある。「建築工事の完了まで」ではない。

買主が引渡しを受けた場合

買主が引渡しを受けた場合、保全措置は不要となる。なぜなら、手付金等とは、契約締結の日から引渡しまでに支払われる金銭のことなので、引渡し後に支払われる金銭はそもそも手付金等にあたらないからである。

きほんの教科書 L15-2 復習　解答 ❶

72 平28-43 手付金等の保全措置

理解度チェック

宅地建物取引業者Aが、自ら売主として、宅地建物取引業者でないBと建築工事完了前のマンション（代金3,000万円）の売買契約を締結した場合、宅地建物取引業法第41条の規定に基づく手付金等の保全措置（以下この問において「保全措置」という。）に関する次の記述のうち、正しいものはいくつあるか。

ア Aが、Bから手付金600万円を受領する場合において、その手付金の保全措置を講じていないときは、Bは、この手付金の支払を拒否することができる。

イ Aが、保全措置を講じて、Bから手付金300万円を受領した場合、Bから媒介を依頼されていた宅地建物取引業者Cは、Bから媒介報酬を受領するに当たり、Aと同様、あらかじめ保全措置を講じなければ媒介報酬を受領することができない。

ウ Aは、Bから手付金150万円を保全措置を講じないで受領し、その後引渡し前に、中間金350万円を受領する場合は、すでに受領した手付金と中間金の合計額500万円について保全措置を講じなければならない。

エ Aは、保全措置を講じないで、Bから手付金150万円を受領した場合、その後、建築工事が完了しBに引き渡す前に中間金150万円を受領するときは、建物についてBへの所有権移転の登記がなされるまで、保全措置を講じる必要がない。

❶ 一つ
❷ 二つ
❸ 三つ
❹ 四つ

解説

宅建業者は、自ら売主となる売買契約においては、保全措置を講じた後でなければ、手付金等を受領してはならない。ただし、買主が登記をしたとき、または受領しようとする手付金等の額が少ないときは（本問のように工事完了前に売買契約を締結した場合は、代金額の5%以下かつ1,000万円以下。したがって、本問では150万円以下）、保全措置を講じなくても、手付金等を受領することができる。

ア 正しい。**保存措置を講じない場合**

宅建業者が、必要な保全措置を講じないときは、買主は、手付金等を支払わないことができる。

イ 誤り。 **媒介業者の場合**

報酬は保全措置が必要な手付金等に含まれないし、保全措置は自ら売主となる宅建業者の義務であって、媒介・代理をした宅建業者の義務ではない。したがって、Cは保全措置を講じる必要はない。

ウ 正しい。**保全措置の要否**

既に受領した額があるときは、その額を含めて保全措置の要否を判断し、保全措置が必要であれば、既に受領した額も含めた全額について保全措置が必要である。本肢では、合計額500万円を基準に判断するので保全措置が必要であり、500万円について保全措置を講じなければならない。

エ 誤り。 **保全措置の要否**

工事完了前に売買契約を締結した場合、代金額の5%以下かつ1,000万円以下であれば保全措置は不要である。このことは、途中で工事が完了しても変わりがない。本肢の場合、中間金を受領する段階では合計で300万円になるので、この時点で5%を超え、保全措置を講じる必要がある。

以上より、正しいものはア、ウの二つであり、肢2が正解になる。

申込証拠金の支払がある場合

宅建業者は、申込みを受ける際に、申込証拠金を申込者（購入希望者）から受け取ることがある。申込証拠金は、その時点では「手付金等」に**あたらない**。ただし、契約締結時に、代金や手付に**充当**すると、「手付金等」にあたることになる。

きほんの教科書 L15-2 復習

解答 ②

73 平25-38改 自ら売主制限総合

宅地建物取引業者Ａ社が、自ら売主として宅地建物取引業者でない買主Ｂとの間で締結した売買契約に関する次の記述のうち、宅地建物取引業法の規定によれば、誤っているものはいくつあるか。

ア Ａ社は、Ｂとの間で締結した中古住宅の売買契約において、雨漏り、シロアリの害、建物の構造耐力上主要な部分が種類又は品質に関して契約の内容に適合しない場合についてのみ担保責任を負うとする特約を定めることができる。

イ Ａ社は、Ｂとの間における新築分譲マンションの売買契約（代金3,500万円）の締結に際して、当事者の債務の不履行を理由とする契約の解除に伴う損害賠償の予定額と違約金の合計額を700万円とする特約を定めることができる。

ウ Ａ社は、Ｂとの間における土地付建物の売買契約の締結に当たり、手付金100万円及び中間金200万円を受領する旨の約定を設けた際、相手方が契約の履行に着手するまでは、売主は買主に受領済みの手付金及び中間金の倍額を支払い、また、買主は売主に支払済みの手付金及び中間金を放棄して、契約を解除できる旨の特約を定めた。この特約は有効である。

❶ 一つ
❷ 二つ
❸ 三つ
❹ なし

肢アについては、住宅瑕疵担保履行法の内容と混同しないようにしましょう。なお、本問は本試験での正解率は高くありませんでしたが、内容的には、どの肢も重要です。

解説

ア 誤り。 **担保責任の特約の制限**

宅建業者が自ら売主となる売買契約においては、**種類・品質に関する契約不適合責任につき買主に不利な特約は、原則として無効となる。**本肢の特約は、売主が責任を負う範囲を限定しているので、買主に不利な特約である。したがって、そのような特約を定めることはできない。

イ 正しい。**損害賠償額の予定等の制限**

宅建業者が自ら売主となる売買契約において、**損害賠償額の予定や違約金を定めるときは、**あわせて**代金額の**2/10**を超えてはならない。**本肢の特約は、合計額を代金3,500万円の2/10である700万円とするものなので、そのような特約を定めることができる。

ウ 誤り。 **手付額の制限等**

宅建業者が自ら売主となる売買契約において手付が支払われたときは、相手方が履行に着手するまでは、買主は手付を放棄して、売主は手付の倍額を現実に提供して、契約を解除することができる。これより買主に不利な特約は無効である。本肢の特約は、買主は中間金も放棄しないと解除できないという内容なので、買主に不利な特約であり、無効となる。

以上より、誤っているものはア、ウの二つであり、肢2が正解になる。

キーワード 「手付金」と「手付金等」

手付金とは、契約の際に交付される金銭のことである。これに対し、手付金等とは、簡単に言えば、**契約締結日**から**引渡し前**に支払われる金銭のことである。手付金等には、手付金のほか、**中間金**、**残代金**などの名目で支払われる金銭も含まれる可能性がある。

手付金等の保全措置は、手付金等が対象なので、中間金等も対象になることがある。これに対し、手付の放棄や倍額の提供による解除の場合は、手付金だけが対象になる。

きほんの教科書 L14-2・3、L15-1 復習

解答 ②

74 平22-39改 自ら売主制限総合

宅地建物取引業者Aが、自ら売主として宅地建物取引業者でない買主Bとの間で宅地の売買契約を締結した場合における次の記述のうち、民法及び宅地建物取引業法の規定並びに判例によれば、正しいものはどれか。

❶ 当事者の債務不履行を理由とする契約の解除に伴う損害賠償の予定額を定めていない場合、損害賠償の請求額は売買代金の額を超えてはならない。

❷ 当事者の債務不履行を理由とする契約の解除に伴う損害賠償の予定額を売買代金の2割とし、違約金の額を売買代金の1割とする定めは、これらを合算した額が売買代金の3割を超えていないことから有効である。

❸ Aが、当該売買契約の解除を行う場合は、Bに対して「手付の倍額を支払うことにより、契約を解除する。」という意思表示を書面で行うことのみをもって、契約を解除することができる。

❹ Aは、当該売買契約の締結日にBから手付金を受領し、翌日、Bから内金を受領した。その2日後、AがBに対して、手付の倍額を現実に提供することにより契約解除の申出を行った場合、Bは、契約の履行に着手しているとしてこれを拒むことができる。

アプローチ

肢4は、「内金」の意味を知らなかったとしても、契約締結後に支払われているということから推測してみましょう。なお、自ら売主制限は、民法の規定に対する特約の制限が多いので、必要に応じて、該当部分の民法を復習してください。

解説

❶ 誤り。　**損害賠償額の予定等の制限**

損害賠償額の予定等の制限は、**損害賠償額の予定や違約金の定めをするとき**に適用されるものであり、損害賠償額の予定や違約金の定めをしなかった場合には関係がない。そして、損害賠償額の予定額を定めていない場合に、請求額が売買代金の額を超えてはならないとの規定はない。

❷ 誤り。　**損害賠償額の予定等の制限**

宅建業者が自ら売主となる売買契約において**損害賠償額の予定や違約金の定めをするときには**、あわせて**代金額の2/10を超えてはならない**。2/10を超える定めは、**超える部分につき無効**になる。したがって、本肢の定めは2/10を超えている部分について無効である。

❸ 誤り。　**手付額の制限等**

手付の倍返しにより売買契約を解除する場合には、**倍額を現実に提供する**（＝持参する）必要がある。したがって、解除する旨の意思表示を書面でするだけでは解除することができない。

❹ 正しい。**手付額の制限等**

内金とは、代金の一部として支払われる金銭のことである。手付の放棄や倍額提供によって契約を解除することができるのは、**相手方が契約の履行に着手するまで**であるが、代金を支払うことは契約の履行にあたる。したがって、Bが内金を支払っている本肢では、Bは契約の履行に着手しており、Aは手付の倍額を現実に提供することによって契約を解除することができない。

きほんの教科書 L14-3、L15-1 復習

解答 ❹

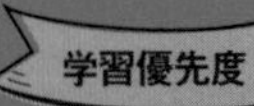

75 自ら売主制限総合

平23-39改

宅地建物取引業者Ａ社が、自ら売主として行う宅地（代金3,000万円）の売買に関する次の記述のうち、宅地建物取引業法の規定に違反するものはどれか。

❶ Ａ社は、宅地建物取引業者である買主Ｂ社との間で売買契約を締結したが、Ｂ社は支払期日までに代金を支払うことができなかった。Ａ社は、Ｂ社の債務不履行を理由とする契約解除を行い、契約書の違約金の定めに基づき、Ｂ社から1,000万円の違約金を受け取った。

❷ Ａ社は、宅地建物取引業者でない買主Ｃとの間で、割賦販売の契約を締結したが、Ｃが賦払金の支払を遅延した。Ａ社は20日の期間を定めて書面にて支払を催告したが、Ｃがその期間内に賦払金を支払わなかったため、契約を解除した。

❸ Ａ社は、宅地建物取引業者でない買主Ｄとの間で、割賦販売の契約を締結し、引渡しを終えたが、Ｄは300万円しか支払わなかったため、宅地の所有権の登記をＡ社名義のままにしておいた。

❹ Ａ社は、宅地建物取引業者である買主Ｅ社との間で、売買契約を締結したが、宅地の種類又は品質に関して契約の内容に適合しない場合におけるその不適合を担保すべき責任について、「種類又は品質の契約不適合による担保責任における通知期間は、引渡しの日から1年間とする」とする旨の特約を定めていた。

アプローチ

取引の相手方が宅建業者であるのかないのかを必ず確認しながら解きましょう。なお、肢2と肢3は、毎年出題される項目ではありませんが、この問題の正誤判断はできるようにしておきましょう。

解説

自ら売主制限は、売主が宅建業者、買主が宅建業者でない者である宅地建物の売買契約に適用される。

❶ 違反しない。**損害賠償額の予定等の制限**

宅建業者が自ら売主となる売買契約において損害賠償額の予定や違約金の定めをするときには、あわせて**代金額の**2/10を超えてはならない。しかし、買主B社が宅建業者である本肢では、損害賠償額の予定等の制限は適用されない。

❷ 違反する。　**割賦販売契約の解除等の制限**

宅建業者は、自ら売主となる**割賦販売契約**について賦払金の支払の義務が履行されない場合においては、30日以上の相当の期間を定めてその支払を書面**で催告**し、その期間内にその義務が履行されないときでなければ、賦払金の支払の遅滞を理由として、契約を解除し、または支払時期の到来していない賦払金の支払を請求することができない。したがって、20日間の期間を定めて催告した上で解除している本肢は、宅建業法の規定に違反する。

❸ 違反しない。**所有権留保の禁止**

宅建業者は、自ら売主となる割賦販売を行った場合において、**引渡しまでに代金額の**3/10**を超える額の支払を受けているときは**、原則として、引渡しまでに登記**その他引渡し以外の売主の義務を履行**しなければならない。本肢では、1/10の支払しか受けていないので、登記をA社名義のままにしても宅建業法の規定に違反しない。

❹ 違反しない。**担保責任の特約の制限**

宅建業者が自ら売主となる売買契約においては、**通知期間を**引渡しの日から2年以上**とするものを除き**、種類・品質に関する契約不適合責任につき買主に不利**な特約は無効**となる。しかし、買主E社が宅建業者である本肢では、種類・品質に関する契約不適合責任の特約の制限は適用されない。

きほんの教科書 L14-2・3、L15-3 復習

解答 ❷

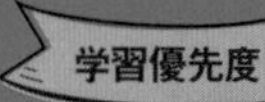

76 令2-42改 自ら売主制限総合

宅地建物取引業者Ａが、自ら売主として締結する売買契約に関する次の記述のうち、宅地建物取引業法（以下この問において「法」という。）及び民法の規定によれば、誤っているものはどれか。

❶ Ａが宅地建物取引業者ではないＢとの間で締結する宅地の売買契約において、当該宅地の種類又は品質に関して契約の内容に適合しない場合におけるその不適合を担保すべき責任の通知期間をＢがその不適合を知った時から2年とする特約を定めた場合、この特約は有効である。

❷ Ａが宅地建物取引業者ではないＣとの間で建築工事の完了前に締結する建物（代金5,000万円）の売買契約においては、Ａは、手付金200万円を受領した後、法第41条に定める手付金等の保全措置を講じなければ、当該建物の引渡し前に中間金300万円を受領することができない。

❸ Ａが宅地建物取引業者Ｄとの間で造成工事の完了後に締結する宅地（代金3,000万円）の売買契約においては、Ａは、法第41条の2に定める手付金等の保全措置を講じないで、当該宅地の引渡し前に手付金800万円を受領することができる。

❹ Ａが宅地建物取引業者ではないＥとの間で締結する建物の売買契約において、Ａは当該建物の種類又は品質に関して契約の内容に適合しない場合におけるその不適合を担保すべき責任を一切負わないとする特約を定めた場合、この特約は無効となり、Ａが当該責任を負う期間は当該建物の引渡日から2年となる。

アプローチ

肢4のヒントは、特約が無効になる場合、「特約は存在しないのと同じ」ということです。なお、本試験では正解肢が2つある問題でしたが、ここでは正解肢が1つになるように改題しています。

解説

❶ 正しい。**担保責任の特約の制限**

民法では、種類・品質に関する契約不適合責任の通知期間は不適合を知った時**から**1年である。宅建業法の**自ら売主制限**では、**通知期間を**引渡しの日**から**2年以上**とする特約を除き**、種類・品質に関する契約不適合責任について**民法より不利な特約は無効**となる。本肢の通知期間を知った時から2年とする特約は、知った時から1年以内に通知しなければならないとする民法の規定より買主に不利ではなく、有効である。

❷ 正しい。**手付金等の保全措置**

工事完了前に契約を締結した場合、**代金額の**5%**以下かつ**1,000万**円以下**（本肢では250万円以下）であれば、保全措置は不要である。本肢では、手付金と中間金を合計すると500万円になるので、中間金を受領する前に、保全措置を講じなければならない。

❸ 正しい。**手付金等の保全措置**

手付金等の保全措置は自ら売主制限なので、**買主も宅建業者である場合には適用されない**。本肢では、買主Dが宅建業者なので、Aは、手付金等の保全措置を講じる必要がない。また、代金額の2/10を超える手付を受領できないとする手付額の制限も自ら売主制限なので、本肢では適用されない。

❹ 誤り。 **担保責任の特約の制限**

民法では、種類・品質に関する契約不適合責任の通知期間は不適合を知った時から1年である。宅建業法の自ら売主制限では、通知期間を引渡しの日から2年以上とする特約を除き、種類・品質に関する契約不適合責任について**民法より不利な特約は無効**となる。種類・品質に関する契約不適合責任を一切負わない旨の特約は、民法より不利なので無効である。この場合、**責任の内容は民法のとおりになる**のであって、「引渡日から2年」にはならない。

きほんの教科書 L14-2、L15-2 復習　解答 ❹

77 報酬に関する制限

平27-33改

学習優先度 高

理解度チェック  

宅地建物取引業者Ａ及びＢ（ともに消費税課税事業者）が受領した報酬に関する次の記述のうち、宅地建物取引業法の規定に違反するものの組合せはどれか。なお、この問において「消費税等相当額」とは、消費税額及び地方消費税額に相当する金額をいい、長期の空家等の貸借の特例は考慮しないものとする。

ア　土地付新築住宅（代金3,000万円。消費税等相当額を含まない。）の売買について、Ａは売主から代理を、Ｂは買主から媒介を依頼され、Ａは売主から211万2,000円を、Ｂは買主から105万6,000円を報酬として受領した。

イ　Ａは、店舗用建物について、貸主と借主双方から媒介を依頼され、借賃1か月分20万円（消費税等相当額を含まない。）、権利金500万円（権利設定の対価として支払われる金銭であって返還されないもので、消費税等相当額を含まない。）の賃貸借契約を成立させ、貸主と借主からそれぞれ22万5,000円を報酬として受領した。

ウ　居住用建物（借賃1か月分10万円）について、Ａは貸主から媒介を依頼され、Ｂは借主から媒介を依頼され、Ａは貸主から8万円、Ｂは借主から5万5,000円を報酬として受領した。なお、Ａは、媒介の依頼を受けるに当たって、報酬が借賃の0.55か月分を超えることについて貸主から承諾を得ていた。

❶ ア、イ
❷ イ、ウ
❸ ア、ウ
❹ ア、イ、ウ

アプローチ

報酬額に関する制限は、通常、1問出題されます。本試験では電卓やスマホの計算機能等は使えませんので、練習のため、筆算（手計算）で計算するようにしましょう。なお、アは、消費税の計算をするまでもなく、正誤判断ができます。

解説

ア 違反する。　**売買の媒介・代理**

3,000万円の売買を媒介・代理した場合、**報酬合計額の上限額**（税抜き）は、3,000万円×3%＋6万円＝96万円の**2倍**である192万円で、消費税10%を上乗せすれば、211万2,000円である。したがって、合計で316万8,000円を報酬として受領している本肢は、宅建業法の規定に違反する。

イ 違反しない。**貸借の媒介**

居住用建物以外**の賃貸借**で権利金の交付がある場合、**権利金額を代金額とみなして、売買の場合の計算方法で報酬額の計算をすることができる**。本肢では、500万円×3%＋6万円＝21万円に消費税10%を上乗せした23万1,000円を双方からそれぞれ**受領できる**。したがって、本肢は宅建業法の規定に違反しない。

ウ 違反する。　**居住用建物の貸借の媒介**

貸借の媒介における報酬額の限度は、借賃を基準にするときは、**貸主・借主から**合わせて**借賃の**1カ月分**以内**（消費税10%を上乗せすれば1.1カ月分以内）である。**複数の宅建業者が関与した場合でも、同様**である。したがって、AとBの報酬合計額の限度は11万円であり、合わせて13万5,000円を受領している本肢は、宅建業法の規定に違反する。貸主から0.55カ月分を超えることについて承諾を得ても、合計額の限度が1.1カ月分であることに変わりはない。

以上より、違反するものはア、ウであり、肢3が正解になる。

売買の報酬額計算の概要

消費税等の話を抜きにすると、次のようになる。

1. **一方**からの受領額

　①**媒介**

　速算式（3%＋6万円など）で計算した額を、一方から受領できる。

　②**代理**

　速算式で計算した額の**2倍**を、一方から受領できる。

2. 報酬の**合計**額

　速算式で計算した額の**2倍**が限度

きほんの教科書 L16-2・4、L17-1 復習

解答 ③

学習優先度 高

78 報酬に関する制限

平30-30改

理解度チェック

宅地建物取引業者A（消費税課税事業者）は、Bが所有する建物について、B及びCから媒介の依頼を受け、Bを貸主、Cを借主とし、1か月分の借賃を10万円（消費税等相当額を含まない。）、CからBに支払われる権利金（権利設定の対価として支払われる金銭であって返還されないものであり、消費税等相当額を含まない。）を150万円とする定期建物賃貸借契約を成立させた。この場合における次の記述のうち、宅地建物取引業法の規定によれば、正しいものはどれか。なお、長期の空家等の貸借の特例は考慮しないものとする。

❶ 建物が店舗用である場合、Aは、B及びCの承諾を得たときは、B及びCの双方からそれぞれ11万円の報酬を受けることができる。

❷ 建物が居住用である場合、Aが受け取ることができる報酬の額は、CからBに支払われる権利金の額を売買に係る代金の額とみなして算出される16万5,000円が上限となる。

❸ 建物が店舗用である場合、Aは、Bからの依頼に基づくことなく広告をした場合でも、その広告が賃貸借契約の成立に寄与したときは、報酬とは別に、その広告料金に相当する額をBに請求することができる。

❹ 定期建物賃貸借契約の契約期間が終了した直後にAが依頼を受けてBC間の定期建物賃貸借契約の再契約を成立させた場合、Aが受け取る報酬については、宅地建物取引業法の規定が適用される。

アプローチ

報酬の問題は、計算しなくても答えを出せる場合もあります。計算が必要な選択肢は最後に解いてみましょう。なお、肢3のように、広告料金等を報酬と別に受領できるかについても、よく問われます。

解説

❶ 誤り。　貸借の媒介

貸借の媒介における報酬額の限度は、借賃を基準にするときは、貸主・借主からあわせて借賃の1カ月分以内（消費税10％を上乗せすれば1.1カ月分以内）である。本肢の場合、ＢとＣからあわせて11万円が限度である。また、本肢で権利金を基準にした場合は、ＢとＣからそれぞれ150万円×5％＝7万5,000円に消費税10％を上乗せした8万2,500円ずつが限度である。したがって、どちらを基準にしても、ＢとＣからそれぞれ11万円の報酬を受けることはできない。

❷ 誤り。　居住用建物の貸借の媒介

居住用建物の賃貸借の場合、権利金を基準に報酬額を計算することはできない。したがって、権利金の額を基準に限度額を算出するという本肢は誤り。

❸ 誤り。　広告料金

依頼者の特別の依頼による広告に要した実費は、報酬とは別に受領することができる。しかし、本肢の場合は、Ｂからの依頼に基づかない広告なので、報酬と別に広告料金に相当する額を請求することはできない。

❹ 正しい。定期建物賃貸借の再契約

定期建物賃貸借の再契約に関して宅建業者が受けることができる報酬についても、報酬額の制限の規定が適用される。

貸借の報酬額計算の概要

消費税等の話を抜きにすると、次のようになる。

1. 借賃を基準にする場合
   ①報酬の合計額は、借賃の１カ月分以内
   ②貸主、借主からの受領額は、合計1カ月分の範囲内で自由に決められる。
   ただし、居住用建物の賃貸借の媒介の場合、依頼を受けるにあたって依頼者の承諾を得ているときを除き、一方からは0.5カ月分以内
2. 権利金の授受がある場合
   ①権利金額を代金額とみなして、売買の報酬計算方法で計算する。
   ②借賃を基準にした場合と比べて、高いほうが限度額になる。

きほんの教科書 L17-1・2 

解答　❹

79 平30-31改 報酬に関する制限

学習優先度 中

理解度チェック

宅地建物取引業者Ａ（消費税課税事業者）が受け取ることのできる報酬の上限額に関する次の記述のうち、宅地建物取引業法の規定によれば、正しいものはどれか。

❶ 土地付中古住宅（代金500万円。消費税等相当額を含まない。）の売買について、Ａが売主Ｂから媒介を依頼された場合、報酬額についてＢに対し説明し合意した上で、ＡがＢから受け取ることができる報酬の上限額は231,000円である。

❷ 土地付中古住宅（代金300万円。消費税等相当額を含まない。）の売買について、Ａが買主Ｃから媒介を依頼された場合、報酬額についてＣに対し説明し合意した上で、ＡがＣから受け取ることができる報酬の上限額は154,000円である。

❸ 土地（代金350万円。消費税等相当額を含まない。）の売買について、Ａが売主Ｄから媒介を依頼された場合、報酬額についてＤに対し説明し合意した上で、ＡがＤから受け取ることができる報酬の上限額は330,000円である。

❹ 長期の空家等である店舗用建物（1か月分の借賃15万円。消費税等相当額を含まない。）の貸借について、Ａが借主Ｅから媒介を依頼された場合、報酬額についてＥに対し説明し合意した上で、ＡがＥから受け取ることができる報酬の上限額は330,000円である。

アプローチ

特例がどのような契約に適用されるのか、誰から受領する報酬に適用されるのか等に注意しながら解きましょう。

解説

❶ 誤り。 **低廉な空家等の特例の対象となる金額**

低廉な空家等（税抜800万円以下の土地・建物）の売買・交換の媒介の場合、**一方の依頼者**からは、30万円（報酬に対する消費税10%を上乗せすれば**33万円**）まで受領することができる。本肢の場合、代金額が500万円なので、この特例の対象になる。したがって、AがBから受け取ることができる報酬の上限額は、30万円に消費税10%を上乗せした33万円である。

❷ 誤り。 **買主が受領する報酬**

買主から受け取る報酬も、**低廉な空家等の特例の対象**になる。したがって、AがCから受け取ることができる報酬の上限額は、30万円に消費税10%を上乗せした33万円である。

❸ 正しい。 **土地の売買**

土地の売買も**低廉な空家等の特例の対象**になる。したがって、AがDから受け取ることができる報酬の上限額は、30万円に消費税10%を上乗せした33万円である。

❹ 誤り。 **長期の空家等の貸借**

長期の空家等の貸借の場合、貸主からは借賃の２カ月分（消費税10%を上乗せすれば**2.2カ月分**）が報酬の上限額になる。しかし、借主からの報酬は、この**特例の対象外**である。したがって、Aが借主Eから受け取ることができる報酬の上限額は、１カ月分の借賃15万円に10%を上乗せした16万5,000円である。

きほんの教科書 L16-2・3・4、L17-1 復習

解答 ❸

80 令1-32改 報酬に関する制限

学習優先度 中

理解度チェック  

宅地建物取引業者Ａ（消費税課税事業者）が受け取ることのできる報酬額に関する次の記述のうち、宅地建物取引業法の規定によれば、誤っているものはどれか。なお、長期の空家等の貸借の特例は考慮しないものとする。

❶ 宅地（代金200万円。消費税等相当額を含まない。）の売買の代理について、Ａが報酬額について売主Ｂに対し説明し合意していた場合には、ＡはＢから660,000円を上限として報酬を受領することができる。

❷ 事務所（1か月の借賃110万円。消費税等相当額を含む。）の貸借の媒介について、Ａは依頼者の双方から合計で110万円を上限として報酬を受領することができる。

❸ 既存住宅の売買の媒介について、Ａが売主Ｃに対して建物状況調査を実施する者をあっせんした場合、ＡはＣから報酬とは別にあっせんに係る料金を受領することはできない。

❹ 宅地（代金200万円。消費税等相当額を含まない。）の売買の媒介について、Ａが報酬額を330,000円と定めることについて売主Ｄに対し説明し合意していた場合でも、当該報酬額が当該媒介業務に要する費用を上回るときは、ＡはＤから330,000円を報酬として受領することができない。

アプローチ

低廉な空家等の特例について、P.160の問題や本問を使ってよく理解しておきましょう。

解説

❶ 正しい。 **低廉な空家等の売買の代理**

低廉な空家等（税抜800万円以下の土地・建物）の売買・交換の代理の場合、特例の適用を受ければ、依頼者から60万円（消費税10%を上乗せすれば**66万円**）を上限として報酬を受領することができる。

❷ 正しい。**貸借の媒介**

賃貸借の媒介の場合、依頼者双方から受領する報酬の**合計の限度額**は、消費税抜きの**借賃**1カ月分に**消費税等を上乗せした額**である。本肢では、消費税抜きの1カ月の借賃（110万円÷1.1＝100万円）に消費税10%を上乗せした110万円の限度額になる。

❸ 正しい。**費用の請求**

宅建業者は、原則として、報酬と別に費用等の名目で金銭を受け取ることはできない。そして、**建物状況調査を実施する者のあっせんは**、媒介業務の一環であるので、**報酬と別にあっせんに係る料金を受領することはできない**。

❹ 誤り。 **低廉な空家等の媒介・代理**

低廉な空家等の媒介の場合、**一方の依頼者**からの報酬の上限額は30万円（消費税10%を上乗せすれば**33万円**）である。そして、低廉な空家等の特例では、**特例で定める上限の範囲内で、媒介・代理業務に要する費用を超えて報酬を受領することを**禁止していない。したがって、費用を上回る額の報酬を受領することができないとする本肢は誤り。

きほんの教科書 L16-2・3・4、L17-1・2 復習

解答 ④

81 報酬に関する制限

令2-30改

宅地建物取引業者Ａ及び宅地建物取引業者Ｂ（ともに消費税課税事業者）が受領する報酬に関する次の記述のうち、宅地建物取引業法の規定によれば、正しいものはどれか。なお、借賃には消費税等相当額を含まず、長期の空家等の貸借の特例は考慮しないものとする。

❶ Ａは売主から代理の依頼を、Ｂは買主から媒介の依頼を、それぞれ受けて、代金5,000万円の宅地の売買契約を成立させた場合、Ａは売主から343万2,000円、Ｂは買主から171万6,000円、合計で514万8,000円の報酬を受けることができる。

❷ Ａが単独で行う居住用建物の貸借の媒介に関して、Ａが依頼者の一方から受けることができる報酬の上限額は、当該媒介の依頼者から報酬請求時までに承諾を得ている場合には、借賃の1.1か月分である。

❸ Ａが単独で貸主と借主の双方から店舗用建物の貸借の媒介の依頼を受け、1か月の借賃25万円、権利金330万円（権利設定の対価として支払われるもので、返還されないものをいい、消費税等相当額を含む。）の賃貸借契約を成立させた場合、Ａが依頼者の一方から受けることができる報酬の上限額は、30万8,000円である。

❹ Ａが単独で行う事務所用建物の貸借の媒介に関し、Ａが受ける報酬の合計額が借賃の1.1か月分以内であれば、Ａは依頼者の双方からどのような割合で報酬を受けてもよく、また、依頼者の一方のみから報酬を受けることもできる。

解説

❶ 誤り。　売買の媒介・代理

売買の場合、双方から受領する報酬の合計額の上限は、5,000万円×3%＋6万円＝156万円の2倍である312万円に消費税等10%を上乗せした343万2,000円である。したがって、合計で514万8,000円の報酬を受領することができるとする本肢は誤り。

❷ 誤り。　居住用建物の賃貸借の媒介

居住用建物の賃貸借の媒介の場合、依頼を受けるにあたって承諾を得ていなければ、当事者の一方からは借賃の0.5月分に課税事業者の場合は10%を上乗せした0.55カ月分までしか受領することができない。「報酬請求時まで」ではない。

❸ 誤り。　貸借の媒介

借賃を基準にした場合は、1カ月分の借賃25万円に10%を上乗せした27万5,000円が上限額になる。権利金を基準にした場合には（居住用建物以外の貸借なので、権利金を基準にすることができる）、一方からは、300万円（税抜きの権利金額）×4%＋2万円＝14万円に10%を上乗せした15万4,000円が上限額になる。いずれにしても、一方から30万8,000円を受領することはできない。

❹ 正しい。貸借の媒介

居住用建物以外の貸借の場合は、肢2のような0.55カ月分ずつという制限はない。したがって、双方から合計して1.1カ月分以内であればよく、割合の決め方や一方のみから報酬を受領することについて制限はない。

・ここが狙われる！　速算式

①代金額200万円以下	5%
②代金額200万円超400万円以下	4%＋2万円
③代金額400万円超	3%＋6万円

一番よく使うのは「3%＋6万円」であるが、他の式も使うことがあるので、3つとも覚えておく必要がある。

きほんの教科書 L16-2・4、L17-1 復習

解答 ❹

学習優先度 高

報酬に関する制限

宅地建物取引業者（消費税課税事業者）が受けることができる報酬に関する次の記述のうち、宅地建物取引業法の規定によれば、誤っているものはどれか。

❶ 宅地建物取引業者が受けることのできる報酬は、依頼者が承諾していたとしても、国土交通大臣の定める報酬額の上限を超えてはならない。

❷ 宅地建物取引業者は、その業務に関し、相手方に不当に高額の報酬を要求した場合、たとえ受領していなくても宅地建物取引業法違反となる。

❸ 宅地建物取引業者が、事業用建物の貸借（権利金の授受はないものとし、長期の空家等の貸借の特例は考慮しないものとする。）の媒介に関する報酬について、依頼者の双方から受けることのできる報酬の合計額は、借賃（消費税等相当額を含まない。）1か月分の1.1倍に相当する金額が上限であり、貸主と借主の負担の割合については特段の規制はない。

❹ 宅地建物取引業者は、依頼者の依頼によらない広告の料金に相当する額を報酬額に合算する場合は、代理又は媒介に係る報酬の限度額を超える額の報酬を依頼者から受けることができる。

アプローチ

肢2と肢4は、特に重要です。広告については、依頼者の依頼によるものかどうかを注意しましょう。

解説

❶ 正しい。**限度額を超える報酬**

宅建業者は、国土交通大臣が定めた報酬の額を超えて報酬を受領してはならない。このことは、**依頼者が承諾していたとしても、変わりがない。**

❷ 正しい。**不当に高額の報酬の要求**

宅建業者は、相手方等に対して、不当に高額の報酬を要求してはならない。**要求すること自体が禁止**されているので、実際には受領していなくても宅建業法違反となる。

❸ 正しい。**貸借の媒介**

居住用建物以外の貸借の場合は、依頼者の一方から0.55カ月分以内という制限はない。したがって、借賃を基準にする場合、依頼者の双方から合計して1.1カ月分以内という制限のみであり、貸主と借主の負担の割合について制限はない。

❹ 誤り。 **広告料金**

依頼者の特別の依頼に基づく広告の料金相当額であれば、報酬とは別に受領することができる。しかし、依頼者の依頼によらない広告の場合には、報酬と別に料金相当額を受領することはできない。

キーワード 不当に高額の報酬の要求

不当に高額（限度額の2～3倍以上）の報酬を要求すると、そのこと自体が宅建業法違反になる。実際に受領したかどうかは**関係ない**。

なお、実際に受領した場合には、1円でも限度額を超えれば、宅建業法違反である。

きほんの教科書 L17-1・2 復習

解答 ④

83 監督処分

平24-44改

理解度チェック

宅地建物取引業法の規定に基づく監督処分に関する次の記述のうち、正しいものはどれか。

❶ 国土交通大臣又は都道府県知事は、宅地建物取引業者に対して必要な指示をしようとするときは、行政手続法に規定する弁明の機会を付与しなければならない。

❷ 甲県知事は、宅地建物取引業者A社（国土交通大臣免許）の甲県の区域内における業務に関し、A社に対して指示処分をした場合、遅滞なく、当該処分の年月日及び内容を国土交通大臣に通知するとともに、甲県の公報又はウェブサイトへの掲載その他の適切な方法により公告しなければならない。

❸ 乙県知事は、宅地建物取引業者B社（丙県知事免許）の乙県の区域内における業務に関し、B社に対して業務停止処分をした場合は、乙県に備えるB社に関する宅地建物取引業者名簿へ、その処分に係る年月日と内容を記載しなければならない。

❹ 国土交通大臣は、宅地建物取引業者C社（国土交通大臣免許）が宅地建物取引業法第37条に規定する書面の交付をしていなかったことを理由に、C社に対して業務停止処分をしようとするときは、あらかじめ、内閣総理大臣に協議しなければならない。

アプローチ

かなりの難問ですが、肢2と肢4は重要です。肢4は、C社が国土交通大臣免許であることを見落とさないようにしましょう。

解説

❶ 誤り。　**弁明の機会の付与**

国土交通大臣または都道府県知事は、宅建業者に対して指示処分をしようとするときは、聴聞を行わなければならない。弁明の機会の付与ではない。

❷ 誤り。　**処分をした旨の報告・通知・公告**

都道府県知事は、国土交通大臣または他の都道府県知事の免許を受けた宅建業者に対して**指示処分または業務停止処分**をしたときは、遅滞なく、当該処分の年月日および内容を、当該宅建業者が国土交通大臣の免許を受けたものであるときは**国土交通大臣に報告**し、当該宅建業者が他の都道府県知事の免許を受けたものであるときは当該他の**都道府県知事に通知**しなければならない。したがって、国土交通大臣に「通知」とする本肢は誤り。また、**指示処分をした場合には、公告をする必要はない**。したがって、「公告をしなければならない」とする点も誤り。

❸ 誤り。　**宅建業者名簿への記載**

都道府県知事免許の宅建業者に関する事項は、その**免許をした都道府県知事が備える宅建業者名簿に登載**される。B社は丙県知事免許の宅建業者なので、丙県知事が、丙県に備える宅建業者名簿に登載する。「乙県に備える」のではないし、「乙県知事」が登載するのでもない。

❹ 正しい。**内閣総理大臣との協議**

国土交通大臣は、その免許を受けた宅建業者が重要事項の説明義務、37条書面の交付義務などの一定の規定に違反したことを理由に監督処分をしようとするときは、あらかじめ、**内閣総理大臣に協議**しなければならない。

キーワード　聴聞・弁明の機会の付与

聴聞は、実際に関係者が集まって行う本格的な手続きだが、**弁明の機会の付与**の場合は、書面の提出機会が与えられるという簡易な手続きである。

通常は、取消処分のような重い処分の場合にのみ聴聞が行われるが（軽い処分の場合は弁明の機会の付与）、宅建業法では、原則として、いずれの監督処分の場合でも聴聞が行われる。

解答　④

84 監督処分

平27-43改

理解度チェック

宅地建物取引業法の規定に基づく監督処分等に関する次の記述のうち、誤っているものはどれか。

❶ 宅地建物取引業者A（甲県知事免許）は、自ら売主となる乙県内に所在する中古住宅の売買の業務に関し、当該売買の契約においてその目的物の種類又は品質に関して契約の内容に適合しない場合におけるその不適合を担保すべき責任を負わない旨の特約を付した。この場合、Aは、乙県知事から指示処分を受けることがある。

❷ 甲県に本店、乙県に支店を設置する宅地建物取引業者B（国土交通大臣免許）は、自ら売主となる乙県内におけるマンションの売買の業務に関し、乙県の支店において当該売買の契約を締結するに際して、代金の30％の手付金を受領した。この場合、Bは、甲県知事から著しく不当な行為をしたとして、業務停止の処分を受けることがある。

❸ 宅地建物取引業者C（甲県知事免許）は、乙県内に所在する土地の売買の媒介業務に関し、契約の相手方の自宅において相手を威迫し、契約締結を強要していたことが判明した。この場合、甲県知事は、情状が特に重いと判断したときは、Cの宅地建物取引業の免許を取り消さなければならない。

❹ 宅地建物取引業者D（国土交通大臣免許）は、甲県内に所在する事務所について、業務に関する帳簿を備えていないことが判明した。この場合、Dは、甲県知事から必要な報告を求められ、かつ、指導を受けることがある。

アプローチ

誰の免許を受けた宅建業者が、どこで処分対象行為をし、そのことに対して誰がどのような処分をしようとしているのかを正確に読み取る必要があります。

解説

❶ 正しい。**指示処分の処分権者**

宅建業者が自ら売主となる売買契約においては、通知期間を引渡しの日から2年以上とするものを除き、種類・品質に関する契約不適合責任につき買主に不利な特約をしてはならない。したがって、本肢の特約をしたAの行為は宅建業法の規定に違反するので、指示処分の対象になる。そして、**指示処分は**、免許権者のほか、宅建業者が処分対象行為**を行った都道府県の都道府県知事も行うことができる**。したがって、Aは乙県知事から指示処分を受けることがあるとする本肢は正しい。

❷ 誤り。 **業務停止処分の処分権者**

業務停止処分は、**免許権者**のほか、宅建業者が**処分対象行為を行った都道府県の都道府県知事**も行うことができる。しかし、本肢では、国土交通大臣の免許を受けたBが、乙県で処分対象行為を行っているので、甲県知事は業務停止処分をすることができない。

❸ 正しい。**免許取消処分**

宅建業者等は、宅建業に係る契約を締結させ、または宅建業に係る契約の申込みの撤回もしくは解除を妨げるため、宅建業者の相手方等を威迫してはならない。この規定に違反して情状が特に重いときは、必要的免許取消事由にあたる。そして、**免許取消処分**は、免許権者が行う。

❹ 正しい。**指導・助言・勧告等**

国土交通大臣はすべての**宅建業者**に対して、**都道府県知事は**当該都道府県の区域内で**宅建業を営む宅建業者**に対して、宅建業の適正な運営を確保し、または宅建業の健全な発達を図るため必要な**指導、助言および勧告**をすることができる。また、都道府県知事は当該都道府県の区域内で宅建業を営む者に対して報告を求めることができる。したがって、Dは、甲県内に事務所を設置しているので、甲県知事から必要な報告を求められ、かつ、指導を受けることがある。

きほんの教科書 L18-1 復習

解答 ❷

85 監督処分

平28-26

宅地建物取引業者Ａ（甲県知事免許）に対する監督処分に関する次の記述のうち、宅地建物取引業法（以下この問において「法」という。）の規定によれば、正しいものはどれか。

❶ Ａは、自らが売主となった分譲マンションの売買において、法第35条に規定する重要事項の説明を行わなかった。この場合、Ａは、甲県知事から業務停止を命じられることがある。

❷ Ａは、乙県内で宅地建物取引業に関する業務において、著しく不当な行為を行った。この場合、乙県知事は、Ａに対し、業務停止を命ずることはできない。

❸ Ａは、甲県知事から指示処分を受けたが、その指示処分に従わなかった。この場合、甲県知事は、Ａに対し、1年を超える期間を定めて、業務停止を命ずることができる。

❹ Ａは、自ら所有している物件について、直接賃借人Ｂと賃貸借契約を締結するに当たり、法第35条に規定する重要事項の説明を行わなかった。この場合、Ａは、甲県知事から業務停止を命じられることがある。

アプローチ

肢４は、そもそも宅建業法が適用されるのか否かを見極めましょう。

解説

❶ 正しい。**業務停止処分の対象事由**

宅建業者が**重要事項の説明を怠ったことは業務停止処分**（情状が特に重いときは免許取消処分）の対象となるので、Aは、甲県知事から業務停止を命じられることがある。

❷ 誤り。**業務停止処分の処分権者**

宅建業に関する業務において**不正または著しく不当な行為**を行った場合、業務停止**処分**（情状が特に重いときは免許取消処分）の対象となる。そして、指示**処分**・業務停止**処分**は、免許権者と当該**宅建業者が業務を行っている都道府県知事**が行うことができる。したがって、乙県知事は、Aに対し、業務停止を命ずることができる。

❸ 誤り。　**業務停止処分の期間**

指示処分に従わない場合、業務停止処分（情状が特に重いときは免許取消処分）の対象となる。しかし、**業務停止処分の期間は**1年以内なので、1年を超える期間を定めることはできない。

❹ 誤り。　**自ら貸借**

自分が貸主または借主となって貸借をすること（自ら貸借）は、**宅建業に**あたらない。したがって、本肢の行為に宅建業法は適用されないので、業務停止を命じられることもない。

指示処分・業務停止処分の対象事由

指示処分や業務停止処分の対象事由は宅建業法に細かく定められているが、それらを覚える必要はない（なんでも簡単に丸暗記できる人なら、話は別）。

「宅建業法に違反すると指示処分の対象になり、宅建業法違反の多くは業務停止処分の対象事由にもあたる」と理解しておけばよい。

❶

86 監督処分

平29-29

理解度チェック

次の記述のうち、宅地建物取引業法（以下この問において「法」という。）の規定によれば、正しいものはどれか。

❶ 宅地建物取引業者Ａ（甲県知事免許）は、マンション管理業に関し、不正又は著しく不当な行為をしたとして、マンションの管理の適正化の推進に関する法律に基づき、国土交通大臣から業務の停止を命じられた。この場合、Ａは、甲県知事から法に基づく指示処分を受けることがある。

❷ 国土交通大臣は、宅地建物取引業者Ｂ（乙県知事免許）の事務所の所在地を確知できない場合、その旨を官報及び乙県の公報で公告し、その公告の日から30日を経過してもＢから申出がないときは、Ｂの免許を取り消すことができる。

❸ 国土交通大臣は、宅地建物取引業者Ｃ（国土交通大臣免許）に対し、法第35条の規定に基づく重要事項の説明を行わなかったことを理由に業務停止を命じた場合は、遅滞なく、その旨を内閣総理大臣に通知しなければならない。

❹ 宅地建物取引業者Ｄ（丙県知事免許）は、法第72条第1項に基づく丙県職員による事務所への立入検査を拒んだ。この場合、Ｄは、50万円以下の罰金に処せられることがある。

アプローチ

肢1と肢4は、かなりの難問です。肢2は、細かい手続きに目を奪われないように注意して解きましょう。

解説

❶ 誤り。　宅建業以外に関する不正・不当行為

宅建業以外に関して不正また不当な行為をしたこと等は、指示処分の対象事由ではない。

❷ 誤り。　事務所の所在地を確知できない場合

免許取消処分の処分権者は、免許権者である。そして、国土交通大臣または都道府県知事は、その免許を受けた宅建業者の事務所の所在地を確知できないとき、またはその免許を受けた宅建業者の所在（法人である場合においては、その役員の所在）を確知できないときは、官報または当該都道府県の公報でその事実を公告し、その公告の日から30日を経過しても当該宅建業者から申出がないときは、当該宅建業者の免許を取り消すことができる。Bは乙県知事の免許を受けているので、その免許を取り消すことができるのは、国土交通大臣ではなく乙県知事である。

❸ 誤り。　内閣総理大臣への協議

国土交通大臣は、重要事項の説明の規定などに違反したことを理由に監督処分をしようとするときは、あらかじめ、内閣総理大臣に協議しなければならない。監督処分をした後に通知するのではない。

❹ 正しい。報告・立入・検査

国土交通大臣は、宅建業を営むすべての者に対して、都道府県知事は、当該都道府県の区域内で宅建業を営む者に対して、宅建業の適正な運営を確保するため必要があると認めるときは、その業務について必要な報告を求め、またはその職員に事務所その他その業務を行う場所に立ち入り、帳簿、書類その他業務に関係のある物件を検査させることができる。この立入検査を拒み、妨げ、または忌避した者は、50万円以下の罰金に処せられることがある。

きほんの教科書 L18-1 復習

解答 ❹

87 監督処分

平30-32

理解度チェック

次の記述のうち、宅地建物取引業法の規定によれば、正しいものはどれか。

❶ 宅地建物取引士が都道府県知事から指示処分を受けた場合において、宅地建物取引業者（国土交通大臣免許）の責めに帰すべき理由があるときは、国土交通大臣は、当該宅地建物取引業者に対して指示処分をすることができる。

❷ 宅地建物取引士が不正の手段により宅地建物取引士の登録を受けた場合、その登録をした都道府県知事は、宅地建物取引士資格試験の合格の決定を取り消さなければならない。

❸ 国土交通大臣は、すべての宅地建物取引士に対して、購入者等の利益の保護を図るため必要な指導、助言及び勧告をすることができる。

❹ 甲県知事の登録を受けている宅地建物取引士が、乙県知事から事務の禁止の処分を受けた場合は、速やかに、宅地建物取引士証を乙県知事に提出しなければならない。

アプローチ

肢2は、何について不正をしたのかに注意して解きましょう。なお、本試験での正解率は高くありませんでしたが、どの肢もしっかり学習しておきましょう。

解説

❶ 正しい。**宅建士が監督処分を受けた場合**

宅建士が監督処分を受けた場合において、**宅建業者の**責めに帰すべき理由**がある**ことは、指示処分・業務停止処分（情状が特に重いときは免許取消処分）の対象事由である。

❷ 誤り。 **合格決定の取消し**

不正の手段により登録を受けたことは、登録消除処分の対象事由であるが、**合格の取消しや受験の禁止の対象事由ではない**。合格の取消しや受験の禁止の対象事由は、不正の手段によって試験を受け、または受けようとしたことである。

❸ 誤り。 **指導・助言・勧告**

国土交通大臣は、すべての宅建業者に対し、購入者等の利益の保護を図るため必要な指導、助言および勧告をすることができる。すべての「宅地建物取引士」に対してではない。

❹ 誤り。 **宅建士証の提出**

宅建士は、事務禁止**処分**を受けたときは、速やかに、宅建士証を**その**交付を受けた**都道府県知事に**提出しなければならない。甲県知事登録の宅建士は、甲県知事から宅建士証の交付を受けているので、提出先も甲県知事である。「乙県知事」ではない。

罰則

罰則の出題は少ないが、次の点は覚えておこう。
①誇大広告等の禁止に違反した者
　→**6月**以下の懲役もしくは**100万円**以下の罰金またはこれらの併科
②宅建士証の返納・提出義務違反
　重要事項の説明の際の宅建士証の提示義務違反
　→**10万円**以下の**過料**

きほんの教科書 L18-1・2

解答  ❶

88 令5-27 宅建業法総合

宅地建物取引業法第34条の2第1項第4号に規定する建物状況調査（以下この問において「建物状況調査」という。）に関する次の記述のうち、誤っているものはどれか。

❶ 建物状況調査とは、建物の構造耐力上主要な部分又は雨水の浸入を防止する部分として国土交通省令で定めるものの状況の調査であって、経年変化その他の建物に生じる事象に関する知識及び能力を有する者として国土交通省令で定める者が実施するものをいう。

❷ 宅地建物取引業者が建物状況調査を実施する者のあっせんを行う場合、建物状況調査を実施する者は建築士法第2条第1項に規定する建築士であって国土交通大臣が定める講習を修了した者でなければならない。

❸ 既存住宅の売買の媒介を行う宅地建物取引業者が売主に対して建物状況調査を実施する者のあっせんを行った場合、宅地建物取引業者は売主から報酬とは別にあっせんに係る料金を受領することはできない。

❹ 既存住宅の貸借の媒介を行う宅地建物取引業者は、宅地建物取引業法第37条の規定により交付すべき書面に建物の構造耐力上主要な部分等の状況について当事者の双方が確認した事項を記載しなければならない。

アプローチ

よくわからない肢は後回しにして、手持ちの知識で誤りだと判断できる肢がないか探してみましょう。

解説

❶ 正しい。　**建物状況調査**

建物状況調査とは、建物の構造耐力上主要な部分または雨水の浸入を防止する部分として国土交通省令で定めるもの（＝建物の構造耐力上主要な部分等）の状況の調査であって、経年変化その他の建物に生じる事象に関する知識および能力を有する者として国土交通省令で定める者が実施するものをいう。

❷ 正しい。　**建物状況調査を実施する者**

建物状況調査を実施する者は、建築士法２条１項に規定する**建築士**であって**国土交通大臣が定める講習を修了した者**でなければならない。

❸ 正しい。　**建物状況調査を実施する者のあっせん**

建物状況調査を実施する者のあっせんは、媒介業務の一環であるため、報酬とは別に**あっせんに係る料金を受領することはできない**。

❹ 誤り。

建物の売買・交換の場合、当該建物が既存の建物であるときは、建物の構造耐力上主要な部分等の状況について**当事者の双方が確認した事項**を37条書面に記載しなければならない。しかし、本問は貸借なので、当該事項を記載する必要はない。

ポイント整理

建物状況調査（既存建物の場合に追加される事項）

媒介契約書面	依頼者に対する建物状況調査を実施する者の**あっせん**に関する事項
重要事項の説明	①建物状況調査（実施後**1年**※を経過していないものに限る）を**実施**しているかどうか、およびこれを実施している場合におけるその**結果の概要** ※鉄筋コンクリート造または鉄骨鉄筋コンクリート造の**共同住宅等**については**2年** ②設計図書、点検記録その他の建物の建築および維持保全の状況に関する書類で国土交通省令で定めるものの**保存の状況**（賃借では説明不要）
37条書面	建物の構造耐力上主要な部分等の状況について当事者の双方が**確認**した事項

きほんの教科書 L8-3、L11-2、L17-2 復習

解答 ❹

89 平30-28 宅建業法総合

次の記述のうち、宅地建物取引業法（以下この問において「法」という。）の規定によれば、正しいものはいくつあるか。

ア 宅地建物取引業者が、買主として、造成工事完了前の宅地の売買契約を締結しようとする場合、売主が当該造成工事に関し必要な都市計画法第29条第1項の許可を申請中であっても、当該売買契約を締結することができる。

イ 宅地建物取引業者が、買主として、宅地建物取引業者との間で宅地の売買契約を締結した場合、法第37条の規定により交付すべき書面を交付しなくてよい。

ウ 営業保証金を供託している宅地建物取引業者が、売主として、宅地建物取引業者との間で宅地の売買契約を締結しようとする場合、営業保証金を供託した供託所及びその所在地について、買主に対し説明をしなければならない。

エ 宅地建物取引業者が、宅地の売却の依頼者と媒介契約を締結した場合、当該宅地の購入の申込みがあったときは、売却の依頼者が宅地建物取引業者であっても、遅滞なく、その旨を当該依頼者に報告しなければならない。

❶ 一つ
❷ 二つ
❸ 三つ
❹ なし

総合問題も、１つ１つの肢を見れば普通の問題です。あわてずに、１肢ずつ確実に正誤判断をしていきましょう。アの「都市計画法第29条第１項の許可」とは、開発許可のことです。

解説

ア 誤り。 **契約締結時期制限**

宅建業者は、宅地の造成または建物の建築に関する工事の完了前においては、当該工事に必要とされる開発許可・建築確認等の処分があった後でなければ、自ら売買・交換をすることや、売買・交換の代理・媒介をすることができない（契約締結時期制限）。したがって、都市計画法29条1項の許可（開発許可）の申請中に売買契約を締結することはできず、このことは、買主が宅建業者であっても変わりがない。

イ 誤り。 **37条書面の交付方法**

買主として売買契約を締結した宅建業者は、売主に対して37条書面を交付しなければならない。このことは、売主が宅建業者であっても変わりがない。

ウ 誤り。 **供託所等の説明**

宅建業者は、相手方等（宅建業者を除く）に対して、契約が成立するまでの間に、供託所等の説明をするようにしなければならない。本肢の場合、買主が宅建業者なので、売主である宅建業者は、買主に対して供託所等の説明をする必要はない。

エ 正しい。**申込みがあった旨の媒介依頼者への報告**

媒介契約を締結した宅建業者は、当該媒介契約の目的物である宅地・建物の売買・交換の申込みがあったときは、遅滞なく、その旨を依頼者に報告しなければならない。このことは、依頼者が宅建業者であっても変わりがない。

以上より、正しいものはエの一つであり、肢1が正解になる。

宅建業者が宅建業者でない者と異なる扱いを受ける場合

①宅建業者は、営業保証金、弁済業務保証金から還付を受けられない。
②宅建業者に対しては、重要事項説明書を交付すれば足り、説明は必要ない。
③宅建業者に対しては、供託所等の説明をする必要はない。
④自ら売主制限は、買主も宅建業者のときは適用されない。

きほんの教科書 L8-2、L10-3、L11-1・2 

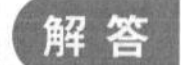

90 住宅瑕疵担保履行法

平27-45改

特定住宅瑕疵担保責任の履行の確保等に関する法律に基づく住宅販売瑕疵担保保証金の供託又は住宅販売瑕疵担保責任保険契約の締結に関する次の記述のうち、正しいものはどれか。

❶ 宅地建物取引業者は、自ら売主として宅地建物取引業者である買主との間で新築住宅の売買契約を締結し、その住宅を引き渡す場合、住宅販売瑕疵担保保証金の供託又は住宅販売瑕疵担保責任保険契約の締結を行う義務を負う。

❷ 自ら売主として新築住宅を販売する宅地建物取引業者は、住宅販売瑕疵担保保証金の供託をする場合、宅地建物取引業者でない買主へのその住宅の引渡しまでに、買主に対し、保証金を供託している供託所の所在地等について記載した書面（当該書面に記載すべき事項を電磁的方法により提供する場合を含む。）を交付して説明しなければならない。

❸ 自ら売主として新築住宅を宅地建物取引業者でない買主に引き渡した宅地建物取引業者は、基準日に係る住宅販売瑕疵担保保証金の供託及び住宅販売瑕疵担保責任保険契約の締結の状況について届出をしなければ、当該基準日以後、新たに自ら売主となる新築住宅の売買契約を締結することができない。

❹ 住宅販売瑕疵担保責任保険契約を締結している宅地建物取引業者は、当該保険に係る新築住宅に、構造耐力上主要な部分及び雨水の浸入を防止する部分の瑕疵（構造耐力又は雨水の浸入に影響のないものを除く。）がある場合に、特定住宅販売瑕疵担保責任の履行によって生じた損害について保険金を請求することができる。

アプローチ

肢2と肢3は、時期に注意して問題文を読みましょう。なお、住宅瑕疵担保履行法は、毎年、問45で出題されます。問題文が長く、一見難しく見えますが、同じことが繰り返し問われているので、しっかり学習すれば得点源になります。

解説

❶ 誤り。 資力確保措置が必要な場合

住宅販売瑕疵担保保証金の供託または住宅販売瑕疵担保責任保険契約の締結（＝資力確保措置）を講じる義務を負うのは、宅建業者が自ら売主として宅建業者でない買主との間で新築住宅の売買契約を締結し、引き渡す場合である。したがって、買主も宅建業者である場合には資力確保措置を講じる義務を負わない。

❷ 誤り。 供託所の所在地等の説明

住宅販売瑕疵担保保証金の供託をしている宅建業者は、新築住宅の売買契約を締結するまでに、保証金を供託している供託所の所在地等について記載した書面を交付して説明しなければならない。「引渡しまでに」ではない。

❸ 誤り。 売買契約の締結制限

宅建業者は、資力確保措置の状況について届出をしなければ、当該基準日の翌日から起算して50日を経過した日以後においては、原則として、新たに自ら売主となる新築住宅の売買契約を締結してはならない。「基準日以後」ではない。

❹ 正しい。住宅販売瑕疵担保責任保険契約

住宅販売瑕疵担保責任保険契約を締結している宅建業者は、特定住宅販売瑕疵担保責任を履行したときは、その履行によって生じた当該宅建業者の損害について保険金を請求することができる。「特定住宅販売瑕疵担保責任」とは、住宅のうち構造耐力上主要な部分または雨水の浸入を防止する部分の瑕疵（構造耐力または雨水の浸入に影響のないものを除く）についての瑕疵担保責任のことである。

キーワード 瑕疵担保責任

種類または品質に関する契約不適合責任のこと。

民法では、令和2年4月施行の改正によって「瑕疵担保責任」という言葉がなくなったが、住宅瑕疵担保履行法では依然として使われている。

きほんの教科書 L19-1・2・3 復習

解答 ❹

学習優先度 高

91 住宅瑕疵担保履行法

令2-45

理解度チェック

宅地建物取引業者Ａ（甲県知事免許）が、自ら売主として宅地建物取引業者ではない買主Ｂに新築住宅を販売する場合における次の記述のうち、特定住宅瑕疵担保責任の履行の確保等に関する法律の規定によれば、正しいものはどれか。

❶ Ａが媒介を依頼した宅地建物取引業者又はＢが住宅販売瑕疵担保責任保険契約の締結をしていれば、Ａは住宅販売瑕疵担保保証金の供託又は住宅販売瑕疵担保責任保険契約の締結を行う必要はない。

❷ Ａが住宅販売瑕疵担保保証金の供託をし、その額が、基準日において、販売新築住宅の合計戸数を基礎として算定する基準額を超えることとなった場合、甲県知事の承認を受けた上で、その超過額を取り戻すことができる。

❸ 新築住宅をＢに引き渡したＡは、基準日ごとに基準日から50日以内に、当該基準日に係る住宅販売瑕疵担保保証金の供託及び住宅販売瑕疵担保責任保険契約の締結の状況について、甲県知事に届け出なければならない。

❹ Ｂが宅地建物取引業者である場合であっても、Ａは、Ｂに引き渡した新築住宅について、住宅販売瑕疵担保保証金の供託又は住宅販売瑕疵担保責任保険契約の締結を行う義務を負う。

アプローチ

正解肢が難しくても、他の肢が正解肢にならないことが分かれば、消去法で答えが出ます。

解説

❶ 誤り。 **資力確保措置が必要な場合**

住宅販売瑕疵担保保証金の供託または住宅販売瑕疵担保責任保険契約（以下「資力確保措置」）を講じる義務を負うのは、自ら売主となる宅建業者である。したがって、Aは資力確保措置を講じる必要がある。

❷ 正しい。**住宅販売瑕疵担保保証金の取戻し**

住宅販売瑕疵担保保証金の供託をしている者は、基準日において当該住宅販売瑕疵担保保証金の額が当該基準日に係る基準額を超えることとなったときは、その超過額を取り戻すことができる。そして、その際には、免許を受けた国土交通大臣または都道府県知事の承認を受けなければならない。

❸ 誤り。 **資力確保措置の状況の届出**

宅建業者は、基準日ごとに、当該基準日に係る資力確保措置の状況について、基準日から３週間以内に、免許を受けた国土交通大臣または都道府県知事に届け出なければならない。「50日以内」ではない。

❹ 誤り。 **資力確保措置が必要な場合**

資力確保措置を講じる義務を負うのは、宅建業者が自ら売主として宅建業者でない買主との間で新築住宅の売買契約を締結し、引き渡す場合である。したがって、買主も宅建業者である場合には資力確保措置を講じる必要はない。

ここが狙われる！ 資力確保措置の状況の届出と契約締結制限

届出 → 「基準日から」「３週間」以内

契約締結制限 → 「基準日の翌日」から起算して「50日」を経過した日以後

きほんの教科書 L19-1・2 復習

解答 ❷

学習優先度 高

92 住宅瑕疵担保履行法

令2追-45

宅地建物取引業者Ａが自ら売主として、宅地建物取引業者ではない買主Ｂに新築住宅を販売する場合における次の記述のうち、特定住宅瑕疵担保責任の履行の確保等に関する法律によれば、正しいものはどれか。

❶ Aが、住宅販売瑕疵担保保証金を供託する場合、当該住宅の床面積が100㎡以下であるときは、新築住宅の合計戸数の算定に当たって、2戸をもって1戸と数えることになる。

❷ Aは、住宅瑕疵担保責任保険法人と住宅販売瑕疵担保責任保険契約の締結をした場合、Bが住宅の引渡しを受けた時から10年以内に当該住宅を転売したときは、当該住宅瑕疵担保責任保険法人にその旨を申し出て、当該保険契約の解除をしなければならない。

❸ Aは、住宅販売瑕疵担保責任保険契約の締結をした場合、当該住宅を引き渡した時から10年間、当該住宅の構造耐力上主要な部分、雨水の浸入を防止する部分、給水設備又はガス設備の隠れた瑕疵によって生じた損害について保険金の支払を受けることができる。

❹ 住宅販売瑕疵担保責任保険契約は、新築住宅を引き渡したAが住宅瑕疵担保責任保険法人と締結する必要があり、Bが保険料を支払うものではない。

解説

❶ 誤り。 **合計戸数の算定**

住宅販売瑕疵担保保証金の額は、住宅供給戸数に応じて決められているが、その戸数の算定に当たって、床面積が55㎡以下の住宅は2戸をもって1戸と数える。「100㎡以下」ではない。

❷ 誤り。 **住宅販売瑕疵担保責任保険契約**

転売をしたときは住宅販売瑕疵担保責任保険契約の解除をしなければならない旨の規定はない。なお、住宅販売瑕疵担保責任保険契約は、国土交通大臣の承認を受けた場合を除き、変更または解除をすることができない。

❸ 誤り。 **住宅販売瑕疵担保責任保険契約**

住宅販売瑕疵担保責任保険契約を締結している宅建業者は、当該住宅を引き渡した時から10年間、当該住宅の構造耐力上**主要な部分または**雨水**の浸入を防止する部分**の瑕疵（構造耐力または雨水の浸入に影響のないものを除く）によって生じた損害について保険金の支払を受けることができる。「給水設備又はガス設備」は含まれていない。

❹ 正しい。**住宅販売瑕疵担保責任保険契約**

住宅販売瑕疵担保責任保険契約は、新築住宅を引き渡した宅建業者**が住宅瑕疵担保責任保険法人と締結する必要があり、保険料は、当該**宅建業者**が支払う。**

構造耐力上主要な部分または雨水の浸入を防止する部分

構造耐力上主要な部分とは、基礎、壁、柱、土台、床版、屋根版のように、建物の重さを支え、積雪、風圧、地震などの力に対抗する部分のことである。

雨水の侵入を防ぐ部分とは、たとえば、屋根と外壁の仕上げ、開口部に設けるサッシ等のことである。

解答 ❹

学習優先度 高

93 住宅瑕疵担保履行法

令3追-45

理解度チェック

宅地建物取引業者Aが、自ら売主として宅地建物取引業者ではない買主Bに新築住宅を販売する場合における次の記述のうち、特定住宅瑕疵担保責任の履行の確保等に関する法律の規定によれば、正しいものはどれか。

❶ Aは、Bの承諾を得た場合には、Bに引き渡した新築住宅について、住宅販売瑕疵担保保証金の供託又は住宅販売瑕疵担保責任保険契約の締結を行わなくてもよい。

❷ Aは、基準日に係る住宅販売瑕疵担保保証金の供託及び住宅販売瑕疵担保責任保険契約の締結の状況について届出をしなければ、当該基準日の翌日から起算して1月を経過した日以後においては、新たに自ら売主となる新築住宅の売買契約を締結することができない。

❸ Aが住宅販売瑕疵担保責任保険契約を締結する場合、保険金額は2,000万円以上でなければならないが、Bの承諾を得た場合には、保険金額を500万円以上の任意の額とすることができる。

❹ Aが住宅販売瑕疵担保責任保険契約を締結した場合、住宅の構造耐力上主要な部分又は雨水の浸入を防止する部分の瑕疵があり、Aが相当の期間を経過してもなお特定住宅販売瑕疵担保責任を履行しないときは、Bは住宅販売瑕疵担保責任保険契約の有効期間内であれば、その瑕疵によって生じた損害について保険金を請求することができる。

アプローチ

肢2以外は、各肢の内容が買主の保護になるかどうかの観点で考えてみるとよいでしょう。

解説

❶ 誤り。 **資力確保措置を講じないことに関する承諾**

宅建業者は、自ら売主として宅建業者でない買主との間で新築住宅の売買契約を締結し、引き渡す場合には、住宅販売瑕疵担保保証金の供託または住宅販売瑕疵担保責任保険契約の締結を行わなければならない。これらの義務は、買主の承諾を得ても免除されない。

❷ 誤り。 **売買契約の締結制限**

宅建業者は、基準日に係る住宅販売瑕疵担保保証金の供託および住宅販売瑕疵担保責任保険契約の締結の状況についての届出をしなければ、当該基準日の翌日から起算して50日を経過した日以後においては、原則として、新たに自ら売主となる新築住宅の売買契約を締結してはならない。「1月」ではない。

❸ 誤り。 **住宅販売瑕疵担保責任保険契約**

住宅販売瑕疵担保責任保険契約は、保険金額が2,000万円以上でなければならず、例外規定はない。

❹ 正しい。**住宅販売瑕疵担保責任保険契約**

住宅販売瑕疵担保責任保険契約は、住宅の構造耐力上主要な部分または雨水の浸入を防止する部分の瑕疵に関する損害をてん補するものである。そして、宅建業者が相当の期間を経過しても特定住宅販売瑕疵担保責任を履行しないときは、買主は、保険金を請求することができる。

履行確保措置の状況についての届出等

基準日ごとに、資力確保措置の状況について、当該**基準日**から**3週間**以内に免許権者に届出

→届出をしない場合、**基準日の翌日**から起算して**50日**を経過した日以後、新たに自ら売主となる新築住宅の売買契約をしてはならない。

きほんの教科書 L19-1・2 復習　解答 ❹

学習優先度 高

94 令4-45 住宅瑕疵担保履行法

特定住宅瑕疵担保責任の履行の確保等に関する法律に基づく住宅販売瑕疵担保保証金の供託又は住宅販売瑕疵担保責任保険契約の締結に関する次の記述のうち、正しいものはどれか。

❶ 宅地建物取引業者は、自ら売主として宅地建物取引業者である買主との間で新築住宅の売買契約を締結し、その住宅を引き渡す場合、住宅販売瑕疵担保保証金の供託又は住宅販売瑕疵担保責任保険契約の締結を行う義務を負う。

❷ 住宅販売瑕疵担保責任保険契約は、新築住宅の引渡し時から10年以上有効でなければならないが、当該新築住宅の買主の承諾があれば、当該保険契約に係る保険期間を5年間に短縮することができる。

❸ 自ら売主として新築住宅を販売する宅地建物取引業者は、基準日から3週間を経過する日までの間において、当該基準日前10年間に自ら売主となる売買契約に基づき宅地建物取引業者ではない買主に引き渡した新築住宅（住宅販売瑕疵担保責任保険契約に係る新築住宅を除く。）について、住宅販売瑕疵担保保証金の供託をしていなければならない。

❹ 宅地建物取引業者が住宅販売瑕疵担保保証金の供託をし、その額が、基準日において、販売新築住宅の合計戸数を基礎として算定する基準額を超えることとなった場合、宅地建物取引業法の免許を受けた国土交通大臣又は都道府県知事の承認がなくても、その超過額を取り戻すことができる。

解説

❶ 誤り。　**資力確保措置が必要な場合**

住宅販売瑕疵担保保証金の供託または住宅販売瑕疵担保責任保険契約の締結をする義務を負うのは、宅建業者が自ら売主として宅建業者でない買主との間で新築住宅の売買契約を締結し、引き渡す場合である。買主も宅建業者である場合には、上記の義務を負わない。

❷ 誤り。　**住宅販売瑕疵担保責任保険契約**

住宅販売瑕疵担保責任保険契約は、新築住宅の引渡し時から10年以上有効でなければならず、本肢のような例外はない。

❸ 正しい。**住宅販売瑕疵担保保証金の供託**

宅建業者は、基準日から3週間を経過する日までの間において、当該基準日前10年間に自ら売主となる売買契約に基づき宅建業者でない買主に引き渡した新築住宅（住宅販売瑕疵担保責任保険契約に係る新築住宅を除く）について、住宅販売瑕疵担保保証金の供託をしていなければならない。つまり、供託は基準日から3週間以内に行わなければならず、供託額は過去10年間に引き渡した新築住宅の数で決まる。

❹ 誤り。　**住宅販売瑕疵担保保証金の取戻し**

宅建業者は、基準日において住宅販売瑕疵担保保証金の額が当該基準日に係る基準額を超えることとなったときは、宅建業の免許を受けた国土交通大臣または都道府県知事の承認を受けて、その超過額を取り戻すことができる。

ポイント整理

住宅販売瑕疵担保責任保険契約のポイント

①宅建業者が締結し、保険料も**宅建業者**が支払う。
②宅建業者は、特定住宅販売瑕疵担保責任を履行した場合、**保険金**を請求することができる。
③保険は、新築住宅の買主が引渡しを受けた時から**10年**以上有効でなければならない。

解答 ❸

MEMO

2025年版

ユーキャンの

宅建士

きほんの問題集

＝ 第3分冊 ＝

第3編［法令上の制限］

第4編［税・その他］

第3編

法令上の制限

法令上の制限　過去10年間の出題一覧

　ここでは、出題一覧と学習優先度を掲載しています。出題一覧は過去10年間のうち、出題された年度に●をつけています。学習優先度は、受験者の問題ごとの正答率データをもとに合格に必要な知識か否かを徹底的に解析し、ここ30年の出題傾向を踏まえて、合格するための学習優先度を総合的に判断したものです。学習優先度が高いと思われるものから順に、高・中・低の3段階で表示しています。（各問題にも設定しています。）

	テーマ	H26	27	28	29	30	R1	2	3	4	5	学習優先度
都計法	都市計画	●	●	●		●	●	●	●	●	●	高
	開発許可制度	●	●	●	●	●	●	●	●	●	●	高
	開発許可制度以外の都市計画制限				●	●		●				中
建基法	建築基準法のしくみ					●				●		低
	建築確認	●	●		●	●		●	●	●		高
	集団規定	●	●	●	●	●	●	●	●	●	●	高
	単体規定	●		●	●	●	●	●	●	●	●	中
	建築協定		●									低
盛土法	宅地造成等工事規制区域	※	※	※	※	※	※	※	※	※	※	高
	特定盛土等規制区域											中
	造成宅地防災区域			●			●		●	●	●	中
区画法	土地区画整理法のしくみ					●						低
	土地区画整理事業の施行者				●			●				中
	換地計画	●					●	●	●			高
	建築行為等の制限			●		●			●	●		高
	仮換地		●	●		●				●	●	高
	換地処分	●	●				●		●	●	●	高
農地法	農地・採草放牧地	●		●		●		●				高
	3条・4条・5条許可	●	●	●	●	●	●	●	●	●	●	高
	許可を受けなかった場合			●				●	●	●	●	高
国土法・他	事後届出制	●	●	●	●	●	●	●	●	●	●	高
	事前届出制			●								低
	その他の法令	●			●						●	低

※　改正前の「宅地造成工事規制区域」については、出題あり。

目標得点　5点/8問

論点別の傾向と対策

都市計画法：開発許可制度に関する問題が出題されることが多く、最重要項目ですが、近年、開発許可制度以外の都市計画制限からの出題も増えており、手を抜けません。また、都市計画区域や都市計画の内容は、他の法律の前提ともなる部分であり、正確に理解しておく必要があります。

建築基準法：近年、特定の項目の知識だけでなく、複数の項目の知識が必要となる総合問題の出題が増えています。このような問題に対処するため、各項目について幅広く知識を押さえておく必要があります。

盛土規制法：例年1問出題されてきた宅地造成等規制法の改正リニューアル版の法律です。改正前と比べて内容的に盛りだくさんとなった法律ですが、まずは、典型テーマである宅地造成等工事規制区域内での規制を中心に、ある程度ポイントを絞って学習しましょう。

土地区画整理法：出題範囲が広く、対策を立てづらい法律です。あまり深入りしないほうが、試験対策上は得策です。

農地法：農地の意味と3条・4条・5条許可からの出題がほとんどです。出題のポイントが少ないので、必ず得点できるように準備しておくべき法律です。

国土利用計画法：大別して事後届出制・事前届出制・許可制の3項目があります。このうち、事後届出制についての出題がほとんどですから、事後届出の要否の区別と手続きを中心に学習しましょう。

★上記以外の法律が出題されることもありますが、範囲が広い割に出題の可能性は低いので、ポイントだけを学習すれば十分です。

01 都市計画法

令4-15

理解度チェック

都市計画法に関する次の記述のうち、誤っているものはどれか。

❶ 市街化区域については、都市計画に、少なくとも用途地域を定めるものとされている。

❷ 準都市計画区域については、都市計画に、特別用途地区を定めることができる。

❸ 高度地区については、都市計画に、建築物の容積率の最高限度又は最低限度を定めるものとされている。

❹ 工業地域は、主として工業の利便を増進するため定める地域とされている。

アプローチ

それぞれの都市計画の内容について、イメージ＆キーワードで○×を判断しましょう。

解説

❶ 正しい。用途地域を定める区域と定めない区域

市街化区域については、都市計画に、少なくとも（＝必ず）用途地域を定める。なお、市街化調整区域については、都市計画に、原則として用途地域を定めない。

❷ 正しい。準都市計画区域に定めることができる都市計画

準都市計画区域については、都市計画に、特別用途地区を定めることができる。

❸ 誤り。　高度地区

高度地区については、都市計画に、「建築物の容積率」ではなく、建築物の高さの最高限度または最低限度を定める。なお、本肢は、「建築物の容積率の最高限度および最低限度」などを都市計画に定める「高度利用地区」とのひっかけである。

❹ 正しい。工業地域

工業地域は、主として工業の利便を増進するため定める地域である。

キーワード　市街化区域・市街化調整区域

市街化区域とは、すでに市街地を形成している区域およびおおむね10年以内に優先的かつ計画的に市街化を図るべき区域をいう。市街化調整区域とは、市街化を抑制すべき区域をいう。

高度利用地区

高度利用地区は、用途地域内の市街地における土地の合理的かつ健全な高度利用と都市機能の更新とを図るため、建築物の容積率の最高限度および最低限度、建築物の建蔽率の最高限度、建築物の建築面積の最低限度ならびに壁面の位置の制限を定める地区である。

きほんの教科書 L1-3・4・7 復習

解答 ❸

02 都市計画法

平23-16

都市計画法に関する次の記述のうち、正しいものはどれか。

❶ 都市計画区域は、市又は人口、就業者数その他の要件に該当する町村の中心の市街地を含み、かつ、自然的及び社会的条件並びに人口、土地利用、交通量その他の現況及び推移を勘案して、一体の都市として総合的に整備し、開発し、及び保全する必要がある区域を当該市町村の区域の区域内に限り指定するものとされている。

❷ 準都市計画区域については、都市計画に、高度地区を定めることはできるが、高度利用地区を定めることはできないものとされている。

❸ 都市計画区域については、区域内のすべての区域において、都市計画に、用途地域を定めるとともに、その他の地域地区で必要なものを定めるものとされている。

❹ 都市計画区域については、無秩序な市街化を防止し、計画的な市街化を図るため、都市計画に必ず市街化区域と市街化調整区域との区分を定めなければならない。

アプローチ

準都市計画区域内に定めることができる都市計画については、「大規模な開発や建築が無秩序に行われないようにするための土地利用規制のプランに限られる」とイメージしておきましょう。

解説

❶ 誤り。　都市計画区域の指定

都市計画区域は、必要があるときは、市町村の区域外にわたり、指定できるものとされている。

❷ 正しい。準都市計画区域に定めることができる都市計画

準都市計画区域については、都市計画に、高度地区（建築物の高さの最高限度のみ）を定めることはできるが、高度利用地区を定めることはできない。

❸ 誤り。　用途地域を定める区域と定めない区域

都市計画区域のうち、市街化区域については、少なくとも（＝必ず）用途地域を定めるものとされているが、市街化調整区域については、原則として用途地域を定めないものとされている。したがって、都市計画区域内のすべての区域において、都市計画に用途地域などを定めるものとされているわけではない。なお、「その他の地域地区で必要なものを定めるものとされている」という部分は、正しい記述である。

❹ 誤り。　区域区分

都市計画区域について無秩序な市街化を防止し、計画的な市街化を図るため必要があるときは、都市計画に、市街化区域と市街化調整区域との区分（区域区分）を定めることができる。しかし、区域区分は、一定の都市計画区域を除き、必ず定めなければならないものではない。

準都市計画区域に定めることができる都市計画

定めることができる都市計画	定めることができない都市計画
用途地域	区域区分
特別用途地区	高度利用地区
高度地区（建築物の高さの最高限度のみ）	防火地域・準防火地域
特定用途制限地域	市街地開発事業
風致地区　など	地区計画　など

きほんの教科書 L1-1・2・3・7 復習　　解答 ❷

03 都市計画法

令1-15

理解度チェック  

都市計画法に関する次の記述のうち、誤っているものはどれか。

❶ 高度地区は、用途地域内において市街地の環境を維持し、又は土地利用の増進を図るため、建築物の高さの最高限度又は最低限度を定める地区とされている。

❷ 特定街区については、都市計画に、建築物の容積率並びに建築物の高さの最高限度及び壁面の位置の制限を定めるものとされている。

❸ 準住居地域は、道路の沿道としての地域の特性にふさわしい業務の利便の増進を図りつつ、これと調和した住居の環境を保護するため定める地域とされている。

❹ 特別用途地区は、用途地域が定められていない土地の区域（市街化調整区域を除く。）内において、その良好な環境の形成又は保持のため当該地域の特性に応じて合理的な土地利用が行われるよう、制限すべき特定の建築物等の用途の概要を定める地区とされている。

アプローチ

他の都市計画のプランと「名称やキーワードを入れ替える」ひっかけに注意しましょう。

解説

❶ 正しい。**高度地区**

高度地区は、用途地域内において市街地の環境を維持し、または土地利用の増進を図るため、建築物の高さの最高限度または最低限度を定める地区である。

❷ 正しい。**特定街区**

特定街区とは、市街地の整備改善を図るため街区の整備または造成が行われる地区について、その街区内における容積率、高さの最高限度、壁面の位置の制限を定める街区である。そこで、特定街区については、都市計画に、容積率、高さの最高限度、壁面の位置の制限を定めるものとされている。

❸ 正しい。**準住居地域**

準住居地域は、13種類ある用途地域の１つで、道路の沿道としての地域の特性にふさわしい業務の利便の増進を図りつつ、これと調和した住居の環境を保護するため定める地域である。

❹ 誤り。　**特別用途地区**

特別用途地区は、**用途地域**内の一定の地区における当該地区の特性にふさわしい土地利用の増進、環境の保護等の特別の目的の実現を図るため当該用途地域の**指定を補完**して定める地区である。「用途地域が定められていない土地の区域」に定めることはできないし、「制限すべき特定の建築物等の用途の概要を定める地区」でもない。なお、本肢は、特定用途制限地域の意味内容とのひっかけである。

特定用途制限地域

特定用途制限地域は、用途地域が**定められていない**土地の区域（市街化調整区域を除く）内において、その良好な環境の形成または保持のため当該地域の特性に応じて合理的な土地利用が行われるよう、**制限**すべき特定の建築物等の**用途**の概要を定める地域である。肢４の「特別用途地区」とまぎらわしいので、注意しよう。

きほんの教科書 L1-3・4 復習　　解答 ❹

04 令5-15 都市計画法

理解度チェック

都市計画法に関する次の記述のうち、正しいものはどれか。

❶ 市街化調整区域は、土地利用を整序し、又は環境を保全するための措置を講ずることなく放置すれば、将来における一体の都市としての整備に支障が生じるおそれがある区域とされている。

❷ 高度利用地区は、土地の合理的かつ健全な高度利用と都市機能の更新とを図るため、都市計画に、建築物の高さの最低限度を定める地区とされている。

❸ 特定用途制限地域は、用途地域が定められている土地の区域内において、都市計画に、制限すべき特定の建築物等の用途の概要を定める地域とされている。

❹ 地区計画は、用途地域が定められている土地の区域のほか、一定の場合には、用途地域が定められていない土地の区域にも定めることができる。

解説

❶ 誤り。市街化調整区域

市街化調整区域は、市街化を抑制すべき区域である。

❷ 誤り。高度利用地区

高度利用地区は、用途地域内の市街地における土地の合理的かつ健全な高度利用と都市機能の更新とを図るため、建築物の容積率の最高限度および最低限度などを定める地区である。

❸ 誤り。特定用途制限地域

特定用途制限地域は、用途地域が定められていない土地の区域（市街化調整区域を除く）内において、その良好な環境の形成または保持のため当該地域の特性に応じて合理的な土地利用が行われるよう、制限すべき特定の建築物等の用途の概要を定める地域である。したがって、「用途地域が定められている土地の区域内」において定める地域ではない。

❹ 正しい。地区計画

地区計画は、①用途地域が定められている土地の区域のほか、②用途地域が定められていない土地の区域のうち、健全な住宅市街地における良好な居住環境その他優れた街区の環境が形成されている土地の区域などにも、定めることができる。

準都市計画区域

肢1は、「準都市計画区域」の意味内容とのひっかけである。「準都市計画区域」とは、都市計画区域外の一定の区域で、そのまま土地利用を整序し、または環境を保全するための措置を講ずることなく放置すれば、将来における一体の都市としての整備、開発および保全に支障が生じるおそれがあると認められる区域をいう。具体的には、郊外のインターチェンジ周辺のような「人があまり住んでいない、乱開発を抑えたい場所」だとイメージしておこう。

きほんの教科書 L1-2・4・6 復習

解答 ④

05 都市計画法

平28-16

理解度チェック

都市計画法に関する次の記述のうち、正しいものはどれか。

❶ 市街地開発事業等予定区域に係る市街地開発事業又は都市施設に関する都市計画には、施行予定者をも定めなければならない。

❷ 準都市計画区域については、都市計画に準防火地域を定めることができる。

❸ 高度利用地区は、用途地域内において市街地の環境を維持し、又は土地利用の増進を図るため、建築物の高さの最高限度又は最低限度を定める地区である。

❹ 地区計画については、都市計画に、地区計画の種類、名称、位置、区域及び面積並びに建築物の建蔽率及び容積率の最高限度を定めなければならない。

アプローチ

細かい内容を含む問題なので、２択勝負ぐらいまで持ち込むことができれば十分です。

解説

❶ 正しい。**市街地開発事業等予定区域**

市街地開発事業等予定区域に係る市街地開発事業または都市施設に関する都市計画には、施行予定者をも定めなければならない。

❷ 誤り。　**準都市計画区域に定めることができる都市計画**

準都市計画区域については、都市計画に防火地域・準防火地域を定めることはできない。

❸ 誤り。　**高度利用地区**

高度利用地区は、用途地域内の市街地における土地の合理的かつ健全な高度利用と都市機能の更新とを図るため、建築物の容積率の最高限度および最低限度などを定める地区である。本肢の建築物の「高さ」の最高限度または最低限度を定める地区とは、高度地区のことである。

❹ 誤り。　**地区計画**

地区計画については、都市計画に、地区計画の位置・区域などを定めるものとするとともに、区域の面積を定めるよう努めるものとされている。しかし、「建築物の建蔽率及び容積率の最高限度」を定めなければならない旨の規定はない。

高度地区

高度地区は、用途地域内において市街地の環境を維持し、または土地利用の増進を図るため、建築物の高さの最高限度または最低限度を定める地区である。肢３の「高度利用地区」とまぎらわしいので、注意しよう。

きほんの教科書 L1-4・6・7 復習

解答 ❶

06 都市計画法

平27-16

学習優先度 中

理解度チェック

都市計画法に関する次の記述のうち、正しいものはどれか。

❶ 第二種住居地域における地区計画については、一定の条件に該当する場合、開発整備促進区を都市計画に定めることができる。

❷ 準都市計画区域について無秩序な市街化を防止し、計画的な市街化を図るため必要があるときは、都市計画に、区域区分を定めることができる。

❸ 工業専用地域は、工業の利便を増進するため定める地域であり、風致地区に隣接してはならない。

❹ 市町村が定めた都市計画が、都道府県が定めた都市計画と抵触するときは、その限りにおいて、市町村が定めた都市計画が優先する。

アプローチ

やや細かい内容を含む問題ですが、基礎知識を武器に肢を絞り、正解肢を追い込んでいきましょう。

解説

❶ 正しい。開発整備促進区

第二種住居地域・準住居地域・工業地域・用途地域が定められていない土地の区域（市街化調整区域を除く）における地区計画については、一定の条件に該当する場合、開発整備促進区を都市計画に定めることができる。

❷ 誤り。　準都市計画区域に定めることができる都市計画

「準都市計画区域」については、都市計画に、市街化区域と市街化調整区域との区分（＝「区域区分」）を定めることはできない。なお、都市計画区域については、無秩序な市街化を防止し、計画的な市街化を図るため必要があるときは、都市計画に、区域区分を定めることができる。

❸ 誤り。　工業専用地域

工業専用地域が風致地区に隣接してはならないとする規定はない。なお、「工業専用地域は、工業の利便を増進するため定める地域であり」という部分は、正しい内容の記述である。

❹ 誤り。　都市計画の決定

市町村が定めた都市計画が、都道府県が定めた都市計画と抵触するときは、その限りにおいて、都道府県が定めた都市計画が優先する。

キーワード　開発整備促進区

開発整備促進区とは、シネコンやショッピングモールのような、劇場・店舗・飲食店などの用途に供する大規模な建築物の整備による商業その他の業務の利便の増進を図るため、一体的かつ総合的な市街地の開発整備を実施すべき区域のことをいう。

きほんの教科書 L1-3・6・7・8 復習

解答 ❶

07 都市計画法

平25-16

理解度チェック

都市計画法に関する次の記述のうち、正しいものはどれか。

❶ 開発行為とは、主として建築物の建築の用に供する目的で行う土地の区画形質の変更を指し、特定工作物の建設の用に供する目的で行う土地の区画形質の変更は開発行為には該当しない。

❷ 市街化調整区域において行う開発行為で、その規模が300m²であるものについては、常に開発許可は不要である。

❸ 市街化区域において行う開発行為で、市町村が設置する医療法に規定する診療所の建築の用に供する目的で行うものであって、当該開発行為の規模が1,500m²であるものについては、開発許可は必要である。

❹ 非常災害のため必要な応急措置として行う開発行為であっても、当該開発行為が市街化調整区域において行われるものであって、当該開発行為の規模が3,000m²以上である場合には、開発許可が必要である。

アプローチ

開発行為の種類・場所・規模に着目して、開発許可の要否を判断しましょう。

解説

❶ 誤り。　開発行為の意味

開発行為には、主として建築物の建築の用に供する目的で行う土地の区画形質の変更だけでなく、主として特定工作物の建設の用に供する目的で行う土地の区画形質の変更も含まれる。

❷ 誤り。　開発許可が不要となる例外

市街化調整区域において行う開発行為については、面積により開発許可不要となる例外はない。したがって、その規模が300m^{2}であっても、他の例外にあたらない限り、開発許可が必要である。

❸ 正しい。開発許可が不要となる例外

診療所は開発許可が不要となる公益上必要な建築物にあたらないので、公益上必要な建築物の建築の用に供する目的で行われる開発行為の例外にはあたらない。また、市街化区域内の場合、原則として1,000m^{2}未満の開発行為は許可不要であるが、本肢の開発行為の規模は1,500m^{2}であるから、小規模な開発行為の例外にもあたらない。したがって、原則どおり、開発許可が必要である。

❹ 誤り。　開発許可が不要となる例外

非常災害のため必要な応急措置として行う開発行為は、場所や規模に関係なく、開発許可が不要である。

開発許可が不要となる場合

	都市計画区域			準都市計画区域	都市計画区域および準都市計画区域外
	市街化区域	市街化調整区域	非線引区域		
・小規模な開発行為	1,000m^{2}未満の場合は許可**不要**	面積による例外なし	3,000m^{2}未満の場合は許可**不要**		1ha（10,000m^2）未満の場合は許可**不要**
・農林漁業用建築物	農林漁業用建築物の例外なし	許可**不要**			

・公益上必要な建築物の建築のための開発行為
・都市計画事業、土地区画整理事業などの施行として行う開発行為
・非常災害のため必要な応急措置として行う開発行為
・通常の管理行為や軽易な行為　など

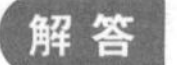

❸

法令上の制限

08 都市計画法

令1-16

都市計画法に関する次の記述のうち、正しいものはどれか。ただし、許可を要する開発行為の面積については、条例による定めはないものとし、この問において「都道府県知事」とは、地方自治法に基づく指定都市、中核市及び施行時特例市にあってはその長をいうものとする。

❶ 準都市計画区域において、店舗の建築を目的とした4,000m²の土地の区画形質の変更を行おうとする者は、あらかじめ、都道府県知事の許可を受けなければならない。

❷ 市街化区域において、農業を営む者の居住の用に供する建築物の建築を目的とした1,500m²の土地の区画形質の変更を行おうとする者は、都道府県知事の許可を受けなくてよい。

❸ 市街化調整区域において、野球場の建設を目的とした8,000m²の土地の区画形質の変更を行おうとする者は、あらかじめ、都道府県知事の許可を受けなければならない。

❹ 市街化調整区域において、医療法に規定する病院の建築を目的とした1,000m²の土地の区画形質の変更を行おうとする者は、都道府県知事の許可を受けなくてよい。

アプローチ

開発許可が必要となる大前提は、そもそも「開発行為」であること。問題のどこかに、「開発行為」でない肢が潜んでいるかもしれません！

解説

❶ 正しい。**開発許可が不要となる例外**

準都市計画区域内では、原則として3,000m²未満の開発行為を行う者は、都道府県知事の許可（**開発許可**）**を受ける必要はない**（小規模な開発行為の例外）。しかし、本肢の開発行為の規模は4,000m²であるから、**小規模な開発行為の例外**にはあたらず、原則どおり、開発許可を受けなければならない。

❷ 誤り。 **開発許可が不要となる例外**

市街化区域内では、原則として1,000m²未満の開発行為を行う者は**開発許可を受ける必要はない**（小規模な開発行為の例外）。しかし、本肢の開発行為の規模は1,500m²であるから、**小規模な開発行為の例外**にはあたらない。また、農林漁業を営む者の居住用**の建築物**を建築するための開発行為の例外は、市街化区域**内では適用されない**。したがって、原則どおり、開発許可を受けなければならない。

❸ 誤り。 **開発行為の意味**

主として特定工作物**の建設の用に供する目的**で行う土地の区画形質の変更であれば、**開発行為**にあたる。野球場・庭球場・遊園地・墓園などについては、1ヘクタール（10,000m²）以上の規模であれば、**第二種特定工作物**にあたる。したがって、本肢の8,000m²の野球場は第二種特定工作物にあたらず、その建設の用に供する目的で行う土地の区画形質の変更は、そもそも開発行為**ではない**。したがって、開発許可を受ける必要はない。

❹ 誤り。 **開発許可が不要となる例外**

病院は開発許可が不要となる公益上必要な建築物にあたらないので、**公益上必要な建築物**の建築の用に供する目的で行われる開発行為の**例外には**あたらない。また、市街化調整**区域**において行う開発行為については、面積**により**開発許可不要**となる例外はない**。したがって、原則どおり、開発許可を受けなければならない。

特定工作物

第一種特定工作物	コンクリートプラント、アスファルトプラントなど
第二種特定工作物	**ゴルフコース**（面積の限定なし） **1ヘクタール**（10,000m²）以上の野球場・庭球場・遊園地・墓園など

きほんの教科書 L2-3・4 復習　　解答 ❶

09 平24-17 都市計画法

理解度チェック

次の記述のうち、都市計画法による許可を受ける必要のある開発行為の組合せとして、正しいものはどれか。ただし、許可を要する開発行為の面積については、条例による定めはないものとする。

ア 市街化調整区域において、図書館法に規定する図書館の建築の用に供する目的で行われる3,000m^2の開発行為

イ 準都市計画区域において、医療法に規定する病院の建築の用に供する目的で行われる4,000m^2の開発行為

ウ 市街化区域内において、農業を営む者の居住の用に供する建築物の建築の用に供する目的で行われる1,500m^2の開発行為

❶ ア、イ
❷ ア、ウ
❸ イ、ウ
❹ ア、イ、ウ

アプローチ

組合せ問題では、記述を1つ判断するごとに、肢1～4のうち「正解としてありえない肢」を消去していきましょう。1つの記述について自信を持って正誤判断できれば、正解肢を効率よく絞り込めることが多いです。

解説

ア 許可不要。**開発許可が不要となる例外**

開発行為を行う場合、原則として、都市計画法による許可（開発許可）を受ける必要がある。しかし、図書館など一定の公益上必要な**建築物**の建築の用に供する目的で行われる開発行為は、**例外**として、開発許可を受ける必要はない。

イ 許可必要。**開発許可が不要となる例外**

病院は開発許可が不要となる公益上必要な建築物にあたらないので、公益上必要な**建築物**の建築の用に供する目的で行われる開発行為の**例外には**あたらない。また、準都市計画区域内の場合、原則として3,000m^{2}未満の開発行為は許可不要であるが、イの開発行為の規模は4,000m^{2}であるから、小規模な**開発行為の例外にも**あたらない。したがって、原則どおり、開発許可を受ける必要がある。

ウ 許可必要。**開発許可が不要となる例外**

市街化区域内では農林漁業を営む者の居住用の**建築物**などを建築するための開発行為の**例外はない**。また、市街化区域内の場合、原則として1,000m^{2}未満の開発行為は許可不要であるが、ウの開発行為の規模は1,500m^{2}であるから、小規模な**開発行為の例外にも**あたらない。したがって、原則どおり、開発許可を受ける必要がある。

以上より、許可が必要なものはイ、ウであり、肢3が正解になる。

・ここが狙われる！ 組合せ問題

アプローチを参考に、組合せ問題に慣れておこう。1つの記述の正誤判断ができれば肢を絞り込めることも多いので、ふつうの4肢択一式より正解を見つけやすいタイプの問題である。

きほんの教科書 L2-4 復習

解答 ❸

都市計画法

理解度チェック

都市計画法に関する次の記述のうち、正しいものはどれか。ただし、許可を要する開発行為の面積について、条例による定めはないものとし、この問において「都道府県知事」とは、地方自治法に基づく指定都市、中核市及び施行時特例市にあってはその長をいうものとする。

❶ 準都市計画区域内において、工場の建築の用に供する目的で1,000m^{2}の土地の区画形質の変更を行おうとする者は、あらかじめ、都道府県知事の許可を受けなければならない。

❷ 市街化区域内において、農業を営む者の居住の用に供する建築物の建築の用に供する目的で1,000m^{2}の土地の区画形質の変更を行おうとする者は、あらかじめ、都道府県知事の許可を受けなければならない。

❸ 都市計画区域及び準都市計画区域外の区域内において、変電所の建築の用に供する目的で1,000m^{2}の土地の区画形質の変更を行おうとする者は、あらかじめ、都道府県知事の許可を受けなければならない。

❹ 区域区分の定めのない都市計画区域内において、遊園地の建設の用に供する目的で3,000m^{2}の土地の区画形質の変更を行おうとする者は、あらかじめ、都道府県知事の許可を受けなければならない。

アプローチ

開発許可が必要となる大前提は、そもそも「開発行為」であること。この問題でも、「開発行為」でない肢が潜んでいるかも?!

解説

❶ 誤り。　開発許可が不要となる例外

準都市計画区域内では、原則として3,000m²未満の開発行為を行う者は、開発許可を受ける必要はない（小規模な開発行為の例外）。本肢の開発行為の規模は1,000m²であるから、開発許可を受ける必要はない。

❷ 正しい。開発許可が不要となる例外

市街化区域内では、原則として1,000m²未満の開発行為を行う者は、開発許可を受ける必要はない（小規模な開発行為の例外）。しかし、本肢の開発行為の規模は1,000m²であるから、小規模な開発行為の例外にはあたらない。また、農林漁業を営む者の居住用の建築物を建築するための開発行為の例外は、市街化区域内では適用されない。したがって、あらかじめ、開発許可を受けなければならない。

❸ 誤り。　開発許可が不要となる例外

「都市計画区域および準都市計画区域」外の区域内で1ヘクタール（10,000m²）未満の開発行為を行う者は、開発許可を受ける必要はない。本肢の開発行為の規模は1,000m²であるから、1ヘクタール未満であり、開発許可を受ける必要はない。なお、そもそも都市計画区域および準都市計画区域外の区域内において開発許可制度が適用されるのは1ヘクタール（10,000m²）以上の開発行為をする場合に限られるので、公益上必要な建築物（変電所など）を建築するための開発行為の例外を検討する必要はない。

❹ 誤り。　開発行為の意味

主として特定工作物の建設の用に供する目的で行う土地の区画形質の変更であれば、開発行為にあたる。野球場・庭球場・遊園地・墓園などについては、1ヘクタール（10,000m²）以上の規模であれば、第二種特定工作物にあたる。したがって、本肢の3,000m²の遊園地は第二種特定工作物にあたらず、その建設の用に供する目的で行う土地の区画形質の変更は、そもそも開発行為ではない。したがって、開発許可を受ける必要はない。

きほんの教科書 L2-3・4 復習

解答 ❷

11 都市計画法

平30-17

理解度チェック

都市計画法に関する次の記述のうち、誤っているものはどれか。ただし、許可を要する開発行為の面積については、条例による定めはないものとし、この問において「都道府県知事」とは、地方自治法に基づく指定都市、中核市及び施行時特例市にあってはその長をいうものとする。

❶ 非常災害のため必要な応急措置として開発行為をしようとする者は、当該開発行為が市街化調整区域内において行われるものであっても都道府県知事の許可を受けなくてよい。

❷ 用途地域等の定めがない土地のうち開発許可を受けた開発区域内においては、開発行為に関する工事完了の公告があった後は、都道府県知事の許可を受けなければ、当該開発許可に係る予定建築物以外の建築物を新築することができない。

❸ 都市計画区域及び準都市計画区域外の区域内において、8,000m^{2}の開発行為をしようとする者は、都道府県知事の許可を受けなくてよい。

❹ 準都市計画区域内において、農業を営む者の居住の用に供する建築物の建築を目的とした1,000m^{2}の土地の区画形質の変更を行おうとする者は、あらかじめ、都道府県知事の許可を受けなければならない。

アプローチ

開発許可の問題では、小規模な開発行為にあたるかどうかの判断が鍵を握ります。面積要件の数字を正確に覚え、問題に迷いなくあてはめることができるようにしましょう。

解説

❶ 正しい。**開発許可が不要となる例外**

非常災害のため必要な応急措置として開発行為をしようとする者は、場所に関係なく、**開発許可を受ける必要はない。**

❷ 正しい。**開発区域内の建築制限**

開発許可を受けた開発区域内においては、開発行為に関する**工事完了の公告があった**後は、原則として、その開発許可に係る予定建築物以外の**建築物を新築することはできない**。ただし、①都道府県知事**が支障がないと認めて**許可**したとき**、または、②その開発区域内の土地について用途地域等**が定められている**ときは、例外である。本肢では、「用途地域等の定めがない土地」という文言で、②の例外にあたらないことがわかる。したがって、①の「都道府県知事の許可」を受けなければ、当該開発許可に係る予定建築物以外の建築物を新築することはできない。

❸ 正しい。**開発許可が不要となる例外**

「都市計画区域および準都市計画区域」外の区域内で1ヘクタール（10,000m²）未満の開発行為を行う者は、**開発許可を受ける必要はない。**本肢の開発行為の規模は8,000m²であるから、1ヘクタール未満であり、開発許可を受ける必要はない。

❹ 誤り。　**開発許可が不要となる例外**

本肢の建築物の建築を目的とした土地の区画形質の変更は、開発行為にあたる。**準都市計画区域**など「市街化区域**外**」の区域内において、農業を営む者の居住の用に供する**建築物**の建築を目的とした開発行為を行う者は、開発許可**を受ける必要はない**。また、**準都市計画区域内**では、原則として3,000m²未満の開発行為を行う者は**開発許可を受ける必要はない**ので、開発行為の規模が1,000m²である本肢の場合、この点からも開発許可を受ける必要はない（小規模な開発行為の例外）。

きほんの教科書 L2-4・6 復習　　解答 ❹

学習優先度 中

12 都市計画法

令4-16

理解度チェック  

都市計画法に関する次の記述のうち、正しいものはどれか。ただし、この問において条例による特別の定めはないものとし、「都道府県知事」とは、地方自治法に基づく指定都市、中核市及び施行時特例市にあってはその長をいうものとする。

❶ 市街化区域内において、市街地再開発事業の施行として行う1haの開発行為を行おうとする者は、あらかじめ、都道府県知事の許可を受けなければならない。

❷ 区域区分が定められていない都市計画区域内において、博物館法に規定する博物館の建築を目的とした8,000m²の開発行為を行おうとする者は、都道府県知事の許可を受けなくてよい。

❸ 自己の業務の用に供する施設の建築の用に供する目的で行う開発行為にあっては、開発区域内に土砂災害警戒区域等における土砂災害防止対策の推進に関する法律に規定する土砂災害警戒区域内の土地を含んではならない。

❹ 市街化調整区域内における開発行為について、当該開発行為が開発区域の周辺における市街化を促進するおそれがあるかどうかにかかわらず、都道府県知事は、開発審査会の議を経て開発許可をすることができる。

アプローチ

過去問でお馴染みの肢1で判断ミスをしないこと！　肢2～4で迷うのは、仕方ありません。

解説

❶ 誤り。　開発許可が不要となる例外

市街地再開発事業の施行として開発行為を行う者は、場所や規模に関係なく、開発許可を受ける必要はない。

❷ 正しい。開発許可が不要となる例外

駅舎その他の鉄道の施設、図書館、公民館、変電所、公園施設、博物館など一定の公益上必要な建築物の建築の用に供する目的で行われる開発行為を行う者は、場所や規模に関係なく、開発許可を受ける必要はない。

❸ 誤り。　開発許可基準

自己の業務用施設の建築目的で行う開発行為については、開発区域内に、土砂災害特別警戒区域などの区域内の土地を含んではならないとする開発許可基準が適用される。しかし、「土砂災害警戒区域内の土地」であれば、この基準に抵触しない。

❹ 誤り。　開発許可基準

市街化調整区域における開発行為（主として第二種特定工作物の建設の用に供する目的で行う開発行為を除く）については、当該申請に係る開発行為およびその申請の手続が都市計画法33条の基準（技術基準）に定める要件に該当するほか、当該申請に係る開発行為が、都道府県知事が開発審査会の議を経て、開発区域の周辺における市街化を促進するおそれがなく、かつ、市街化区域内において行うことが困難または著しく不適当と認める開発行為などでなければ、都道府県知事は、開発許可をしてはならない。

ポイント整理

災害レッドゾーンでの開発禁止の基準（肢3）

災害レッドゾーンでの開発禁止の基準（開発区域内に、いわゆる「災害レッドゾーン」※を原則含まないこと）

※　「災害危険区域」、「地すべり防止区域」、「土砂災害特別警戒区域」、「浸水被害防止区域」など、開発行為を行うのに適当でない区域内の土地

○　適用される　　×　適用されない

自己の居住用住宅建築目的	自己の業務用施設建築目的	他人の居住用住宅・業務用施設建築目的
×	○	○

13 都市計画法

令5-16

理解度チェック

都市計画法に関する次の記述のうち、正しいものはどれか。ただし、この問において条例による特別の定めはないものとし、「都道府県知事」とは、地方自治法に基づく指定都市、中核市及び施行時特例市にあってはその長をいうものとする。

❶ 開発許可を申請しようとする者は、あらかじめ、開発行為に関係がある公共施設の管理者と協議し、その同意を得なければならない。

❷ 開発許可を受けた者は、当該許可を受ける際に申請書に記載した事項を変更しようとする場合においては、都道府県知事に届け出なければならないが、当該変更が国土交通省令で定める軽微な変更に当たるときは、届け出なくてよい。

❸ 開発許可を受けた者は、当該開発行為に関する工事が完了し、都道府県知事から検査済証を交付されたときは、遅滞なく、当該工事が完了した旨を公告しなければならない。

❹ 市街化調整区域のうち開発許可を受けた開発区域以外の区域内において、自己の居住用の住宅を新築しようとする全ての者は、当該建築が開発行為を伴わない場合であれば、都道府県知事の許可を受けなくてよい。

アプローチ

肢２については、「原則→例外」という視点で考えてみましょう！

解説

❶ 正しい。**開発許可申請前の手続き**

開発許可を申請しようとする者は、あらかじめ、**開発行為に関係がある公共施設の管理者**と協議し、その同意を得なければならない。

❷ 誤り。**軽微変更の届出**

開発許可を受けた者は、許可申請書に記載した事項の**変更**をしようとする場合には、原則として、都道府県知事の許可（変更の許可）を受けなければならない。ただし、開発行為に関する**軽微な変更**（たとえば、工事の完了予定年月日の変更など）をしたときは、変更の許可を受ける必要はないが、遅滞なく、その旨を都道府県知事に届け出なければならない。つまり、申請内容を変更する場合については、「原則：許可必要、例外（軽微な変更）：届出必要」ということになる。

❸ 誤り。**工事完了の公告**

開発許可を受けた者は、開発行為に関する工事を完了したときは、その旨を都道府県知事に届け出なければならない。都道府県知事は、この届出があったときは工事について検査し、開発許可の内容に適合しているときは検査済証を交付しなければならず、検査済証を交付したときは、遅滞なく工事が完了した旨を**公告**しなければならないとされている。したがって、公告を行うのは、「開発許可を受けた者」ではなく、都道府県知事である。

❹ 誤り。**市街化調整区域内の建築制限**

市街化調整**区域**のうち「開発許可を受けた開発区域」**以外**の区域内においては、農林漁業を営む者の居住用の建築物の建築を行うなど一定の場合を除き、原則として、都道府県知事の許可を受けなければ、**建築物の新築・改築**などはできない。本肢の「自己の居住用の住宅を新築」するというだけでは、特に許可不要となる例外にはあたらないので、原則どおり、都道府県知事の許可が必要である。

ここが狙われる！　市街化調整区域内での建築等の制限

肢４の許可は、開発許可ではなく、**建築物の新築・改築**等の許可（市街化調整区域内での建築等の制限）である。許可不要となる例外が開発許可と似ているので、開発許可と区別しつつ、一緒に整理しておこう。

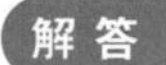

解答 ❶

14 令2-16 都市計画法

理解度チェック

都市計画法に関する次の記述のうち、誤っているものはどれか。なお、この問において「都道府県知事」とは、地方自治法に基づく指定都市、中核市及び施行時特例市にあってはその長をいうものとする。

❶ 開発許可を申請しようとする者は、あらかじめ、開発行為又は開発行為に関する工事により設置される公共施設を管理することとなる者と協議しなければならない。

❷ 都市計画事業の施行として行う建築物の新築であっても、市街化調整区域のうち開発許可を受けた開発区域以外の区域内においては、都道府県知事の許可を受けなければ、建築物の新築をすることができない。

❸ 開発許可を受けた開発行為により公共施設が設置されたときは、その公共施設は、工事完了の公告の日の翌日において、原則としてその公共施設の存する市町村の管理に属するものとされている。

❹ 開発許可を受けた者から当該開発区域内の土地の所有権を取得した者は、都道府県知事の承認を受けて、当該開発許可を受けた者が有していた当該開発許可に基づく地位を承継することができる。

アプローチ

ギリギリ捨て肢にできないレベルの知識を並べた、ちょっとやっかいな問題。実は学習したはずの内容ばかりなので、落ち着いて読み取りましょう！

解説

❶ 正しい。**開発許可申請前の手続き**

開発許可を申請しようとする者は、あらかじめ、開発行為または開発行為に関する工事により設置される公共施設を管理することとなる者（＝将来できる公共施設の管理予定者）と協議しなければならない。

❷ 誤り。 **市街化調整区域内の建築制限**

市街化調整区域のうち「開発許可を受けた開発区域」以外の区域内においては、原則として、都道府県知事の許可を受けなければ、建築物を新築することはできない。ただし、都市計画事業の施行として行う場合などについては、例外的に都道府県知事の許可は不要である。

❸ 正しい。**開発行為等により設置された公共施設の管理**

開発許可を受けた開発行為により公共施設が設置されたときは、その公共施設は、工事完了の公告の日の翌日において、原則としてその公共施設の存する市町村の管理に属するものとされている。

❹ 正しい。**開発許可に基づく地位の承継**

開発許可を受けた者から当該開発区域内の土地の所有権その他当該開発行為に関する工事を施行する権原を取得した者（特定承継人　例．開発許可を受けた土地の買主など）は、都道府県知事の承認を受けて、当該開発許可を受けた者が有していた当該開発許可に基づく地位を承継することができる。

ポイント整理

開発許可に基づく地位の承継

	具体例	手続き
一般承継人	・相続人 ・合併後の存続会社	許可・承認不要
特定承継人	・開発許可を受けた土地の買主 ・開発許可に関する工事施行の権原を取得した者	都道府県知事の承認

解答 ❷

15 都市計画法

令3追-16

都市計画法に関する次の記述のうち、誤っているものはどれか。ただし、この問において「都道府県知事」とは、地方自治法に基づく指定都市、中核市及び施行時特例市にあってはその長をいうものとする。

❶ 開発許可を受けようとする者は、開発行為に関する工事の請負人又は請負契約によらないで自らその工事を施行する者を記載した申請書を都道府県知事に提出しなければならない。

❷ 開発許可を受けた者は、開発行為に関する国土交通省令で定める軽微な変更をしたときは、遅滞なく、その旨を都道府県知事に届け出なければならない。

❸ 開発許可を受けた者は、開発行為に関する工事の廃止をしようとするときは、都道府県知事の許可を受けなければならない。

❹ 開発行為に同意していない土地の所有者は、当該開発行為に関する工事完了の公告前に、当該開発許可を受けた開発区域内において、その権利の行使として自己の土地に建築物を建築することができる。

アプローチ

合格者正解率が不合格者正解率の２倍以上と、両者の間に決定的な差がついた問題。不合格者では肢２と肢４で正誤を逆に判断した人が多かったのですが、みなさんは迷わずに解けますか？

解説

❶ 正しい。**開発許可の申請手続き**

開発許可を受けようとする者は、①開発区域の位置、区域および規模、②予定建築物等の用途、③開発行為に関する設計、④工事施行者（開発行為に関する**工事の請負人**または**請負契約によらないで自らその工事を施行する者**をいう）などの一定事項を記載した申請書を都道府県知事に提出しなければならない。

❷ 正しい。**軽微変更の届出**

開発許可を受けた者は、許可申請書に記載した事項の変更をしようとする場合には、原則として、都道府県知事の許可（変更の許可）を受けなければならない。ただし、開発行為に関する**軽微な変更**（たとえば、工事の完了予定年月日の変更など）をしたときは、変更の許可を受ける必要はないが、遅滞なく、その旨を都道府県知事に届け出なければならない。

❸ 誤り。　**工事の廃止**

開発許可を受けた者は、開発行為に関する**工事を廃止**したときは、遅滞なく、その旨を都道府県知事に届け出なければならない。しかし、工事を廃止するにあたり、都道府県知事の**許可を受ける必要はない**。

❹ 正しい。**開発区域内の建築制限**

開発許可を受けた開発区域内においては、開発行為に関する工事完了の公告**があるまでの間**は、原則として、建築物を建築できない。ただし、開発行為に同意をしていない土地の権利者（所有者など）が、その権利の行使として建築物を建築する場合などは**例外**である。

ポイント整理

開発区域内の建築制限

	工事完了公告前	工事完了公告後
原則	**建築物**の建築などの禁止	**予定建築物以外**の建築物の新築などの禁止
例外	①～③のいずれかにあたる場合 ①**工事用の仮設建築物**の建築など ②**都道府県知事**が支障がないと認めたとき ③開発行為に**同意をしていない土地の権利者**（所有者など）がその権利の行使として建築物の建築などをするとき	①②のいずれかにあたる場合 ①**都道府県知事**が支障がないと認めて**許可**したとき ②開発区域内の土地について**用途地域**等が定められているとき

解答 ❸

学習優先度 高

16 都市計画法

平30-16

理解度チェック

都市計画法に関する次の記述のうち、誤っているものはどれか。

❶ 田園住居地域内の農地の区域内において、土地の形質の変更を行おうとする者は、一定の場合を除き、市町村長の許可を受けなければならない。

❷ 風致地区内における建築物の建築については、一定の基準に従い、地方公共団体の条例で、都市の風致を維持するため必要な規制をすることができる。

❸ 市街化区域については、少なくとも用途地域を定めるものとし、市街化調整区域については、原則として用途地域を定めないものとする。

❹ 準都市計画区域については、無秩序な市街化を防止し、計画的な市街化を図るため、都市計画に市街化区域と市街化調整区域との区分を定めなければならない。

アプローチ

肢４の「準都市計画区域に定めることができる都市計画」は、近年定番の出題テーマ。「乱開発などを抑える場所」という準都市計画区域のイメージでクリアできるはず！

解説

❶ 正しい。田園住居地域内の制限

田園住居地域内の農地（＝耕作の目的に供される土地）の区域内において、土地の形質の変更や建築物の建築その他工作物の建設などを行う場合は、一定の場合を除き、市町村長の許可を受けなければならない。

❷ 正しい。風致地区内の制限

風致地区内における建築物の建築、宅地の造成、木竹の伐採その他の行為については、一定の基準に従い、地方公共団体の条例で、都市の風致を維持するため必要な規制をすることができる。

❸ 正しい。用途地域を定める区域と定めない区域

市街化区域については、少なくとも（＝必ず）用途地域を定めるものとし、市街化調整区域については、原則として用途地域を定めないものとされている。

❹ 誤り。　準都市計画区域に定めることができる都市計画

「準都市計画区域」については、都市計画に、市街化区域と市街化調整区域との区分（＝「区域区分」）を定めることはできない。なお、都市計画区域については、無秩序な市街化を防止し、計画的な市街化を図るため必要があるときは、都市計画に、区域区分を定めることができる。

ポイント整理

田園住居地域内の制限

場所	田園住居地域内の農地の区域内
対象行為	①土地の形質の変更 ②建築物の建築その他工作物の建設　など
内容	原則　市町村長の許可が必要 例外　以下の場合には、許可不要 ・非常災害のため必要な応急措置として行う行為 ・都市計画事業の施行として行う行為　など

きほんの教科書 L1-3・7、L2-8 復習

解答 ❹

17 都市計画法

平29-16

都市計画法に関する次の記述のうち、正しいものの組合せはどれか。

ア 都市計画施設の区域又は市街地開発事業の施行区域内において建築物の建築をしようとする者は、一定の場合を除き、都道府県知事（市の区域内にあっては、当該市の長）の許可を受けなければならない。

イ 地区整備計画が定められている地区計画の区域内において、建築物の建築を行おうとする者は、都道府県知事（市の区域内にあっては、当該市の長）の許可を受けなければならない。

ウ 都市計画事業の認可の告示があった後、当該認可に係る事業地内において、当該都市計画事業の施行の障害となるおそれがある土地の形質の変更を行おうとする者は、都道府県知事（市の区域内にあっては、当該市の長）の許可を受けなければならない。

エ 都市計画事業の認可の告示があった後、当該認可に係る事業地内の土地建物等を有償で譲り渡そうとする者は、当該事業の施行者の許可を受けなければならない。

❶ ア、ウ
❷ ア、エ
❸ イ、ウ
❹ イ、エ

組合せ問題ですから、ア～エの記述を１つ判断するごとに、肢1～4のうち「正解としてありえない肢」を消去していきましょう。

解説

ア 正しい。都市計画施設等の区域内の制限

都市計画施設の区域または市街地開発事業の施行区域内において建築物の建築をしようとする者は、非常災害のため必要な応急措置として行うなど一定の場合を除き、都道府県知事等の許可を受けなければならない。

イ 誤り。 地区計画の区域内の制限

地区整備計画が定められている地区計画の区域内において、土地の区画形質の変更、建築物の建築、工作物の建設などを行おうとする者は、原則として、その行為に着手する日の30日前までに、行為の種類、場所などを市町村長に届け出なければならない。「都道府県知事」等の「許可」を受けなければならないのではない。

ウ 正しい。都市計画事業の事業地内の制限

都市計画事業の認可の告示があった後、当該認可に係る事業地内において、当該都市計画事業の施行の障害となるおそれがある土地の形質の変更、建築物の建築、工作物の建設などを行おうとする者は、都道府県知事等の許可を受けなければならない。

エ 誤り。 土地建物等の先買い

都市計画事業の認可等の告示があったときは、施行者は、すみやかに、一定事項を公告しなければならない。この公告の日の翌日から起算して10日を経過した後に事業地内の土地建物等を有償で譲り渡そうとする者は、原則として、予定対価の額や譲渡の相手方などを書面で施行者に届け出なければならない。「許可を受けなければならない」のではない。

以上より、正しいものはア、ウであり、肢1が正解になる。

土地建物等の先買い

施行者（たとえば、市町村や都道府県など）が都市計画事業の用地を円滑に取得できないと不都合である。そこで、①記述エ解説の届出→②施行者が届出をした者にその土地建物等を買い取るべき旨を通知→③予定対価の額で両者間に売買が成立したとみなされる、という手続きにより、事業地内の土地建物等を施行者が先買いできることにしている。

解答 ①

18 都市計画法

平20-18

理解度チェック

都市計画法に関する次の記述のうち、正しいものはどれか。

❶ 都市計画施設の区域又は市街地開発事業の施行区域内において建築物の建築をしようとする者は、行為の種類、場所及び設計又は施行方法を都道府県知事に届け出なければならない。

❷ 都市計画事業の認可の告示があった後、当該認可に係る事業地内において当該事業の施行の障害となるおそれがある土地の形質の変更、建築物の建築、工作物の建設を行おうとする者は、当該事業の施行者の同意を得て、当該行為をすることができる。

❸ 都市計画事業の認可の告示があった後、当該認可に係る事業地内の土地建物等を有償で譲り渡した者は、当該譲渡の後速やかに、譲渡価格、譲渡の相手方その他の事項を当該事業の施行者に届け出なければならない。

❹ 市町村長は、地区整備計画が定められた地区計画の区域内において、地区計画に適合しない行為の届出があった場合には、届出をした者に対して、届出に係る行為に関し設計の変更その他の必要な措置をとることを勧告することができる。

アプローチ

肢３の土地建物等の先買いは、やや細かい内容ですが、近年パラパラと出されている出題者好みのテーマ。この際ですから、出題者の好みにお付き合いしておきましょう。

解説

❶ 誤り。　**都市計画施設等の区域内の制限**

都市計画施設の区域または市街地開発事業の施行区域内において建築物の建築を行おうとする者は、原則として、都道府県知事等の「許可」を受けなければならない。

❷ 誤り。　**都市計画事業の事業地内の制限**

都市計画事業の認可の告示があった後において、その事業地内で、その事業の施行の障害となるおそれがある**土地の形質の変更**、**建築物の建築**その他工作物の建設を行おうとする者は、都道府県知事等の「許可」を受けなければならない。

❸ 誤り。　**土地建物等の先買い**

都市計画事業の認可の告示に係る公告の日の翌日から起算して10日を経過した後に**事業地内の土地建物等を有償で**譲り渡そうとする者は、原則として、予定対価の額や譲渡の相手方などを書面で**施行者**に**届け出**なければならない。届け出なければならないのは、告示に係る公告の日の翌日から起算して10日を経過した後であるとともに、**譲渡の**前である。「当該譲渡の後速やかに」届け出るわけではない。

❹ 正しい。**地区計画の区域内の制限**

市町村長は、地区整備計画が定められた地区計画の区域内において、**地区計画に適合しない行為の届出**があった場合には、届出をした者に対して、届出に係る行為に関し設計の変更その他の必要な措置をとることを勧告することができる。

都市施設や市街地開発事業に関連した建築等の制限

	都市計画施設等の区域内	都市計画事業の事業地内
建築物の建築	知事等の許可必要※1	知事等の許可必要※2
土地の形質の変更	知事等の許可不要	
その他一定の行為		

※1　非常災害のため必要な応急措置などは例外的に許可不要

※2　許可不要となる例外なし

解答　❹

19 平24-16 都市計画法

都市計画法に関する次の記述のうち、正しいものはどれか。

❶ 市街地開発事業等予定区域に関する都市計画において定められた区域内において、非常災害のため必要な応急措置として行う建築物の建築であれば、都道府県知事（市の区域内にあっては、当該市の長）の許可を受ける必要はない。

❷ 都市計画の決定又は変更の提案は、当該提案に係る都市計画の素案の対象となる土地について所有権又は借地権を有している者以外は行うことができない。

❸ 市町村は、都市計画を決定しようとするときは、あらかじめ、都道府県知事に協議し、その同意を得なければならない。

❹ 地区計画の区域のうち地区整備計画が定められている区域内において、建築物の建築等の行為を行った者は、一定の行為を除き、当該行為の完了した日から30日以内に、行為の種類、場所等を市町村長に届け出なければならない。

アプローチ

正解を出せなくても構わない問題ですが、なんとか１肢でも削って、正解肢に迫る気合いは大切です！

解説

❶ 正しい。**市街地開発事業等予定区域の区域内の制限**

市街地開発事業等予定区域に関する都市計画において定められた区域内において建築物の建築を行おうとする者は、原則として、都道府県知事等の許可を受けなければならない。ただし、非常災害のため必要な応急措置として行う行為については、例外として、許可は不要である。

❷ 誤り。 **都市計画の決定**

都市計画の決定または変更の提案は、土地の所有権または借地権を有する者だけでなく、まちづくりの推進を図る活動を行うことを目的とする特定非営利活動法人（NPO法人）なども、行うことができる。

❸ 誤り。 **都市計画の決定**

市町村は、都市計画を決定しようとするときは、あらかじめ、都道府県知事に協議しなければならないが、都道府県知事の同意を得る必要はない。

❹ 誤り。 **地区計画の区域内の制限**

地区計画の区域のうち地区整備計画が定められている区域内において、建築物の建築等を行おうとする者は、原則として、その行為に着手する日の30日前までに、行為の種類、場所等を市町村長に届け出なければならない。「当該行為の完了した日から30日以内に」ではない。

ポイント整理

地区計画の区域内の制限

場所	地区整備計画等が定められている**地区計画の区域内**
対象行為	①土地の区画形質の変更 ②建築物の建築 ③工作物の建設　など
内容	原則として、**行為に着手する日の30日前**までに**市町村長**に**届出** ⇒　届出に係る行為が地区計画に適合しない場合、市町村長は設計変更などを**勧告**できる。

きほんの教科書 L1-8、L2-8 復習

解答 ❶

建築基準法

建築基準法に関する次の記述のうち、誤っているものはどれか。

❶ 防火地域及び準防火地域外において建築物を改築する場合で、その改築に係る部分の床面積の合計が10m²以内であるときは、建築確認は不要である。

❷ 都市計画区域外において高さ12m、階数が3階の木造建築物を新築する場合、建築確認が必要である。

❸ 事務所の用途に供する建築物をホテル（その用途に供する部分の床面積の合計が500m²）に用途変更する場合、建築確認は不要である。

❹ 映画館の用途に供する建築物で、その用途に供する部分の床面積の合計が300m²であるものの改築をしようとする場合、建築確認が必要である。

アプローチ

建築確認が必要となる「規模の大きい建築物」のサイズを覚えているかどうかでほぼ決まる問題。一度やられても、次は撃破しましょう！

解説

❶ 正しい。**建築確認の要否**

「防火地域および準防火地域」外において**建築物の改築**をする場合、その改築に係る部分の床面積の合計が10m²以内であるときは、**建築確認は不要**である。

❷ 正しい。**建築確認の要否**

規模の大きい建築物（①２階以上、または、②延べ面積200㎡超の建築物）を新築する場合、その場所や構造にかかわらず、**建築確認が必要**である。本肢の建築物は、①にあたる規模の大きい建築物であるので、都市計画区域外に新築する場合であっても、建築確認が必要である。

❸ 誤り。　**建築確認の要否**

建築物の用途を変更して**規模の大きい**特殊建築物（その用途に供する部分の床面積の合計が200m²を超える特殊建築物）とする場合、原則として、建築確認が必要である。ホテルは特殊建築物にあたるので、事務所を500m²のホテルに用途変更する場合、建築確認が必要である。

❹ 正しい。**建築確認の要否**

規模の大きい特殊建築物（その用途に供する部分の床面積の合計が200m²を超える特殊建築物）の改築をする場合、原則として、**建築確認が必要**である。映画館は特殊建築物にあたるので、300m²の映画館の改築をする場合、建築確認が必要である。

ポイント整理

規模の大きい建築物

	階数	面積
特殊建築物		**200㎡超**
建築物一般 （右のいずれかにあたるもの）	**2階以上**	**200㎡超**

きほんの教科書 L3-2 復習

解答 ❸

21 建築基準法

平22-18改

理解度チェック

３階建て、延べ面積600m²、高さ10ｍの建築物に関する次の記述のうち、建築基準法の規定によれば、正しいものはどれか。

❶ 当該建築物を都市計画区域外に建築する場合は、確認済証の交付を受けなくとも、その建築工事に着手することができる。

❷ 用途が事務所である当該建築物の用途を変更して共同住宅にする場合は、確認を受ける必要はない。

❸ 当該建築物には、有効に避雷設備を設けなければならない。

❹ 用途が共同住宅である当該建築物の工事を行う場合において、２階の床及びこれを支持するはりに鉄筋を配置する工事を終えたときは、中間検査を受ける必要がある。

アプローチ

日本は地震の多い国です。肢４の中間検査は、地震との関連で意識づけておきましょう。

解説

❶ 誤り。　**建築確認の要否**

規模の大きい建築物（①２階以上、または、②延べ面積200㎡超の建築物）を新築する場合、その場所や構造にかかわらず、原則として、その工事に着手する前に建築確認を受け、確認済証の交付を受けなければならない。本肢の建築物は、①と②のいずれにもあたる規模の大きい建築物であるので、都市計画区域外に建築する場合であっても、原則として、確認済証の交付を受けなければ、その建築工事に着手することができない。

❷ 誤り。　**建築確認の要否**

共同住宅は、特殊建築物にあたる。建築物の用途を変更して規模の大きい特殊建築物（その用途に供する部分の床面積の合計が200m²を超える特殊建築物）とする場合、原則として、建築確認を受けなければならない。

❸ 誤り。　**避雷設備**

高さ20ｍを超える建築物には、周囲の状況によって安全上支障がない場合を除き、有効に避雷設備を設けなければならない。したがって、本肢の高さ10ｍの建築物には、有効に避雷設備を設ける必要はない。

❹ 正しい。**建築確認の手続き**

建築主は、建築確認を受ける必要がある工事が特定工程（階数が３以上である共同住宅の２階の床およびこれを支持するはりに鉄筋を配置する工事の工程など）を含む場合において、その特定工程に係る工事を終えたときは、そのつど、中間検査を申請しなければならない。

建築確認の要否

①規模の基準か、②場所の基準のどちらかにあたれば、原則として、建築確認が必要である。

①	規模	規模の大きい建築物	原則として建築確認必要
②	場所	「都市計画区域・準都市計画区域」＋新築など	
		「防火地域・準防火地域」＋増改築など	

きほんの教科書 L3-2、L5-1 復習

解答 ❹

22 建築基準法

令3追-17改

理解度チェック  

建築基準法に関する次の記述のうち、誤っているものはどれか。

❶ 4階建ての建築物の避難階以外の階を劇場の用途に供し、当該階に客席を有する場合には、当該階から避難階又は地上に通ずる2以上の直通階段を設けなければならない。

❷ 床面積の合計が500m²の映画館の用途に供する建築物を演芸場に用途変更する場合、建築確認を受ける必要はない。

❸ 換気設備を設けていない居室には、換気のための窓その他の開口部を設け、その換気に有効な部分の面積は、その居室の床面積に対して10分の1以上としなければならない。

❹ 延べ面積が800m²の百貨店の階段の部分には、排煙設備を設けなくてもよい。

アプローチ

捨て肢が2本もあるのに、合格者正解率は高い問題。「正解肢が基本知識なら、必ず得点しなければいけない！」という典型例です。

解説

❶ 正しい。**避難階段**

一定の用途に供する特殊建築物や階数が3以上である建築物などの避難階以外の階を劇場などの用途に供し、その階に客席を有する場合には、その階から避難階または地上に通ずる2以上の直通階段を設けなければならない。

❷ 正しい。**建築確認の要否**

建築物の用途を変更して規模の大きい特殊建築物（その用途に供する部分の床面積の合計が200m²を超える特殊建築物）とする場合、原則として、建築確認が必要である。ただし、「劇場・映画館・演芸場」、「ホテル・旅館」、「下宿・寄宿舎」のように、類似の用途相互間における用途変更では、例外的に、建築確認は不要である。

❸ 誤り。 **居室の換気**

住宅などの居室には、原則として、換気のための窓その他の開口部を設け、その換気に有効な部分の面積は、その居室の床面積に対して、20分の1以上としなければならない。「10分の1以上」ではない。

❹ 正しい。**排煙設備**

百貨店など一定の用途に供する特殊建築物で延べ面積が500m²を超えるものなどには、原則として、排煙設備を設けなければならない。ただし、階段の部分や昇降機の昇降路の部分などについては、設ける必要はない。

キーワード 特殊建築物

人がたくさん集まる建築物などをいう。たとえば、劇場・映画館・演芸場、ホテル・旅館、下宿・寄宿舎、共同住宅、百貨店、バー、飲食店、物品販売業を営む店舗（床面積が10m²以内のものを除く）、倉庫、自動車車庫などをいう。勘違いしやすいところであるが、一般の事務所は含まれない。

きほんの教科書 L3-2、L5-1 復習

解答 ❸

23 建築基準法

平29-18改

建築基準法に関する次の記述のうち、誤っているものはどれか。

❶ 鉄筋コンクリート造であって、階数が2の住宅を新築する場合において、特定行政庁が、安全上、防火上及び避難上支障がないと認めたときは、検査済証の交付を受ける前においても、仮に、当該建築物を使用することができる。

❷ 長屋の各戸の界壁は、一定の場合を除き、小屋裏又は天井裏に達するものとしなければならない。

❸ 下水道法に規定する処理区域内においては、便所は、汚水管が公共下水道に連結された水洗便所としなければならない。

❹ ホテルの用途に供する建築物を共同住宅（その用途に供する部分の床面積の合計が300m^2）に用途変更する場合、建築確認は不要である。

アプローチ

細かい内容の肢が並ぶ本問ですが、正解肢については、ピンポイントで一本釣りできるはず！

解説

❶ 正しい。建築確認の手続き

規模の大きい建築物（①2階以上、または、②延べ面積200㎡超の建築物）の新築などをする場合、建築主は、原則として、検査済証の交付を受けた後でなければ、当該建築物を使用することはできない。ただし、特定行政庁が、安全上、防火上および避難上支障がないと認めたときなど一定の場合には、仮使用することができる。

❷ 正しい。長屋・共同住宅の各戸の界壁

長屋または共同住宅の各戸の界壁は、一定の場合を除き、小屋裏または天井裏に達するものとしなければならない。

❸ 正しい。便所

下水道法に規定する処理区域内では、便所は、汚水管が公共下水道に連結された水洗便所としなければならない。

❹ 誤り。 建築確認の要否

建築物の用途を変更して規模の大きい特殊建築物（その用途に供する部分の床面積の合計が200m²を超える特殊建築物）とする場合、原則として、建築確認を受けなければならない。本肢の場合、建築確認が必要である。

建築確認の要否～規模の基準

「規模の大きい建築物」については、全国どこでも、原則として、建築確認が必要である。

	新築	10㎡超の増築・改築・移転 ※1	大規模の修繕 大規模の模様替	用途変更 ※2
規模の大きい特殊建築物	必要			必要 ※3
規模の大きい建築物一般 ※4				

※1 増築の場合、増築後の面積で「規模の大きい建築物」かどうかを判断する
※2 規模の大きい特殊建築物に用途変更する場合のみ
※3 類似の用途相互間の用途変更の場合、例外として建築確認は不要。類似の用途とは、たとえば、ホテルと旅館、劇場と映画館と演芸場、下宿と寄宿舎など。
※4 木造・鉄骨造・鉄筋コンクリート造などの構造を問わない

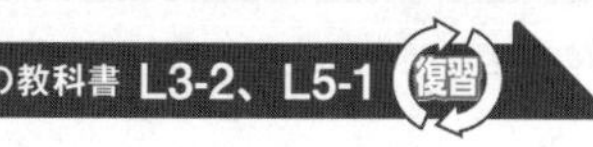

解答 ❹

建築基準法

建築基準法に関する次の記述のうち、正しいものはどれか。

❶ 階数が2で延べ面積が200m²の鉄骨造の共同住宅の大規模の修繕をしようとする場合、建築主は、当該工事に着手する前に、確認済証の交付を受けなければならない。

❷ 居室の天井の高さは、一室で天井の高さの異なる部分がある場合、室の床面から天井の最も低い部分までの高さを2.1m以上としなければならない。

❸ 延べ面積が1,000m²を超える準耐火建築物は、防火上有効な構造の防火壁又は防火床によって有効に区画し、かつ、各区画の床面積の合計をそれぞれ1,000m²以内としなければならない。

❹ 高さ30mの建築物には、非常用の昇降機を設けなければならない。

アプローチ

肢1は、建築確認の要否を問う問題の変化球版。本番でびっくりしないように、今、びっくりしておきましょう！

解説

❶ 正しい。建築確認の要否

規模の大きい建築物（①2階以上、または、②延べ面積200㎡超の建築物）の建築（新築、増改築、移転）、大規模の修繕、大規模の模様替をしようとする場合、建築主は、当該工事に着手する前に、建築確認を受け、確認済証の交付を受けなければならない。本肢の建築物は、「階数が2」であるので、①にあたる規模の大きい建築物である。したがって、建築主は、当該工事に着手する前に、確認済証の交付を受けなければならない。

❷ 誤り。　天井

居室の天井の高さは、2.1 m以上でなければならない。この天井の高さは、室の床面から測り、一室で天井の高さの異なる部分がある場合においては、その平均の高さによるものとされている。したがって、「室の床面から天井の最も低い部分までの高さを2.1 m以上」としなければならないわけではない。

❸ 誤り。　防火壁等

延べ面積が1,000m²を超える建築物は、原則として、防火上有効な構造の防火壁または防火床によって有効に区画し、かつ、各区画の床面積の合計をそれぞれ1,000m²以内としなければならない。ただし、耐火建築物・準耐火建築物などは例外である。したがって、「準耐火建築物」である本肢の建築物については、この規定は適用されない。

❹ 誤り。　昇降機

高さ31 mを超える建築物には、原則として、非常用の昇降機を設けなければならない。したがって、「高さ30 mの建築物」であれば、その必要はない。

避雷設備・非常用昇降機

避雷設備	高さ20mを超える建築物には、周囲の状況によって安全上支障がない場合を除き、有効に避雷設備を設けなければならない。
非常用昇降機	高さ31mを超える建築物には、原則として、非常用の昇降機を設けなければならない。

きほんの教科書 L3-2、L5-1 復習

解答 ❶

25 平12-24 建築基準法

学習優先度 高

理解度チェック

建築基準法に関する次の記述のうち、正しいものはどれか。

❶ 道路法による道路は、すべて建築基準法上の道路に該当する。

❷ 建築物の敷地は、必ず幅員4m以上の道路に2m以上接しなければならない。

❸ 地方公共団体は、土地の状況等により必要な場合は、建築物の敷地と道路との関係について建築基準法に規定された制限を、条例で緩和することができる。

❹ 地盤面下に設ける建築物については、道路内に建築することができる。

アプローチ

道路規定について、「原則→例外」という視点で知識をあてはめてみましょう。

解説

❶ 誤り。　**建築基準法上の道路**

道路法による道路のうち、建築基準法第3章の規定（集団規定）上の道路に該当するものは、原則として幅員4m以上のものだけである。したがって、道路法による道路がすべて建築基準法上の道路に該当するわけではない。

❷ 誤り。　**接道義務の例外**

建築物の敷地は、原則として幅員4m以上の道路に2m以上接しなければならない。しかし、その敷地の周囲に広い空地を有する建築物等で、特定行政庁が交通上、安全上、防火上および衛生上支障がないと認めて建築審査会の同意を得て許可したものなどについては、例外的に幅員4m以上の道路に2m以上接しなくてよいものとされている。

❸ 誤り。　**接道義務の付加**

地方公共団体は、一定の建築物の敷地と道路との関係について建築基準法に規定された制限を、条例で「付加」することができる。しかし、建築基準法の定める制限は、敷地の安全性を確保するための最低限の条件であるので、地方公共団体の条例でも「緩和」することは認められない。

❹ 正しい。**道路内の建築制限**

建築物は、原則として道路内に建築したり道路に突き出して建築したりしてはならないものとされている。ただし、地盤面下に設ける建築物は、道路内に建築することができる。

接道義務の付加と緩和

- 条例による制限の**付加**（加重）→　**認められる**
- 条例による制限の**緩和**　→　**認められない**

きほんの教科書 L4-1 復習

解答 ❹

26 建築基準法

平22-19

理解度チェック

建築物の用途規制に関する次の記述のうち、建築基準法の規定によれば、誤っているものはどれか。ただし、用途地域以外の地域地区等の指定及び特定行政庁の許可は考慮しないものとする。

❶ 建築物の敷地が工業地域と工業専用地域にわたる場合において、当該敷地の過半が工業地域内であるときは、共同住宅を建築することができる。

❷ 準住居地域内においては、原動機を使用する自動車修理工場で作業場の床面積の合計が150m^{2}を超えないものを建築することができる。

❸ 近隣商業地域内において映画館を建築する場合は、客席の部分の床面積の合計が200m^{2}未満となるようにしなければならない。

❹ 第一種低層住居専用地域内においては、高等学校を建築することはできるが、高等専門学校を建築することはできない。

アプローチ

本問の用途制限はすべて覚えておいてほしい内容ですが、うろ覚えだったら、「そのタイプの用途地域にふさわしい用途か？」という発想で問題に取りかかりましょう。

解説

❶ 正しい。**敷地が2以上の用途地域にわたる場合の用途制限（共同住宅）**

建築物の敷地が2以上の用途地域にわたる場合には、敷地の全部について敷地の過半の属する地域の**用途制限**が適用される。本肢のように敷地の過半が工業地域内であるときは、敷地の全部について、工業地域の用途制限が適用される。**共同住宅**は、工業専用**地域**以外の用途地域において建築することができるので、本肢の敷地には、共同住宅を建築することができる。

❷ 正しい。**用途制限（自動車修理工場）**

原動機を使用する**自動車修理工場**で作業場の床面積の合計が150m²以内のものは、準住居**地域**、近隣商業地域、商業地域、準工業地域、工業地域、工業専用地域において、建築することができる。

❸ 誤り。 **用途制限（映画館）**

客席の部分の床面積の合計が200m²以上の**映画館**は、近隣商業**地域**、商業**地域**、準工業**地域内**において建築することができるので、近隣商業地域内においては、客席の部分の床面積**にかかわらず**、映画館を建築することができる。なお、客席の部分の床面積の合計が200m²未満の映画館は、近隣商業地域、商業地域、準工業地域に加え、準住居地域内においても建築することができる。

❹ 正しい。**用途制限（高等学校・高等専門学校）**

高等学校は、「工業**地域**、工業専用**地域**」以外の用途地域において、建築することができる。これに対して、**高等専門学校**は、「第一種低層住居専用**地域**、第二種低層住居専用**地域**、田園住居**地域**、工業**地域**、工業専用**地域**」以外の用途地域において、建築することができる。したがって、第一種低層住居専用地域内においては、高等学校を建築することはできるが、高等専門学校を建築することはできない。

ポイント整理

映画館・ナイトクラブなどの用途制限

200m²未満→準住居地域、近隣商業地域、商業地域、準工業地域内で建築OK
200m²以上→近隣商業地域、商業地域、準工業地域内で建築OK

27 建築基準法

平29-19

学習優先度 中

理解度チェック

建築基準法（以下この問において「法」という。）に関する次の記述のうち、正しいものはどれか。

❶ 都市計画区域又は準都市計画区域内における用途地域の指定のない区域内の建築物の建蔽率の上限値は、原則として、法で定めた数値のうち、特定行政庁が土地利用の状況等を考慮し当該区域を区分して都道府県都市計画審議会の議を経て定めるものとなる。

❷ 第二種中高層住居専用地域内では、原則として、ホテル又は旅館を建築することができる。

❸ 幅員4m以上であり、法が施行された時点又は都市計画区域若しくは準都市計画区域に入った時点で現に存在する道は、特定行政庁の指定がない限り、法上の道路とはならない。

❹ 建築物の前面道路の幅員により制限される容積率について、前面道路が2つ以上ある場合には、これらの前面道路の幅員の最小の数値（12m未満の場合に限る。）を用いて算定する。

アプローチ

肢1はやや細かい内容ですから、スキップして肢2から着手してもよいでしょう。

解説

❶ 正しい。建蔽率の上限値

都市計画区域または準都市計画区域内における**用途地域の指定のない区域内**の建築物の**建蔽率**の上限値は、原則として、建築基準法で定めた数値（10分の3、10分の4、10分の5、10分の6、10分の7）のうち、特定行政庁が土地利用の状況等を考慮し当該区域を区分して都道府県都市計画審議会の議を経て定めるものとなる。

❷ 誤り。 用途制限（ホテル・旅館）

ホテル・旅館は、「第一種低層住居専用**地域**、第二種低層住居専用**地域**、田園住居**地域**、第一種中高層住居専用**地域**、第二種中高層住居専用**地域**、工業**地域**および工業専用**地域**」以外の用途地域において、建築することができる。したがって、第二種中高層住居専用地域内では、原則として、建築することはできない。

❸ 誤り。 建築基準法上の道路

幅員4m以上であり、都市計画区域・準都市計画区域の指定・変更などにより建築基準法第3章の規定（集団規定）が適用されるに至った際現に存在する道は、特定行政庁の指定なしに、建築基準法第3章の規定上の**道路**となる。なお、幅員4m未満の道については、特定行政庁の指定がなければ、建築基準法第3章の規定上の道路とみなされない。

❹ 誤り。 容積率の上限値（前面道路の幅員が12m未満の場合）

建築物の前面道路の幅員により制限される容積率について、**前面道路が2つ以上**ある場合には、これらの前面道路の幅員の最大の数値を用いて算定する。「最小」の数値を用いて算定するわけではない。

ステップアップ

用途地域の指定のない区域内の容積率の上限値

原則として、建築基準法で定めた数値（10分の5、10分の8、10分の10、10分の20、10分の30、10分の40）のうち、**特定行政庁**が土地利用の状況等を考慮し当該区域を区分して都道府県都市計画審議会の議を経て定めるものとなる。建蔽率の場合と考え方は同じである。なお、建蔽率の場合と同様、上記の数値を覚える必要はない。

きほんの教科書 L4-1・2・3・5 復習　解答 ❶

28 平27-18 建築基準法

理解度チェック

建築基準法に関する次の記述のうち、誤っているものはどれか。

❶ 建築物の容積率の算定の基礎となる延べ面積には、エレベーターの昇降路の部分又は共同住宅の共用の廊下若しくは階段の用に供する部分の床面積は、一定の場合を除き、算入しない。

❷ 建築物の敷地が建蔽率に関する制限を受ける地域又は区域の2以上にわたる場合においては、当該建築物の建蔽率は、当該各地域又は区域内の建築物の建蔽率の限度の合計の2分の1以下でなければならない。

❸ 地盤面下に設ける建築物については、道路内に建築することができる。

❹ 建築協定の目的となっている建築物に関する基準が建築物の借主の権限に係る場合においては、その建築協定については、当該建築物の借主は、土地の所有者等とみなす。

アプローチ

肢2の「制限の異なる地域・区域にまたがる場合」の扱いは、建築基準法（集団規定）の典型テーマです。用途制限や斜線制限などの場合と勘違いしないようにしましょう。

解説

❶ 正しい。**容積率の特例**

建築物の容積率の算定の基礎となる延べ面積には、エレベーターの昇降路の部分または共同住宅・老人ホーム等の共用の廊下・階段の用に供する部分の床面積は、一定の場合を除き、算入しない。

❷ 誤り。 **敷地が建蔽率制限の異なる2以上の地域にまたがる場合**

建築物の敷地が建蔽率に関する制限を受ける地域・区域の2以上にわたる場合においては、当該建築物の建蔽率は、**当該各地域・区域内の建築物の建蔽率の限度にその敷地の当該地域・区域内にある各部分の面積の敷地面積に対する割合を乗じて得たものの合計以下**でなければならない（按分計算）。「当該各地域又は区域内の建築物の建蔽率の限度の合計の2分の1以下」でなければならないわけではない。

❸ 正しい。**道路内の建築制限**

建築物は、原則として、道路内に建築してはならない。しかし、地盤面下に設ける建築物については、**道路内**に建築することができる。

❹ 正しい。**建築協定**

建築協定の目的となっている建築物に関する基準が建築物の借主の権限に係る場合においては、その建築協定については、当該建築物の借主は、土地の所有者等とみなされる。たとえば、借家人も取り付けることができる建築物の広告看板について建築協定を締結する場合、借家人は、土地の所有者等として、当該協定に加わることになる。捨

ポイント整理

制限の異なる地域・区域にまたがる場合のまとめ

用途制限	敷地の過半の属する地域の用途制限が敷地の全部に適用
建蔽率制限 容積率制限	それぞれの地域に属する敷地の部分の割合に応じて計算（按分計算）して算出した数値が敷地の全部に適用
斜線制限	区域ごとに適用の有無が決まるので、建築物のうち斜線制限の適用区域に存する部分にのみ適用

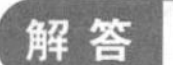

29
令5-18

建築基準法

次の記述のうち、建築基準法（以下この問において「法」という。）の規定によれば、正しいものはどれか。

❶ 法第53条第１項及び第２項の建蔽率制限に係る規定の適用については、準防火地域内にある準耐火建築物であり、かつ、街区の角にある敷地又はこれに準ずる敷地で特定行政庁が指定するものの内にある建築物にあっては同条第１項各号に定める数値に10分の２を加えたものをもって当該各号に定める数値とする。

❷ 建築物又は敷地を造成するための擁壁は、道路内に、又は道路に突き出して建築し、又は築造してはならず、地盤面下に設ける建築物においても同様である。

❸ 地方公共団体は、その敷地が袋路状道路にのみ接する建築物であって、延べ面積が150㎡を超えるものについては、一戸建ての住宅であっても、条例で、その敷地が接しなければならない道路の幅員、その敷地が道路に接する部分の長さその他その敷地又は建築物と道路との関係に関して必要な制限を付加することができる。

❹ 冬至日において、法第56条の２第１項の規定による日影規制の対象区域内の土地に日影を生じさせるものであっても、対象区域外にある建築物であれば一律に、同項の規定は適用されない。

アプローチ

肢３で悩む前に、他の肢でサッサと片づけなければいけない問題です。

解説

❶ 正しい。建蔽率制限の緩和

「準防火地域内にある耐火建築物等または準耐火建築物等」で、かつ、②街区の角にある敷地で特定行政庁が指定するものの内にある建築物については、建蔽率は、都市計画で定められた建蔽率の数値に10分の2を加えた数値が限度となる。

❷ 誤り。道路内の建築制限

建築物または敷地を造成するための擁壁は、道路内に、または道路に突き出して建築・築造してはならない。ただし、地盤面下に設ける建築物などについては、道路内に建築できる。

❸ 誤り。接道義務に関する制限の付加

地方公共団体は、建築物の敷地が袋路状道路（＝その一端のみが他の道路に接続した道路）にのみ接する建築物で、延べ面積が150㎡を超えるもの（一戸建ての住宅を除く）について、その用途、規模または位置の特殊性により、接道義務の規定によっては避難または通行の安全の目的を十分に達成することが困難であると認めるときは、条例で、建築物の敷地または建築物と道路との関係に関して必要な制限を付加できる。本肢は「一戸建ての住宅」なので制限を付加できない。

❹ 誤り。日影規制

日影規制の適用対象区域外にある高さが10ｍを超える建築物で、冬至日において対象区域内の土地に日影を生じさせるものは、日影規制が適用される。したがって、対象区域外にある建築物であれば一律に適用されないというわけではない。

建蔽率制限が緩和される建築物

①	防火・準防火地域内の延焼防止性能の高い建築物	防火地域内の耐火建築物等
		準防火地域内の耐火建築物等・準耐火建築物等
②	特定行政庁が指定する角地にある建築物	
③	①と②の両方にあたる建築物	

解答 ❶

30 令2-18 建築基準法

学習優先度 高

理解度チェック

建築基準法に関する次の記述のうち、正しいものはどれか。

❶ 公衆便所及び巡査派出所については、特定行政庁の許可を得ないで、道路に突き出して建築することができる。

❷ 近隣商業地域内において、客席の部分の床面積の合計が200m²以上の映画館は建築することができない。

❸ 建築物の容積率の算定の基礎となる延べ面積には、老人ホームの共用の廊下又は階段の用に供する部分の床面積は、算入しないものとされている。

❹ 日影による中高層の建築物の高さの制限に係る日影時間の測定は、夏至日の真太陽時の午前8時から午後4時までの間について行われる。

アプローチ

肢1・4はやや細かい知識ですが、逆に肢2・3は重要基本知識です。もし肢2・3の正誤の判断に迷ったら、気合いを入れ直してがんばりましょう。

解説

❶ 誤り。　道路内の建築制限

公衆便所および巡査派出所については、特定行政庁が通行上支障がないと認めて建築審査会の同意を得て許可したものでなければ、道路に突き出して建築することはできない。したがって、「特定行政庁の許可を得ない」で建築することはできない。

❷ 誤り。　用途制限（映画館）

客席の部分の床面積の合計が200m²以上の**映画館**は、近隣商業**地域**、商業**地域**、準工業**地域**内において**建築することができる**。なお、客席の部分の床面積の合計が200m²未満の映画館は、近隣商業地域、商業地域、準工業地域に加え、準住居地域内においても建築することができる。

❸ 正しい。容積率の特例

建築物の容積率の算定の基礎となる延べ面積には、老人ホーム等**の共用の廊下・階段**の用に供する部分の床面積は、算入しない。なお、エレベーターの昇降路の部分または共同住宅の共用の廊下・階段の用に供する部分の床面積についても、同様である。

❹ 誤り。　日影規制

日影による中高層の建築物の高さの制限（日影規制）に関する日影時間の測定は、冬至日の一定時刻の間について行われる。冬至日が1年で最も日影が長いからである。したがって、「夏至日」に測定が行われるのではない。なお、一定時刻とは、本肢の記述のとおり、真太陽時（標準時ではなく、太陽の南中時刻を正午として修正した時刻）の午前8時から午後4時まで（北海道の区域内では、午前9時から午後3時まで）である。

ここが狙われる！　容積率の特例

・住宅等の地下室→床面積の**1/3を限度**として延べ面積に不算入
・共同住宅・老人ホーム等の共用廊下等→**すべて**延べ面積に不算入

解答 ❸

31 建築基準法

平30-19

理解度チェック

建築基準法（以下この問において「法」という。）に関する次の記述のうち、誤っているものはどれか。

❶ 田園住居地域内においては、建築物の高さは、一定の場合を除き、10m又は12mのうち当該地域に関する都市計画において定められた建築物の高さの限度を超えてはならない。

❷ 一の敷地で、その敷地面積の40%が第二種低層住居専用地域に、60%が第一種中高層住居専用地域にある場合は、原則として、当該敷地内には大学を建築することができない。

❸ 都市計画区域の変更等によって法第3章の規定が適用されるに至った際現に建築物が立ち並んでいる幅員2mの道で、特定行政庁の指定したものは、同章の規定における道路とみなされる。

❹ 容積率規制を適用するに当たっては、前面道路の境界線又はその反対側の境界線からそれぞれ後退して壁面線の指定がある場合において、特定行政庁が一定の基準に適合すると認めて許可した建築物については、当該前面道路の境界線又はその反対側の境界線は、それぞれ当該壁面線にあるものとみなす。

アプローチ

肢1で登場した田園住居地域内の建築制限は、ほぼ第二種低層住居専用地域内の建築制限と同じと理解しておきましょう。

解説

❶ 正しい。**第一種・第二種低層住居専用地域、田園住居地域の高さ制限**

第一種低層住居専用**地域**、第二種低層住居専用**地域**、田園住居**地域内**においては、建築物の高さは、原則として、10m**または**12mのうち当該地域に関する都市計画において定められた建築物の高さの限度を超えてはならない。

❷ 誤り。　**敷地が2以上の用途地域にまたがる場合の用途制限（大学）**

建築物の敷地が2以上の用途地域にまたがる場合には、敷地の全部について敷地の過半の属する地域**の用途制限**が適用される。本肢では、敷地の過半にあたる60%が第一種中高層住居専用地域にあるので、敷地の全部について第一種中高層住居専用地域の用途制限が適用される。大学は、「第一種低層住居専用**地域**、第二種低層住居専用**地域**、田園住居**地域**、工業**地域**、工業専用**地域**」以外の用途地域において建築することができるので、本肢の敷地には、大学を建築することができる。

❸ 正しい。**建築基準法上の道路**

都市計画区域・準都市計画区域の指定・変更などにより建築基準法第3章の規定（集団規定）が適用されるに至った際現に建築物が立ち並んでいる幅員4m未満の道で、特定行政庁の指定したものは、建築基準法上の**道路**とみなされる（2項道路）。

❹ 正しい。**容積率制限（壁面線との関係）**

容積率制限を適用する際には、前面道路などの境界線から後退して壁面線の指定がある場合において、特定行政庁が一定の基準に適合すると認めて許可した建築物については、当該前面道路などの境界線は、当該壁面線にあるものとみなされる。つまり、適用される容積率を検討する際に問題となる道路の幅員は、壁面線を基準とすることになる。

キーワード　壁面線

特定行政庁は、街区内における建築物の位置を整えその環境の向上を図るために、一定の線を指定して、この線を越えて建築物の壁や柱などを建築してはならないという制限をすることができる。この一定の線を「**壁面線**」という。

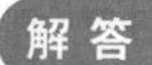

解答 ❷

建築基準法

建築基準法（以下この問において「法」という。）に関する次の記述のうち、誤っているものはどれか。

❶ 地方公共団体は、延べ面積が1,000m^{2}を超える建築物について、その用途、規模又は位置の特殊性により、法第43条第1項の規定によっては避難又は通行の安全の目的を十分に達成することが困難であると認めるときは、条例で、その敷地が接しなければならない道路の幅員に関して必要な制限を付加することができる。

❷ 建蔽率の限度が10分の8とされている地域内で、かつ、防火地域内にある耐火建築物については、建蔽率の制限は適用されない。

❸ 建築物が第二種中高層住居専用地域及び近隣商業地域にわたって存する場合で、当該建築物の過半が近隣商業地域に存する場合には、当該建築物に対して法第56条第1項第3号の規定（北側斜線制限）は適用されない。

❹ 建築物の敷地が第一種低層住居専用地域及び準住居地域にわたる場合で、当該敷地の過半が準住居地域に存する場合には、作業場の床面積の合計が100m^{2}の自動車修理工場は建築可能である。

肢3・4の「制限の異なる地域・区域にまたがる場合」の扱いは、建築基準法（集団規定）の典型テーマです。それぞれの扱いを混同しないように注意しましょう。

解説

❶ 正しい。**接道義務に関する制限の付加**

地方公共団体は、特殊建築物や延べ面積が1,000m²を超える建築物などについて、その用途、規模または位置の特殊性により、接道義務の規定によっては避難または通行の安全の目的を十分に達成することが困難であると認めるときは、条例で、その敷地が接しなければならない道路の幅員やその敷地が道路に接する部分の長さなどに関して必要な制限を付加できる。

❷ 正しい。**建蔽率制限の緩和**

建蔽率の限度が10分の8とされている地域内で、かつ、防火地域内にある耐火建築物等（耐火建築物または耐火建築物と同等以上の延焼防止性能を有するものとして政令で定める建築物）については、**建蔽率の制限は**適用されない。

❸ 誤り。　**建築物が斜線制限の異なる2以上の区域にまたがる場合**

建築物**が斜線制限の異なる2以上の区域にまたがる場合**には、区域ごとに**適用の有無が決まる**（属地主義）。したがって、建築物が、北側高さ制限（北側斜線制限）が原則として**適用される第二種中高層住居専用地域**と適用されない近隣商業地域にわたって存する場合には、建築物のうち、**第二種中高層住居専用地域に存する部分**については同制限が原則として**適用される**。

❹ 正しい。**敷地が2以上の用途地域にまたがる場合の用途制限**

建築物の敷地が2以上の用途地域にまたがる場合には、敷地の全部について敷地の過半の属する地域**の用途制限**が適用される。本肢では、敷地の過半が準住居地域に存するので、敷地の全部について準住居地域の用途制限が適用される。原動機を使用する**自動車修理工場**で作業場の床面積の合計が**150m²以内**のものは、準住居**地域**、近隣商業地域、商業地域、準工業地域、工業地域、工業専用地域で、建築することができる。したがって、本肢の作業場の床面積の合計が100m²の自動車修理工場は建築可能である。

・ここが狙われる！　接道義務に関する制限の緩和

肢1の接道義務に関する制限について、条例で「緩和」することは認められない点に注意！　建築基準法の定める接道義務に関する制限は、敷地の安全性を確保するための最低限のルールだからである。

きほんの教科書 L4-1・2・3・6 復習　解答 ❸

33 平28-19 建築基準法

建築基準法に関する次の記述のうち、誤っているものはどれか。

❶ 特定行政庁が許可した場合、第一種低層住居専用地域内においても飲食店を建築することができる。

❷ 前面道路の幅員による容積率制限は、前面道路の幅員が12m以上ある場合は適用されない。

❸ 公園内にある建築物で特定行政庁が安全上、防火上及び衛生上支障がないと認めて許可したものについては、建蔽率の制限は適用されない。

❹ 第一種住居地域内における建築物の外壁又はこれに代わる柱の面から敷地境界線までの距離は、当該地域に関する都市計画においてその限度が定められた場合には、当該限度以上でなければならない。

アプローチ

問題文が短いからといって易しいとは限らない一例。特に肢1・2は、じっくり丁寧に考えてみましょう。

解説

❶ 正しい。**用途制限の特例許可**

2階以下かつ床面積の合計が150m²以内の店舗・飲食店は、「第一種低層住居専用地域、工業専用地域」以外の用途地域において建築できるとされている。したがって、第一種低層住居専用地域内においては、原則として、飲食店を建築してはならない。ただし、特定行政庁が第一種低層住居専用地域における良好な住居の環境を害するおそれがないと認め、または公益上やむを得ないと認めて許可した場合は、例外である（特例許可）。

❷ 正しい。**容積率制限（前面道路の幅員による制限）**

前面道路の幅員による容積率制限は、前面道路の幅員が12m未満の場合にのみ適用される。したがって、前面道路の幅員が「12m以上」ある場合は、適用されない。

❸ 正しい。**建蔽率制限の適用除外**

公園、広場、道路、川などの内にある建築物で特定行政庁が安全上、防火上および衛生上支障がないと認めて許可したものについては、**建蔽率の制限は適用されない。**

❹ 誤り。 **外壁の後退距離の限度**

第一種低層住居専用**地域**、第二種低層住居専用**地域**、田園住居**地域**内においては、外壁の後退距離は、当該地域に関する都市計画において**外壁の後退距離の限度**（1.5mまたは1m）が定められた場合においては、原則として、当該限度以上でなければならない。しかし、「第一種住居地域」については、このような規定はない。

ステップアップ
用途制限の特例許可

テキストなどの用途制限の表では、自由に建築できる場合を○、建築できない場合を×で表記しているが、×になっている用途の建築物も、原則として建築できないだけであり、**特定行政庁の許可**（特例許可）があれば建築できる。

きほんの教科書 L4-2・3・5・6 復習

解答 ❹

学習優先度 中

34 建築基準法

平21-19

理解度チェック

建築基準法（以下この問において「法」という。）に関する次の記述のうち、誤っているものはどれか。

❶ 高度地区内においては、建築物の高さは、高度地区に関する地方公共団体の条例において定められた内容に適合するものでなければならない。

❷ 認可の公告のあった建築協定は、その公告のあった日以後に協定の目的となっている土地の所有権を取得した者に対しても、効力がある。

❸ 商業地域内にある建築物については、法第56条の2第1項の規定による日影規制は、適用されない。ただし、冬至日において日影規制の対象区域内の土地に日影を生じさせる、高さ10mを超える建築物については、この限りでない。

❹ 特別用途地区内においては、地方公共団体は、その地区の指定の目的のために必要と認める場合においては、国土交通大臣の承認を得て、条例で、法第48条の規定による建築物の用途制限を緩和することができる。

アプローチ

肢1・4は、都市計画法で学習した「用途地域以外の地域地区」の知識で推測できます。もう一度、キーワードを思い出してみましょう。

解説

❶ 誤り。 高度地区内の制限

高度地区内においては、建築物の高さは、高度地区に関する「都市計画」において定められた内容に適合するものでなければならない。「地方公共団体の条例」ではない。

❷ 正しい。建築協定

建築協定の認可等の公告のあった建築協定は、原則として、その公告のあった日以後において当該建築協定区域内の土地の所有者等（土地の所有者および借地権を有する者）となった者に対しても、その効力がある。

❸ 正しい。日影規制

商業地域内にある建築物については、原則として、日影規制は、適用されない。ただし、冬至日において日影規制の対象区域内の土地に日影を生じさせる、高さ10mを超える建築物については、例外的に、日影規制が適用される。

❹ 正しい。特別用途地区内の制限

特別用途地区内においては、地方公共団体は、その地区の指定の目的のために必要と認める場合においては、国土交通大臣の承認を得て、条例で、建築物の用途制限を緩和することができる。

高度地区

肢1については、「高度地区」が、そもそも「都市計画」の1つで、建築物の「高さ」の最高限度または最低限度を定める地区であることを思い出そう。そうすれば、誤りであると推断できるはず！

きほんの教科書 L4-2･6、L5-2 復習

解答 ❶

建築基準法

建築基準法に関する次の記述のうち、正しいものはどれか。

❶ 防火地域にある建築物で、外壁が耐火構造のものについては、その外壁を隣地境界線に接して設けることができる。

❷ 高さ30mの建築物には、原則として非常用の昇降機を設けなければならない。

❸ 準防火地域内においては、延べ面積が2,000m^2の共同住宅は準耐火建築物としなければならない。

❹ 延べ面積が1,000m^2を超える耐火建築物は、防火上有効な構造の防火壁又は防火床によって有効に区画し、かつ、各区画の床面積の合計をそれぞれ1,000m^2以内としなければならない。

アプローチ

最低限、肢2の数字は覚えてなければいけませんが、数字だけ覚えれば解けるほど甘くはありません。数字以外の基礎知識も大切であることを実感してください。

解説

❶ 正しい。**隣地境界線に接する外壁**

防火**地域**または準防火**地域内**にある**建築物**で、**外壁が耐火構造**のものについては、その**外壁を**隣地境界線に接して設けることができる。

❷ 誤り。 **非常用の昇降機**

高さ31mを超える**建築物**には、原則として、**非常用の昇降機**を設けなければならない。したがって、「高さ30mの建築物」であれば、その必要はない。

❸ 誤り。 **準防火地域内の建築物に要求される性能**

準防火地域内においては、地階を除く階数が4以上である建築物または延べ面積が1,500m²を超える建築物は、耐火建築物相当の政令で定める一定の技術的基準に適合する建築物としなければならない。したがって、「準耐火建築物としなければならない」わけではない。

❹ 誤り。 **防火壁等**

延べ面積が1,000m²を超える建築物は、原則として、**防火上有効な構造の防火壁または防火床によって有効に区画し**、かつ、各区画の床面積の合計をそれぞれ1,000m²以内としなければならない。ただし、耐火建築物・準耐火建築物などは**例外**である。したがって、「耐火建築物」である本肢の建築物については、この規定は適用されない。

防火壁等

真面目な受験者ほど「1,000m²を超える」「1,000m²以内」といった数字を丸暗記しようとしがちであるが、過去の出題は、「**耐火建築物・準耐火建築物**などは**例外**である」という知識だけで判断できるものばかり。学習にはメリハリが必要である。

きほんの教科書 L4-7、L5-1 復習

解答 ❶

36 建築基準法

平30-18改

理解度チェック

建築基準法に関する次の記述のうち、正しいものはどれか。

❶ 建築物の高さ31m以下の部分にある全ての階には、非常用の進入口を設けなければならない。

❷ 防火地域内にある3階建ての木造の建築物を増築する場合、その増築に係る部分の床面積の合計が10m^{2}以内であれば、その工事が完了した際に、完了検査を受ける必要はない。

❸ 4階建ての事務所の用途に供する建築物の2階以上の階にあるバルコニーその他これに類するものの周囲には、安全上必要な高さが1.1m以上の手すり壁、さく又は金網を設けなければならない。

❹ 建築基準法の改正により、現に存する建築物が改正後の規定に適合しなくなった場合、当該建築物の所有者又は管理者は速やかに当該建築物を改正後の建築基準法の規定に適合させなければならない。

アプローチ

本試験問題には、かなりの確率で捨て肢が紛れ込んでいます。捨て肢と気づかず精神的ダメージを受けるか、知らん顔して通過できるか。すべては、日頃の過去問学習次第です。

解説

❶ 誤り。 **非常用の進入口**

建築物の高さ31m以下の部分にある「3階以上」の階には、原則として、非常用の進入口を設けなければならない。「全て」の階ではない。

❷ 誤り。 **建築確認の要否**

建築主は、建築確認**が必要な建築等の工事を完了**したときは、建築主事等または指定確認検査機関の完了検査を受けなければならない。防火**地域**および準防火**地域内**において建築物の増築**・改築・移転**をする場合、その増築・改築・移転に係る部分の床面積**にかかわらず、建築確認が必要**である。したがって、本肢の防火地域内で建築物を増築する場合には建築確認が必要であるから、建築主は、その増築工事が完了した際に、完了検査を受ける必要がある。

❸ 正しい。**手すり壁等**

共同住宅など一定の用途に供する特殊建築物や階数が3以上である建築物などの屋上広場または2階以上**の階**にあるバルコニーその他これに類するものの周囲には、安全上必要な高さが1.1m以上の手すり壁、さくまたは金網を設けなければならない。

❹ 誤り。 **建築基準法の適用除外**

建築基準法の改正により、現に存する建築物が改正後の建築基準法の規定に適合しなくなった場合、その建築物のことを**既存不適格建築物**という。この既存不適格建築物には、原則として、**改正後の建築基準法の規定は**適用されない。したがって、当該建築物の所有者または管理者は、原則として、改正後の建築基準法の規定に適合させる必要はない。

ここが狙われる！ 手すり壁等

肢3の手すり壁等は、一定の建築物などの「屋上広場または2階以上の階にあるバルコニー」などの周囲に設置が必要とされている。ということは、「各階」のバルコニーの周囲に設置が必要というわけではない（1階には設置不要）。過去にそんなひっかけもあったので、要注意！

きほんの教科書 L3-1・2、L5-1 復習

解答 ❸

37 令4-17改 建築基準法

学習優先度 高

理解度チェック  

建築基準法（以下この問において「法」という。）に関する次の記述のうち、正しいものはどれか。

❶ 法の改正により、現に存する建築物が改正後の法の規定に適合しなくなった場合には、当該建築物は違反建築物となり、速やかに改正後の法の規定に適合させなければならない。

❷ 延べ面積が200m²を超える建築物について、大規模な修繕をしようとする場合、都市計画区域外であれば建築確認を受ける必要はない。

❸ 地方公共団体は、条例で、建築物の敷地、構造又は建築設備に関して安全上、防火上又は衛生上必要な制限を附加することができる。

❹ 地方公共団体が、条例で、津波、高潮、出水等による危険の著しい区域を災害危険区域として指定した場合には、災害危険区域内における住居の用に供する建築物の建築は一律に禁止されることとなる。

アプローチ

しっかり学習していれば、少なくとも消去法で解答できるはず！

解説

❶ 誤り。　**建築基準法の適用除外**

建築基準法の改正により、現に存する建築物が改正後の建築基準法の規定に適合しなくなった場合、その建築物のことを**既存不適格建築物**という。この既存不適格建築物には、原則として、**改正後の建築基準法の規定は適用されない**。したがって、当該建築物はただちに違反建築物となるわけではなく、原則として、改正後の建築基準法の規定に適合させる必要はない。

❷ 誤り。　**建築確認の要否**

規模の大きい建築物（①２階以上、または、②延べ面積200㎡超の建築物）について**大規模の修繕**をする場合、場所に関係なく、建築確認が必要である。したがって、「延べ面積が200m²を超える」建築物については、建築確認が必要である。

❸ 正しい。**単体規定**

地方公共団体は、その地方の気候・風土の特殊性または特殊建築物の用途・規模により、建築基準法の単体規定などのみによっては建築物の安全、防火または衛生の目的を充分に達し難いと認める場合においては、条例で、建築物の敷地、構造または建築設備に関して安全上、防火上または衛生上必要な制限を付加できる。

❹ 誤り。　**単体規定**

地方公共団体は、条例で、津波、高潮、出水などによる危険の著しい区域を**災害危険区域**として指定できる。この災害危険区域内における住居の用に供する建築物の建築の禁止その他**建築物の建築に関する制限**で災害防止上必要なものは、当該条例で定める。したがって、「一律に禁止」されるわけではない。

きほんの教科書 L3-1・2、5-1 復習

解答 ❸

38 平30-20改 盛土規制法

理解度チェック

宅地造成及び特定盛土等規制法に関する次の記述のうち、誤っているものはどれか。なお、この問において「都道府県知事」とは、地方自治法に基づく指定都市、中核市及び施行時特例市にあってはその長をいうものとする。

❶ 宅地造成等工事規制区域内において、過去に宅地造成に関する工事が行われ現在は工事主とは異なる者がその工事が行われた土地（公共施設用地を除く。）を所有している場合、当該土地の所有者は、宅地造成等に伴う災害が生じないよう、その土地を常時安全な状態に維持するように努めなければならない。

❷ 宅地造成等工事規制区域内において行われる宅地造成等に関する工事について許可をする都道府県知事は、当該許可に、工事の施行に伴う災害を防止するために必要な条件を付することができる。

❸ 宅地を宅地以外の土地にするために行う土地の形質の変更は、宅地造成に該当しない。

❹ 宅地造成等工事規制区域内において、切土であって、当該切土をする土地の面積が400m^{2}で、かつ、高さ1mの崖を生ずることとなるものに関する工事を行う場合には、一定の場合を除き、都道府県知事の許可を受けなければならない。

アプローチ

盛土規制法については、まずは典型テーマである宅地造成等工事規制区域内での規制に関する問題を解けるように、法改正対応の改題を施した過去問で、しっかりトレーニングしましょう。

解説

❶ 正しい。**土地の保全義務**

宅地造成等工事規制区域内の土地（公共施設用地を除く）の所有者、管理者または占有者は、宅地造成等に伴う災害が生じないよう、その土地を常時安全な状態に維持するように努めなければならない（土地の保全義務）。現在は工事主とは異なる者がその宅地造成等に関する工事が行われた土地を所有している場合であっても同様である。

❷ 正しい。**災害を防止するため必要な条件**

宅地造成等工事規制区域内において行われる**宅地造成等に関する工事**について許可をする都道府県知事は、その許可に、工事の施行に伴う災害を防止するため必要な条件を付することができる。

❸ 正しい。**宅地造成の意味**

「宅地造成」とは、**宅地以外の土地を**宅地にするために行う盛土その他の土地の形質の変更で一定規模のものをいう。したがって、**「宅地を宅地以外の土地にするために行う土地の形質の変更」**は、**「宅地造成」に該当しない。**なお、「特定盛土等」（＝宅地または農地等において行う盛土その他の土地の形質の変更で一定規模のもの）に該当する可能性はある。

❹ 誤り。 **宅地造成等に関する工事の許可**

宅地造成等工事規制区域内において行われる**「宅地造成等」**に関する工事については、工事主は、当該工事に着手する前に、原則として、都道府県知事の**許可**を受けなければならない。「宅地造成等」とは、**宅地造成**、特定盛土等または土石の堆積のことをいうが、このうち「宅地造成」とは、宅地以外の土地を宅地にするために行う盛土その他の土地の形質の変更で一定規模のもの（盛土・切土をする土地の面積が500m²**を超える**場合や**切土**部分に生じる崖の高さが2m**を超える**場合など）をいう。本肢の場合、切土をする土地の面積が400m²であるとともに、切土部分に生じる崖の高さが1mであるので、宅地造成等に関する工事の許可を受ける必要はない。

きほんの教科書 L6-3 復習　解答 ❹

39 盛土規制法

令2-19改

宅地造成及び特定盛土等規制法に関する次の記述のうち、誤っているものはどれか。なお、この問において「都道府県知事」とは、地方自治法に基づく指定都市、中核市及び施行時特例市にあってはその長をいうものとする。

❶ 都道府県知事又はその命じた者若しくは委任した者が、基礎調査のために他人の占有する土地に立ち入って測量又は調査を行う必要がある場合において、その必要の限度において当該土地に立ち入って測量又は調査を行うときは、当該土地の占有者は、正当な理由がない限り、立入りを拒み、又は妨げてはならない。

❷ 宅地を宅地以外の土地にするために行う土地の形質の変更は、宅地造成に該当しない。

❸ 宅地造成等工事規制区域内において、公共施設用地を宅地又は農地等に転用した者は、宅地造成等に関する工事を行わない場合でも、都道府県知事の許可を受けなければならない。

❹ 宅地造成等に関する工事の許可を受けた者が、工事施行者の氏名若しくは名称又は住所を変更する場合には、遅滞なくその旨を都道府県知事に届け出ればよく、改めて許可を受ける必要はない。

アプローチ

どんな場合に許可が必要で、どんな場合に届出が必要か？　肢３・４を素材に、きちんと区別できるかどうかを確認しましょう。

解説

❶ 正しい。**測量・調査のための土地の立入り**

都道府県知事などが、基礎調査のために他人の占有する土地に立ち入って測量・調査を行う必要がある場合において、その必要の限度において当該土地に立ち入って測量・調査を行うときは、当該**土地の占有者は**、正当な理由**がない限り**、立入り**を拒み、または妨げてはならない。**

❷ 正しい。**宅地造成の意味**

「宅地造成」とは、**宅地以外の土地を**宅地にするために行う盛土その他の土地の形質の変更で一定規模のものをいう。したがって、**「宅地を宅地以外**の土地にするために行う土地の形質の変更」は、**「宅地造成」に該当しない。**なお、「特定盛土等」（＝宅地または農地等において行う盛土その他の土地の形質の変更で一定規模のもの）に該当する可能性はある。

❸ 誤り。　**工事等の届出**

宅地造成等工事規制区域内において、公共施設用地を宅地または農地等に転用した者は、宅地造成等に関する工事を行わない場合でも、その転用した日から14日以内に、その旨を都道府県知事に届け出なければならないとされている。「都道府県知事の許可」ではない。

❹ 正しい。**工事の計画の変更**

宅地造成等に関する工事の許可を受けた者は、当該許可に係る宅地造成等に関する工事の計画の変更をしようとするときは、原則として、都道府県知事の許可（変更の許可）を受けなければならない。ただし、工事施行者の氏名・名称または住所の変更など一定の軽微な変更をしたときは、遅滞なくその旨を都道府県知事に届け出ればよく、改めて許可を受ける必要はない。

工事の計画の変更

許可に係る宅地造成等に関する工事の計画を変更する場合	原則	都道府県知事の**許可**（変更の許可）
	例外	**軽微変更**（たとえば、工事施行者の氏名・名称などの変更）の場合、遅滞なく、都道府県知事に**届出**

きほんの教科書 L6-2・3  

解答 ❸

40 盛土規制法

平25-19改

宅地造成及び特定盛土等規制法に関する次の記述のうち、誤っているものはどれか。なお、この問において、「都道府県知事」とは、地方自治法に基づく指定都市、中核市及び施行時特例市にあってはその長をいうものとする。

❶ 宅地造成等工事規制区域内において宅地造成等に関する工事を行う場合、宅地造成等に伴う災害を防止するために行う高さ4mの擁壁の設置に係る工事については、政令で定める資格を有する者の設計によらなければならない。

❷ 宅地造成等工事規制区域内において、宅地以外の土地を宅地にするために行われる切土であって、当該切土をする土地の面積が600m^2で、かつ、高さ1.5mの崖を生ずることとなるものに関する工事については、都道府県知事の許可が必要である。

❸ 宅地造成等工事規制区域内において、宅地以外の土地を宅地にするために行われる盛土であって、当該盛土をする土地の面積が300m^2で、かつ、高さ1.5mの崖を生ずることとなるものに関する工事については、都道府県知事の許可が必要である。

❹ 都道府県知事は、宅地造成等工事規制区域内の土地について、宅地造成等に伴う災害の防止のため必要があると認める場合においては、その土地の所有者、管理者、占有者、工事主又は工事施行者に対し、擁壁の設置等の措置をとることを勧告することができる。

数字を問う肢が3本あるので、学習が不十分だと難しく感じる問題です。しかし、合格者の大半は、正解できるはず。特に肢2・3で迷ったら猛省を！

解説

❶ 誤り。　**災害を防止するため必要な措置**

宅地造成等工事規制区域内において宅地造成等に関する工事を行う場合、宅地造成等に伴う災害を防止するために行う①高さが5mを超える擁壁の設置に係る工事と、②盛土または切土をする土地の面積が1,500m²を超える土地における排水施設の設置に係る工事については一定の資格を有する者の設計によらなければならないとされている。したがって、本肢の高さ「4m」の擁壁の設置に係る工事については、その必要はない。

❷ 正しい。**宅地造成等に関する工事の許可**

宅地造成等工事規制区域内において宅地以外の土地を宅地にするために行う盛土その他の土地の形質の変更で一定規模のもの（盛土・切土をする土地の面積が500m²を超える場合や宅地造成のためにする切土部分に生じる崖の高さが2mを超える場合など）については、原則として、都道府県知事の許可（宅地造成等に関する工事の許可）が必要である。したがって、切土をする土地の面積が600m²であれば、生ずる崖の高さに関係なく、都道府県知事の許可が必要である。

❸ 正しい。**宅地造成等に関する工事の許可**

肢2解説の場合と同様に、宅地造成をするために盛土部分に生じる崖の高さが1mを超える場合にも、原則として、都道府県知事の許可（宅地造成等に関する工事の許可）が必要である。したがって、高さ1.5mの崖を生ずることとなる盛土であれば、当該盛土をする土地の面積に関係なく、都道府県知事の許可が必要である。

❹ 正しい。**勧告**

都道府県知事は、宅地造成等工事規制区域内の土地について、宅地造成等に伴う災害の防止のため必要があると認める場合においては、その土地の所有者、管理者、占有者、工事主または工事施行者に対し、擁壁の設置等の措置をとることを勧告することができる。

キーワード　一定の資格を有する者

土木・建築に関して一定の学歴と実務経験を有する者などをいう。(肢1)

解答 ❶

41 盛土規制法

平26-19改

宅地造成及び特定盛土等規制法に関する次の記述のうち、誤っているものはどれか。なお、この問において「都道府県知事」とは、地方自治法に基づく指定都市、中核市及び施行時特例市にあってはその長をいうものとする。

❶ 宅地造成等工事規制区域内において、宅地を宅地以外の土地にするために行われる切土であって、当該切土をする土地の面積が600m²で、かつ、高さ3mの崖を生ずることとなるものに関する工事は、宅地造成に該当しない。

❷ 都道府県知事は、宅地造成等工事規制区域内において行われる宅地造成等に関する工事の許可に付した条件に違反した者に対して、その許可を取り消すことができる。

❸ 都道府県知事又はその命じた者若しくは委任した者が、基礎調査のために他人の占有する土地に立ち入って測量又は調査を行う必要がある場合において、その必要の限度において当該土地に立ち入って測量又は調査を行うときは、当該土地の占有者は、正当な理由がない限り、立入りを拒み、又は妨げてはならない。

❹ 宅地造成等工事規制区域内において行われる宅地造成等に関する工事の許可を受けた者は、主務省令で定める軽微な変更を除き、当該工事の計画を変更しようとするときは、遅滞なく、その旨を都道府県知事に届け出なければならない。

アプローチ

肢4については、「原則→例外」という流れを意識して、覚えた知識をあてはめてみましょう。

解説

❶ 正しい。**宅地造成の意味**

「宅地造成」とは、**宅地以外の土地を**宅地にするために行う盛土その他の土地の形質の変更で一定規模のものをいう。したがって、**「宅地を宅地以外の土地にするために行う土地の形質の変更」**は、**「宅地造成」に該当しない**。なお、「特定盛土等」（＝宅地または農地等において行う盛土その他の土地の形質の変更で一定規模のもの）に該当する可能性はある。

❷ 正しい。**違反者に対する監督処分**

都道府県知事は、宅地造成等工事規制区域内において行われる宅地造成等に関する工事の許可に付した条件に違反した者に対して、その許可を取り消すことができる。

❸ 正しい。**測量・調査のための土地の立入り**

都道府県知事などが、基礎調査のために他人の占有する土地に立ち入って測量・調査を行う必要がある場合において、その必要の限度において当該土地に立ち入って測量・調査を行うときは、**当該土地の占有者は、**正当な理由**がない限り、**立入り**を拒み、または妨げてはならない。**

❹ 誤り。　**工事の計画の変更**

宅地造成等工事規制区域内において行われる宅地造成等に関する工事の許可を受けた者は、当該許可に係る宅地造成等に関する工事の計画の変更をしようとするときは、原則として、都道府県知事の「許可」（変更の許可）を受けなければならない。「届け出」なければならないのではない。なお、この許可を受けた者が工事施行者の氏名・名称の変更など一定の軽微な変更をしたときは、遅滞なく、その旨を都道府県知事に届け出なければならないとされている。

ステップアップ

土地の立入り等に伴う損失の補償

都道府県は、宅地造成等工事規制区域・特定盛土等規制区域・造成宅地防災区域の指定のために行う測量・調査のため他人の占有する土地に立ち入ったことにより他人に損失を与えた場合には、その損失を受けた者に対して、**通常生ずべき損失を補償**しなければならない。

きほんの教科書 L6-2・3 復習

解答 ④

42 盛土規制法

令3-19改

宅地造成及び特定盛土等規制法（以下この問において「法」という。）に関する次の記述のうち、誤っているものはどれか。なお、この問において「都道府県知事」とは、地方自治法に基づく指定都市、中核市及び施行時特例市にあってはその長をいうものとする。

❶ 宅地造成等工事規制区域内において、宅地を造成するために切土をする土地の面積が500m²であって盛土を生じない場合、切土をした部分に生じる崖の高さが1.5mであれば、都道府県知事の法第12条第1項本文の工事の許可は不要である。

❷ 都道府県知事は、法第12条第1項本文の工事の許可の申請があった場合においては、遅滞なく、許可又は不許可の処分をしなければならない。

❸ 都道府県知事は、一定の場合には都道府県（地方自治法に基づく指定都市、中核市又は施行時特例市の区域にあっては、それぞれ指定都市、中核市又は施行時特例市）の規則で、宅地造成等工事規制区域内において行われる宅地造成等に関する工事の技術的基準を強化し、又は付加することができる。

❹ 都道府県知事は、関係市町村長の意見を聴いて、宅地造成等工事規制区域内で、宅地造成又は特定盛土等に伴う災害で相当数の居住者その他の者に危害を生ずるものの発生のおそれが大きい一団の造成宅地の区域であって一定の基準に該当するものを、造成宅地防災区域として指定することができる。

アプローチ

肢4の造成宅地防災区域は、実際に指定された例は少ないものの、試験では出題されます。古くから造成工事が行われた既存の宅地造成地をイメージしておきましょう。

解説

❶ 正しい。宅地造成等に関する工事の許可

宅地造成等工事規制区域内において宅地以外の土地を宅地にするために行う盛土その他の土地の形質の変更で一定規模のもの（盛土・切土をする土地の面積が500m²を超える場合や切土部分に生じる崖の高さが2mを超える場合など）については、原則として、都道府県知事の許可（宅地造成等に関する工事の許可）が必要である。しかし、本肢の場合、切土をする土地の面積が500m²で、切土部分に生じる崖の高さが1.5mであるから、宅地造成等に関する工事の許可を受ける必要はない。

❷ 正しい。許可・不許可の処分

都道府県知事は、宅地造成等に関する工事の許可の申請があった場合には、遅滞なく、許可または不許可の処分をしなければならない。

❸ 正しい。工事の技術的基準の強化等

都道府県知事は、その地方の気候・風土・地勢の特殊性により、宅地造成等に伴う崖崩れまたは土砂の流出の防止の目的を達し難いと認める一定の場合には、都道府県の規則で、宅地造成等工事規制区域内において行われる宅地造成等に関する工事の技術的基準を強化し、または必要な技術的基準を付加することができる。

❹ 誤り。　造成宅地防災区域の指定

造成宅地防災区域は、宅地造成等工事規制区域内に指定することはできない。

法令上の制限

キーワード　造成宅地防災区域

宅地造成または特定盛土等に伴う災害で相当数の居住者その他の者に危害を生ずるものの発生のおそれが大きい一団の造成宅地（宅地造成等工事規制区域内の土地を除く）の区域であって一定の基準に該当するものとして都道府県知事が指定したものをいう。なお、「造成宅地」とは、宅地造成または特定盛土等（宅地において行うものに限る）に関する工事が施行された宅地をいう。

解答 ❹

43 盛土規制法

令元-19改

理解度チェック

宅地造成及び特定盛土等規制法に関する次の記述のうち、正しいものはどれか。なお、この問において「都道府県知事」とは、地方自治法に基づく指定都市、中核市及び施行時特例市にあってはその長をいうものとする。

❶ 宅地造成等工事規制区域及び特定盛土等規制区域外において行われる宅地造成等に関する工事については、工事主は、工事に着手する日の14日前までに都道府県知事に届け出なければならない。

❷ 宅地造成等工事規制区域内において行われる宅地造成等に関する工事の許可を受けた者は、主務省令で定める軽微な変更を除き、当該許可に係る工事の計画の変更をしようとするときは、遅滞なくその旨を都道府県知事に届け出なければならない。

❸ 宅地造成等工事規制区域の指定の際に、当該宅地造成等工事規制区域内において宅地造成等に関する工事を行っている者は、当該工事について都道府県知事の許可を受ける必要はない。

❹ 都道府県知事は、宅地造成等に伴い災害が生ずるおそれが大きい市街地若しくは市街地となろうとする土地の区域又は集落の区域（これらの区域に隣接し、又は近接する土地の区域を含む。）であって、宅地造成等に関する工事について規制を行う必要があるものを、造成宅地防災区域として指定することができる。

アプローチ

肢1～3は、許可・届出が必要な場合かどうかを問う典型的な出題です。迷いなく解答できなければいけません。

解説

❶ 誤り。　**規制区域外での届出**

盛土規制法には、「宅地造成等工事規制区域および特定盛土等規制区域」外において行われる工事について、届出を必要とする規定はない。

❷ 誤り。　**工事の計画の変更**

宅地造成等工事規制区域内において行われる宅地造成等に関する工事の許可を受けた者は、一定の軽微な変更を除き、その工事の計画を変更しようとするときは、原則として、都道府県知事の「許可」（変更の許可）を受けなければならない。「届け出」なければならないのではない。

❸ 正しい。**工事等の届出**

宅地造成等工事規制区域の指定の際、当該宅地造成等工事規制区域内において行われている宅地造成等に関する工事の工事主は、その指定があった日から21日以内に、当該工事について都道府県知事に「届け出」なければならない。しかし、「許可」を受ける必要はない。

❹ 誤り。　**造成宅地防災区域の指定**

都道府県知事は、宅地造成、特定盛土等または土石の堆積（＝宅地造成等）に伴い災害が生ずるおそれが大きい市街地・市街地となろうとする土地の区域または集落の区域（これらの区域に隣接し、または近接する土地の区域を含む）であって、宅地造成等に関する工事について規制を行う必要があるものを、「宅地造成等工事規制区域」として指定することができる。「造成宅地防災区域」としてではない。

・ここが狙われる！　「宅地造成等工事規制区域および特定盛土等規制区域」外での規制

「宅地造成等工事規制区域および特定盛土等規制区域」**外**において行われる工事について、盛土規制法の**許可・届出は不要**である。

きほんの教科書 L6-3・5 復習

解答 ❸

44 盛土規制法

令4-19改

宅地造成及び特定盛土等規制法に関する次の記述のうち、誤っているものはどれか。なお、この問において「都道府県知事」とは、地方自治法に基づく指定都市、中核市及び施行時特例市にあってはその長をいうものとする。

❶ 宅地造成等工事規制区域内の土地（公共施設用地を除く。）において、雨水その他の地表水又は地下水を排除するための排水施設の除却工事を行おうとする場合は、一定の場合を除き、都道府県知事への届出が必要となる。

❷ 宅地造成等工事規制区域内において、森林を宅地にするために行う切土であって、高さ3mの崖を生ずることとなるものに関する工事については、工事主は、宅地造成等に伴う災害の発生のおそれがないと認められるものとして政令で定める工事を除き、工事に着手する前に、都道府県知事の許可を受けなければならない。

❸ 宅地造成等工事規制区域内の土地（公共施設用地を除く。）において、過去に宅地造成等に関する工事が行われ、現在は工事主とは異なる者がその工事が行われた土地を所有している場合において、当該土地の所有者は宅地造成等に伴う災害が生じないよう、その土地を常時安全な状態に維持するように努めなければならない。

❹ 宅地造成等工事規制区域外に盛土によって造成された一団の造成宅地の区域において、造成された盛土の高さが5m未満の場合は、都道府県知事は、当該区域を造成宅地防災区域として指定することができない。

アプローチ

消去法で解答をあぶりだすタイプの問題です。正解肢以外での判断ミスは許されません！

解説

❶ 正しい。**工事等の届出**

宅地造成等工事規制区域内の土地（公共施設用地を除く）において、**地表水等を排除するための排水施設などの除却の工事（擁壁等に関する工事）**を行う者は、宅地造成等に関する工事の許可を受けた者など一定の者を除き、その工事に着手する日の14日前までに、その旨を都道府県知事に届け出なければならない。

❷ 正しい。**宅地造成等に関する工事の許可**

宅地造成等工事規制区域内において宅地以外の土地を宅地にするために行う盛土その他の土地の区画形質の変更で一定規模のもの（盛土・切土をする土地の面積が500m²**を超える場合や切土**部分に生じる崖の高さが2mを超**える場合など**）については、原則として、都道府県知事の許可（宅地造成等に関する工事の許可）を受けなければならない。

❸ 正しい。**土地の保全**

宅地造成等工事規制区域内の土地（公共施設用地を除く）の所有者、管理者または占有者は、宅地造成等（宅地造成等工事規制区域の指定前に行われたものを含む）に伴う災害が生じないよう、その土地を常時安全な状態に維持するように努めなければならない（**土地の保全義務**）。過去に宅地造成等に関する工事が行われ、現在は工事主とは異なる者がその工事が行われた土地を所有している場合であっても、同様である。

❹ 誤り。　**造成宅地防災区域の指定の基準**

「造成された盛土の高さが5m未満」であっても、盛土をした土地の面積が3,000m²以上であるなど一定の基準に該当する一団の造成宅地の区域については、造成宅地防災区域として指定できる。

ポイント整理

違反者に対する監督処分（許可の取消し）

都道府県知事は、**偽りその他不正な手段により宅地造成等に関する工事の許可・変更の許可を受けた者**、その**許可に付した条件に違反した者**に対して、その**許可を取り消す**ことができる。

きほんの教科書 L6-3・5 復習　　解答 ❹

45 盛土規制法

平28-20改

宅地造成及び特定盛土等規制法に関する次の記述のうち、誤っているものはどれか。なお、この問において「都道府県知事」とは、地方自治法に基づく指定都市、中核市及び施行時特例市にあってはその長をいうものとする。

❶ 宅地造成等工事規制区域外に盛土によって造成された一団の造成宅地の区域において、造成された盛土の高さが5m未満の場合は、都道府県知事は、当該区域を造成宅地防災区域として指定することができない。

❷ 宅地造成等工事規制区域内において、盛土又は切土をする土地の面積が600m^{2}である場合、その土地における排水施設は、政令で定める資格を有する者によって設計される必要はない。

❸ 宅地造成等工事規制区域内の土地（公共施設用地を除く。）において、高さが2mを超える擁壁を除却する工事を行おうとする者は、一定の場合を除き、その工事に着手する日の14日前までにその旨を都道府県知事に届け出なければならない。

❹ 宅地造成等工事規制区域内において、公共施設用地を宅地又は農地等に転用した者は、一定の場合を除き、その転用した日から14日以内に、その旨を都道府県知事に届け出なければならない。

アプローチ

肢3・4については、何種類もある届出事項のうち、いずれの事項が問われているのか、しっかり区別できなければいけません。

解説

❶ 誤り。 **造成宅地防災区域の指定**

造成された盛土の高さが5m未満であっても、盛土をした土地の面積が3,000m^2以上であるなど一定の基準に該当する一団の造成宅地の区域については、造成宅地防災区域として指定することができる。

❷ 正しい。**災害を防止するため必要な措置**

宅地造成等に伴う災害を防止するため必要な措置のうち一定の資格を有する者の設計によらなければならないのは、①高さが5mを超える擁壁の設置に係る工事と、②盛土または切土をする土地の面積が1,500m^2を超える土地における排水施設の設置に係る工事のみである。したがって、「盛土又は切土をする土地の面積が600m^2」の土地における「排水施設」であれば、一定の資格を有する者によって設計される必要はない。

❸ 正しい。**工事等の届出**

宅地造成等工事規制区域内の土地（公共施設用地を除く）において、高さが2mを超える擁壁などの除却の工事（擁壁等に関する工事）を行おうとする者は、宅地造成等に関する工事の許可を受けたなどの場合を除き、その工事に着手する日の14日前までに、その旨を都道府県知事に届け出なければならない。

❹ 正しい。**工事等の届出**

宅地造成等工事規制区域内において、公共施設用地を宅地または農地等に転用した者は、宅地造成等に関する工事の許可を受けたなどの場合を除き、その転用した日から14日以内に、その旨を都道府県知事に届け出なければならない。

ポイント整理

規制区域指定時に施行中の宅地造成等に関する工事の届出

届出義務者	届出期間	届出先
宅地造成等工事規制区域の**指定の際**、その宅地造成等工事規制区域内で**行われている**宅地造成等に関する工事の工事主	指定があった日から**21日以内**	都道府県知事

きほんの教科書 L6-3・5 復習

解答 ❶

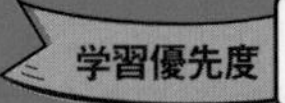

46 土地区画整理法

平29-21

土地区画整理法に関する次の記述のうち、誤っているものはどれか。なお、この問において「組合」とは、土地区画整理組合をいう。

❶ 組合は、事業の完成により解散しようとする場合においては、都道府県知事の認可を受けなければならない。

❷ 施行地区内の宅地について組合員の有する所有権の全部又は一部を承継した者がある場合においては、その組合員がその所有権の全部又は一部について組合に対して有する権利義務は、その承継した者に移転する。

❸ 組合を設立しようとする者は、事業計画の決定に先立って組合を設立する必要があると認める場合においては、7人以上共同して、定款及び事業基本方針を定め、その組合の設立について都道府県知事の認可を受けることができる。

❹ 組合が施行する土地区画整理事業に係る施行地区内の宅地について借地権のみを有する者は、その組合の組合員とはならない。

アプローチ

土地区画整理組合に関する出題。全肢とも感覚だけでは正誤判断しにくい完全な知識問題ですが、正解肢は4肢のなかで最も基本的です。なんとか正解してほしい1問です。

解説

❶ 正しい。**土地区画整理組合の解散**

土地区画整理組合が事業の完成など一定の事由により解散しようとする場合には、その解散について**都道府県知事の**認可を受けなければならない。

❷ 正しい。**土地区画整理組合の組合員**

施行地区内の宅地について組合員の有する所有権**または**借地権**の全部または一部を承継**した者がある場合には、その組合員がその所有権または借地権の全部または一部について土地区画整理組合に対して有する権利義務は、その承継した者**に移転**する。

❸ 正しい。**土地区画整理組合の設立**

土地区画整理組合を設立しようとする者は、**事業計画の決定に先立って組合を設立する必要**があると認める場合には、7**人以上共同**して、定款および**事業基本方針**を定め、その組合の設立について**都道府県知事の**認可を受けることができる。

❹ 誤り。 **土地区画整理組合の組合員**

土地区画整理組合が施行する土地区画整理事業に係る施行地区内の宅地について所有権または借地権を有する者は、すべて**その組合の**組合員となる。そこで、「借地権のみを有する者」も、土地区画整理組合の組合員となる。

ポイント整理

土地区画整理組合の解散事由

①	**総会の議決**	⇒ 解散につき**都道府県知事の認可**が必要 ⇒ 組合に借入金があるときは、解散につき**債権者の同意**が必要
②	定款で定めた解散事由の発生	
③	**事業の完成**または完成の不能	
④	設立についての認可の取消	
⑤	合併	
⑥	事業の引継	

きほんの教科書 L7-2 復習

解答 ❹

学習優先度 高

47 土地区画整理法

令4-20

理解度チェック □□□

次の記述のうち、土地区画整理法の規定及び判例によれば、誤っているものはどれか。

❶ 土地区画整理組合の設立の認可の公告があった日以後、換地処分の公告がある日までは、施行地区内において、土地区画整理事業の施行の障害となるおそれがある建築物の新築を行おうとする者は、土地区画整理組合の許可を受けなければならない。

❷ 土地区画整理組合は、定款に別段の定めがある場合においては、換地計画に係る区域の全部について工事が完了する以前においても換地処分をすることができる。

❸ 仮換地を指定したことにより、使用し、又は収益することができる者のなくなった従前の宅地については、当該宅地を使用し、又は収益することができる者のなくなった時から換地処分の公告がある日までは、施行者が当該宅地を管理する。

❹ 清算金の徴収又は交付に関する権利義務は、換地処分の公告によって換地についての所有権が確定することと併せて、施行者と換地処分時点の換地所有者との間に確定的に発生するものであり、換地処分後に行われた当該換地の所有権の移転に伴い当然に移転する性質を有するものではない。

慣れるまでは難しく感じる土地区画整理法の問題ですが、定番のひっかけが出されたら儲けもの。即時に1点ゲットです。

解説

❶ 誤り。　建築行為等の制限

土地区画整理組合が施行する土地区画整理事業の場合、その組合の設立の認可の公告があった日後、換地処分の公告がある日までは、施行地区内において、土地区画整理事業の施行の障害となるおそれがある①土地の形質の変更、②建築物その他の工作物の新築・改築・増築などを行おうとする者は、都道府県知事等（都道府県知事または市長）の許可を受けなければならない。「土地区画整理組合の許可」ではない。

❷ 正しい。換地処分の時期

換地処分は、原則として、換地計画に係る区域の全部について土地区画整理事業の工事が完了した「後」において、遅滞なく、しなければならない。ただし、土地区画整理組合の定款（土地区画整理組合が準拠すべき基本ルール）などに別段の定めがある場合には、換地計画に係る区域の全部について工事が完了する「以前」においても換地処分をすることができる。

❸ 正しい。仮換地指定の効果

仮換地の指定を受けたことにより使用・収益することができる者のなくなった従前の宅地は、その処分により当該宅地を使用・収益することができる者のなくなった時から換地処分の公告がある日までは、施行者が管理する。

❹ 正しい。換地処分の効果

清算金の徴収・交付に関する権利義務は、換地処分の公告によって換地についての所有権が確定することとあわせて、施行者と換地処分時点の換地所有者との間に確定的に発生する。したがって、換地処分後に行われた当該換地の所有権の移転に伴い当然に移転する性質を有するものではない。捨

ポイント整理

建築行為等の制限の許可権者

国土交通大臣が施行する場合	国土交通大臣
国土交通大臣以外が施行する場合	都道府県知事等 （都道府県知事または市長）

きほんの教科書 L7-4・5・6 復習

解答 ❶

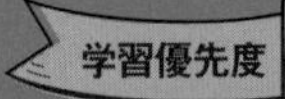

48 平28-21 土地区画整理法

学習優先度 高

理解度チェック

土地区画整理法に関する次の記述のうち、誤っているものはどれか。

❶ 施行者は、換地処分を行う前において、換地計画に基づき換地処分を行うため必要がある場合においては、施行地区内の宅地について仮換地を指定することができる。

❷ 仮換地が指定された場合においては、従前の宅地について権原に基づき使用し、又は収益することができる者は、仮換地の指定の効力発生の日から換地処分の公告がある日まで、仮換地について、従前の宅地について有する権利の内容である使用又は収益と同じ使用又は収益をすることができる。

❸ 施行者は、仮換地を指定した場合において、特別の事情があるときは、その仮換地について使用又は収益を開始することができる日を仮換地の指定の効力発生日と別に定めることができる。

❹ 土地区画整理組合の設立の認可の公告があった日後、換地処分の公告がある日までは、施行地区内において、土地区画整理事業の施行の障害となるおそれがある土地の形質の変更を行おうとする者は、当該土地区画整理組合の許可を受けなければならない。

アプローチ

肢1〜3では、仮換地のポイントを列挙しています。解答後にしっかり復習しましょう。

解説

❶ 正しい。**仮換地の指定**

施行者は、換地処分を行う前において、換地計画に基づき換地処分を行うため必要がある場合においては、施行地区内の宅地について仮換地を指定することができる。

❷ 正しい。**仮換地の指定の効果**

仮換地が指定された場合においては、従前の宅地について権原に基づき使用・収益することができる者は、仮換地の指定の効力発生の日から換地処分の公告がある日まで、仮換地について、従前の宅地について有する権利の内容である使用・収益と同じ使用・収益をすることができる。

❸ 正しい。**仮換地の指定の効果**

施行者は、仮換地を指定した場合において、特別の事情があるときは、その仮換地について使用・収益を開始することができる日を仮換地の指定の効力発生日と別に定めることができる。

❹ 誤り。 **建築行為等の制限**

土地区画整理組合が施行する土地区画整理事業の場合、その組合の設立の認可の公告があった日後、換地処分の公告がある日までは、施行地区内において、土地区画整理事業の施行の障害となるおそれがある①土地の形質の変更、②建築物その他の工作物の新築・改築・増築などを行おうとする者は、「都道府県知事等」（都道府県知事または市長）の許可を受けなければならない。「当該土地区画整理組合」の許可ではない。

ポイント整理

仮換地指定の効果

	従前の宅地	仮換地
従前の宅地の所有者	× 使用・収益 ○ 売却・抵当権の設定	○ 使用・収益 × 売却・抵当権の設定
仮換地の所有者		× 使用・収益 ○ 売却・抵当権の設定

きほんの教科書 L7-4・5 復習

解答 ❹

49 平30-21 土地区画整理法

理解度チェック

土地区画整理法に関する次の記述のうち、正しいものはどれか。

❶ 土地区画整理事業とは、公共施設の整備改善及び宅地の利用の増進を図るため、土地区画整理法で定めるところに従って行われる、都市計画区域内及び都市計画区域外の土地の区画形質の変更に関する事業をいう。

❷ 土地区画整理組合の設立の認可の公告があった日以後、換地処分の公告がある日までは、施行地区内において、土地区画整理事業の施行の障害となるおそれがある建築物その他の工作物の新築を行おうとする者は、都道府県知事及び市町村長の許可を受けなければならない。

❸ 土地区画整理事業の施行者は、仮換地を指定した場合において、従前の宅地に存する建築物を移転し、又は除却することが必要となったときは、当該建築物を移転し、又は除却することができる。

❹ 土地区画整理事業の施行者は、仮換地を指定した場合において、当該仮換地について使用又は収益を開始することができる日を当該仮換地の効力発生の日と同一の日として定めなければならない。

アプローチ

肢1・2あたりは、勘違いしないように、じっくり読み取ってほしいところです。

解説

❶ 誤り。　土地区画整理事業

土地区画整理事業とは、都市計画区域内の土地について、公共施設の整備改善および宅地の利用の増進を図るため、土地区画整理法で定めるところに従って行われる土地の区画形質の変更などの事業をいう。したがって、「都市計画区域外」の土地で土地区画整理事業が行われることはない。

❷ 誤り。　建築行為等の制限

土地区画整理組合が施行する土地区画整理事業の場合、その組合の設立の認可の公告があった日後、換地処分の公告がある日までは、施行地区内において、土地区画整理事業の施行の障害となるおそれがある①土地の形質の変更、②建築物その他の工作物の新築・改築・増築などを行おうとする者は、都道府県知事等（＝「都道府県知事『または』市長」）の許可を受けなければならない。「都道府県知事及び市町村長」の許可ではない。

❸ 正しい。仮換地の指定と建築物等の移転・除却

土地区画整理事業の施行者は、仮換地を指定した場合において、従前の宅地に存する建築物を移転し、または除却することが必要となったときは、当該建築物を移転し、または除却することができる。

❹ 誤り。　仮換地指定の効力発生日と使用収益の開始

土地区画整理事業の施行者は、仮換地を指定した場合において、その仮換地に使用または収益の障害となる物件が存するときその他特別の事情があるときは、その仮換地について使用または収益を開始することができる日をその仮換地の指定の効力発生の日と別に定めることができる。

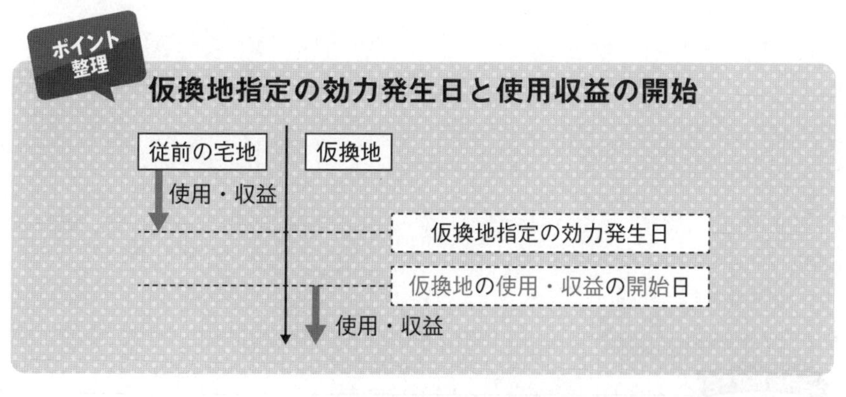

きほんの教科書 L7-1・4・5 復習　解答 ❸

50 令5-20 土地区画整理法

土地区画整理法に関する次の記述のうち、誤っているものはどれか。

❶ 換地計画において定められた清算金は、換地処分の公告があった日の翌日において確定する。

❷ 現に施行されている土地区画整理事業の施行地区となっている区域については、その施行者の同意を得なければ、その施行者以外の者は、土地区画整理事業を施行することができない。

❸ 施行者は、換地処分の公告があった場合において、施行地区内の土地及び建物について土地区画整理事業の施行により変動があったときは、遅滞なく、その変動に係る登記を申請し、又は嘱託しなければならない。

❹ 土地区画整理組合は、仮換地を指定しようとする場合においては、あらかじめ、その指定について、土地区画整理審議会の同意を得なければならない。

土地区画整理法では、ときおり細かい内容の選択肢が出題されます。本試験の現場では、「捨て肢に気づく力も実力のうち！」と開き直れる自己肯定感こそ最強です。

解説

❶ 正しい。**換地処分の効果**

換地計画において定められた**清算金**は、換地処分の公告**があった日の**翌日**において確定する。**

❷ 正しい。**重複施行の制限**

現に施行されている土地区画整理事業の施行地区となっている区域については、その施行者の同意を得なければ、その施行者以外の者は、土地区画整理事業を施行することができない。

❸ 正しい。**換地処分に伴う登記**

施行者**は、換地処分の公告があった場合において、施行地区内の土地・建物について土地区画整理事業の施行により変動があったときは、遅滞なく、その変動に係る登記を申請し、または嘱託しなければならない。**

❹ 誤り。**土地区画整理審議会の同意**

土地区画整理組合は、施行地区内の宅地について仮換地を指定する場合、あらかじめ、総会・その部会または総代会の同意を得なければならないが、土地区画整理審議会**の同意を得る必要はない。**なお、土地区画整理審議会は、民間施行（個人・組合・区画整理会社施行）の場合には、そもそも設置されない。

キーワード **土地区画整理審議会**

公的施行の場合（＝施行者が地方公共団体や国土交通大臣など公的機関の場合）に、地権者や有識者の意見を反映させるために設置される諮問機関である。

⇒　公的施行の場合、①換地計画で**保留地**を定めようとするときは、**土地区画整理審議会の同意**を得なければならず、②施行地区内の宅地について**仮換地**を指定するときは、あらかじめ、**土地区画整理審議会の意見**を聴かなければならない。

きほんの教科書 L7-5・6 復習

解答 ❹

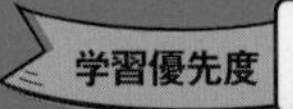

51 平27-20 土地区画整理法

土地区画整理法に関する次の記述のうち、誤っているものはどれか。

❶ 仮換地の指定は、その仮換地となるべき土地の所有者及び従前の宅地の所有者に対し、仮換地の位置及び地積並びに仮換地の指定の効力発生の日を通知してする。

❷ 施行地区内の宅地について存する地役権は、土地区画整理事業の施行により行使する利益がなくなった場合を除き、換地処分があった旨の公告があった日の翌日以後においても、なお従前の宅地の上に存する。

❸ 換地計画において定められた保留地は、換地処分があった旨の公告があった日の翌日において、施行者が取得する。

❹ 土地区画整理事業の施行により生じた公共施設の用に供する土地は、換地処分があった旨の公告があった日の翌日において、すべて市町村に帰属する。

アプローチ

肢2～4では、換地処分の効果の発生時点の区別（公告があった日の終了時か？　公告があった日の翌日か？）に神経質にならなくても解けることを実感しましょう。

解説

❶ 正しい。**仮換地の指定**

仮換地の指定は、その仮換地となるべき土地の所有者および従前の宅地の所有者に対し、仮換地の位置・地積や仮換地の指定の効力発生の日を通知して行う。

❷ 正しい。**換地処分の効果（地役権）**

施行地区内の宅地について存する地役権は、土地区画整理事業の施行により行使する利益がなくなった場合を除き、換地処分があった旨の公告があった日の翌日以後においても、なお従前の宅地の上に存する。なお、土地区画整理事業の施行により行使する利益がなくなった地役権は、換地処分の公告があった日の終了時に消滅する。

❸ 正しい。**換地処分の効果（保留地）**

換地計画において定められた保留地は、換地処分があった旨の公告があった日の翌日において、施行者が取得する。

❹ 誤り。 **換地処分の効果（公共施設の用に供する土地）**

土地区画整理事業の施行により生じた公共施設の用に供する土地は、原則として、換地処分があった旨の公告があった日の翌日において、その公共施設を管理すべき者に帰属する。「すべて市町村に帰属」するわけではない。

換地処分の効果

換地処分の公告があった日の終了時	換地処分の公告があった日の翌日
・換地計画で**換地を定めなかった従前の宅地に存する権利**の消滅 ・建築行為等の制限の消滅 ・仮換地指定の効果の消滅 ・事業の施行により**行使する利益がなくなった地役権**の消滅	・換地計画で定められた**換地**が**従前の宅地**とみなされる ・清算金の確定 ・施行者による**保留地**の取得 ・事業の施行により設置された公共施設を原則として**市町村**が管理 ・事業の施行により生じた公共施設の用に供する土地が原則として**公共施設を管理すべき者**に帰属

きほんの教科書 L7-5・6 復習

解答 ❹

52 土地区画整理法

平26-20

土地区画整理法に関する次の記述のうち、正しいものはどれか。

❶ 施行者は、宅地の所有者の申出又は同意があった場合においては、その宅地を使用し、又は収益することができる権利を有する者に補償をすれば、換地計画において、その宅地の全部又は一部について換地を定めないことができる。

❷ 施行者は、施行地区内の宅地について換地処分を行うため、換地計画を定めなければならない。この場合において、当該施行者が土地区画整理組合であるときは、その換地計画について市町村長の認可を受けなければならない。

❸ 関係権利者は、換地処分があった旨の公告があった日以降いつでも、施行地区内の土地及び建物に関する登記を行うことができる。

❹ 土地区画整理事業の施行により公共施設が設置された場合においては、その公共施設は、換地処分があった旨の公告があった日の翌日において、原則としてその公共施設の所在する市町村の管理に属することになる。

アプローチ

重要過去問を何回転もしゃぶり尽くし、注目の改正点も押さえた。それなのに見覚えのない肢に遭遇…というなら、きっと「捨て肢」！　適当にスキップして、ほかの肢の検討に移りましょう。

解説

❶ 誤り。　**換地を定めない場合**

宅地の所有者の申出または同意があった場合においては、換地計画において、その宅地の全部または一部について換地を定めないことができる。この場合において、施行者は、換地を定めない宅地を使用・収益することができる権利（賃借権など）を有する者があるときは、換地を定めないことについてこれらの者の「同意」を得なければならない。これらの者に「補償」をすれば換地を定めないことができるというわけではない。

❷ 誤り。　**換地計画の決定・認可**

施行者は、施行地区内の宅地について換地処分を行うため、換地計画を定めなければならない。この場合において、施行者（都道府県・国土交通大臣施行を除く）は、換地計画について都道府県知事の認可を受けなければならない。「市町村長」の認可ではない。

❸ 誤り。　**換地処分に伴う登記**

施行者は、換地処分があった旨の公告があった場合において、施行地区内の土地や建物について土地区画整理事業の施行により変動があったときは、遅滞なく、その変動に係る登記を申請または嘱託しなければならない。換地処分があった旨の公告があった日後においては、施行地区内の土地や建物に関しては、その変動に係る登記がされるまでは、原則として、他の登記をすることができない。したがって、関係権利者が「換地処分があった旨の公告があった日以降いつでも」登記を行うことができるわけではない。

❹ 正しい。**換地処分の効果（公共施設の管理）**

土地区画整理事業の施行により**公共施設**が設置された場合においては、その公共施設は、換地処分があった旨の**公告があった日の翌日**において、原則としてその公共施設の所在する市町村の管理に属することになる。

公共施設の用に供する土地

土地区画整理事業の施行により生じた公共施設の用に供する**土地**は、原則として、換地処分の公告があった日の翌日に、その**公共施設を管理すべき者**（市町村に限らない）**に帰属**する。

きほんの教科書 L7-3･6 復習　解答 ❹

農地法

農地に関する次の記述のうち、農地法（以下この問において「法」という。）の規定によれば、正しいものはどれか。

❶ 法第3条第1項の許可が必要な農地の売買については、この許可を受けずに売買契約を締結しても所有権移転の効力は生じない。

❷ 市街化区域内の自己の農地を駐車場に転用する場合には、農地転用した後に農業委員会に届け出ればよい。

❸ 相続により農地を取得することとなった場合には、法第3条第1項の許可を受ける必要がある。

❹ 農地に抵当権を設定する場合には、法第3条第1項の許可を受ける必要がある。

アプローチ

4肢とも農地法の定番。絶対に得点しなければいけない問題です。

解説

❶ 正しい。3条許可を受けないでした行為の効力

3条許可を受けないでした行為は、その効力を生じない。したがって、3条許可が必要な農地の売買について許可を受けずに売買契約を締結しても、その所有権移転の効力は生じない。

❷ 誤り。　4条許可（許可不要となる例外）

市街化区域内の農地について、「あらかじめ」農業委員会に届け出て、農地以外に転用する場合、4条許可は不要である。つまり、この場合の農業委員会への届出は、「農地転用した後」ではなく、「あらかじめ」しなければならない。

❸ 誤り。　3条許可（許可不要となる例外）

相続により農地を取得する場合は、例外的に、3条許可は不要である。なお、相続により農地を取得した者は、遅滞なく、その農地の存する市町村の農業委員会にその旨を届け出なければならない。

❹ 誤り。　3条許可

農地を耕作目的で取得する場合（農地を使う人がかわる場合）、農地の権利移動として、原則として3条許可が必要である。しかし、農地に抵当権を設定する場合には、農地を使う人の変更は生じないので、3条許可は不要である。

3条許可が不要となる例外

①	国または都道府県が権利を取得する場合
②	相続・遺産の分割・包括遺贈・相続人に対する特定遺贈による権利取得 ⇒　ただし、権利取得者は、遅滞なく、農業委員会に届け出なければならない。
③	民事調停法による農事調停による権利取得

解答 ❶

農地法

農地に関する次の記述のうち、農地法（以下この問において「法」という。）の規定によれば、正しいものはどれか。

❶ 耕作目的で原野を農地に転用しようとする場合、法第4条第1項の許可は不要である。

❷ 金融機関からの資金借入れのために農地に抵当権を設定する場合、法第3条第1項の許可が必要である。

❸ 市街化区域内の農地を自家用駐車場に転用する場合、法第4条第1項の許可が必要である。

❹ 砂利採取法による認可を受けた採取計画に従って砂利採取のために農地を一時的に貸し付ける場合、法第5条第1項の許可は不要である。

アプローチ

そもそも、4条許可はどんな場合に必要か？　日頃から「なるほど！」と納得して覚えていたかどうかで差がつく1問です。

解説

❶ 正しい。4条許可

市街化区域外の農地を農地以外に転用する場合、原則として、4条許可が必要である。しかし、本肢のように農地以外（原野）を農地に転用する場合には、4条許可は不要である。

❷ 誤り。 3条許可

農地を耕作目的で取得する場合（農地を使う人がかわる場合）、農地の権利移動として、原則として3条許可が必要である。しかし、農地に抵当権を設定する場合には、農地を使う人がかわるわけではないので、3条許可は不要である。

❸ 誤り。 4条許可（許可不要となる例外）

市街化区域内の農地について、あらかじめ農業委員会に届け出て、農地以外に転用する場合、4条許可は不要である。したがって、「許可が必要である」と言い切ることはできない。

❹ 誤り。 5条許可

農地を農地以外に転用する目的で権利を取得する場合（農地について使う人と使い方がかわる場合）、農地の転用目的権利移動として、原則として、5条許可が必要である。砂利採取のために農地を貸し付けることは農地を農地以外に転用する目的での権利移動にあたるので、本肢の場合、原則として、5条許可が必要である。農地を一時的に貸し付ける場合であっても同様である。

ポイント整理

農地法3条・4条・5条許可が必要な場合のイメージ

種類	3条許可（権利移動）	4条許可（転用）	5条許可（転用目的の権利移動）
具体例	Aの㊝→Bの㊝ Aの㊢→Bの㊢ Aの㊢→Bの㊝	Aの㊝→Aの㊝以外	Aの㊝→Bの㊝以外 Aの㊢→Bの㊝㊢以外

A：Aさん　B：Bさん　㊝：農地　㊢：採草放牧地

解答 ❶

農地法

理解度チェック

農地に関する次の記述のうち、農地法（以下この問において「法」という。）の規定によれば、正しいものはどれか。

❶ 市街化区域内の農地を耕作のために借り入れる場合、あらかじめ農業委員会に届出をすれば、法第3条第1項の許可を受ける必要はない。

❷ 市街化調整区域内の4ヘクタールを超える農地について、これを転用するために所有権を取得する場合、農林水産大臣の許可を受ける必要がある。

❸ 銀行から500万円を借り入れるために農地に抵当権を設定する場合、法第3条第1項又は第5条第1項の許可を受ける必要がある。

❹ 相続により農地の所有権を取得した者は、遅滞なく、その農地の存する市町村の農業委員会にその旨を届け出なければならない。

アプローチ

農地法の問題では、「許可不要となる例外」を判別できるかどうかが鍵を握ります。

解説

❶ 誤り。　3条許可

3条許可には、4条・5条許可と異なり、市街化区域内の例外はない。したがって、市街化区域内の農地を耕作のために借り入れる場合、原則として、3条許可が必要である。

❷ 誤り。　5条許可

農地を農地以外に転用する目的で権利を取得する場合（農地について使う人と使い方がかわる場合）、農地の転用目的権利移動として、原則として、5条許可が必要である。この場合の許可権者は、取得する農地の面積にかかわらず、都道府県知事等である。「農林水産大臣」ではない。

❸ 誤り。　3条・5条許可

農地を耕作目的で取得する場合には3条許可が、農地を農地以外に転用する目的で取得する場合には5条許可が、原則として必要である。つまり、農地について使う人がかわる場合、原則として、3条または5条許可が必要となる。しかし、農地に抵当権を設定する場合、農地を使う人がかわるわけではないので、3条または5条許可は不要である。

❹ 正しい。3条許可（許可不要となる例外）

相続により農地を取得した者は、3条許可は不要であるが、遅滞なく、その農地の存する市町村の農業委員会にその旨を届け出なければならない。

ここが狙われる！　相続等による権利取得

相続・遺産の分割・包括遺贈・相続人に対する特定遺贈などにより農地や採草放牧地の権利が取得される場合、例外的に3条許可が不要となる。

⇒　この場合、許可を受けることなく農地や採草放牧地の権利を取得した者は、遅滞なく、その農地や採草放牧地の存する市町村の農業委員会にその旨を届け出なければならない。農業委員会が農地や採草放牧地の権利者を把握できるようにするためである。

きほんの教科書 L8-2・3 復習

解答 ❹

農地法

農地に関する次の記述のうち、農地法（以下この問において「法」という。）の規定によれば、正しいものはどれか。

❶ 市街化区域内の農地を耕作目的で取得する場合には、あらかじめ農業委員会に届け出れば、法第3条第1項の許可を受ける必要はない。

❷ 農業者が自己所有の市街化区域外の農地に賃貸住宅を建設するため転用する場合は、法第4条第1項の許可を受ける必要はない。

❸ 農業者が自己所有の市街化区域外の農地に自己の居住用の住宅を建設するため転用する場合は、法第4条第1項の許可を受ける必要はない。

❹ 農業者が住宅の改築に必要な資金を銀行から借りるため、市街化区域外の農地に抵当権の設定が行われ、その後、返済が滞ったため当該抵当権に基づき競売が行われ第三者が当該農地を取得する場合であっても、法第3条第1項又は法第5条第1項の許可を受ける必要がある。

アプローチ

3条・4条・5条許可が必要かどうか、受験者をゆさぶってやろうという問題です。仕込まれた雑音にまどわされずに解答できるかどうか？　さあ勝負です！

解説

❶ 誤り。　3条許可

農地を耕作目的で取得する場合（農地を使う人がかわる場合）、農地の権利移動として、原則として、3条許可が必要である。なお、3条許可については、4条・5条許可と異なり、市街化区域内の例外はない。

❷ 誤り。　4条許可

市街化区域外の農地を農地以外に転用する場合、原則として、4条許可が必要である。「農業者」が「自己所有」の農地に「賃貸住宅を建設するため」であっても同様である。

❸ 誤り。　4条許可

市街化区域外の農地を農地以外に転用する場合、原則として、4条許可が必要である。「農業者」が「自己所有」の農地に「自己の居住用の住宅を建設するため」であっても同様である。

❹ 正しい。3条・5条許可

市街化区域外の農地を取得する場合、競売による取得であっても、原則として、3条（耕作目的の場合）または5条（転用目的の場合）許可が必要である。

・ここが狙われる！　3条許可と市街化区域内の例外

市街化区域内の例外（市街化区域内の場合に許可不要となる例外）があるのは、**4条・5条許可だけ**であり、**3条許可**には、**市街化区域内の例外はない**。

⇒　市街化区域内の農地を耕作目的で取得する場合、原則として、3条許可が必要である。

解答　❹

57 農地法

平26-21

農地法（以下この問において「法」という。）に関する次の記述のうち、正しいものはどれか。

❶ 農地について法第3条第1項の許可があったときは所有権が移転する旨の停止条件付売買契約を締結し、それを登記原因とする所有権移転の仮登記を申請する場合には、その買受人は農業委員会に届出をしなければならない。

❷ 市街化区域内の農地について、耕作目的に供するために競売により所有権を取得しようとする場合には、その買受人は法第3条第1項の許可を受ける必要はない。

❸ 農業者が住宅の改築に必要な資金を銀行から借りるために、自己所有の農地に抵当権を設定する場合には、法第3条第1項の許可を受ける必要はない。

❹ 山林を開墾し現に農地として耕作している土地であっても、土地登記簿上の地目が山林であれば、法の適用を受ける農地とはならない。

アプローチ

農地法には珍しく、正誤の判断ができなくてもよい肢を忍ばせて混乱させようという問題です。とはいえ、基礎知識が身についていれば、迷うことはないはず！

解説

❶ 誤り。　3条許可

農地について3条許可があったときは所有権が移転する旨の停止条件付売買契約を締結し、それを登記原因とする所有権移転の仮登記を申請する場合、農業委員会に届出をする必要はない。

❷ 誤り。　3条許可

耕作目的で農地を取得する場合、原則として、3条許可が必要である。競売により取得する場合も同様である。なお、3条許可については、4条・5条許可と異なり、市街化区域内の例外はない。

❸ 正しい。3条許可

農地を耕作目的で取得する場合（農地を使う人がかわる場合）、農地の権利移動として、原則として3条許可が必要である。しかし、農地に抵当権を設定する場合には、農地を使う人がかわるわけではないので、3条許可は不要である。

❹ 誤り。　農地の意味

農地法で「農地」とは、耕作目的に供される土地をいう。登記簿上の地目は関係ない。したがって、「現に農地として耕作している土地」は、登記簿上の地目が山林であっても、農地法の適用を受ける農地である。

ステップアップ

採草放牧地

農地法は、「農地」以外に「**採草放牧地**」の取引についても規制している。「採草放牧地」とは、農地以外の土地で、主に家畜用の牧草を採ったり家畜を放牧したりする目的に供される土地のことをいう。採草放牧地については、3条許可と5条許可の2種類の許可制を設けている。**4条許可は必要とされていない**ので、たとえば、採草放牧地の所有者がその土地を農業用施設など採草放牧地以外に転用する場合、4条許可を受ける必要はない。

きほんの教科書 L8-1・2 復習

解答 ❸

農地法

理解度チェック

農地法（以下この問において「法」という。）に関する次の記述のうち、正しいものはどれか。

❶ 市街化区域内の農地を宅地とする目的で権利を取得する場合は、あらかじめ農業委員会に届出をすれば法第5条の許可は不要である。

❷ 遺産分割により農地を取得することとなった場合、法第3条第1項の許可を受ける必要がある。

❸ 法第2条第3項の農地所有適格法人の要件を満たしていない株式会社は、耕作目的で農地を借り入れることはできない。

❹ 雑種地を開墾し耕作している土地でも、登記簿上の地目が雑種地である場合は、法の適用を受ける農地に当たらない。

アプローチ

肢1・2あたりは、常連中の常連。一瞬でも決断に迷いがあれば要注意です！

解説

❶ 正しい。**5条許可（許可不要となる例外）**

農地を農地以外に転用する目的で取得する場合、原則として、5条許可が必要である。しかし、市街化区域内にある農地について、あらかじめ農業委員会に届け出て取得する場合、例外的に**5条許可は**不要である。

❷ 誤り。　**3条許可（許可不要となる例外）**

農地を耕作目的で取得する場合（農地を使う人がかわる場合）、農地の権利移動として、原則として、3条許可が必要である。しかし、**遺産の分割**により農地を取得する場合、例外的に**3条許可**は不要である。

❸ 誤り。　**3条許可（法人による耕作目的での農地借入れ）**

農地所有適格法人（＝主たる事業が農業であることなど所定の要件を満たす法人）**でない法人**（一般の株式会社など）であっても、**3条許可**を受けて、耕作**目的で農地を**借り入れることができる。

❹ 誤り。　**農地の意味**

農地法で「**農地**」とは、耕作**目的に供される土地**をいう。登記簿上の地目**は関係ない**。したがって、「耕作している土地」は、登記簿上の地目が雑種地であっても、農地法の適用を受ける農地にあたる。

ポイント整理

市街化区域内の例外

①	市街化区域内にある農地を**あらかじめ**農業委員会に届け出て転用する場合	⇒4条**許可**不要
②	市街化区域内にある農地について**あらかじめ**農業委員会に届け出て転用目的で権利を取得する場合	⇒5条**許可**不要

解答 ❶

農地法

農地に関する次の記述のうち、農地法（以下この問において「法」という。）の規定によれば、誤っているものはどれか。

❶ 相続により農地を取得する場合は、法第３条第１項の許可を要しないが、相続人に該当しない者が特定遺贈により農地を取得する場合は、同項の許可を受ける必要がある。

❷ 自己の所有する面積４アールの農地を農作物の育成又は養畜の事業のための農業用施設に転用する場合は、法第４条第１項の許可を受ける必要はない。

❸ 法第３条第１項又は法第５条第１項の許可が必要な農地の売買について、これらの許可を受けずに売買契約を締結しても、その所有権の移転の効力は生じない。

❹ 社会福祉事業を行うことを目的として設立された法人（社会福祉法人）が、農地をその目的に係る業務の運営に必要な施設の用に供すると認められる場合、農地所有適格法人でなくても、農業委員会の許可を得て、農地の所有権を取得することができる。

アプローチ

肢２は、農地法では珍しく、数字を覚えていなければ正誤判断できない選択肢。うろ覚えで迷ったら最後、１本だけある捨て肢にハマってしまう危険性大となります。さて、正しい数字を覚えてますか？

解説

❶ 正しい。3条許可（許可不要となる例外）

相続により農地を取得する場合や相続人が特定遺贈により農地を取得する場合は、例外的に、**農地法3条の許可は不要**である。これに対して、「相続人に該当しない者」が特定遺贈により農地を取得する場合は、原則どおり、農地法3条の許可が必要である。

❷ 誤り。4条許可（許可不要となる例外）

農地を農地以外のものに転用する場合、原則として農地法4条の許可を得る必要があるが、自己所有の2アール**未満の農地を農業用施設**として利用する目的で転用する場合は**許可不要**である。本肢の場合は、4アールの農地を転用しようとしているので2アール未満ではなく、例外にはあたらない。

❸ 正しい。許可を受けないでした行為の効力

農地法3条または**5条の許可を受けないで**した行為はその効力を生じないので、これらの許可が必要な農地の売買について許可を受けずに売買契約を締結しても、その所有権の移転の効力は生じない。

❹ 正しい。3条許可

学校法人、医療法人、社会福祉法人などの営利を目的としない一定の法人は、農地をその目的に係る業務の運営に必要な施設の用に供すると認められる場合（たとえば、社会福祉法人が、作業療法やリハビリテーションの施設として使用する農場とするために、農地の権利を取得しようとする場合など）には、たとえ当該法人が農地所有適格法人でなくても、農地法3条の農業委員会の許可を得て、農地の所有権を取得することができる。捨

ステップアップ

農地所有適格法人の要件を満たしていない株式会社

肢4の法人と異なり、農地所有適格法人でない法人で営利を目的とするもの（一般の株式会社など）は、**農地法3条の許可**を受けて**耕作目的で農地を借りる**ことができるが、農地を所有することはできない。なお、農地所有適格法人とは、主たる事業が農業であることなど、農地法の規定する一定の要件を満たす法人をいい、その名称のとおり、農地を所有できる法人である。

きほんの教科書 L8-2･3･4 復習

解答 ❷

農地法

農地に関する次の記述のうち、農地法（以下この問において「法」という。）の規定によれば、誤っているものはどれか。

❶ 遺産分割によって農地を取得する場合には、法第3条第1項の許可は不要であるが、農業委員会への届出が必要である。

❷ 法第3条第1項の許可を受けなければならない場合の売買については、その許可を受けずに農地の売買契約を締結しても、所有権移転の効力は生じない。

❸ 砂利採取法第16条の認可を受けて市街化調整区域内の農地を砂利採取のために一時的に借り受ける場合には、法第5条第1項の許可は不要である。

❹ 都道府県が市街化調整区域内の農地を取得して病院を建設する場合には、都道府県知事（法第4条第1項に規定する指定市町村の区域内にあってはその長）との協議が成立すれば、法第5条第1項の許可があったものとみなされる。

アプローチ

肢1と肢4の知識は、「○○の場合→△△であるが→□□」、「○○の場合→△△すれば→□□」という具合に、手続きの流れに沿って芋づる式に思い出せるはず！

解説

❶ 正しい。3条許可（許可不要となる例外）

遺産分割により農地を取得する場合には、3条許可は不要である。ただし、農地の権利を取得した者は、遅滞なく、その農地の存する市町村の農業委員会にその旨を届け出なければならない。

❷ 正しい。許可を受けないでした行為の効力

3条許可を受けないでした行為は、その効力を生じない。したがって、その許可を受けずに売買契約を締結しても、所有権移転の効力は生じない。

❸ 誤り。 5条許可

砂利採取のために農地を借り受けることは農地を農地以外に転用する目的での権利移動にあたるので、本肢の場合、原則として、5条許可が必要である。農地を一時的に借り受ける場合であっても同様である。

❹ 正しい。法定協議制度

国または都道府県等が、農地を農地以外に転用する目的で取得する場合（道路、農業用用排水施設等の地域振興上または農業振興上の必要性が高いと認められる一定の施設の用に供するため権利を取得する場合など、そもそも5条許可不要の場合を除く）には、国または都道府県等と都道府県知事等との協議が成立すれば、5条許可があったものとみなされる。

キーワード 法定協議制度

国または**都道府県等**による農地の転用や転用目的での農地・採草放牧地の権利取得については、本来、農地法4条の許可や5条の許可が必要な場合でも、**国または都道府県等と都道府県知事等との協議が成立**することをもって**4条・5条許可**があったものと**みなされる**。要するに、許可を申請しなくても許可があったことになるという制度である。

きほんの教科書 L8-2・3・4 復習　　解答 ③

農地法

理解度チェック

農地に関する次の記述のうち、農地法（以下この問において「法」という。）の規定によれば、正しいものはどれか。

❶ 相続により農地を取得する場合は、法第3条第1項の許可を要しないが、相続人に該当しない者に対する特定遺贈により農地を取得する場合も、同項の許可を受ける必要はない。

❷ 法第2条第3項の農地所有適格法人の要件を満たしていない株式会社は、耕作目的で農地を借り入れることはできない。

❸ 法第3条第1項又は法第5条第1項の許可が必要な農地の売買について、これらの許可を受けずに売買契約を締結しても、その所有権の移転の効力は生じない。

❹ 農業者が、市街化調整区域内の耕作しておらず遊休化している自己の農地を、自己の住宅用地に転用する場合、あらかじめ農業委員会へ届出をすれば、法第4条第1項の許可を受ける必要がない。

アプローチ

肢2の法人による耕作目的での農地の権利取得は、近年、社会的に注目されているテーマ。これを機に、知識を再確認しておきましょう。

解説

❶ 誤り。　3条許可

相続や相続人に対する特定遺贈により農地を取得する場合は、3条許可は不要である。しかし、「相続人に該当しない者」に対する特定遺贈により農地を取得する場合には、3条許可が必要である。

❷ 誤り。　3条許可（法人による耕作目的での農地借入れ）

農地所有適格法人（＝主たる事業が農業であることなど所定の要件を満たす法人）でない法人（一般の株式会社など）であっても、3条許可を受けて、耕作目的で農地を借り入れることができる。

❸ 正しい。許可を受けないでした行為の効力

3条または5条許可を受けないでした行為は、その効力を生じない。したがって、これらの許可が必要な農地の売買について許可を受けずに売買契約を締結しても、その所有権の移転の効力は生じない。

❹ 誤り。　4条許可

耕作しておらず遊休化している農地も農地法上の「農地」に含まれるが、市街化区域外の農地を農地以外に転用する場合、原則として、4条許可が必要である。「農業者」が「自己の住宅用地に転用」する場合であっても、同様である。「あらかじめ農業委員会へ届出」をすれば4条許可が不要となるのは、市街化区域内にある農地を農地以外に転用する場合である。

ポイント整理

法人による耕作目的での農地の権利取得

	借りる	所有する
農地所有適格法人	○	○
農地所有適格法人の要件を満たしていない株式会社	○	×

○：できる　×：できない

きほんの教科書 L8-1・2・3・4 復習

解答 ❸

62 令2-22 国土利用計画法

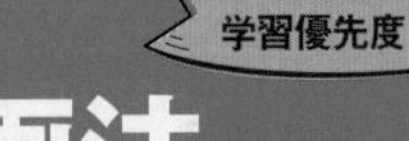

国土利用計画法第23条の届出（以下この問において「事後届出」という。）に関する次の記述のうち、正しいものはどれか。

❶ Aが所有する市街化区域内の1,500m^2の土地をBが購入した場合には、Bは事後届出を行う必要はないが、Cが所有する市街化調整区域内の6,000m^2の土地についてDと売買に係る予約契約を締結した場合には、Dは事後届出を行う必要がある。

❷ Eが所有する市街化区域内の2,000m^2の土地をFが購入した場合、Fは当該土地の所有権移転登記を完了した日から起算して2週間以内に事後届出を行う必要がある。

❸ Gが所有する都市計画区域外の15,000m^2の土地をHに贈与した場合、Hは事後届出を行う必要がある。

❹ Iが所有する都市計画区域外の10,000m^2の土地とJが所有する市街化調整区域内の10,000m^2の土地を交換した場合、I及びJは事後届出を行う必要はない。

アプローチ

国土利用計画法の問題では、事後届出が必要な「土地売買等の契約」にあたるかどうかの判断が出発点です。いきなり面積の数字に目を奪われてはいけません。

解説

❶ 正しい。**事後届出の要否**

売買契約や売買の予約は、事後届出が必要な「土地売買等の契約」にあたる。また、事後届出が必要な土地の面積は、市街化区域内では2,000m²以上、市街化調整区域内では5,000m²以上である。したがって、市街化区域内の1,500m²の土地を購入したBは、事後届出を行う必要はない。これに対して、市街化調整区域内の6,000m²の土地について売買の予約をしたDは、事後届出を行う必要がある。

❷ 誤り。 **事後届出の手続き**

市街化区域内の2,000m²以上の土地について土地売買等の契約を締結した場合、権利取得者は、その契約を締結した日から起算して2週間以内に、事後届出を行わなければならない。したがって、Fは、「当該土地の所有権移転登記を完了した日」から起算して2週間以内ではなく、売買契約を締結した日から起算して2週間以内に、事後届出を行う必要がある。

❸ 誤り。 **事後届出の要否**

事後届出が必要な「土地売買等の契約」とは対価を得て行われた契約に限られるので、贈与契約は、「土地売買等の契約」にあたらない。したがって、土地の贈与を受けたHは、事後届出を行う必要はない。

❹ 誤り。 **事後届出の要否**

交換契約は、事後届出が必要な「土地売買等の契約」にあたる。また、事後届出が必要な土地の面積は、市街化調整区域内では5,000m²以上、都市計画区域外では10,000m²以上である。本肢では、それぞれの土地について、面積要件を満たしている。したがって、それぞれの土地の権利取得者であるIおよびJの双方とも、事後届出を行う必要がある。

事後届出が必要な「土地売買等の契約」にあたるもの

- 売買契約（売買の予約）
- 交換契約
- 賃借権・地上権の設定・移転契約（設定・移転の対価がある場合）

きほんの教科書 L9-2・3・4 復習

解答 ❶

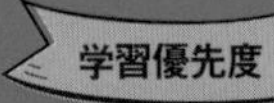

63 平28-15 国土利用計画法

理解度チェック

国土利用計画法第23条に規定する届出（以下この問において「事後届出」という。）に関する次の記述のうち、正しいものはどれか。

❶ 市街化区域内の土地（面積2,500m²）を購入する契約を締結した者は、その契約を締結した日から起算して3週間以内に事後届出を行わなければならない。

❷ Aが所有する監視区域内の土地（面積10,000m²）をBが購入する契約を締結した場合、A及びBは事後届出を行わなければならない。

❸ 都市計画区域外に所在し、一団の土地である甲土地（面積6,000m²）と乙土地（面積5,000m²）を購入する契約を締結した者は、事後届出を行わなければならない。

❹ 市街化区域内の甲土地（面積3,000m²）を購入する契約を締結した者が、その契約締結の1月後に甲土地と一団の土地である乙土地（面積4,000m²）を購入することとしている場合においては、甲土地の事後届出は、乙土地の契約締結後に乙土地の事後届出と併せて行うことができる。

アプローチ

国土利用計画法では、日本を①規制区域、②監視区域、③注視区域、④①～③以外の区域に区分して規制の手段を分けています。日本中のほとんどが④の区域なのですが…。

解説

❶ 誤り。 **事後届出の手続き**

市街化区域内において、2,000m² 以上の土地について土地売買等の契約を締結した場合、権利取得者は、その契約を締結した日から起算して2週間以内に事後届出を行わなければならない。「3週間以内」ではない。

❷ 誤り。 **監視区域内の事前届出**

監視区域内にある届出対象面積以上の一団の土地について土地売買等の契約を締結しようとする場合、当事者は、あらかじめ、都道府県知事に届け出なければならない（事前**届出**）。「事後届出」ではない。

❸ 正しい。**事後届出の要否**

都市計画区域外においては、事後届出の面積要件は10,000m² 以上である。事後届出の面積要件を満たすかどうかは権利取得者**を基準に判断**するので、甲土地（面積6,000m²）と乙土地（面積5,000m²）の合計11,000m² の土地を購入する契約を締結した者は、事後届出を行わなければならない。

❹ 誤り。 **事後届出の手続き**

それぞれ届出対象面積以上の複数の土地について個々に土地売買等の契約を締結した場合、権利取得者は、その**個々の契約ごとに**事後届出を行わなければならない。したがって、甲土地の事後届出を乙土地の事後届出とあわせて行うことはできない。なお、その複数の土地が一団の土地である場合でも同様である。

ステップアップ

国土利用計画法の届出制・許可制

国土利用計画法では、(1) **事後届出制**、(2) **事前届出制**（①注視区域における事前届出制、②監視区域における事前届出制）、(3) 規制区域における許可制を設けている。

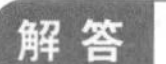

64 国土利用計画法

令1-22

国土利用計画法第23条の届出（以下この問において「事後届出」という。）に関する次の記述のうち、正しいものはどれか。

❶ 宅地建物取引業者Aが、自己の所有する市街化区域内の2,000m²の土地を、個人B、個人Cに1,000m²ずつに分割して売却した場合、B、Cは事後届出を行わなければならない。

❷ 個人Dが所有する市街化区域内の3,000m²の土地を、個人Eが相続により取得した場合、Eは事後届出を行わなければならない。

❸ 宅地建物取引業者Fが所有する市街化調整区域内の6,000m²の一団の土地を、宅地建物取引業者Gが一定の計画に従って、3,000m²ずつに分割して購入した場合、Gは事後届出を行わなければならない。

❹ 甲市が所有する市街化調整区域内の12,000m²の土地を、宅地建物取引業者Hが購入した場合、Hは事後届出を行わなければならない。

アプローチ

肢1・3を素材に、面積要件を満たすかどうかの判断がスムーズにできるように訓練しておきましょう。

解説

❶ 誤り。　**事後届出の要否**

市街化区域内において、2,000m²以上の土地について**土地売買等の契約を締結した場合、権利取得者は、原則として事後届出を行わなければならない。**この場合、2,000m²以上という**面積要件を満たすかどうかの判断**は、買主などの権利取得者について行う。本肢の場合、買主であるBおよびCは、1,000m²ずつの土地を取得しているだけなので、いずれも面積要件を満たしない。したがって、B、Cは、事後届出を行う必要はない。

❷ 誤り。　**事後届出の要否**

相続は、そもそも契約ではないので、事後届出が必要とされる**「土地売買等の契約」**にあたらない。であるから、Dが所有する土地を相続により取得したEは、事後届出を行う必要はない。

❸ 正しい。**事後届出の要否**

面積要件を満たす一団の土地について複数回に分割して土地売買等の契約を締結した場合には、**各契約が面積要件を満たさなかったとしても、**契約ごとに**事後届出が**必要となるのが原則である。**市街化調整区域内**で事後届出が必要とされる面積は5,000m²以上であるから、6,000m²の一団の土地を一定の計画に従って分割して購入したGは、事後届出を行わなければならない。

❹ 誤り。　**事後届出の要否**

当事者の一方または双方が国や地方公共団体などである場合、**事後届出は**不要である。したがって、地方公共団体である甲市から購入したHは、事後届出を行う必要がない。

事後届出が必要な「土地売買等の契約」にあたらないもの

- **贈与契約**
- **相続**
- 時効
- **賃借権・地上権**の設定・移転契約（設定・移転の**対価がない**場合）

解答 ❸

65 国土利用計画法

令4-22

学習優先度 高

理解度チェック

国土利用計画法第23条の届出（以下この問において「事後届出」という。）に関する次の記述のうち、正しいものはどれか。なお、この問において「都道府県知事」とは、地方自治法に基づく指定都市にあってはその長をいうものとする。

❶ 都市計画区域外において、A市が所有する面積15,000m^2の土地を宅地建物取引業者Bが購入した場合、Bは事後届出を行わなければならない。

❷ 事後届出において、土地売買等の契約に係る土地の土地に関する権利の移転又は設定の対価の額については届出事項ではない。

❸ 市街化区域を除く都市計画区域内において、一団の土地である甲土地（C所有、面積3,500m^2）と乙土地（D所有、面積2,500m^2）を宅地建物取引業者Eが購入した場合、Eは事後届出を行わなければならない。

❹ 都道府県知事は、土地利用審査会の意見を聴いて、事後届出をした者に対し、当該事後届出に係る土地の利用目的について必要な変更をすべきことを勧告することができ、勧告を受けた者がその勧告に従わない場合、その勧告に反する土地売買等の契約を取り消すことができる。

アプローチ

令和4年度本試験の法令上の制限で、合格者正解率が最も高い問題です。正解できなかったら、勉強不足は明らか。法令上の制限の実力判定問題と思って解きましょう！

解説

❶ 誤り。　**事後届出の要否**

当事者の一方または双方が国や地方公共団体などである場合、事後届出は不要である。本肢では、地方公共団体であるA市が売主であるので、Bは事後届出を行う必要はない。なお、Bが宅建業者であることは、結論に影響しない。

❷ 誤り。　**事後届出の手続き**

事後届出にあたっては、土地の利用目的などだけでなく、土地に関する権利の移転・設定の対価の額についても、届け出なければならない。

❸ 正しい。**事後届出の要否**

市街化区域を除く都市計画区域内（＝市街化調整区域・非線引区域内）の5,000m²以上の土地について、土地売買等の契約を締結した場合、権利取得者は、原則として事後届出を行う必要があるが、この事後届出の面積要件は、買主などの権利取得者を基準に判断する。したがって、一団の土地である甲土地（面積3,500m²）と乙土地（面積2,500m²）の合計6,000m²の土地を購入したEは、事後届出を行わなければならない。なお、肢1と同様に、Eが宅建業者であることは、結論に影響しない。

❹ 誤り。　**事後届出の手続き**

都道府県知事は、土地利用審査会の意見を聴いて、事後届出をした者に対し、当該事後届出に係る土地の利用目的について必要な変更をすべきことを勧告することができ、勧告を受けた者がその勧告に従わないときは、その旨および勧告の内容を公表できる。ただし、この場合でも、その勧告に反する土地売買等の契約は確定的に有効であり、都道府県知事がこれを取り消すことはできない。

ポイント整理

事後届出が必要な面積

区域	面積
市街化区域	2,000m²以上
市街化調整区域	5,000m²以上
非線引区域※	5,000m²以上
都市計画区域外（準都市計画区域を含む）	10,000m²以上

※区域区分が定められていない都市計画区域

きほんの教科書 L9-2・3・4 復習

解答 ❸

66 平30-15 国土利用計画法

国土利用計画法第23条の届出（以下この問において「事後届出」という。）に関する次の記述のうち、正しいものはどれか。

❶ 事後届出に係る土地の利用目的について、甲県知事から勧告を受けた宅地建物取引業者Aがその勧告に従わないときは、甲県知事は、その旨及びその勧告の内容を公表することができる。

❷ 乙県が所有する都市計画区域内の土地（面積6,000m^2）を買い受けた者は、売買契約を締結した日から起算して2週間以内に、事後届出を行わなければならない。

❸ 指定都市（地方自治法に基づく指定都市をいう。）の区域以外に所在する土地について、事後届出を行うに当たっては、市町村の長を経由しないで、直接都道府県知事に届け出なければならない。

❹ 宅地建物取引業者Bが所有する市街化区域内の土地（面積2,500m^2）について、宅地建物取引業者Cが購入する契約を締結した場合、Cは事後届出を行う必要はない。

アプローチ

肢1・3で、事後届出の手続きが問われています。学習のツメが甘くなりがちな部分なので、要注意です。

解説

❶ 正しい。**事後届出の手続き**

都道府県知事は、事後届出に係る土地の利用目的について勧告をした場合において、勧告を受けた者が勧告に従わないときは、その旨および勧告の内容を公表することができる。

❷ 誤り。 **事後届出の要否**

当事者の一方または双方が国や地方公共団体などである場合、**事後届出は**不要である。したがって、地方公共団体である乙県から買い受けた者は、事後届出を行う必要がない。

❸ 誤り。 **事後届出の手続き**

事後届出を行うにあたっては、権利取得者は、原則として、当該土地が所在する市町村の長を経由して、都道府県知事に届け出なければならない。なお、指定都市の区域内に所在する土地について事後届出を行う場合には、直接指定都市の長に届け出ることになっている。

❹ 誤り。 **事後届出の要否**

市街化区域内において、2,000m²以上の土地について土地売買等の契約を締結した場合、権利取得者は、原則として、事後届出を行わなければならない。宅建業者間の取引の場合も同様である。したがって、市街化区域内の2,500m²の土地を購入した宅建業者Cは、事後届出を行わなければならない。

事後届出不要な例外

次の①～③の場合には、面積要件を満たす土地売買等の契約であっても、**事後届出は**不要である。

①	当事者の一方または双方が、国・地方公共団体（**都道府県・市町村**）などである場合
②	農地法３条**の許可**を受けて契約を締結した場合 ⇒　農地法5条の許可の場合は例外にあたらない
③	民事訴訟法による和解である場合、民事調停法による調停に基づく場合など

解答 ❶

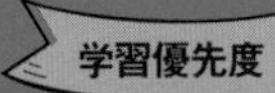

67 令3-22 国土利用計画法

理解度チェック

国土利用計画法第23条の届出（以下この問において「事後届出」という。）に関する次の記述のうち、正しいものはどれか。なお、この問において「都道府県知事」とは、地方自治法に基づく指定都市にあってはその長をいうものとする。

❶ 土地売買等の契約を締結した場合には、当事者のうち当該契約による権利取得者は、その契約を締結した日の翌日から起算して3週間以内に、事後届出を行わなければならない。

❷ 都道府県知事は、事後届出をした者に対し、その届出に係る土地に関する権利の移転若しくは設定後における土地の利用目的又は土地に関する権利の移転若しくは設定の対価の額について、当該土地を含む周辺の地域の適正かつ合理的な土地利用を図るために必要な助言をすることができる。

❸ 事後届出が必要な土地売買等の契約を締結したにもかかわらず、所定の期間内に当該届出をしなかった者は、都道府県知事からの勧告を受けるが、罰則の適用はない。

❹ 宅地建物取引業者Aが所有する準都市計画区域内の20,000m^2の土地について、10,000m^2をB市に、10,000m^2を宅地建物取引業者Cに売却する契約を締結した場合、B市は事後届出を行う必要はないが、Cは一定の場合を除き事後届出を行う必要がある。

アプローチ

国土利用計画法では、法令上の制限では珍しく、罰則まで問われます。とはいえ、懲役の期間や罰金の額でひっかけることは、ほとんどありません。

解説

❶ 誤り。 **事後届出の手続き**

土地売買等の契約を締結した場合、権利取得者は、契約を締結した日から起算して2週間以内に、原則として事後届出を行わなければならない。「契約を締結した日の翌日」から起算して「3週間以内」ではない。

❷ 誤り。 **事後届出の手続き**

都道府県知事は、事後届出があった場合、その届出をした者に対し、土地の利用目的について**助言**をすることができる。しかし、「対価の額」について助言をすることはできない。

❸ 誤り。 **事後届出の罰則**

事後届出が必要な土地売買等の契約により権利取得者となった者が**事後届出を行わなかった場合でも、**都道府県知事から届出を行うよう勧告**されることは**ない。しかし、罰則（6カ月以下の懲役または100万円以下の罰金）の**適用は**ある。

❹ 正しい。**事後届出の要否**

当事者の一方または双方が国や地方公共団体などである場合、**事後届出は**不要である。したがって、地方公共団体であるB市は事後届出を行う必要はない。その一方で、**都市計画区域外（準都市計画区域**を含む）の10,000m²（**1ヘクタール**）以上の土地について、土地売買等の契約を締結した場合、権利取得者は、原則として事後届出を行う必要がある。したがって、準都市計画区域内の10,000m²の土地を購入したCは、一定の場合を除き事後届出を行う必要がある。なお、Cが宅建業者であることは、結論に影響しない。

ポイント整理

事後届出制における罰則と契約の効力

	罰則	契約の効力
無届け・虚偽の届出	あり	有効
勧告を無視	なし	有効

きほんの教科書 L9-2・3・4 復習

解答 ❹

68 令5-22 国土利用計画法

学習優先度 高

理解度チェック

土地を取得する場合における届出に関する次の記述のうち、正しいものはどれか。なお、この問において「事後届出」とは、国土利用計画法第23条の届出をいい、「重要土地等調査法」とは、重要施設周辺及び国境離島等における土地等の利用状況の調査及び利用の規制等に関する法律をいうものとする。

❶ 都市計画区域外において、国から一団の土地である6,000㎡と5,000㎡の土地を購入した者は、事後届出を行う必要はない。

❷ 市街化区域を除く都市計画区域内において、Aが所有する7,000㎡の土地をBが相続により取得した場合、Bは事後届出を行う必要がある。

❸ 市街化区域において、Cが所有する3,000㎡の土地をDが購入する契約を締結した場合、C及びDは事後届出を行わなければならない。

❹ 重要土地等調査法の規定による特別注視区域内にある100㎡の規模の土地に関する所有権又はその取得を目的とする権利の移転をする契約を締結する場合には、当事者は、一定の事項を、あらかじめ、内閣総理大臣に届け出なければならない。

アプローチ

肢４は、近年の時事ネタではあるものの、宅建試験対策上は明らかに捨て肢。学習した覚えがないはずの「重要土地等調査法」という法律名を見た瞬間に、「さあ、肢１～３で勝負！」と腹をくくりましょう。

解説

❶ 正しい。**事後届出の要否**

当事者の一方または双方が国や地方公共団体などである場合、事後届出は不要である。本肢では、国が売主であるので、当該一団の土地の買主は、事後届出を行う必要はない。

❷ 誤り。**事後届出の要否**

「土地売買等の契約」を締結した場合、権利取得者は、原則として、事後届出を行わなければならない。しかし、**相続**は、そもそも契約ではないので、**「土地売買等の契約」**にあたらない。したがって、Aの土地を相続したBは、事後届出を行う必要はない。

❸ 誤り。**事後届出の手続き**

市街化区域内の2,000㎡以上の土地について土地売買等の契約を締結した場合、原則として**事後届出**が必要であるが、この場合に届出義務を負うのは権利取得者である。したがって、権利取得者である買主Dのみが届出義務を負い、売主Cは、事後届出を行う必要はない。

❹ 誤り。**重要土地等調査法の届出制**

重要土地等調査法とは、我が国の領海等の保全と安全保障に寄与することなどを目的として、近年制定された法律である。この重要土地等調査法の規定による特別注視区域内にある200㎡以上（土地については面積、建物については床面積）の土地・建物に関する所有権またはその取得を目的とする権利の移転・設定契約を締結する場合には、当事者は、原則として、あらかじめ、内閣総理大臣に届け出なければならないとされている。したがって、土地の規模が「100㎡」である本肢の場合、内閣総理大臣への届出は不要である。

捨

ポイント整理

事後届出の届出義務者など

届出義務者	買主などの権利取得者
届出事項	土地の利用目的や対価の額など
届出期間	契約を締結した日から起算して2週間以内
届出先	都道府県知事（市町村の長を経由）

きほんの教科書 L9-2・3・4 復習

解答 ❶

69
平25-22

その他の法令

次の記述のうち、正しいものはどれか。

❶ 地すべり等防止法によれば、地すべり防止区域内において、地表水を放流し、又は停滞させる行為をしようとする者は、一定の場合を除き、市町村長の許可を受けなければならない。

❷ 国土利用計画法によれば、甲県が所有する都市計画区域内の7,000m²の土地を甲県から買い受けた者は、事後届出を行う必要はない。

❸ 土壌汚染対策法によれば、形質変更時要届出区域内において土地の形質の変更をしようとする者は、非常災害のために必要な応急措置として行う行為であっても、都道府県知事に届け出なければならない。

❹ 河川法によれば、河川区域内の土地において工作物を新築し、改築し、又は除却しようとする者は、河川管理者と協議をしなければならない。

アプローチ

国土利用計画法とその他の法令の総合問題です。細かい内容の肢もありますが、基礎知識を身につけていれば、解答を導くことができるはず！

解説

❶ 誤り。 **地すべり等防止法**

地すべり防止区域内において、地表水を放流し、または停滞させる行為をしようとする者は、一定の場合を除き、都道府県知事**の許可**を受けなければならない。「市町村長」の許可ではない。

❷ 正しい。**国土利用計画法（事後届出の要否）**

当事者の一方または双方が国や地方公共団体などである場合、**事後届出は**不要である。したがって、本肢の土地を「甲県」から買い受けた者は、事後届出を行う必要はない。

❸ 誤り。 **土壌汚染対策法**

形質変更時要届出区域内において土地の形質の変更をしようとする者は、原則として、当該土地の形質の変更に着手する日の14日前までに、都道府県知事に届け出なければならない。しかし、非常災害のために必要な応急措置として行う行為については、例外として、事前に届け出る必要はない。

❹ 誤り。 **河川法**

河川区域内の土地において工作物を新築し、改築し、または除却しようとする者は、原則として、河川管理者の「許可」を受けなければならない。河川管理者と「協議」をしなければならないのではない。

ポイント整理

地すべり等防止法・河川法の許可権者

法令名	許可権者
地すべり等防止法	**都道府県知事の許可**
河川法	**河川管理者の許可**

70 その他の法令

平26-22

次の記述のうち、誤っているものはどれか。

❶ 国土利用計画法によれば、同法第23条の届出に当たっては、土地売買等の対価の額についても都道府県知事（地方自治法に基づく指定都市にあっては、当該指定都市の長）に届け出なければならない。

❷ 森林法によれば、保安林において立木を伐採しようとする者は、一定の場合を除き、都道府県知事の許可を受けなければならない。

❸ 海岸法によれば、海岸保全区域内において土地の掘削、盛土又は切土を行おうとする者は、一定の場合を除き、海岸管理者の許可を受けなければならない。

❹ 都市緑地法によれば、特別緑地保全地区内において建築物の新築、改築又は増築を行おうとする者は、一定の場合を除き、公園管理者の許可を受けなければならない。

アプローチ

その他の法令については、出題法令の大半は知事（等）が許可権者ですから、許可権者が知事（等）以外の法令を覚えて正誤の判断ができるようにしておきましょう。

解説

❶ 正しい。**国土利用計画法（事後届出の手続き）**

事後届出にあたっては、土地の利用目的などだけでなく、土地売買等の対価の額についても、届け出なければならない。

❷ 正しい。**森林法**

保安林において立木を伐採しようとする者は、一定の場合を除き、都道府県知事**の許可**を受けなければならない。

❸ 正しい。**海岸法**

海岸保全区域内において土地の掘削、盛土または切土を行おうとする者は、一定の場合を除き、海岸管理者**の許可**を受けなければならない。

❹ 誤り。 **都市緑地法**

特別緑地保全地区内において建築物の新築、改築または増築を行おうとする者は、一定の場合を除き、都道府県知事**等の許可**を受けなければならない。「公園管理者」の許可ではない。

ポイント整理

その他の法令

主な出題法令	許可権者
生産緑地法	**市町村長**の許可
港湾法	港湾**管理者**の許可
河川法	河川**管理者**の許可
海岸法	海岸**管理者**の許可
道路法	道路**管理者**の許可
津波防災地域づくりに関する法律	津波防護施設**管理者**の許可
都市再開発法	**建築許可権者**の許可
文化財保護法	**文化庁長官**の許可
自然公園法（国立公園特別地域）	**環境大臣**の許可
上記以外の出題法令の大半 例. 都市緑地法、地すべり等防止法	**都道府県知事（等）**の許可

きほんの教科書 L9-4・5 復習

解答 ❹

MEMO

税・その他

税・その他　過去10年間の出題一覧

　ここでは、出題一覧と学習優先度を掲載しています。出題一覧は過去10年間のうち、出題された年度に●をつけています。学習優先度は、受験者の問題ごとの正答率データをもとに合格に必要な知識か否かを徹底的に解析し、ここ30年の出題傾向を踏まえて、合格するための学習優先度を総合的に判断したものです。学習優先度が高いと思われるものから順に、高・中・低の3段階で表示しています。（各問題にも設定しています。）

テーマ	H26	27	28	29	30	R1	2	3	4	5	学習優先度
不動産取得税	●		●		●		●	●		●	高
固定資産税		●		●		●			●		高
印紙税			●				●		●	●	高
所得税				●		●		●			高
登録免許税	●				●						中
贈与税		●									中
地価公示法	●	●		●		●			●		高
不動産鑑定評価基準			●		●		●	●		●	中
住宅金融支援機構法	●	●	●	●	●	●	●	●	●	●	高
不当景品類及び不当表示防止法	●	●	●	●	●	●	●	●	●	●	高
土　地	●	●	●	●	●	●	●	●	●	●	高
建　物	●	●	●	●	●	●	●	●	●	●	中

目標得点	6点/8問

論点別の傾向と対策

不動産取得税・固定資産税：ほとんどの場合、どちらか1問出題されます。納税義務者・課税標準・税率等の基本事項や、各種の軽減措置に関する問題が多く見られます。固定資産税では、閲覧・縦覧等の制度についても出題されています。税法の中では比較的得点しやすいところです。特に不動産取得税は、同じ内容が繰り返し出題されているので、出題されたら確実に得点できるようにしておきましょう。

印紙税：2年に1回程度、出題されます。課税文書かどうかの判断や記載金額の決定方法を中心に、同じような問題が繰り返し出題されています。ここも、出題されたら確実に得点できるようにしておきましょう。

所得税・登録免許税・贈与税：平成22年度以降、印紙税が出題されない年は、これら3つの税のうちの1つが出題されています。いずれも特例の適用要件を問うものが多く、特に、3,000万円特別控除・特定の居住用財産の買換え特例（所得税)、居住用家屋に関する軽減措置（登録免許税)、住宅取得等資金の贈与を受けた場合の相続時精算課税の特例（贈与税）がよく出題されます。

地価公示法・不動産鑑定評価基準：どちらか1問出題されます。地価公示法は、同じような出題が繰り返されているので、得点源になるように学習すべきです。不動産鑑定評価基準は、見慣れない言葉が多く、最初は難しく感じられると思います。価格の種類、価格を求める手法に関する出題がほとんどですので、これらの点に絞って学習すると効率的です。

住宅金融支援機構法：業務の範囲に関する出題が中心です。住宅金融支援機構がどのような業務を行っているのか、融資の対象や条件はどうなっているのか等についてよく出題されています。もっとも、他の部分もそれほど量は多くないので、ひととおり学習しておいたほうがよいでしょう。

不当景品類及び不当表示防止法：主として表示規約から出題されますが、景品規約から肢1つ程度出題される年もあります。広告をする際にはどのような表示をしなければならないのか、どのような表示が禁止されているのか等に関して、具体的に理解しておく必要があります。

土地・建物：土地から1問、建物から1問出題されます。法律科目ではないため、出題範囲が明確ではありません。ただし、(宅建試験全体にもいえることですが）過去問題と同様の知識が問われることが多いので、過去問題を中心とした学習が有効です。

統計：地価公示、新設住宅着工戸数・床面積、土地白書に関する出題が中心です。

不動産取得税

不動産取得税に関する次の記述のうち、正しいものはどれか。

❶ 不動産取得税の課税標準となるべき額が、土地の取得にあっては10万円、家屋の取得のうち建築に係るものにあっては1戸につき23万円、その他のものにあっては1戸につき12万円に満たない場合においては、不動産取得税が課されない。

❷ 床面積250m²である新築住宅に係る不動産取得税の課税標準の算定については、当該新築住宅の価格から1,200万円が控除される。

❸ 宅地の取得に係る不動産取得税の課税標準は、当該宅地の価格の4分の1の額とされる。

❹ 家屋が新築された日から2年を経過して、なお、当該家屋について最初の使用又は譲渡が行われない場合においては、当該家屋が新築された日から2年を経過した日において家屋の取得がなされたものとみなし、当該家屋の所有者を取得者とみなして、これに対して不動産取得税を課する。

アプローチ

すべての肢について数字の正誤を検討しましょう。税法の問題では、金額や年数などの数字がよく問われます。問題を解きながら、徐々に覚えていきましょう。

解説

❶ 正しい。**免税点**

課税標準となるべき額が、**土地の取得**にあっては**10万円**、家屋の取得のうち**建築**に係るものにあっては1戸につき**23万円**、**その他**のものにあっては1戸につき**12万円**に満たない場合、不動産取得税が課されない。

❷ 誤り。 **新築住宅に係る課税標準の特例**

床面積が50m²（戸建以外の賃貸住宅は40m²）以上**240m²以下**の新築住宅の課税標準については、当該新築住宅の価格から1,200万円が控除される。しかし、本肢は「床面積250m²」の住宅なので、控除の対象にならない。

❸ 誤り。 **宅地に係る課税標準の特例**

宅地の課税標準については、当該宅地の価格の**2分の1**の額とする特例が設けられている。「4分の1」ではない。

❹ 誤り。 **不動産の取得（新築家屋）**

家屋が新築された日から**6カ月**（宅建業者等が売り渡す住宅については**1年**）を経過しても当該家屋について最初の使用または譲渡が行われない場合には、当該家屋が新築された日から6カ月（1年）を経過した日において家屋の取得がなされたものとみなし、当該家屋の所有者が取得者とみなされて不動産取得税が課される。「2年」ではない。

ポイント整理

課税標準の特例・税率・免税点

	課税標準の特例	税率	免税点
土地	宅地　**1/2**	**3%**	**10万円**
家屋	新築住宅　1,200万円控除 （床面積**50m²**以上**240m²**以下）	住宅　**3%** 住宅以外　**4%**	建築　**23万円** その他　**12万円**

きほんの教科書 L1-2・3・4 復習

解答 ❶

02 不動産取得税

平28-24改

理解度チェック

不動産取得税に関する次の記述のうち、正しいものはどれか。

❶ 家屋が新築された日から3年を経過して、なお、当該家屋について最初の使用又は譲渡が行われない場合においては、当該家屋が新築された日から3年を経過した日において家屋の取得がなされたものとみなし、当該家屋の所有者を取得者とみなして、これに対して不動産取得税を課する。

❷ 不動産取得税は、不動産の取得に対して課される税であるので、法人の合併により不動産を取得した場合にも、不動産取得税は課される。

❸ 床面積240m^2である新築住宅に係る不動産取得税の課税標準の算定については、当該新築住宅の価格から1,200万円が控除される。

❹ 住宅及び住宅用地に係る不動産取得税の税率は3%であるが、住宅用以外の家屋及びその土地に係る不動産取得税の税率は4%である。

アプローチ

数字の正誤を検討すれば、答えが出ます。不動産取得税は、2年に1回程度の出題ですが、過去問と同じ知識で解ける問題が多いので、出題されれば得点源になります。

解説

❶ 誤り。　**不動産の取得（新築家屋）**

家屋が新築された日から**6カ月**（宅建業者等が売り渡す住宅については**1年**）を経過しても当該家屋について最初の使用または譲渡が行われない場合、当該家屋が新築された日から6カ月（1年）を経過した日に家屋の取得がなされたものとみなし、当該家屋の所有者が取得者とみなされて不動産取得税が課される。「3年」ではない。

❷ 誤り。　**不動産の取得（合併）**

法人の**合併**による取得の場合、不動産取得税は**課されない**。

❸ 正しい。**新築住宅に係る課税標準の特例**

床面積が50m²（戸建以外の賃貸住宅は40m²）以上**240m²以下の新築住宅**の課税標準については、当該新築住宅の価格から1,200万円が控除される。

❹ 誤り。　**標準税率**

不動産取得税の標準税率は、**住宅・土地**に係るものは3/100（3%）、**住宅以外の家屋**に係るものは4/100（4%）である。土地の場合は用途に関係なく3/100（3%）なので、住宅用以外の家屋の土地に係る不動産取得税の税率が4/100（4%）とする本肢は誤り。

ポイント整理

不動産の取得（課税の有無）

	課税される場合	課税されない場合
取得原因	売買、交換、**贈与**、新築、**増築**、**改築**（家屋の価格が増加した場合）	**相続**、法人の**合併**、共有物の分割（分割前の持分の割合を超える場合を除く）

解答 ❸

理解度チェック  

不動産取得税に関する次の記述のうち、正しいものはどれか。

❶ 不動産取得税は、不動産の取得があった日の翌日から起算して3月以内に当該不動産が所在する都道府県に申告納付しなければならない。

❷ 不動産取得税は不動産の取得に対して課される税であるので、家屋を改築したことにより当該家屋の価格が増加したとしても、新たな不動産の取得とはみなされないため、不動産取得税は課されない。

❸ 相続による不動産の取得については、不動産取得税は課されない。

❹ 一定の面積に満たない土地の取得については、不動産取得税は課されない。

アプローチ

問題を解く際には、よく分からない肢はとりあえず無視して、正誤を確実に判断できる肢だけで正解が出せないか考えてみましょう。

解説

❶ 誤り。　徴収方法

不動産取得税の徴収は、普通徴収の方法（納税通知書が納税義務者に送付され、それを用いて納付する方法）による。したがって、申告納付しなければならないとする本肢は誤り。

❷ 誤り。　不動産の取得（改築）

家屋を改築したことにより、当該家屋の価格が増加した場合、当該改築が家屋の取得とみなされて、不動産取得税が課される。

❸ 正しい。不動産の取得（相続）

相続による不動産の取得については、不動産取得税は課されない。

❹ 誤り。　免税

課税標準となるべき額が一定の額に満たない場合には、不動産取得税が課されない（免税点）。しかし、本肢のように一定の面積に満たないことを理由に不動産取得税が課されないとする制度はない。捨

普通徴収・特別徴収

過去には「不動産取得税の徴収は、特別徴収の方法による」という出題もされている。答えは、誤り。特別徴収とは、いわゆる天引きのことで、本来の納税義務者ではなく、事業者等が税金を預かり、納付する方法をいう。

きほんの教科書 L1-2・4 復習

解答 ❸

04 不動産取得税

令2-24改

不動産取得税に関する次の記述のうち、正しいものはどれか。

❶ 住宅及び住宅用地に係る不動産取得税の税率は3%であるが、住宅用以外の土地に係る不動産取得税の税率は4%である。

❷ 一定の面積に満たない土地の取得に対しては、狭小な不動産の取得者に対する税負担の排除の観点から、不動産取得税を課することができない。

❸ 不動産取得税は、不動産の取得に対して課される税であるので、家屋を改築したことにより、当該家屋の価格が増加したとしても、不動産取得税は課されない。

❹ 共有物の分割による不動産の取得については、当該不動産の取得者の分割前の当該共有物に係る持分の割合を超えない部分の取得であれば、不動産取得税は課されない。

解説

❶ 誤り。　**標準税率**

不動産取得税の標準税率は、**住宅・土地**に係るものは3/100（3%）、**住宅以外の家屋**に係るものは4/100（4%）である。土地はすべて3/100（3%）なので、住宅用以外の土地は4/100（4%）とする本肢は誤り。

❷ 誤り。　**免税**

課税標準となるべき額が一定の額に満たない場合には、不動産取得税が課されない（免税点）。しかし、本肢のように一定の面積に満たないことを理由に不動産取得税が課されないとする制度はない。

❸ 誤り。　**不動産の取得（改築）**

家屋を**改築**したことにより、当該家屋の**価格**が**増加**した場合、当該改築が家屋の取得とみなされて、**不動産取得税が課される**。

❹ 正しい。**不動産の取得（共有物の分割）**

共有物の分割による不動産の取得の場合、分割前の持分の割合を超えなければ、不動産取得税が課されない。

税・その他

共有物の分割

共有物の分割の場合、分割前の持分と同じか、分割前より**減ったとき**は、不動産取得税が**課されない**。逆に、分割前より**増えたとき**は、増えた分に不動産取得税が**課される**。

きほんの教科書 L1-2・3・4 復習　解答 ❹

05 固定資産税

令3追-24

固定資産税に関する次の記述のうち、正しいものはどれか。

❶ 市町村長は、固定資産課税台帳に登録された価格等に重大な錯誤があることを発見した場合においては、直ちに決定された価格等を修正して、これを固定資産課税台帳に登録しなければならない。

❷ 固定資産税の納税義務者は、その納付すべき当該年度の固定資産課税に係る固定資産について、固定資産課税台帳に登録された価格について不服があるときは、公示の日から納税通知書の交付を受けた日後1月を経過するまでの間において、文書をもって、固定資産評価審査委員会に審査の申出をすることができる。

❸ 年度の途中において家屋の売買が行われた場合、売主と買主は、当該年度の固定資産税を、固定資産課税台帳に所有者として登録されている日数で按分して納付しなければならない。

❹ 住宅用地のうち小規模住宅用地に対して課する固定資産税の課税標準は、当該小規模住宅用地に係る固定資産税の課税標準となるべき価格の3分の1の額である。

正解肢以外は、何度も出題されている項目なので、消去法で正解を出すことができます。なお、固定資産税と不動産取得税は、どちらかが1問出題されます。

解説

❶ 正しい。　**価格の修正等**

市町村長は、固定資産の価格等の登録がなされていないことまたは登録された価格等に重大な錯誤があることを発見した場合、直ちに固定資産課税台帳に登録された類似の固定資産の価格と均衡を失しないように価格等を決定し、または決定された価格等を修正して、これを固定資産課税台帳に登録しなければならない。

❷ 誤り。　**審査の申出**

固定資産税の納税者は、その納付すべき当該年度の固定資産税に係る固定資産について固定資産課税台帳に登録された**価格について不服**がある場合においては、固定資産の価格等の登録をした旨の公示の日から**納税通知書の交付を受けた日後3カ月**を経過する日まで等の間において、**文書をもって**、**固定資産評価審査委員会に審査の申出**をすることができる。「1月」(=1カ月)を経過するまでではない。

❸ 誤り。　**賦課期日**

固定資産税の**賦課期日は1月1日**であり、たとえば、令和7年1月1日現在の所有者が、令和7年度分の固定資産税をすべて納付しなければならない。

❹ 誤り。　**住宅用地に対する課税標準の特例**

小規模住宅用地(=200m²以下の住宅用地)に対して課する固定資産税の課税標準は、当該小規模住宅用地に係る固定資産税の課税標準となるべき価格の**6分の1**の額とされている。「3分の1」ではない。

ポイント整理

固定資産税の特例・免税点

	課税標準の特例	税額控除	免税点
土地	一般住宅用地　1/3 小規模住宅用地　1/6	—	30万円
家屋	—	新築住宅　3年度間　1/2 (中高層耐火は5年度間)	20万円

きほんの教科書 L2-1・2・4 復習

解答 ❶

06 固定資産税

平17-28

固定資産税に関する次の記述のうち、正しいものはどれか。

❶ 質権者は、その土地についての使用収益の実質を有していることから、登記簿にその質権が登記されている場合には、固定資産税が課される。

❷ 納税義務者又はその同意を受けた者以外の者は、固定資産課税台帳の記載事項の証明書の交付を受けることはできない。

❸ 固定資産税を既に全納した者が、年度の途中において土地の譲渡を行った場合には、その所有の月数に応じて税額の還付を受けることができる。

❹ 新築された住宅に対して課される固定資産税については、新たに課されることとなった年度から4年度分に限り、1／2相当額を固定資産税額から減額される。

アプローチ

数字は一度に全部覚えようとせず、問題を解いて間違えたものを1つずつ覚えていくようにしましょう。

解説

❶ 正しい。納税義務者

固定資産税は、固定資産の所有者に対して課されるが、質権または100年より永い存続期間の定めのある地上権が設定されている土地については、所有者ではなくその質権者または地上権者が固定資産税の納税義務者となる。

❷ 誤り。　証明書の交付

納税義務者等だけでなく、土地・家屋について賃借権等を有する者等も、固定資産課税台帳の記載事項の証明書の交付を受けることができる。

❸ 誤り。　賦課期日

固定資産税は、賦課期日（1月1日）現在の所有者に課される。したがって、年度の途中に土地の譲渡が行われても、1月1日現在の所有者が全額の納税義務を負い、本肢のような還付制度はない。

❹ 誤り。　新築住宅に対する税額控除の特例

固定資産税では、床面積が50m²以上（1戸建以外の貸家住宅の場合、40m²以上）280m²以下の新築住宅について、新築後3年度間（地上3階建以上の中高層耐火建築物の場合、5年度間）、120m²までの部分について、税額の1/2を控除するという特例が設けられている。「4年度分に限り」ではない。

ポイント整理

不動産取得税と固定資産税の比較（1）

	不動産取得税	固定資産税
課税主体	取得した不動産の所在する**都道府県**	固定資産の所在する**市町村**
課税標準	固定資産課税台帳の登録価格 (登録されていない場合、都道府県知事が決定)	固定資産課税台帳の登録価格
徴収方法	普通徴収	普通徴収
免税点	土地　**10万円** 家屋　建築　**23万円** 建築以外　**12万円**	土地　**30万円** 家屋　**20万円**

きほんの教科書 L2-1・2・3・4 復習

解答 ❶

07 固定資産税

平27-24改

固定資産税に関する次の記述のうち、正しいものはどれか。

❶ 令和7年1月15日に新築された家屋に対する令和7年度分の固定資産税は、新築住宅に係る特例措置により税額の2分の1が減額される。

❷ 固定資産税の税率は、1.7%を超えることができない。

❸ 区分所有家屋の土地に対して課される固定資産税は、各区分所有者が連帯して納税義務を負う。

❹ 市町村は、財政上その他特別の必要がある場合を除き、当該市町村の区域内において同一の者が所有する土地に係る固定資産税の課税標準額が30万円未満の場合には課税できない。

アプローチ

固定資産税でも、不動産取得税と同様、数字を覚えておくことが重要です。肢1は、固定資産税の賦課期日も検討しましょう。

解説

❶ 誤り。　賦課期日

固定資産税は、賦課期日（たとえば令和7年度分の場合は、令和7年1月1日）に所在する固定資産に対して課される。令和7年1月15日に新築された家屋は、令和7年1月1日の時点では存在しないので、令和7年度分の固定資産税は課されない。「税額の2分の1が減額される」のではない。

❷ 誤り。　税率

固定資産税の税率の上限（＝制限税率）は、現在は定められていない。したがって、1.7%を超えることもできる。

❸ 誤り。　区分所有家屋の土地

区分所有家屋の土地に対して課される固定資産税は、一定の要件を満たせば、各区分所有者が土地の持分割合に応じて納税義務を負うことになる。「各区分所有者が連帯して納税義務を負う」のではない。

❹ 正しい。免税点

同一の者が同一市町村内に所有する土地に対する固定資産税の課税標準となるべき額が、財政上その他特別の必要があるとして市町村の条例で定める場合を除き、30万円に満たない場合には、固定資産税を課することができない。

ポイント整理

不動産取得税と固定資産税の比較（2）

	不動産取得税	固定資産税
課税標準の特例	宅地　1/2 新築住宅　1,200万円控除 既存住宅　建築時期に応じて控除	住宅用地 200m²以下　1/6 200m²超　1/3
標準税率	住宅・土地　3/100 住宅以外の家屋　4/100	1.4/100
税額控除	住宅用土地	新築住宅　1/2 （3年度間または5年度間）

きほんの教科書 L2-1・2・3 復習

解答 ❹

固定資産税

固定資産税に関する次の記述のうち、正しいものはどれか。

❶ 固定資産税は、固定資産が賃借されている場合、所有者ではなく当該固定資産の賃借人に対して課税される。

❷ 家屋に対して課する固定資産税の納税者が、その納付すべき当該年度の固定資産税に係る家屋について家屋課税台帳等に登録された価格と当該家屋が所在する市町村内の他の家屋の価格とを比較することができるよう、当該納税者は、家屋価格等縦覧帳簿をいつでも縦覧することができる。

❸ 固定資産税の納税者は、その納付すべき当該年度の固定資産課税に係る固定資産について、固定資産課税台帳に登録された価格について不服があるときは、一定の場合を除いて、文書をもって、固定資産評価審査委員会に審査の申出をすることができる。

❹ 令和7年1月1日現在において更地であっても住宅の建設が予定されている土地においては、市町村長が固定資産課税台帳に当該土地の価格を登録した旨の公示をするまでに当該住宅の敷地の用に供された場合には、当該土地に係る令和7年度の固定資産税について、住宅用地に対する課税標準の特例が適用される。

肢2は、固定資産課税台帳の閲覧との勘違いに注意しましょう。なお、本問は、問題文がやや長いので、難しく見えます。しかし、解くために必要な知識は過去に出題されているものばかりなので、復習はきちんとしておきましょう。

解説

❶ 誤り。　納税義務者

固定資産税は、固定資産の所有者に対して課されるが、質権または100年より永い存続期間の定めのある地上権が設定されている土地については、所有者ではなくその質権者または地上権者が固定資産税の納税義務者となる。したがって、固定資産が賃借されている場合は、原則どおり、所有者に対して課税される。

❷ 誤り。　縦覧期間

縦覧期間は、毎年4月1日から、4月20日または当該年度の最初の納期限の日のいずれか遅い日以後の日までの間である。「いつでも縦覧することができる」のではない。

❸ 正しい。審査の申出

固定資産税の納税者は、固定資産課税台帳に登録された価格について不服があるときは、一定の場合を除いて、文書をもって、固定資産評価審査委員会に審査の申出をすることができる。

❹ 誤り。　住宅用地に対する課税標準の特例

固定資産税の賦課期日は、1月1日である。そして、住宅用地に対する課税標準の特例は、住宅の敷地に供されている土地が対象なので、1月1日現在において更地である本肢では適用されない。

閲覧制度と縦覧制度

固定資産課税台帳には閲覧制度がある。ところが、そこには所有者の氏名等が書かれているので、固定資産課税台帳を他人に見せるのは好ましくない。そこで、所有者の氏名等が書かれていない「縦覧帳簿」を作り、一定期間、縦覧に供することにしたのである。

きほんの教科書 L2-1・2・4 復習

解答 ❸

09 固定資産税

令1-24

固定資産税に関する次の記述のうち、地方税法の規定によれば、正しいものはどれか。

❶ 居住用超高層建築物（いわゆるタワーマンション）に対して課する固定資産税は、当該居住用超高層建築物に係る固定資産税額を、各専有部分の取引価格の当該居住用超高層建築物の全ての専有部分の取引価格の合計額に対する割合により按分した額を、各専有部分の所有者に対して課する。

❷ 住宅用地のうち、小規模住宅用地に対して課する固定資産税の課税標準は、当該小規模住宅用地に係る固定資産税の課税標準となるべき価格の3分の1の額とされている。

❸ 固定資産税の納期は、他の税目の納期と重複しないようにとの配慮から、4月、7月、12月、2月と定められており、市町村はこれと異なる納期を定めることはできない。

❹ 固定資産税は、固定資産の所有者に対して課されるが、質権又は100年より永い存続期間の定めのある地上権が設定されている土地については、所有者ではなくその質権者又は地上権者が固定資産税の納税義務者となる。

問題を解く際は、正誤の判断ができない選択肢を後回しにしてみましょう。固定資産税の問題は、年によって難易度が大きく異なりますが、本問のように過去問の知識で正解が出せる問題は、確実に解けるようにしておきましょう。

解説

❶ 誤り。　区分所有家屋

区分所有家屋に対して課する固定資産税は、当該区分所有家屋に係る固定資産税額を専有部分の床面積割合に応じて按分するが、その際、居住用超高層建築物では、高層階になるほど税額が高くなるように補正する。したがって、取引価格の割合に応じて按分するという本肢は誤り。

❷ 誤り。　税率

200m²以下の住宅用地（＝小規模住宅用地）に対して課する固定資産税の課税標準は、当該小規模住宅用地に係る固定資産税の課税標準となるべき価格の6分の1の額とされている。「3分の1」ではない。

❸ 誤り。　納期

固定資産税の納期は、4月、7月、12月および2月中において、当該市町村の条例で定めることとされているが、特別の事情がある場合は、これと異なる納期を定めることができる。したがって、「市町村はこれと異なる納期を定めることはできない」とする本肢は誤り。

❹ 正しい。納税義務者

固定資産税は、固定資産の所有者に対して課されるが、質権または100年より永い存続期間の定めのある地上権が設定されている土地については、所有者ではなくその質権者または地上権者が固定資産税の納税義務者となる。

区分所有家屋に関する固定資産税

	固定資産税額
区分所有家屋	専有部分の床面積に応じる （タワーマンションの場合、高層階になるほど高くなるように補正する）
区分所有家屋の土地	土地の持分割合に応じる

きほんの教科書 L2-1・2・3 

解答 ❹

印紙税

印紙税に関する次の記述のうち、正しいものはどれか。

❶「建物の電気工事に係る請負代金は1,100万円（うち消費税額及び地方消費税額100万円）とする」旨を記載した工事請負契約書について、印紙税の課税標準となる当該契約書の記載金額は1,100万円である。

❷「Aの所有する土地（価額5,000万円）とBの所有する土地（価額4,000万円）とを交換する」旨の土地交換契約書を作成した場合、印紙税の課税標準となる当該契約書の記載金額は4,000万円である。

❸ 国を売主、株式会社Cを買主とする土地の売買契約において、共同で売買契約書を2通作成し、国とC社がそれぞれ1通ずつ保存することとした場合、C社が保存する契約書には印紙税は課されない。

❹「契約期間は10年間、賃料は月額10万円、権利金の額は100万円とする」旨が記載された土地の賃貸借契約書は、記載金額1,300万円の土地の賃借権の設定に関する契約書として印紙税が課される。

アプローチ

肢3については、自分が保存する契約書は相手が作成したものと考えてみましょう。毎年、国税（印紙税、所得税、登録免許税、印紙税）の中から1問出題されます。印紙税は似た問題が繰り返し出題されているので、確実に得点できるようにしておきましょう。

解説

❶ 誤り。　記載金額（消費税額等）

請負契約書等において、①消費税および地方消費税の額（＝消費税額等）が区分記載されている場合、または、②税込価格および税抜価格が記載されていることにより、その取引に当たって課されるべき消費税額等が明らかとなる場合は、消費税額等を記載金額に含めない。したがって、本肢の記載金額は、消費税額等を控除した1,000万円である。

❷ 誤り。　記載金額（交換契約書）

交換契約書の記載金額は、交換金額（＝不動産の価額）が記載されているときは交換金額であり、双方の価額が記載されているときは高いほうである。本肢では、5,000万円と4,000万円のうちの高いほうである5,000万円が記載金額になる。

❸ 正しい。国等と国等以外の者が共同作成した文書

国・地方公共団体（国等）と国等以外の者とが共同して作成した文書で、国等以外の者が保存するものは、国等が作成したものとみなされ、印紙税が課されない。本肢では、C社が保存するものは、国が作成したものとみなされ、印紙税が課されない。

❹ 誤り。　記載金額（土地の賃貸借契約書）

土地賃貸借契約書の場合、その設定・譲渡の対価である金銭の額が記載金額になる。これは、権利金、礼金、更新料その他の名称を問わず、契約に際して貸主に交付するもので返還されることが予定されていない金額をいう。賃料は、設定・譲渡の対価ではないので、記載金額に該当しない。したがって、本肢の契約書の記載金額は、1,300万円にはならない。

•ここが狙われる！「記載金額がない」と「課税されない」の区別

記載金額がない場合でも、課税文書であれば印紙税はゼロにはならず、200円の印紙税が課される（200円という金額自体は覚えなくてよい）。たとえば、「契約期間は10年間、賃料は月額10万円とする旨が記載された土地の賃貸借契約書は、印紙税が課されない」は誤り。土地の賃貸借契約書は課税文書なので、記載金額がない場合でも、200円の印紙税が課される。

きほんの教科書 L3-1・2 復習

解答 ❸

印紙税

印紙税に関する次の記述のうち、正しいものはどれか。なお、以下の覚書又は契約書はいずれも書面により作成されたものとする。

❶ 土地を8,000万円で譲渡することを証した覚書を売主Aと買主Bが作成した場合、本契約書を後日作成することを文書上で明らかにしていれば、当該覚書には印紙税が課されない。

❷ 一の契約書に甲土地の譲渡契約（譲渡金額6,000万円）と、乙建物の譲渡契約（譲渡金額3,000万円）をそれぞれ区分して記載した場合、印紙税の課税標準となる当該契約書の記載金額は、6,000万円である。

❸ 当初作成した土地の賃貸借契約書において「契約期間は5年とする」旨の記載がされていた契約期間を変更するために、「契約期間は10年とする」旨を記載した覚書を貸主Cと借主Dが作成した場合、当該覚書には印紙税が課される。

❹ 駐車場経営者Eと車両所有者Fが、Fの所有する車両を駐車場としての設備のある土地の特定の区画に駐車させる旨の賃貸借契約書を作成した場合、土地の賃借権の設定に関する契約書として印紙税が課される。

アプローチ

印紙税の問題の合格者正解率は、90%以上であることがほとんどです。印紙税が出題されたら必ず得点できるようにしておきましょう。ただし、本問は比較的難しい問題でした。肢4は分からなくてもよいので、肢1～3から正解を出せるようにしてください。

解説

❶ 誤り。　**契約の成立を証明する覚書**

契約の成立等を証明する目的で作成される文書は、名称を問わず「契約書」に該当する。本契約書を後日作成するかどうかは関係ない。したがって、本肢の覚書には印紙税が課される。

❷ 誤り。　**記載金額（譲渡契約書）**

1通の契約書に複数の譲渡金額が記載されている場合、合計額が記載金額になる。したがって、本肢の契約書の記載金額は9,000万円である。

❸ 正しい。**変更契約書（契約期間）**

覚書等の表題を用いて原契約書の内容を変更する文書を作成する場合、その覚書等に重要な事項が記載されていれば、印紙税が課される。契約期間は重要な事項なので、本肢の覚書には印紙税が課される。

❹ 誤り。　**駐車場契約書**

駐車場の一定の場所に駐車することの契約書は、駐車場という施設の賃貸借契約書なので、印紙税が課されない。

ポイント整理

契約書の記載金額（1）

契約書の種類	記載金額	
売買契約書	売買金額	
交換契約書	交換金額（＝不動産の価額）が記載されている場合	交換金額（双方の価額が記載されているときは高いほう）
	交換差金のみが記載されている場合	交換差金の額

きほんの教科書 L3-1・2 復習

解答 ❸

印紙税

印紙税に関する次の記述のうち、正しいものはどれか。なお、以下の契約書はいずれも書面により作成されたものとする。

❶ 売主Ａと買主Ｂが土地の譲渡契約書を３通作成し、Ａ、Ｂ及び仲介人Ｃがそれぞれ１通ずつ保存する場合、当該契約書３通には印紙税が課される。

❷ 一の契約書に土地の譲渡契約（譲渡金額5,000万円）と建物の建築請負契約（請負金額6,000万円）をそれぞれ区分して記載した場合、印紙税の課税標準となる当該契約書の記載金額は１億1,000万円である。

❸「Ｄの所有する甲土地（時価2,000万円）をＥに贈与する」旨を記載した贈与契約書を作成した場合、印紙税の課税標準となる当該契約書の記載金額は、2,000万円である。

❹ 当初作成の「土地を１億円で譲渡する」旨を記載した土地譲渡契約書の契約金額を変更するために作成する契約書で、「当初の契約書の契約金額を1,000万円減額し、9,000万円とする」旨を記載した変更契約書について、印紙税の課税標準となる当該変更契約書の記載金額は、1,000万円である。

アプローチ

肢１は、仲介人に渡す譲渡契約書（売買契約書）にも印紙税が課されるかがポイントです。媒介（仲介）契約書が課税文書かどうかとは別の話です。

解説

❶ 正しい。　**仲介人が保存する譲渡契約書**

売主・買主のようにその契約の直接の当事者が保存する文書だけでなく、不動産売買契約の仲介人や消費貸借の保証人などが保存する文書も課税対象になる。

❷ 誤り。　**記載金額（譲渡契約と請負契約を１通の契約書に記載）**

不動産の譲渡契約と請負契約を１通の契約書にそれぞれ区分して記載した場合、請負金額が譲渡金額を超えるときは、請負契約に関する契約書に該当し、請負金額が記載金額となる。本肢では、請負金額である6,000万円が記載金額となる。

❸ 誤り。　**記載金額（贈与契約書）**

不動産の贈与契約書は、記載金額のない不動産の譲渡に関する契約書として印紙税が課される。贈与契約書に評価額が記載されていても、その額は記載金額にはならない。

❹ 誤り。　**変更契約書（減額変更）**

契約金額等の記載のある原契約書が作成されていることが明らかであり、かつ、変更契約書に変更金額が記載されている場合、金額を減少させる変更契約書は、記載金額のない文書となる。

ポイント整理

契約書の記載金額（2）

契約書の種類	記載金額
贈与契約書	**記載金額のない文書**
請負契約書	請負金額
地上権・土地賃貸借契約書	契約に際して相手方に交付するもので返還されることが予定されていない金額（**賃料は記載金額に含まれない**）

きほんの教科書 L3-1・2 復習

解答 ❶

13 印紙税

平21-24改

理解度チェック

印紙税に関する次の記述のうち、正しいものはどれか。

❶ 「令和7年10月1日付建設工事請負契約書の契約金額3,000万円を5,000万円に増額する」旨を記載した変更契約書は、記載金額2,000万円の建設工事の請負に関する契約書として印紙税が課される。

❷ 「時価3,000万円の土地を無償で譲渡する」旨を記載した贈与契約書は、記載金額3,000万円の不動産の譲渡に関する契約書として印紙税が課される。

❸ 土地の売却の代理を行ったA社が「A社は、売主Bの代理人として、土地代金5,000万円を受領した」旨を記載した領収書を作成した場合、当該領収書は、売主Bを納税義務者として印紙税が課される。

❹ 印紙をはり付けることにより印紙税を納付すべき契約書について、印紙税を納付せず、その事実が税務調査により判明した場合には、納付しなかった印紙税額と同額に相当する過怠税が徴収される。

アプローチ

肢3について。民法では、代理人の行為の効果は直接に本人に帰属しますが、印紙税も民法と同じように考える？

解説

❶ 正しい。**変更契約書（増額変更）**

契約金額等の記載のある原契約書が作成されていることが明らかであり、かつ、変更契約書に変更金額が記載されている場合には、①契約金額を増加させる変更契約書は、**変更金額（＝増加額）が記載金額**となり、②金額を減少させる変更契約書は、記載金額のない文書となる。本肢の契約書は①にあたるので、変更金額（＝増加額）である2,000万円が記載金額となる。

❷ 誤り。　**記載金額（贈与契約書）**

不動産の**贈与契約書**は、記載金額のない不動産の譲渡に関する契約書として印紙税が課される。したがって、「記載金額3,000万円」とする本肢は誤り。

❸ 誤り。　**納税義務者（代理人名義の文書）**

代理人が委任事務を処理するために**代理人名義**で課税文書を作成した場合、印紙税の納税義務は、文書を作成した代理人が負う。したがって、本肢では、A社が納税義務を負い、Bは納税義務を負わない。

❹ 誤り。　**過怠税**

課税文書に**印紙を貼り付けなかった**場合には、原則として、納付しなかった**印紙税額とその2倍に相当する金額との合計額**（すなわち、印紙税額の3倍）の過怠税が徴収される。ただし、**自主的に不納付の申出**をしたときは、**印紙税額の1.1倍**になる。したがって、「納付しなかった印紙税額と同額」とする本肢は誤り。

ポイント整理

変更契約書

変更の種類	記載金額
増額変更	変更金額（増加額）
減額変更	記載金額のない文書

きほんの教科書 L3-1・2・3 復習

解答 ❶

14 平19-26 所得税

学習優先度 高

理解度チェック

租税特別措置法第36条の2の特定の居住用財産の買換えの場合の長期譲渡所得の課税の特例に関する次の記述のうち、正しいものはどれか。

❶ 譲渡資産とされる家屋については、その譲渡に係る対価の額が5,000万円以下であることが、適用要件とされている。

❷ 買換資産とされる家屋については、譲渡資産の譲渡をした日からその譲渡をした日の属する年の12月31日までに取得をしたものであることが、適用要件とされている。

❸ 譲渡資産とされる家屋については、その譲渡をした日の属する年の1月1日における所有期間が5年を超えるものであることが、適用要件とされている。

❹ 買換資産とされる家屋については、その床面積のうち自己の居住の用に供する部分の床面積が50m²以上のものであることが、適用要件とされている。

アプローチ

数字の正誤で解答できる問題です。数字に着目して解いてみましょう。なお、特定の居住用財産の買換え特例は、本問のように丸々1問出題されることがあります。主な要件をしっかり覚えておきましょう。

解説

❶ 誤り。 **譲渡資産（対価の額）**

譲渡資産とされる家屋については、対価の額が1億円以下であることが適用要件とされている。「5,000万円以下」ではない。

❷ 誤り。 **買換資産（取得時期）**

買換資産は、譲渡資産を譲渡した年の前年、譲渡した年または翌年に取得することが適用要件とされている。したがって、「譲渡をした日から」ではなく「譲渡した年の前年1月1日から」であり、また、「譲渡をした日の属する年の12月31日まで」ではなく「翌年の12月31日まで」である。

❸ 誤り。 **譲渡資産（所有期間）**

譲渡資産とされる家屋については、その譲渡をした日の属する年の1月1日における所有期間が10年を超えるものであることが、適用要件とされている。「5年」ではない。

❹ 正しい。**買換資産（床面積）**

買換資産とされる家屋については、その床面積のうち自己の居住の用に供する部分の床面積が50m²以上のものであることが、適用要件とされている。

ポイント整理

特定の居住用財産の買換え特例の要件（主なもの）

譲渡資産	買換資産	
①1月1日における所有期間が**10年超**で、国内にあるもの ②居住期間が10年以上 ③**現に居住の**用に供しているか、居住の用に供されなくなった日から**3年目の12月31日**までに譲渡 ④対価の額が**1億円以下**	家屋	居住用部分の床面積**50m²**以上
	土地	面積**500m²**以下
	取得	譲渡資産の譲渡年の前年、譲渡年、翌年のいずれか

解答 ❹

所得税

個人が令和7年中に令和7年1月1日において所有期間が10年を超える居住用財産を譲渡した場合のその譲渡に係る譲渡所得の課税に関する次の記述のうち、誤っているものはどれか。

❶ その譲渡について収用交換等の場合の譲渡所得等の5,000万円特別控除の適用を受ける場合であっても、その特別控除後の譲渡益について、居住用財産を譲渡した場合の軽減税率の特例の適用を受けることができる。

❷ 居住用財産を譲渡した場合の軽減税率の特例は、その個人が令和5年において既にその特例の適用を受けている場合であっても、令和7年中の譲渡による譲渡益について適用を受けることができる。

❸ 居住用財産の譲渡所得の3,000万円特別控除は、その個人がその個人と生計を一にしていない孫に譲渡した場合には、適用を受けることができない。

❹ その譲渡について収用等に伴い代替資産を取得した場合の課税の特例の適用を受ける場合には、その譲渡があったものとされる部分の譲渡益について、居住用財産を譲渡した場合の軽減税率の特例の適用を受けることができない。

アプローチ

本問や次問のように、3,000万円特別控除や居住用財産の軽減税率の要件と、特例の重複適用の可否を組み合わせた問題が、近年は比較的よく出題されています。なお、本問は、「居住用財産の軽減税率」と重複適用できるものを見極められれば正解できます。

解説

❶ 正しい。重複適用の可否

5,000万円特別控除と、居住用財産を譲渡した場合の軽減税率の特例は、重複して適用を受けることができる。

❷ 誤り。　居住用財産の軽減税率

居住用財産を譲渡した場合の軽減税率の特例は、前年、前々年にこの特例の適用を受けているときは、適用を受けることができない。したがって、令和5年にこの特例の適用を受けているときは、令和7年にこの特例の適用を受けることができない。

❸ 正しい。3,000万円特別控除

3,000万円特別控除は、配偶者・直系血族など特別の関係にある者に譲渡した場合には、適用を受けることができない。孫は直系血族にあたるので、孫に譲渡した場合には、この特例の適用を受けることができない。この場合、生計を一にしているか否かは関係がない。

❹ 正しい。重複適用の可否

収用等に伴い代替資産を取得した場合の課税の特例と、居住用財産を譲渡した場合の軽減税率の特例は、重複して適用を受けることができない。

キーワード　直系血族・直系尊属・直系卑属

直系血族とは、祖父母、父母、子、孫のように、自分と直線的な関係でつながっている血族のことをいう。

直系血族のうち、自分より世代が上の人を直系尊属という。親、祖父母、曽祖父母などである。宅建試験では、贈与税のところで出てくる。

なお、直系血族のうち、自分より世代が下の人は直系卑属（ひぞく）という。子、孫、ひ孫などである。

解答 ❷

所得税

学習優先度 高

令和7年中に、個人が居住用財産を譲渡した場合における譲渡所得の課税に関する次の記述のうち、正しいものはどれか。

❶ 令和7年1月1日において所有期間が10年以下の居住用財産については、居住用財産の譲渡所得の3,000万円特別控除（租税特別措置法第35条第1項、第2項第1号）を適用することができない。

❷ 令和7年1月1日において所有期間が10年を超える居住用財産について、収用交換等の場合の譲渡所得等の5,000万円特別控除（租税特別措置法第33条の4第1項）の適用を受ける場合であっても、特別控除後の譲渡益について、居住用財産を譲渡した場合の軽減税率の特例（同法第31条の3第1項）を適用することができる。

❸ 令和7年1月1日において所有期間が10年を超える居住用財産について、その譲渡した時にその居住用財産を自己の居住の用に供していなければ、居住用財産を譲渡した場合の軽減税率の特例を適用することができない。

❹ 令和7年1月1日において所有期間が10年を超える居住用財産について、その者と生計を一にしていない孫に譲渡した場合には、居住用財産の譲渡所得の3,000万円特別控除を適用することができる。

解説

❶ 誤り。　3,000万円特別控除

居住用財産の譲渡所得の3,000万円特別控除は、所有期間に関係なく適用を受けることができる。したがって、所有期間が10年以下でも適用を受けることができる。

❷ 正しい。重複適用の可否

収用交換等の場合の譲渡所得等の5,000万円特別控除と、居住用財産を譲渡した場合の軽減税率の特例は、重複して適用を受けることができる。

❸ 誤り。　居住用財産の軽減税率

居住用財産を譲渡した場合の軽減税率の特例は、①現に自己が居住している財産の譲渡、または②居住しなくなった日から3年を経過する日の属する年の12月31日までの譲渡であることが、適用要件の1つとされている。したがって、「譲渡した時にその居住用財産を自己の居住の用に供して」いなくても、②に該当すれば、適用を受けることができる。

❹ 誤り。　3,000万円特別控除

居住用財産の譲渡所得の3,000万円特別控除は、配偶者・直系血族など特別の関係にある者へ譲渡した場合には、適用を受けることができない。本肢では、「孫」すなわち直系血族に譲渡しているので、適用を受けることができない。

ここが狙われる！　所得税のポイント

所得税に関しては、最低限、次の点を覚えておきましょう。

1. 特定の居住用財産の買換え特例、居住用財産の軽減税率には、所有期間**10年超**という要件があるが、居住用財産を譲渡した場合の**3,000万円特別控除**には**所有期間**の要件が**ない**。
2. 上記1.の「居住用財産」の特例には、①**現に居住**しているか、②居住しなくなった日から**3年目の12月31日**までの譲渡であることという要件がある。
3. 3,000万円特別控除と居住用財産の**軽減税率**、5,000万円特別控除と居住用財産の**軽減税率**は、重複して適用することができる。

解答 ❷

所得税

理解度チェック

住宅借入金等を有する場合の所得税額の特別控除（以下この問において「住宅ローン控除」という。）に関する次の記述のうち、誤っているものはどれか。

❶ 令和7年中に居住用家屋を居住の用に供した場合において、その前年において居住用財産の買換え等の場合の譲渡損失の損益通算の適用を受けているときであっても、令和7年分以後の所得税について住宅ローン控除の適用を受けることができる。

❷ 令和7年中に居住用家屋を居住の用に供した場合において、その前年において居住用財産を譲渡した場合の3,000万円特別控除の適用を受けているときであっても、令和7年分以後の所得税について住宅ローン控除の適用を受けることができる。

❸ 令和7年中に居住用家屋の敷地の用に供するための土地を取得し、居住用家屋を建築した場合において、同年中に居住の用に供しなかったときは、令和7年分の所得税から住宅ローン控除の適用を受けることができない。

❹ 令和7年中に床面積70m²の居住用家屋を居住の用に供した場合において、住宅ローン控除の適用を受けようとする者のその年分の合計所得金額が2,000万円を超えるときは、その超える年分の所得税について住宅ローン控除の適用を受けることはできない。

アプローチ

肢1は、どの特例なのかに注意して解きましょう。「買換え」という言葉がありますが、居住用財産の買換え特例ではありません。なお、住宅ローン控除に関しては、近年、何度も改正があったので、そろそろ出題されてもおかしくありません。

解説

❶ 正しい。譲渡損失の損益通算との関係

前年に譲渡損失の損益通算の適用を受けているときでも、住宅ローン控除の適用を受けることができる。

❷ 誤り。　3,000万円特別控除との関係

入居年、前年、前々年、翌年以後3年間に居住用財産を譲渡した場合の3,000万円特別控除の適用を受けるときは、住宅ローン控除の適用を受けることができない。本肢では、入居年の前年に3,000万円特別控除の適用を受けているので、住宅ローン控除の適用を受けることができない。

❸ 正しい。居住の用に供した年との関係

住宅ローン控除の適用を受けることができるのは、取得した居住用家屋を居住の用に供した年以降である。したがって、令和7年中に居住の用に供しなかったときは、令和7年分の所得税から住宅ローン控除の適用を受けることはできない。

❹ 正しい。合計所得金額の要件

合計所得金額が2,000万円を超える年は、住宅ローン控除の適用を受けることができない。

住宅ローン控除の要件（主なもの）

適用要件	①新築・購入・増改築等の日から**6カ月以内**に入居し、原則として適用を受ける各年の12月31日まで引き続き居住していること ②新築・新築住宅の購入の場合、a）一定の省エネ基準を満たす、b）令和5年12月31日以前に建築確認を受けている、c）令和6年6月30日以前に建築された、のいずれかを満たすこと ③償還期間**10年以上**の住宅借入金等があること ④新築・新築住宅の購入・既存住宅の購入の場合、住宅の床面積が50㎡以上であり、床面積の2分の1以上の部分が専ら自己の居住用に使用するものであること ⑤控除を受ける年の合計所得金額が**2,000万円以下**であること ⑥入居年、その前年、前々年に、居住用財産を譲渡した場合の3,000万円特別控除、居住用財産の軽減税率、特定の居住用財産の買換え特例の適用を受けていないこと ⑦入居年の翌年以後3年以内（入居年の翌年、翌々年、3年目）に、⑥で挙げた特例の適用を受けないこと

解答 ❷

18 所得税

令2-23

理解度チェック  

所得税法に関する次の記述のうち、正しいものはどれか。

❶ 譲渡所得の特別控除額（50万円）は、譲渡益のうち、まず、資産の取得の日以後5年以内にされた譲渡による所得で政令で定めるものに該当しないものに係る部分の金額から控除し、なお控除しきれない特別控除額がある場合には、それ以外の譲渡による所得に係る部分の金額から控除する。

❷ 譲渡所得の金額の計算上、資産の譲渡に係る総収入金額から控除する資産の取得費には、その資産の取得時に支出した購入代金や購入手数料の金額は含まれるが、その資産の取得後に支出した設備費及び改良費の額は含まれない。

❸ 建物の全部の所有を目的とする土地の賃借権の設定の対価として支払を受ける権利金の金額が、その土地の価額の10分の5に相当する金額を超えるときは、不動産所得として課税される。

❹ 居住者がその取得の日以後5年以内に固定資産を譲渡した場合には、譲渡益から譲渡所得の特別控除額（50万円）を控除した後の譲渡所得の金額の2分の1に相当する金額が課税標準とされる。

アプローチ

肢1冒頭の所得は「5年以内にされた譲渡による所得」なので、短期譲渡所得です。なお、本問は難問です。学習時間に余裕のある方以外、とばしてもかまいません。

解説

❶ 正しい。　特別控除

総合課税の譲渡所得の特別控除額（50万円）は、まず短期譲渡所得（所有期間５年以内）から控除し、控除しきれない場合は、それ以外の譲渡所得（長期譲渡所得）から控除する。

❷ 誤り。 取得費

取得費には、その資産の取得時に支出した購入代金や購入手数料だけでなく、その資産の取得後に支出した設備費や改良費も含まれる。

❸ 誤り。 譲渡所得とは

土地の賃借権の設定の対価として支払を受ける権利金の額が、その土地の価額の10分の5に相当する金額を超えるときは、譲渡所得として課税される。「不動産所得」ではない。

❹ 誤り。 短期譲渡所得

短期譲渡所得（所有期間５年以内）の場合は、特別控除をした後の金額がそのまま課税標準とされる（総合課税の対象になる）。「2分の1」ではない。2分の1になるのは長期譲渡所得の場合である。

所得税法

宅建試験の所得税では、土地や建物に関する特例（租税特別措置法）からの出題が多い。本問のような「所得税法」からの出題は少なく、しかも、毎回、何肢かは過去に出題されていない知識が出題されるので、対策が難しい。

解答 ❶

19 令2追-23 登録免許税

学習優先度 中

理解度チェック

住宅用家屋の所有権の移転登記に係る登録免許税の税率の軽減措置に関する次の記述のうち、正しいものはどれか。

❶ この税率の軽減措置の適用を受けるためには、やむを得ない事情がある場合を除き、その住宅用家屋の取得後1年以内に所有権の移転登記を受けなければならない。

❷ この税率の軽減措置は、住宅用家屋を相続により取得した場合に受ける所有権の移転登記についても適用される。

❸ この税率の軽減措置に係る登録免許税の課税標準となる不動産の価額は、売買契約書に記載されたその住宅用家屋の実際の取引価格である。

❹ 過去にこの税率の軽減措置の適用を受けたことがある者は、再度この措置の適用を受けることはできない。

アプローチ

登録免許税では、近年は、本問のような軽減措置の要件からの出題がほとんどですが、肢3は、登録免許税の課税標準に関する一般的な知識を活用して解きましょう。

解説

❶ 正しい。軽減措置（登記の時期）

住宅用家屋の所有権の移転登記に係る登録免許税の税率の軽減措置（以下「この軽減措置」）の適用を受けるためには、やむを得ない事情がある場合を除き、その住宅用家屋の取得後１年以内に所有権の移転登記を受けなければならない。

❷ 誤り。　軽減措置（取得原因）

この軽減措置は、売買または競落によって取得した場合に限って適用される。したがって、相続により取得した場合には適用されない。

❸ 誤り。　登録免許税の課税標準

所有権の移転登記の課税標準となる不動産の価額は、固定資産税課税台帳に登録された価格のある不動産については、その登録価格である。「実際の取引価格」ではない。

❹ 誤り。　軽減措置（再度の適用）

この軽減措置には、回数制限等がない。過去に適用を受けたことがあっても、再度この軽減措置の適用を受けることができる。

ポイント整理

登録免許税の税率の軽減措置の要件

取得者・用途	個人・自己居住用
床面積	$50m^2$以上
登記時期	原則として新築後または取得後１年以内
所有権移転登記の場合	売買または競落による取得に限る
既存住宅の場合	建築基準法施行令の規定もしくは国土交通大臣が財務大臣と協議して定める地震に対する安全性に係る基準に適合するものまたは昭和57年1月1日以後に建築されたものであること
証明書の添付	登記申請書に、一定の要件を満たすことについての市町村長等の証明書を添付

きほんの教科書 L5-1・2 復習

解答 ❶

20 平30-23改 登録免許税

理解度チェック

住宅用家屋の所有権の移転登記に係る登録免許税の税率の軽減措置に関する次の記述のうち、正しいものはどれか。

❶ 個人が他の個人と共有で住宅用の家屋を購入した場合、当該個人は、その住宅用の家屋の所有権の移転登記について、床面積に自己が有する共有持分の割合を乗じたものが50m²以上でなければ、この税率の軽減措置の適用をけることができない。

❷ この税率の軽減措置は、登記の対象となる住宅用の家屋の取得原因を限定しており、交換を原因として取得した住宅用の家屋について受ける所有権の移転登記には適用されない。

❸ 所有権の移転登記に係る住宅用の家屋が昭和57年1月1日以後に建築されたものであっても、耐震基準適合証明書により一定の耐震基準を満たしていることが証明されないときは、この税率の軽減措置の適用を受けることができない。

❹ この税率の軽減措置の適用を受けるためには、登記の申請書に、その家屋が一定の要件を満たす住宅用の家屋であることについての税務署長の証明書を添付しなければならない。

アプローチ

難しい肢が多いですが、正解を出すだけなら実は難しくありません。

解説

❶ 誤り。　**軽減措置（面積）**

住宅用家屋の所有権の移転登記に係る登録免許税の税率の軽減措置（以下「この軽減措置」）では、家屋の床面積が50m²以上であることが要件とされており、共有の場合に関する特別な規定はない。したがって、共有の場合も床面積が50m²以上であればよい。「床面積に自己が有する共有持分の割合を乗じたものが50m²以上」ではない。

❷ 正しい。**軽減措置（取得原因）**

この軽減措置は、売買または競落の場合に限って適用されるので、交換の場合には適用されない。

❸ 誤り。　**軽減措置（耐震基準等）**

①建築基準法施行令の規定または国土交通大臣が財務大臣と協議して定める地震に対する安全性に係る基準に適合するもの、②昭和57年1月1日以後に建築されたもの、のどちらかに該当しなければ、この軽減措置の適用を受けることができない。どちらかに該当すればよいので、両方に該当する必要があるとする本肢は誤り。

❹ 誤り。　**軽減措置（証明書）**

この軽減措置の適用を受けるためには、登記の申請書に、その家屋が一定の要件を満たす住宅用の家屋であることについての市町村長等（市町村長または特別区の区長）の証明書を添付しなければならない。「税務署長」ではない。

きほんの教科書 L5-2 復習

解答 ❷

21 贈与税

平22-23改

特定の贈与者から住宅取得等資金の贈与を受けた場合の相続時精算課税の特例（60歳未満の直系尊属からの贈与についても相続時精算課税の選択を可能とする措置）に関する次の記述のうち、正しいものはどれか。

❶ 60歳未満の親から住宅用家屋の贈与を受けた場合でも、この特例の適用を受けることができる。

❷ 父母双方から住宅取得のための資金の贈与を受けた場合において、父母のいずれかが60歳以上であるときには、双方の贈与ともこの特例の適用を受けることはできない。

❸ 住宅取得のための資金の贈与を受けた者について、その年の所得税法に定める合計所得金額が2,000万円を超えている場合でも、この特例の適用を受けることができる。

❹ 相続時精算課税の適用を受けた贈与財産の合計額が2,500万円以内であれば、贈与時には贈与税は課されないが、相続時には一律20%の税率で相続税が課される。

アプローチ

肢１は、問題文にある特例の名前がヒントです。なお、贈与税の特例は適用要件が多く覚えるのが大変ですが、過去問と同じ要件が問われたら解ける程度には理解しておきましょう。

解説

❶ 誤り。　特例の適用を受けられない場合

本問の相続時精算課税の特例（以下本問において「この特例」という。）は、**親等からお金をもらって家を買った場合等の特例**なので、本肢のように親から家をもらった場合は適用対象外である。

❷ 誤り。　親の一方が60歳以上の場合

贈与者が60歳以上の場合には、この特例がなくても相続時精算課税を選択できるので、この特例の適用対象外である。もっとも、一方の親が60歳以上であってこの特例の適用を受けることができない場合でも、他方の親からの贈与についてこの特例の適用を受けることは可能である。たとえば、父が60歳、母が58歳の場合、父からの贈与はこの特例の適用対象外であるが、母からの贈与はこの特例の適用を受けることができる。

❸ 正しい。合計所得金額

相続時精算課税の特例の適用要件には、**所得金額の制限がない**。

❹ 誤り。　特別控除・税率

相続税の税率は、10％から55％の累進税率である。したがって、「一律20％」とする本肢は誤り。なお、相続時精算課税を選択した場合、**2,500万円の特別控除**を受けることができるので、「贈与時には贈与税は課されない」とする前半は正しい記述である。

ポイント整理

相続時精算課税の特例のポイント

贈与の対象	**住宅取得等資金**であること たとえば、住宅の贈与の場合、制度の対象外
資金の使用時期	翌年の3月15日まで
床面積	40m²以上、かつ1/2以上が専ら居住の用に供されること
所得金額	**所得金額の制限はない**
適用を受けられない場合	**配偶者・直系血族**等から家屋を取得した場合 たとえば、親から資金をもらって、そのお金で配偶者から家を買った場合、適用を受けられない

きほんの教科書 L6-1・2 復習

解答 ❸

学習優先度 中

22 贈与税

平27-23改

「直系尊属から住宅取得等資金の贈与を受けた場合の贈与税の非課税」に関する次の記述のうち、正しいものはどれか。なお、本問における住宅用の家屋の床面積は60m²であるものとする。

❶ 直系尊属から住宅用の家屋の贈与を受けた場合でも、この特例の適用を受けることができる。

❷ 日本国外に住宅用の家屋を新築した場合でも、この特例の適用を受けることができる。

❸ 贈与者が住宅取得等資金の贈与をした年の1月1日において60歳未満の場合でも、この特例の適用を受けることができる。

❹ 受贈者について、住宅取得等資金の贈与を受けた年の所得税法に定める合計所得金額が2,000万円を超える場合でも、この特例の適用を受けることができる。

アプローチ

各肢だけでなく、その上にある問題文も重要です。そこにどの特例に関する問題なのかが書かれていることが多いからです。なお、この問題も、肢1は問題文にある特例の名前がヒントになっています。

解説

❶ 誤り。　特例の適用を受けられない場合

本問の特例（以下「この特例」）は、直系尊属からお金をもらって家を買った場合等を対象としているので、本問のように直系尊属から家をもらった場合には適用を受けることができない。

❷ 誤り。　家屋の場所

この特例は、日本国内で家屋を新築・取得・増改築した場合に限り適用を受けることができる。

❸ 正しい。贈与者の年齢

この特例には、贈与者の年齢制限はない。

❹ 誤り。　合計所得金額

この特例には、受贈者の贈与を受けた年の合計所得金額が原則として2,000万円以下という適用要件がある。

ここが狙われる！　制度名に注意しよう

本問は、問21とは別の特例の話である。

問21は「特定の贈与者から住宅取得等資金の贈与を受けた場合の相続時精算課税の特例」である。これに対し、本問は「直系尊属から住宅取得等資金の贈与を受けた場合の贈与税の非課税」である。「**相続時精算課税の特例**」と「**非課税**」をキーワードにして見分けることができる。

両者の適用要件には、似た部分も多いが、次の点が異なることに注意しよう。

①「相続時精算課税の特例」には所得の要件がないが、「非課税」には原則として2,000万円以下という制限がある。

②「相続時精算課税の特例」は、贈与者が60歳以上の場合には適用できないが（適用しなくても相続時精算課税を使えるから）、「非課税」には贈与者の年齢制限がない。

23 令3追-25 地価公示法

理解度チェック

地価公示法に関する次の記述のうち、誤っているものはどれか。

❶ 地価公示法の目的は、都市及びその周辺の地域等において、標準地を選定し、その正常な価格を公示することにより、一般の土地の取引価格に対して指標を与え、及び公共の利益となる事業の用に供する土地に対する適正な補償金の額の算定等に資し、もって適正な地価の形成に寄与することである。

❷ 不動産鑑定士は、公示区域内の土地について鑑定評価を行う場合において、当該土地の正常な価格を求めるときは、公示価格と実際の取引価格を規準としなければならない。

❸ 不動産鑑定士は、土地鑑定委員会の求めに応じて標準地の鑑定評価を行うに当たっては、近傍類地の取引価格から算定される推定の価格、近傍類地の地代等から算定される推定の価格及び同等の効用を有する土地の造成に要する推定の費用の額を勘案しなければならない。

❹ 関係市町村の長は、土地鑑定委員会が公示した事項のうち、当該市町村が属する都道府県に存する標準地に係る部分を記載した書面等を、当該市町村の事務所において一般の閲覧に供しなければならない。

アプローチ

肢１・３は初見では解きにくいので、復習を重視しましょう。なお、本試験では、地価公示法と不動産鑑定評価基準のどちらか１問が出題されます。地価公示法は、過去問と類似の肢が出題されることが多いので、得点しやすい項目です。

解説

❶ 正しい。　**地価公示法の目的**

地価公示法は、都市およびその周辺の地域等において、標準地を選定し、その正常な価格を公示することにより、一般の土地の取引価格に対して指標を与え、および公共の利益となる事業の用に供する土地に対する適正な補償金の額の算定等に資し、もって適正な地価の形成に寄与することを目的としている。

❷ 誤り。　**公示価格の効力**

不動産鑑定士は、公示区域内の土地について**鑑定評価を行う**場合において、当該土地の正常な価格を求めるときは、**公示価格を**規準としなければならない。「公示価格と実際の取引価格」ではない。

❸ 正しい。　**標準地についての鑑定評価の基準**

不動産鑑定士は、土地鑑定委員会の求めに応じて標準地の鑑定評価を行うにあたっては、**近傍類地の取引価格**から算定される推定の価格、**近傍類地の地代等**から算定される推定の価格および同等の効用を有する**土地の造成に要する推定の費用**の額を勘案しなければならない。

❹ 正しい。　**書面の送付・閲覧**

土地鑑定委員会は、地価公示をしたときは、速やかに、関係市町村の長に対して、公示した事項のうち**当該市町村が属する**都道府県**に存する標準地**に係る部分を記載した書面および当該標準地の所在を表示する図面を送付しなければならない。そして、関係市町村の長は、上記の図書を当該市町村の事務所において一般の閲覧に供しなければならない。

ステップアップ

条文そのままのような肢の対策

地価公示法の問題では、条文（の一部）をそのまま出題して正しい肢にしたり、条文の一部を変えて誤りの肢を作ったりする。対策として一番確実なのは条文そのものの丸暗記であるが、非効率であり、普通は無理である。

効率的なのは、過去問の誤りの肢について、どの部分がどのように誤りなのかを理解して覚えていくことである。つまり、どのように「誤りの肢」が作られているのかも1つの知識と考え、それを理解し記憶していくのである。

24 平29-25 地価公示法

地価公示法に関する次の記述のうち、正しいものはどれか。

❶ 土地鑑定委員会は、標準地の単位面積当たりの価格及び当該標準地の前回の公示価格からの変化率等一定の事項を官報により公示しなければならないとされている。

❷ 土地鑑定委員会は、公示区域内の標準地について、毎年2回、2人以上の不動産鑑定士の鑑定評価を求め、その結果を審査し、必要な調整を行って、一定の基準日における当該標準地の単位面積当たりの正常な価格を判定し、これを公示するものとされている。

❸ 標準地は、土地鑑定委員会が、自然的及び社会的条件からみて類似の利用価値を有すると認められる地域において、土地の利用状況、環境等が通常であると認められる一団の土地について選定するものとされている。

❹ 土地の取引を行なう者は、取引の対象となる土地が標準地である場合には、当該標準地について公示された価格により取引を行なう義務を有する。

アプローチ

わからない肢を後回しにして解いてみましょう。税その他は、難しい問題と簡単な問題の難易度の差が激しいので、簡単な問題を確実に得点することが重要です。

解説

❶ 誤り。 **公示事項**

土地鑑定委員会は、標準地の単位面積当たりの価格などの事項を官報で公示しなければならないが、当該標準地の前回の公示価格からの変化率は公示事項に含まれていない。

❷ 誤り。 **価格の判定**

土地鑑定委員会は、公示区域内の標準地について、**毎年1回**、**2人以上の**不動産鑑定士の鑑定評価を求め、その結果を審査し、必要な調整を行って、一定の基準日における当該標準地の単位面積当たりの正常な価格を判定し、これを公示するものとされている。「毎年2回」ではない。

❸ 正しい。**標準地の選定**

標準地は、土地鑑定委員会が、自然的および社会的条件からみて類似の利用価値を有すると認められる地域において、土地の利用状況、環境等が**通常と認められる**一団の土地について選定する。

❹ 誤り。 **土地の取引を行う者の責務**

本肢のような義務（標準地の場合には公示価格で取引を行う義務）はない。なお、都市およびその周辺の地域等において、土地の取引を行う者は、取引の対象土地に類似する利用価値を有すると認められる標準地について公示された価格を**指標として取引を行うよう努めなければならない**。これは、公示価格を目安にしてほしいという規定であり、公示価格での取引を義務づける規定ではない。

ポイント整理

地価公示法の数字のまとめ

回数	年1回
鑑定評価を行う不動産鑑定士の人数	2人以上
基準日	1月1日

解答 ❸

地価公示法

学習優先度 高

地価公示法に関する次の記述のうち、誤っているものはどれか。

❶ 都市計画区域外の区域を公示区域とすることはできない。

❷ 正常な価格とは、土地について、自由な取引が行われるとした場合におけるその取引において通常成立すると認められる価格をいい、この「取引」には住宅地とするための森林の取引も含まれる。

❸ 土地鑑定委員会が標準地の単位面積当たりの正常な価格を判定する際は、二人以上の不動産鑑定士の鑑定評価を求めなければならない。

❹ 土地鑑定委員会が標準地の単位面積当たりの正常な価格を判定したときは、標準地の形状についても公示しなければならない。

解説

❶ 誤り。 **公示区域**

公示区域とは、都市計画区域その他の土地取引が相当程度見込まれるものとして国土交通省令で定める区域（規制区域を除く）のことである。規制区域が除かれているだけなので、**都市計画区域外の区域を公示区域とすることもできる。**

❷ 正しい。**正常な価格**

正常な価格とは、土地について、自由な取引が行われるとした場合におけるその取引において通常成立すると認められる価格をいう。そして、この「取引」には、農地、採草放牧地または森林の取引は原則として含まれないが、それらを**農地、採草放牧地および森林以外のものとするための取引は含まれる。**

❸ 正しい。**価格の判定**

土地鑑定委員会は、公示区域内の標準地について、**毎年1回、2人以上の**不動産鑑定士の鑑定評価を求め、その結果を審査し、必要な調整を行って、一定の基準日における当該標準地の単位面積当たりの正常な価格を判定し、これを公示するものとされている。

❹ 正しい。**公示事項**

土地鑑定委員会は、標準地の単位面積当たりの正常な価格を判定したときは、すみやかに、次に掲げる事項を官報で公示しなければならない。

① 標準地の所在の郡、市、区、町村および字ならびに地番
② 標準地の**単位面積当たりの価格**および価格判定の基準日
③ **標準地の地積および形状**
④ **標準地およびその周辺の土地の利用の現況**
⑤ その他国土交通省令で定める事項

したがって、「標準地の形状」についても公示しなければならない。

キーワード　規制区域

規制区域内では、国土利用計画法によって土地取引が許可制になる。そこでは自由な土地取引ができないので、規制区域内には公示区域が指定されないのである。

きほんの教科書 L7-2 復習

解答 ❶

学習優先度 中

26 地価公示法

平25-25

理解度チェック

地価公示法に関する次の記述のうち、正しいものはどれか。

❶ 地価公示法の目的は、都市及びその周辺の地域等において、標準地を選定し、その周辺の土地の取引価格に関する情報を公示することにより、適正な地価の形成に寄与することである。

❷ 標準地は、土地鑑定委員会が、自然的及び社会的条件からみて類似の利用価値を有すると認められる地域において、土地の利用状況、環境等が通常と認められ、かつ、当該土地の使用又は収益を制限する権利が存しない一団の土地について選定する。

❸ 公示価格を規準とするとは、対象土地の価格を求めるに際して、当該対象土地とこれに類似する利用価値を有すると認められる1又は2以上の標準地との位置、地積、環境等の土地の客観的価値に作用する諸要因についての比較を行い、その結果に基づき、当該標準地の公示価格と当該対象土地の価格との間に均衡を保たせることをいう。

❹ 不動産鑑定士は、土地鑑定委員会の求めに応じて標準地の鑑定評価を行うに当たっては、近傍類地の取引価格から算定される推定の価格、近傍類地の地代等から算定される推定の価格又は同等の効用を有する土地の造成に要する推定の費用の額のいずれかを勘案してこれを行わなければならない。

アプローチ

余分なことが書いてある肢があるので、注意深く解きましょう。本問は各肢が長文なので、最初に解いたときには正解しにくい問題です。復習する際には、誤りの肢について、どの部分がどのように誤りなのかを理解しておきましょう。

解説

❶ 誤り。　**地価公示法の目的**

地価公示法の目的は、都市およびその周辺の地域等において、**標準地を選定し、その正常な価格を公示すること**により、一般の土地の取引価格に対して指標を与え、および公共の利益となる事業の用に供する土地に対する適正な補償金の額の算定等に資し、もって適正な地価の形成に寄与することとされている。公示するのは標準地の正常な価格なので、「その周辺の土地の取引価格に関する情報を公示する」とする本肢は誤り。

❷ 誤り。　**標準地の選定**

標準地は、土地鑑定委員会が、自然的および社会的条件からみて類似の利用価値を有すると認められる地域において、土地の利用状況、環境等が通常と認められる一団の土地について選定するものとされている。**「当該土地の使用又は収益を制限する権利が存しない」という限定はない**ので、本肢は誤り。

❸ 正しい。**公示価格を規準とすることの意義**

公示価格を規準とするとは、対象土地の価格を求めるに際して、当該対象土地とこれに**類似する利用価値を有する**と認められる1または2以上の標準地との位置、地積、環境等の土地の客観的価値に作用する諸要因についての比較を行い、その結果に基づき、当該標準地の公示価格と当該対象土地の価格との間に均衡を保たせることをいう。

❹ 誤り。　**標準地についての鑑定評価の基準**

不動産鑑定士は、土地鑑定委員会の求めに応じて標準地の鑑定評価を行うに当たっては、近傍類地の取引価格から算定される推定の価格、近傍類地の地代等から算定される推定の価格および同等の効用を有する土地の造成に要する推定の費用の額を**勘案**してこれを行わなければならない。したがって、「いずれかを勘案して」とする本肢は誤り。

きほんの教科書 L7-1・2・3 復習

解答 ❸

学習優先度 高

27 令5-25 不動産鑑定評価基準

理解度チェック □□□

不動産の鑑定評価に関する次の記述のうち、不動産鑑定評価基準によれば、正しいものはどれか。

❶ 原価法は、価格時点における対象不動産の収益価格を求め、この収益価格について減価修正を行って対象不動産の比準価格を求める手法である。

❷ 原価法は、対象不動産が建物又は建物及びその敷地である場合には適用することができるが、対象不動産が土地のみである場合においては、いかなる場合も適用することができない。

❸ 取引事例比較法における取引事例が、特殊事情のある事例である場合、その具体的な状況が判明し、事情補正できるものであっても採用することは許されない。

❹ 取引事例比較法は、近隣地域若しくは同一需給圏内の類似地域等において対象不動産と類似の不動産の取引が行われている場合又は同一需給圏内の代替競争不動産の取引が行われている場合に有効である。

アプローチ

「正しいものはどれか」という問題なので、誤っている肢を３つ見つければ、残った肢が正解肢です。

解説

❶ 誤り。　**原価法**

原価法は、価格時点における対象不動産の再調達原価を求め、この再調達原価について減価修正を行って対象不動産の試算価格（積算価格）を求める手法である。「収益価格」「比準価格」ではない。

❷ 誤り。　**原価法**

原価法は、対象不動産が土地のみである場合においても、**再調達原価を適切に求めることができるときは適用することができる。**

❸ 誤り。　**事情補正**

採用できる取引事例は、**取引事情が**正常**なものと認められるものまたは正常なものに**補正**できるもの**である。したがって、特殊事情のある事例でも、事情補正できるものであれば採用することができる。

❹ 正しい。　**取引事例比較法**

取引事例比較法は、近隣地域もしくは**同一需給圏内の**類似地域等において対象不動産と類似の不動産の取引が行われている場合または**同一需給圏内の代替競争不動産の取引**が行われている場合に有効である。

原価法・収益還元法の適用

原価法	対象不動産が**土地のみ**の場合でも、再調達原価を適切に求めることができるときは**適用できる**。
収益還元法	①賃貸用不動産、事業用不動産の場合に特に有効だが、**自用の不動産**にも賃貸を想定することにより**適用される**。 ②土地の取引価格の上昇が著しいときは、収益還元法が活用されるべきである。

きほんの教科書 L8-3 復習　　解答 ❹

学習優先度 中

28 不動産鑑定評価基準

平30-25

理解度チェック

不動産の鑑定評価に関する次の記述のうち、不動産鑑定評価基準によれば、正しいものはどれか。

❶ 不動産の価格は、その不動産の効用が最高度に発揮される可能性に最も富む使用を前提として把握される価格を標準として形成されるが、これを最有効使用の原則という。

❷ 収益還元法は、賃貸用不動産又は賃貸以外の事業の用に供する不動産の価格を求める場合に特に有効な手法であるが、事業の用に供さない自用の不動産の鑑定評価には適用すべきではない。

❸ 鑑定評価の基本的な手法は、原価法、取引事例比較法及び収益還元法に大別され、実際の鑑定評価に際しては、地域分析及び個別分析により把握した対象不動産に係る市場の特性等を適切に反映した手法をいずれか1つ選択して、適用すべきである。

❹ 限定価格とは、市場性を有する不動産について、法令等による社会的要請を背景とする鑑定評価目的の下で、正常価格の前提となる諸条件を満たさないことにより正常価格と同一の市場概念の下において形成されるであろう市場価値と乖離することとなる場合における不動産の経済価値を適正に表示する価格のことをいい、民事再生法に基づく鑑定評価目的の下で、早期売却を前提として求められる価格が例としてあげられる。

アプローチ

肢4の価格の種類は、キーワードを覚えて、それを使って正誤を判断しましょう。不動産鑑定評価基準は言葉が難しいので深入りせず、誤りの肢についてどこが誤りかを知っておく程度にとどめたほうが無難です。

解説

❶ 正しい。**最有効使用の原則**

不動産の価格は、その不動産の効用が最高度に発揮される可能性に最も富む使用を前提として把握される価格を標準として形成される（最有効使用の原則）。その不動産を最も有効に使うことができる人が、その不動産に最も高い価格を付けることができるからである。

❷ 誤り。　**収益還元法**

収益還元法は、自用の不動産であっても、賃貸を想定することにより適用される。したがって「適用すべきではない」とする本肢は誤り。なお、本肢の前半は正しい記述である。

❸ 誤り。　**鑑定評価の手法**

不動産の価格を求める鑑定評価の基本的な手法は、原価法、取引事例比較法および収益還元法に大別され、地域分析および個別分析により把握した対象不動産に係る市場の特性等を適切に反映した複数の**鑑定評価の手法を適用すべきである**とされている。「いずれか1つ」ではない。

❹ 誤り。　**限定価格**

本肢は、特定価格の説明である。**限定価格とは、市場性を有する不動産に**ついて、不動産と取得する他の不動産との併合または不動産の一部を取得する際の分割等に基づき正常価格と同一の市場概念の下において形成されるであろう市場価値と乖離することにより、市場が相対的に限定される場合における取得部分の当該市場限定に基づく市場価値を適正に表示する価格をいう。

ポイント整理

価格の種類の見分け方

正常価格	市場性を有する不動産	合理的な市場
限定価格		市場限定
特定価格		法令等による社会的要請
特殊価格	市場性を有しない不動産	

きほんの教科書 L8-2・3 復習　解答 ❶

学習優先度 中

29 平28-25 不動産鑑定評価基準

理解度チェック

不動産の鑑定評価に関する次の記述のうち、不動産鑑定評価基準によれば、正しいものはどれか。

❶ 不動産の鑑定評価によって求める価格は、基本的には正常価格であるが、市場性を有しない不動産については、鑑定評価の依頼目的及び条件に応じて限定価格、特定価格又は特殊価格を求める場合がある。

❷ 同一需給圏とは、一般に対象不動産と代替関係が成立して、その価格の形成について相互に影響を及ぼすような関係にある他の不動産の存する圏域をいうが、不動産の種類、性格及び規模に応じた需要者の選好性によって、その地域的範囲は狭められる場合もあれば、広域的に形成される場合もある。

❸ 鑑定評価の各手法の適用に当たって必要とされる取引事例等については、取引等の事情が正常なものと認められるものから選択すべきであり、売り急ぎ、買い進み等の特殊な事情が存在する事例を用いてはならない。

❹ 収益還元法は、対象不動産が将来生み出すであろうと期待される純収益の現在価値の総和を求めることにより対象不動産の試算価格を求める手法であるが、市場における土地の取引価格の上昇が著しいときは、その価格と収益価格との乖離が増大するものであるため、この手法の適用は避けるべきである。

解説

❶ 誤り。 **価格の種類**

不動産の鑑定評価によって求める価格は、**基本的には**正常価格であるが、鑑定評価の依頼目的に対応した条件により限定価格、特定価格または特殊価格を求める場合がある。もっとも、**限定価格と特定価格は市場性を**有する**不動産についての価格**なので、市場性を有しない不動産について限定価格や特定価格を求める場合があるとする本肢は誤り。

❷ 正しい。**同一需給圏**

同一需給圏とは、一般に対象不動産と代替関係が成立して、その価格の形成について相互に影響を及ぼすような関係にある他の不動産の存する圏域をいう。そして、同一需給圏は、不動産の種類、性格および規模に応じた需要者の選好性によってその地域的範囲を異にするものであり、その地域的範囲は狭められる場合もあれば、広域的に形成される場合もある。

❸ 誤り。 **事情補正**

鑑定評価の各手法の適用に当たって必要とされる取引事例等については、取引等の事情が正常なものと認められるものまたは正常なものに補正することができるものから選択するものとされている。売り急ぎ、買い進み等の特殊な事情が存在する事例も、正常なものに補正することができるものであれば選択することができる。

❹ 誤り。 **収益還元法**

市場における不動産の**取引価格の上昇が著しいとき**は、取引価格と収益価格との乖離が増大するものであるので、先走りがちな取引価格に対する有力な験証手段として、この**収益還元法が**活用**されるべき**である。したがって、「適用は避けるべきである」とする本肢は誤り。なお、収益還元法は、対象不動産が将来生み出すであろうと期待される純収益の現在価値の総和を求めることにより対象不動産の試算価格を求める手法である点は正しい。

きほんの教科書 L8-2・3 復習

解答 ❷

学習優先度 **中**

30 不動産鑑定評価基準

平24-25

理解度チェック

不動産の鑑定評価に関する次の記述のうち、不動産鑑定評価基準によれば、誤っているものはどれか。

❶ 不動産の価格を形成する要因とは、不動産の効用及び相対的稀少性並びに不動産に対する有効需要の三者に影響を与える要因をいう。不動産の鑑定評価を行うに当たっては、不動産の価格を形成する要因を明確に把握し、かつ、その推移及び動向並びに諸要因間の相互関係を十分に分析すること等が必要である。

❷ 不動産の鑑定評価における各手法の適用に当たって必要とされる事例は、鑑定評価の各手法に即応し、適切にして合理的な計画に基づき、豊富に秩序正しく収集、選択されるべきであり、例えば、投機的取引と認められる事例は用いることができない。

❸ 取引事例比較法においては、時点修正が可能である等の要件をすべて満たした取引事例について、近隣地域又は同一需給圏内の類似地域に存する不動産に係るもののうちから選択するものとするが、必要やむを得ない場合においては、近隣地域の周辺の地域に存する不動産に係るもののうちから選択することができる。

❹ 原価法における減価修正の方法としては、耐用年数に基づく方法と、観察減価法の二つの方法があるが、これらを併用することはできない。

アプローチ

わからない肢を後回しにして解いてみましょう。不動産鑑定評価基準は難解ですが、過去問類似の肢が正解肢になっていると、本試験での正解率がかなり高くなります。逆に、過去問で未出題の肢が多いと、極端に正解率が下がります。難しい問題が出たら解けなくてかまわないと割り切ったうえで、過去問中心に学習してください。

解説

❶ 正しい。**価格形成要因**

不動産の価格を形成する要因（価格形成要因）とは、①不動産の効用、②不動産の相対的稀少性、③不動産に対する有効需要、の三者に影響を与える要因をいう。そして、不動産の鑑定評価を行うに当たっては、価格形成要因を市場参加者の観点から明確に把握し、かつ、その推移および動向ならびに諸要因間の相互関係を十分に分析すること等が必要である。

❷ 正しい。**取引事例**

不動産の鑑定評価の各手法の適用に当たって必要とされる取引事例等は、鑑定評価の各手法に即応し、適切にして合理的な計画に基づき、豊富に秩序正しく収集し、選択すべきであり、投機的取引であると認められる事例等適正さを欠くものであってはならないとされている。

❸ 正しい。**取引事例**

取引事例比較法においては、**取引事例**は、原則として、近隣地域または同一需給圏内の類似地域に存する不動産に係るもののうちから選択するものとされている。その例外として、必要やむをえない場合においては、近隣地域の周辺の地域に存する不動産に係るもののうちから選択することができる。

❹ 誤り。 **減価修正**

原価法における減価修正の方法としては、耐用年数に基づく方法と、観察減価法の二つの方法があり、これらを併用するものとされている。

取引事例

①**投機的取引**の事例等適正さを欠くものであってはならない。
②売り急ぎ、買い進み等の特殊な事情が存在する事例は、正常なものに補正できるものでなければならない。
③原則として、**近隣地域**または**同一需給圏内の類似地域**に存する不動産から選択するが、必要やむをえない場合は、近隣地域の周辺の地域に存する不動産に係るもののうちから選択できる。

解答 ❹

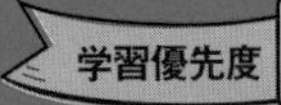

31 令5-46 住宅金融支援機構

独立行政法人住宅金融支援機構（以下この問において「機構」という。）に関する次の記述のうち、誤っているものはどれか。

❶ 機構は、子どもを育成する家庭又は高齢者の家庭（単身の世帯を含む。）に適した良好な居住性能及び居住環境を有する賃貸住宅の建設に必要な資金の貸付けを業務として行っている。

❷ 機構は、証券化支援事業（買取型）において、新築住宅に対する貸付債権のみを買取りの対象としている。

❸ 機構は、証券化支援事業（買取型）において、ＺＥＨ（ネット・ゼロ・エネルギーハウス）及び省エネルギー性、耐震性、バリアフリー性、耐久性・可変性に優れた住宅を取得する場合に、貸付金の利率を一定期間引き下げる制度を実施している。

❹ 機構は、マンション管理組合や区分所有者に対するマンション共用部分の改良に必要な資金の貸付けを業務として行っている。

アプローチ

機構が金融機関の行う住宅資金の貸付けを支援する「証券化支援事業」に関する問題なのか、機構が直接貸し付ける「融資業務」に関する問題なのかを見極めながら解きましょう。

解説

❶ 正しい。　融資業務

機構は、子どもを育成する家庭または高齢者の家庭に適した良好な居住性能および居住環境を有する賃貸住宅の建設に必要な資金の貸付けを業務として行っている。

❷ 誤り。　証券化支援事業（買取りの対象）

証券化支援事業（買取型）においては、新築住宅だけでなく、中古住宅の購入、住宅の建設に付随する土地・借地権の取得、住宅の購入に付随する土地・借地権の取得や住宅の改良に対する貸付債権も買取りの対象としている。

❸ 正しい。　証券化支援事業（優良住宅取得支援制度）

機構は、証券化支援事業（買取型）において、ＺＥＨおよび省エネルギー性、耐震性、バリアフリー性、耐久性・可変性に優れた住宅を取得する場合に、貸付金の利率を一定期間引き下げる制度を実施している。

❹ 正しい。　融資業務

機構は、マンション管理組合や区分所有者に対するマンション共用部分の改良に必要な資金の貸付けを業務として行っている。

ポイント整理

証券化支援事業（買取型）

買取りの対象となる債権	①本人や親族が住むための住宅の建設や新築住宅・中古住宅の購入のための貸付債権 ②建設・購入に付随する土地・借地権の取得のための貸付債権 ③購入に付随する当該住宅の改良のための貸付債権
優良住宅取得支援制度	バリアフリー性、省エネルギー性、耐震性または耐久性・可変性に優れた住宅の取得　→　利率を一定期間が引き下げる
利率	各金融機関が定めるので、金融機関によって異なる場合がある
資金調達	MBS（資産担保証券）を発行

きほんの教科書 L9-2･3 復習

解答 ❷

学習優先度 高

住宅金融支援機構

理解度チェック

独立行政法人住宅金融支援機構（以下この問において「機構」という。）に関する次の記述のうち、誤っているものはどれか。

❶ 機構は、住宅の建設又は購入に必要な資金の貸付けに係る金融機関の貸付債権の譲受けを業務として行っているが、当該住宅の建設又は購入に付随する土地又は借地権の取得に必要な資金の貸付けに係る金融機関の貸付債権については、譲受けの対象としていない。

❷ 機構は、金融機関による住宅資金の供給を支援するため、金融機関が貸し付けた住宅ローンについて、住宅融資保険を引き受けている。

❸ 機構は、証券化支援事業（買取型）において、MBS（資産担保証券）を発行することにより、債券市場（投資家）から資金を調達している。

❹ 機構は、高齢者の家庭に適した良好な居住性能及び居住環境を有する住宅とすることを主たる目的とする住宅の改良（高齢者が自ら居住する住宅について行うものに限る。）に必要な資金の貸付けを業務として行っている。

肢１は、建物を建てるには土地が必要だという観点から考えてみましょう。なお、住宅金融支援機構法では、地価公示法などと同じように、誤りの肢について、どの部分がどのように誤っているのかを理解し覚えていくことが重要です。

解説

❶ 誤り。　証券化支援事業（買取りの対象）

機構が譲受けの対象としている金融機関の貸付債権は、本人や親族が住むための①住宅の建設資金・新築住宅・中古住宅の購入資金、②住宅の建設・購入に付随する土地・借地権の取得資金、③住宅の購入に付随する当該住宅の改良資金に係るものである。したがって、②を対象としていないとする本肢は誤り。

❷ 正しい。住宅融資保険

機構は、金融機関による住宅資金の供給を支援するため、住宅融資保険法による保険（＝住宅融資保険）の引受けを行っている。住宅融資保険とは、住宅ローンの貸付けを受けた者が金融機関に返済をしない等の場合、機構がその金融機関に保険金を支払うという制度である。

❸ 正しい。証券化支援事業（MBS）

機構は、証券化支援事業（買取型）において、MBS（資産担保証券）を発行することにより、債券市場（投資家）から資金を調達している。

❹ 正しい。融資業務

機構は、高齢者の家庭に適した良好な居住性能および居住環境を有する住宅とすることを主たる目的とする住宅の改良（高齢者が自ら居住する住宅について行うものに限る）に必要な資金の貸付けを業務として行っている。これは、バリアフリー工事や耐震改修工事の資金の貸付けのことである。

融資業務（直接融資）の貸付けの対象（1）

①災害復興建築物の建設・購入、被災建築物の補修
②災害予防代替建築物の建設・購入、災害予防移転建築物の移転、災害予防関連工事、地震に対する安全性の向上を主たる目的とする住宅の改良
③合理的土地利用建築物の建設、合理的土地利用建築物で人の居住の用その他その本来の用途に供したことのないものの購入、マンションの共用部分の改良
④子どもを育成する家庭・高齢者の家庭に適した良好な居住性能・居住環境を有する賃貸住宅等の建設、当該賃貸住宅の改良

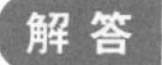

解答 ①

33 平27-46 住宅金融支援機構

独立行政法人住宅金融支援機構（以下この問において「機構」という。）に関する次の記述のうち、誤っているものはどれか。

❶ 機構は、高齢者が自ら居住する住宅に対して行うバリアフリー工事又は耐震改修工事に係る貸付けについて、貸付金の償還を高齢者の死亡時に一括して行うという制度を設けている。

❷ 証券化支援事業（買取型）において、機構による譲受けの対象となる貸付債権は、償還方法が毎月払いの元利均等の方法であるものに加え、毎月払いの元金均等の方法であるものもある。

❸ 証券化支援事業（買取型）において、機構は、いずれの金融機関に対しても、譲り受けた貸付債権に係る元金及び利息の回収その他回収に関する業務を委託することができない。

❹ 機構は、災害により住宅が滅失した場合におけるその住宅に代わるべき住宅の建設又は購入に係る貸付金について、一定の元金返済の据置期間を設けることができる。

解説

❶ 正しい。高齢者向け返済特例制度

機構は、高齢者が自ら居住する住宅について行うバリアフリー工事または耐震改修工事に係る貸付けについて、債務者本人の死亡時に一括して借入金の元金を返済する制度（高齢者向け返済特例制度）を設けている。

❷ 正しい。証券化支援事業（買取りの対象）

証券化支援事業（買取型）において、機構による譲受けの対象となる貸付債権は、原則として、毎月払い（6カ月払いとの併用払いを含む）の元金均等または元利均等の方法により償還されるものである。

❸ 誤り。業務の委託

機構は、金融機関に対し、①譲り受けた貸付債権に係る元利金の回収その他回収に関する業務、②融資保険に関する貸付債権の回収業務、③融資業務（貸付けの決定と工事等の審査を除く）等を委託することができる。

❹ 正しい。据置期間

機構は、①災害復興建築物、災害予防代替建築物等の建設または購入に係る貸付金、②被災建築物等の補修に係る貸付金等について、据置期間（＝元本の返済が猶予される期間）を設けることができる。

融資業務（直接融資）の貸付けの対象（2）

⑤高齢者の家庭に適した良好な居住性能・居住環境を有する住宅とすることを主たる目的とする住宅の改良（高齢者が自ら居住する住宅について行うものに限る。）
⇒バリアフリー工事または耐震改修工事に係る貸付け等については、「高齢者向け返済特例制度」が設けられている。

⑥高齢者の居住の安定確保に関する法律に規定する登録住宅（賃貸住宅であるものに限る。）とすることを主たる目的とする人の居住の用に供したことのある住宅の購入

⑦住宅確保要配慮者に対する賃貸住宅の供給の促進に関する法律の規定による登録住宅の改良

⑧事業主や事業主団体から独立行政法人勤労者退職金共済機構の行う転貸貸付に係る住宅資金の貸付けを受けることができない勤労者に対する**財形住宅貸付**

⑨住宅のエネルギー消費性能の向上を主たる目的とする住宅の改良
⇒⑨についても「高齢者向け返済特例制度」が設けられている。

きほんの教科書 L9-2・3 復習

解答 ❸

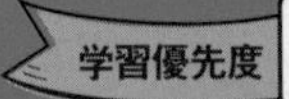

34 住宅金融支援機構

平29-46

理解度チェック

独立行政法人住宅金融支援機構（以下この問において「機構」という。）に関する次の記述のうち、誤っているものはどれか。

❶ 機構は、団体信用生命保険業務として、貸付けを受けた者が死亡した場合のみならず、重度障害となった場合においても、支払われる生命保険の保険金を当該貸付けに係る債務の弁済に充当することができる。

❷ 機構は、直接融資業務において、高齢者の死亡時に一括償還をする方法により貸付金の償還を受けるときは、当該貸付金の貸付けのために設定された抵当権の効力の及ぶ範囲を超えて、弁済の請求をしないことができる。

❸ 証券化支援業務（買取型）に係る貸付金の利率は、貸付けに必要な資金の調達に係る金利その他の事情を勘案して機構が定めるため、どの金融機関においても同一の利率が適用される。

❹ 証券化支援業務（買取型）において、機構による譲受けの対象となる住宅の購入に必要な資金の貸付けに係る金融機関の貸付債権には、当該住宅の購入に付随する改良に必要な資金も含まれる。

アプローチ

見たことのない内容が書かれている肢があっても、とりあえず気にしないようにして、他の肢だけで正解を出せないか考えてみてください。

解説

❶ 正しい。団体信用生命保険

機構は、団体信用生命保険業務において、①貸付けを受けた者が死亡した場合、②貸付けを受けた者が重度障害となった場合、支払われる生命保険の保険金を当該貸付けに係る債務の弁済に充当することができる。すなわち、①②の場合には保険金が残りの住宅ローンの弁済に充てられるのである

❷ 正しい。融資業務

機構は、直接融資業務において、高齢者の死亡時に一括償還をする方法により貸付金の償還を受けるときは、当該貸付金の貸付けのために設定された抵当権の効力の及ぶ範囲を超えて、弁済の請求をしないことができる。簡単にいえば、「担保物件の売却代金で返済しても債務が残った場合、相続人はその債務を弁済しなくてもよい」とすることができる。

❸ 誤り。 証券化支援事業（利率）

証券化支援業務（買取型）に係る貸付金の利率は、金融機関が定めるため、同一とは限らない。

❹ 正しい。証券化支援事業（買取りの対象）

証券化支援業務（買取型）において、機構による譲受けの対象となる住宅の購入に必要な資金の貸付けに係る金融機関の貸付債権には、当該住宅の購入に付随する改良に必要な資金も含まれる。すなわち、改良資金だけの貸付債権は譲受けの対象外であるが、住宅を購入して改良する資金の貸付債権は対象になる。

証券化支援事業（買取型）の返済方法

返済方法	①割賦償還 ②元金均等の方法と、元利均等の方法がある。
注意点	高齢者向け返済特例制度は、証券化支援事業の対象となる住宅ローンには設けられていない。

きほんの教科書 L9-2・3 復習

解答 ❸

35 住宅金融支援機構

令2-46

理解度チェック

独立行政法人住宅金融支援機構（以下この問において「機構」という。）に関する次の記述のうち、誤っているものはどれか。

❶ 機構は、証券化支援事業（買取型）において、金融機関から買い取った住宅ローン債権を担保としてMBS（資産担保証券）を発行している。

❷ 機構は、災害により住宅が滅失した場合におけるその住宅に代わるべき住宅の建設又は購入に係る貸付金については、元金据置期間を設けることができない。

❸ 機構は、証券化支援事業（買取型）において、賃貸住宅の建設又は購入に必要な資金の貸付けに係る金融機関の貸付債権については譲受けの対象としていない。

❹ 機構は、貸付けを受けた者とあらかじめ契約を締結して、その者が死亡した場合に支払われる生命保険の保険金を当該貸付けに係る債務の弁済に充当する団体信用生命保険を業務として行っている。

解説

❶ 正しい。**証券化支援事業（MBS）**

機構は、証券化支援事業（買取型）において、買い取った住宅ローン債権を担保としてMBS（資産担保証券）を発行している。

❷ 誤り。　**据置期間**

機構は、災害により住宅が滅失した場合におけるその住宅に代わるべき住宅（＝災害復興建築物）の建設・購入に係る貸付金について、元金据置期間（＝元本の返済が猶予される期間）を設けることができる。

❸ 正しい。**証券化支援事業（買取りの対象）**

機構が証券化支援事業（買取型）により譲り受けるのは、貸付けを受ける本人または親族が住むための住宅の建設・購入資金の貸付債権である。したがって、賃貸住宅の建設・購入資金の貸付債権は、譲受けの対象にならない。

❹ 正しい。**団体信用生命保険**

機構は、本肢のような団体信用生命保険に関する業務を行っている。

機構貸付け（直接融資）の返済方法等

返済方法	原則として割賦償還
	高齢者が自ら居住する住宅に対して行うバリアフリー工事または耐震改修工事やエネルギー消費性能の向上を目的とする改良工事に係る貸付け等について、貸付金の償還を高齢者の死亡時に一括して行う**高齢者向け返済特例制度**が設けられている。
据置期間	**災害復興建築物**の建設・購入等に係る貸付金について、元金据置期間（＝元本の返済が猶予される期間）を設けることができる。

きほんの教科書 L9-2・3 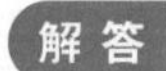

解答 ❷

学習優先度 高

36 平28-47改 不当景品類及び不当表示防止法

理解度チェック

宅地建物取引業者が行う広告に関する次の記述のうち、不当景品類及び不当表示防止法（不動産の表示に関する公正競争規約を含む。）の規定によれば、正しいものはどれか。

❶ インターネット上に掲載した賃貸物件の広告について、掲載直前に契約済みとなったとしても、消費者からの問合せに対し既に契約済みであり取引できない旨を説明すれば、その時点で消費者の誤認は払拭されるため、不当表示に問われることはない。

❷ 宅地の造成及び建物の建築が禁止されており、宅地の造成及び建物の建築が可能となる予定がない市街化調整区域内の土地を販売する際の新聞折込広告においては、当該土地が市街化調整区域内に所在する旨を16ポイント以上の大きさの文字で表示すれば、宅地の造成や建物の建築ができない旨まで表示する必要はない。

❸ 半径300m以内に小学校及び市役所が所在している中古住宅の販売広告においては、当該住宅からの道路距離又は徒歩所要時間の表示を省略して、「小学校、市役所近し」と表示すればよい。

❹ 近くに新駅の設置が予定されている分譲住宅の販売広告を行うに当たり、当該鉄道事業者が新駅設置及びその予定時期を公表している場合、広告の中に新駅設置の予定時期を明示して表示してもよい。

アプローチ

初めて見る問題の場合には、広告を見た人が実際より優良・有利だと誤認するおそれがあるかどうかという観点で、不当表示になるかどうかを考えてみましょう。

解説

❶ 誤り。 **おとり広告**

物件は存在するが、**実際には取引の対象と**なり得ない**物件**に関する表示は、おとり広告であり、不当表示になる。本肢の場合、掲載前に契約済みとなっているので、取引の対象となり得ない物件に関する表示に該当し、不当表示になる。このことは、消費者からの問合せに取引できない旨を説明しても変わりはない。

❷ 誤り。 **市街化調整区域内の土地**

市街化調整区域に所在する土地については、原則として、「**市街化調整区域。宅地の造成及び建物の建築はできません。**」と明示しなければならず、その際、新聞折込チラシ等およびパンフレット等の場合には16**ポイント以上の大きさの文字を用いなければならない**。本問は、造成・建築ができない旨を表示する必要はないとする点で誤り。

❸ 誤り。 **公共・公益施設**

学校、病院、官公署、公園その他の**公共・公益施設**は、原則として、現に利用できるものを、**物件からの**道路距離**または**徒歩**所要時間を明示**し、その施設の名称を表示して（公立学校および官公署の場合は、パンフレットを除き、省略することができる）、表示することとされている。半径300m以内に所在していれば道路距離等の表示を省略することはできるとの規定はない。

❹ 正しい。**新設予定の駅等**

新設予定の鉄道、都市モノレールの駅もしくは路面電車の停留場またはバスの停留所は、当該路線の運行主体**が公表**したものに限り、その新設予定時期**を明示**して表示することができる。

ポイント整理

数字のまとめ（1）

セットバック	おおむね10%以上の場合、面積を明示する
傾斜地	おおむね30%以上の場合（マンション・別荘地等を除く）、傾斜地を含む旨・傾斜地の割合または面積を明示する
路地状部分	おおむね30%以上の場合、路地状部分を含む旨・路地状部分の割合または面積を明示する

きほんの教科書 L10-2 復習

解答 ❹

37 平27-47改 不当景品類及び不当表示防止法

理解度チェック

宅地建物取引業者が行う広告に関する次の記述のうち、不当景品類及び不当表示防止法（不動産の表示に関する公正競争規約を含む。）の規定によれば、正しいものはどれか。

❶ 新築分譲マンションを数期に分けて販売する場合に、第1期の販売分に売れ残りがあるにもかかわらず、第2期販売の広告に「第1期完売御礼！いよいよ第2期販売開始！」と表示しても、結果として第2期販売期間中に第1期の売れ残り分を売り切っていれば、不当表示にはならない。

❷ 新築分譲マンションの広告に住宅ローンについても記載する場合、返済例を表示すれば、当該ローンを扱っている金融機関について表示する必要はない。

❸ 販売しようとしている土地が、都市計画法に基づく告示が行われた都市計画施設の区域に含まれている場合は、都市計画施設の工事が未着手であっても、広告においてその旨を明示しなければならない。

❹ 築15年の企業の社宅の一棟全体を買い取って大規模に改装し、分譲マンションとして販売する場合、一般消費者に販売することは初めてであっても、「新発売」と表示して広告を出すことはできない。

アプローチ

一番まともなことが書いてある肢が正しい肢（＝本問の正解肢）だと思って解いてみましょう。なお、景品表示法は、毎年1問出題されますが、近年は、ほとんどが表示規約から出題されています。

解説

❶ 誤り。　完売

物件について、「完売」等著しく人気が高く、売行きがよいという印象を与える用語は、当該表示内容を裏付ける**合理的な根拠を示す資料**を現に有している場合を除き、使用してはならない。本肢の場合、第1期の販売分に売れ残りがある（＝完売していない）ので、第2期販売の広告に「完売」と表示すると不当表示になる。

❷ 誤り。　住宅ローン

住宅ローンについては、次に掲げる事項を明示して表示することとされている。

①金融機関の名称もしくは商号または都市銀行、地方銀行、信用金庫等の種類

②借入金の利率および利息を徴する方式（固定金利型、固定金利指定型、変動金利型、上限金利付変動金利型等の種別）または返済例（借入金、返済期間、利率等の返済例に係る前提条件を併記すること。また、ボーナス併用払のときは、1か月当たりの返済額の表示に続けて、ボーナス時に加算される返済額を明示すること）

したがって、「当該ローンを扱っている金融機関について表示する必要はない」とする本肢は誤り。

❸ 正しい。道路区域等

道路法の規定により**道路区域が決定**され、または**都市計画法の告示が行われた都市計画施設**の区域に係る土地についてはその旨を明示することとされている。工事に着手しているか否かは関係ない。

❹ 誤り。　新発売

新発売とは、新たに造成**された宅地**、新築**の住宅**（造成工事または建築工事完了前のものを含む）または**一棟リノベーションマンション**について、一般消費者に対し、**初めて**購入の申込みの勧誘**を行うこと**（一団の宅地または建物を数期に区分して販売する場合は、期ごとの勧誘）をいい、その申込みを受けるに際して一定の期間を設ける場合においては、その期間内における勧誘をいう。本肢の建物は一棟リノベーションマンションに当たるので、新発売と表示することができる。

学習優先度 高

38 不当景品類及び不当表示防止法

令2-47改

宅地建物取引業者が行う広告に関する次の記述のうち、不当景品類及び不当表示防止法（不動産の表示に関する公正競争規約を含む。）の規定によれば、正しいものはどれか。

❶ 路地状部分（敷地延長部分）のみで道路に接する土地であって、その路地状部分の面積が当該土地面積のおおむね30%以上を占める場合には、路地状部分を含む旨及び路地状部分の割合又は面積を明示しなければならない。

❷ 新築住宅を販売するに当たり、当該物件から最寄駅まで実際に歩いたときの所要時間が15分であれば、物件から最寄駅までの道路距離にかかわらず、広告中に「最寄駅まで徒歩15分」と表示することができる。

❸ 新築分譲住宅を販売するに当たり、予告広告である旨及び契約又は予約の申込みには応じられない旨を明瞭に表示すれば、当該物件が建築確認を受けていなくても広告表示をすることができる。

❹ 新築分譲マンションを販売するに当たり、住戸により管理費の額が異なる場合であって、全ての住戸の管理費を示すことが広告スペースの関係で困難なときは、全住戸の管理費の平均額を表示すればよい。

解説

❶ 正しい。**路地状部分のみで道路に接する土地**

路地状部分のみで道路に接する土地であって、その路地状部分の面積が当該土地面積のおおむね30パーセント以上を占めるときは、**路地状部分を含む旨および路地状部分の割合または面積を明示**しなければならない。

❷ 誤り。 **徒歩による所要時間**

徒歩による所要時間は、**道路距離80メートルにつき1分間**（端数切上げ）を要するものとして算出した数値を表示しなければならない。

❸ 誤り。 **広告表示の開始時期制限**

宅地の造成または建物の建築に関する**工事の完了前**においては、宅建業法33条に規定する許可等の処分があった後でなければ、**広告表示をしてはならない**。予告広告とは、価格等が決定していない物件について、取引開始時期をあらかじめ告知する広告のことをいうが、**予告広告も、上記の広告表示の開始時期の制限を受ける**。

❹ 誤り。 **管理費**

管理費は、原則として1戸当たりの月額を表示しなければならない。ただし、住戸により管理費の額が異なる場合において、そのすべての住宅の管理費を示すことが困難であるときは、**最低額および最高額**のみで表示することができる。「平均額」ではない。

ポイント整理

数字のまとめ（2）

徒歩による所要時間	道路距離80mにつき1分間（端数切上げ）
畳数で表示する場合	畳1枚あたりの広さは1.62m² 以上
新築	建築工事完了後1年未満であって、居住の用に供されたことがないもの
物件の名称	公園、庭園、旧跡等または海（海岸）、湖沼・河川の岸・堤防から直線距離で300m以内の場合、これらの名称を用いることができる 物件から直線距離で50m以内に所在する街道その他の道路の名称（坂名を含む）を用いることができる

きほんの教科書 L10-2 復習

解答 ❶

学習優先度 中

39 不当景品類及び不当表示防止法

令1-47改

理解度チェック

宅地建物取引業者が行う広告に関する次の記述のうち、不当景品類及び不当表示防止法（不動産の表示に関する公正競争規約を含む。）の規定によれば、正しいものはどれか。

❶ 土地を販売するに当たり、購入者に対し、購入後一定期間内に当該土地に建物を建築することを条件としていても、建物建築の発注先を購入者が自由に選定できることとなっていれば、当該土地の広告に「建築条件付土地」と表示する必要はない。

❷ 新聞折込チラシにおいて新築賃貸マンションの賃料を表示する場合、取引する全ての住戸の1か月当たりの賃料を表示しなくても、標準的な1住戸1か月当たりの賃料を表示すれば、不当表示に問われることはない。

❸ 改装済みの中古住宅については、改装済みである旨を必ず表示しなければならない。

❹ 分譲住宅について、住宅の購入者から買い取って再度販売する場合、当該住宅が建築工事完了後1年未満で居住の用に供されたことがないものであるときは、広告に「新築」と表示しても、不当表示に問われることはない。

アプローチ

本試験では非常に正解率が低かった問題です。正解肢が「理屈からするとそうだけど、本当にそれでいいの？」という内容だからだと考えられます。そのような肢を探してみましょう。

解説

❶ 誤り。 **建築条件付土地**

建築条件付土地とは、「土地の買主は、当該土地上に建物を建ててもらう契約を一定期間内に売主等としなければならない」のような条件で取引される土地のことである。建築の発注先を売主や売主が指定する建設業者に限定していても、本問のように購入者が自由に選定できるとしていても、建築条件付土地に該当する。したがって、本問では「建築条件付土地」と表示しなければならない。捨

❷ 誤り。 **賃料**

賃料については、取引するすべての住戸の1カ月当たりの賃料を表示しなければならないのが原則である。ただし、新築賃貸マンションまたは新築賃貸アパートの賃料については、パンフレット等の媒体を除き、1住戸当たりの最低賃料および最高賃料のみで表示することができる。「標準的な1住戸1か月当たりの賃料」ではない。

❸ 誤り。 **改装**

建物を増築、改築、改装または改修したことを表示する場合は、その内容および時期を明示しなければならない。この規定は、改装等をしたことを表示する場合の表示内容を定めたものであり、改装済等である旨の表示を義務づけたものではない。捨

❹ 正しい。**新築**

新築とは、**建築工事完了後**1年未満であって、居住の用に供されたことがないものをいう。購入者から買い取って再度販売する場合でも、上記の要件を満たせば、新築に該当する。

きほんの教科書 L10-2 復習

解答 ❹

40
平30-47改

学習優先度 中

不当景品類及び不当表示防止法

理解度チェック

宅地建物取引業者が行う広告に関する次の記述のうち、不当景品類及び不当表示防止法（不動産の表示に関する公正競争規約を含む。）の規定によれば、正しいものはどれか。

❶ 新築分譲住宅について、価格Aで販売を開始してから2か月以上経過したため、価格Aから価格Bに値下げをすることとし、価格Aと価格Bを併記して、値下げをした旨を表示する場合、値下げ金額が明確になっていれば、価格Aの公表日や値下げした日を表示する必要はない。

❷ 土地上に古家が存在する場合に、当該古家が、住宅として使用することが可能な状態と認められる場合であっても、古家がある旨を表示すれば、売地と表示して販売しても不当表示に問われることはない。

❸ 新築分譲マンションの広告において、当該マンションの完成図を掲載する際に、敷地内にある電柱及び電線を消去する加工を施した場合であっても、当該マンションの外観を消費者に対し明確に示すためであれば、不当表示に問われることはない。

❹ 複数の売買物件を1枚の広告に掲載するに当たり、取引態様が複数混在している場合には、広告の下部にまとめて表示すれば、どの物件がどの取引態様かを明示していなくても不当表示に問われることはない。

解説

❶ 誤り。 二重価格表示

過去の販売価格を比較対照価格とする二重価格表示が許されるための要件の1つに、**過去の販売価格の公表日および値下げした日を明示すること**がある。したがって、価格A（＝過去の販売価格）の公表日や値下げした日を表示する必要はないとする本肢は誤り。

❷ 正しい。古家・廃屋

土地上の古家が使用可能な場合に「売地」と表示して販売することを禁止する規定はない。また、土地取引において、当該土地上に古家、廃屋等が存在するときは、**その旨を明示する**ことが必要であるが、本肢では古家がある旨を表示している。したがって、本肢の場合、不当表示に問われることはない。

❸ 誤り。 完成図

宅地・建物のコンピュータグラフィックス、見取図、完成図、完成予想図は、その旨を明示して用い、当該物件の周囲の状況について表示するときは、**現況に反する表示をしない**こととされている。本肢のように電柱や電線を消去する加工をした場合、現況に反する表示になるので、不当表示になる。

❹ 誤り。 取引態様の明示

取引態様は、「売主」、「貸主」、「代理」または「媒介」（「仲介」）の別をこれらの用語を用いて表示することとされており、原則として、個々の物件ごとに取引態様を表示しなければならない。本肢のように取引対象が複数混在している場合に、どの物件がどの取引態様かを明示していないときは、不当表示になる。

過去の販売価格を比較対照価格にできるための要件（主なもの）

過去の販売価格の公表	値下げ直前の価格であること 値下げ前に、**2カ月**以上実際に販売のために公表
二重価格表示できる期間	原則として、値下げの日から**6カ月以内**
物件	土地（現況有姿分譲地を除く）または建物（共有制リゾート会員権を除く）

きほんの教科書 L10-2 復習

解答 ❷

学習優先度 中

41 不当景品類及び不当表示防止法

平29-47改

理解度チェック

宅地建物取引業者がインターネット不動産情報サイトにおいて行った広告表示に関する次の記述のうち、不当景品類及び不当表示防止法（不動産の表示に関する公正競争規約を含む。）の規定によれば、正しいものはどれか。

❶ 物件の所有者に媒介を依頼された宅地建物取引業者Aから入手した当該物件に関する情報を、宅地建物取引業者Bが、そのままインターネット不動産情報サイトに表示し広告を行っていれば、仮に入手した物件に関する情報が間違っていたとしても不当表示に問われることはない。

❷ 新築の建売住宅について、建築中で外装が完成していなかったため、当該建売住宅と構造、仕様等は同一ではないが同じ施工業者が他の地域で手掛けた建売住宅の外観写真を、施工例である旨を明記して掲載した。この広告表示が不当表示に問われることはない。

❸ 取引しようとする賃貸物件から最寄りの甲駅までの徒歩所要時間を表示するため、当該物件から甲駅までの道路距離を80mで除して算出したところ5.25分であったので、1分未満を四捨五入して「甲駅から5分」と表示した。この広告表示が不当表示に問われることはない。

❹ 新築分譲マンションについて、パンフレットには当該マンションの全戸数の専有面積を表示したが、インターネット広告には当該マンションの全戸数の専有面積のうち、最小建物面積及び最大建物面積のみを表示した。この広告表示が不当表示に問われることはない。

アプローチ

本問の正解肢を「正しい」と判断するには、細かい知識が必要です。本問では、他の肢を「誤り」と判断して、消去法で答えを出せば十分です。

解説

❶ 誤り。　情報の確認

事業者は、商品の内容等について積極的に表示を行う場合には、当該表示の根拠となる情報を確認することが求められる。したがって、入手した情報をそのまま表示した場合でも、その情報が間違っていれば、不当表示に問われる可能性がある。

❷ 誤り。　外観写真・動画

取引する建物の写真または動画を用いることができない事情がある場合、外観については、取引する建物を施工する者が過去に施工した建物であり、かつ、取引する建物と構造、階数、仕様が同一であって、規模、形状、色等が類似する他の建物の写真または動画に限り用いることができる。本肢では、「構造、仕様等が同一ではない」住宅の写真を掲載しているので、不当表示になる。

❸ 誤り。　徒歩による所要時間

徒歩による所要時間は、道路距離80メートルにつき1分間として算出した数値を表示し、1分未満の端数は1分として算出（端数切上げ）する。したがって、5.25分の場合には6分と表示しなければならない。

❹ 正しい。面積

建物の面積（マンションにあっては、専有面積）は、取引する全ての建物の面積を表示しなければならない。ただし、新築分譲住宅、新築分譲マンション等については、パンフレット等の媒体を除き、最小建物面積および最大建物面積のみで表示することができる。

写真・動画の表示基準

	外観写真・動画	内部写真・動画
原則	取引するものの写真・動画を用いなければならない	
例外	取引する建物を施工する者が過去に施工した建物であり、かつ、下記の場合、他の建物の写真・動画を用いることができる (他の建物である旨や外観の場合は取引する建物と異なる部位を、写真の場合は写真に接する位置に、動画の場合は画像中に明示すること)	
	取引する建物と構造、階数、仕様が同一であって、規模、形状、色等が類似するもの	写される部分の規模、仕様、形状等が同一のもの

きほんの教科書 L10-2 復習　解答 ❹

42 不当景品類及び不当表示防止法

平17-47改

学習優先度 中

理解度チェック

宅地建物取引業者が行う景品の提供及び広告に関する次の記述のうち、不当景品類及び不当表示防止法（不動産業における景品類の提供の制限に関する公正競争規約及び不動産の表示に関する公正競争規約を含む。）の規定によれば、正しいものはどれか。

❶ 土地上に廃屋が存在する自己所有の土地を販売する場合、売買契約が成立した後に、売主である宅地建物取引業者自らが費用を負担して撤去する予定のときは、広告においては、廃屋が存在している旨を明示しなくてもよい。

❷ 新築分譲マンションを販売するに当たり、契約者全員が四つの選択肢の中から景品を選ぶことができる総付景品のキャンペーンを企画している場合、選択肢の一つを現金200万円とし、他の選択肢を海外旅行として実施することができる。

❸ 建売住宅を販売するに当たり、当該住宅の壁に遮音性能が優れている壁材を使用している場合、完成した住宅としての遮音性能を裏付ける試験結果やデータがなくても、広告において、住宅としての遮音性能が優れているかのような表示をすることが、不当表示に該当することはない。

❹ 取引しようとする物件の周辺に、現在工事中で、将来確実に利用できると認められるスーパーマーケットが存在する場合、整備予定時期及び物件からの道路距離又は徒歩所要時間を明示することにより、広告において表示することができる。

アプローチ

肢２は、数字を覚えていない場合は正誤判断ができないので、他の肢に正解肢がないかを検討してみましょう。なお、景品規約の出題（肢２）は、今のところ本問を最後に出題されていませんが、念のために限度額の数字は覚えておきましょう。

解説

❶ 誤り。 古家・廃屋

土地取引において、当該土地上に古家、廃屋等が存在するときは、その旨を明示することとされており、撤去予定のときは明示しなくてもよいとの例外はない。

❷ 誤り。 懸賞によらない景品類

懸賞によらないで景品類を提供する場合、景品類は、取引価額の10分の1または100万円のいずれか低い価額の範囲でなければならない。したがって、現金200万円を選択肢の一つすることはできない。

❸ 誤り。 居住性能

建物の保温・断熱性、遮音性、健康・安全性その他の居住性能について、実際のものよりも優良であると誤認されるおそれのある表示をしてはならない。本肢の場合、このような表示にあたる可能性があるので、「不当表示に該当することはない」とする本肢は誤り。

❹ 正しい。商業施設

デパート、スーパーマーケット、コンビニエンスストア、商店等の商業施設は、現に利用できるものを物件からの道路距離または徒歩所要時間を明示して表示することとされている。ただし、工事中である等その施設が将来確実に利用できると認められるものにあっては、その整備予定時期を明示して表示することができる。

景品類の制限

懸賞により提供する場合	①取引価額の20倍または10万円の低い方が上限 ②景品類の総額は、取引予定総額の2/100が上限
懸賞によらないで提供する場合	取引価額の1/10または100万円の低い方が上限

きほんの教科書 L10-2・3 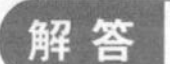

解答 ❹

43 土地

令4-49

理解度チェック

土地に関する次の記述のうち、最も不適当なものはどれか。

❶ 台地の上の浅い谷は、豪雨時には一時的に浸水することがあり、注意を要する。

❷ 低地は、一般に洪水や地震などに対して強く、防災的見地から住宅地として好ましい。

❸ 埋立地は、平均海面に対し4～5mの比高があり護岸が強固であれば、住宅地としても利用が可能である。

❹ 国土交通省が運営するハザードマップポータルサイトでは、洪水、土砂災害、高潮、津波のリスク情報などを地図や写真に重ねて表示できる。

アプローチ

正解肢が簡単なので、しっかり読めば正解を出すことができます。

解説

❶ 適当。　台地上の浅い谷

台地の上の浅い谷は、豪雨時には一時的に浸水することがあり、注意を要する。

❷ 最も不適当。低地

低地は、一般に洪水や地震、津波、高潮に対して弱く、防災的見地からは住宅地として好ましくない。

❸ 適当。　埋立地

埋立地は、平均海面に対し4～5mの比高があり護岸が強固であれば、宅地としての利用も可能である。

❹ 適当。　国土交通省ハザードマップポータルサイト

国土交通省ハザードマップポータルサイトでは、洪水、土砂災害、高潮、津波のリスク情報などを地図や写真に重ねて表示することができる。捨

きほんの教科書 L11-1 復習

解答 ❷

学習優先度 高

44 土地

平30-49

理解度チェック

土地に関する次の記述のうち、最も不適当なものはどれか。

1 山麓の地形の中で、地すべりによってできた地形は一見なだらかで、水はけもよく、住宅地として好適のように見えるが、末端の急斜面部等は斜面崩壊の危険度が高い。

2 台地の上の浅い谷は、豪雨時には一時的に浸水することがあり、現地に入っても気付かないことが多いが、住宅地としては注意を要する。

3 大都市の大部分は低地に立地しているが、この数千年の間に形成され、かつては湿地や旧河道であった地域が多く、地震災害に対して脆弱で、また洪水、高潮、津波等の災害の危険度も高い。

4 低地の中で特に災害の危険度の高い所は、扇状地の中の微高地、自然堤防、廃川敷となった旧天井川等であり、比較的危険度の低い所が沿岸部の標高の低いデルタ地域、旧河道等である。

解説

❶ 適当。　　地すべり地形

山麓の地形の中で、地すべりによってできた地形は一見なだらかで、水はけもよく、住宅地として好適のように見えるが、このような地形、特に末端の急斜面部等は斜面崩壊の危険度が高い。

❷ 適当。　　台地上の浅い谷

台地の上の浅い谷は、現地に入っても気付かないことが多いが、豪雨時には一時的に浸水することがあり、注意を要する。

❸ 適当。　　低地

日本の大都市の大部分は、低地に立地している。日本の低地は、この数千年の間に形成され、かつては湿地や旧河道であった地域が多く、地震災害に対して脆弱で、また洪水、高潮、津波、地盤の液状化等の災害の危険度も高い。

❹ 最も不適当。低地

低地の中で比較的災害の危険度の低い所は、扇状地の中の微高地、自然堤防、廃川敷となった旧天井川等であり、逆に特に危険度の高い所が沿岸部の標高の低いデルタ地域、旧河道等である。本肢は逆の記述である。

ポイント整理

低地の安全性

一般論	地震等に弱く、洪水等の危険もある
比較的な安全な場所	扇状地の中の微高地 自然堤防 砂丘、砂州、昔の天井川
危険度の高い場所	デルタ地帯（三角州） 旧河道 自然堤防に囲まれた後背低地
埋立地と干拓地	干拓地は海面以下の場合が多いが、埋立地は海面より数m高い。 埋立地の方が、干拓地より安全

きほんの教科書 L11-1・2 復習

解答 ❹

45 土地
平28-49

土地に関する次の記述のうち、最も不適当なものはどれか。

❶ 豪雨による深層崩壊は、山体岩盤の深い所に亀裂が生じ、巨大な岩塊が滑落し、山間の集落などに甚大な被害を及ぼす。

❷ 花崗岩が風化してできた、まさ土地帯においては、近年発生した土石流災害によりその危険性が再認識された。

❸ 山麓や火山麓の地形の中で、土石流や土砂崩壊による堆積でできた地形は危険性が低く、住宅地として好適である。

❹ 丘陵地や台地の縁辺部の崖崩れについては、山腹で傾斜角が25度を超えると急激に崩壊地が増加する。

アプローチ

肢２の「まさ」は、漢字では「真砂」と書くので、“混じりけのない砂”という綺麗なイメージですが、「まさ土」は、雨水や温度変化により風化が進行するという特徴があります。なお、本問は、正解肢がいかにも不適当な内容なので、正解は簡単に出ますが、他の肢もきちんと復習しましょう。

解説

❶ 適当。　深層崩壊

豪雨による深層崩壊は、山体岩盤の深いところに亀裂が生じ、巨大な岩塊が滑落し、山間の集落などに甚大な被害を及ぼす。斜面が地盤の深いところから崩れるので、大規模な崩壊になり、大きな被害が起こるのである。

❷ 適当。　まさ土地帯

花崗岩が風化してできた、まさ土地帯においては、近年発生した土石流災害によりその危険性が再認識された。

❸ 最も不適当。土石流や土砂崩壊による地形

山麓や火山麓の地形の中で、土石流や土砂崩壊による堆積でできた地形は、斜面崩壊や地すべり等の危険性が高い。

❹ 適当。　縁辺部の崖崩れ

丘陵地や台地の縁辺部の崖崩れについては、山腹で傾斜角が25度を超えると急激に崩壊地が増加する。

台地・丘陵の安全性

一般論	水はけがよく、地盤が安定していて、安全性が高い
注意を要する場所	①台地・丘陵の縁辺部 (山腹で傾斜角が25度を超えると急激に崩壊地が増加する) ②切土部と盛土部にまたがる宅地 ③台地・丘陵の小さな谷間

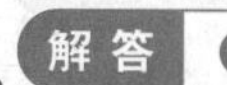

土地

理解度チェック

土地に関する次の記述のうち、最も不適当なものはどれか。

❶ 都市の中小河川の氾濫の原因の一つは、急速な都市化、宅地化に伴い、降雨時に雨水が短時間に大量に流れ込むようになったことである。

❷ 中小河川に係る防災の観点から、宅地選定に当たっては、その地点だけでなく、周辺の地形と防災施設に十分注意することが必要である。

❸ 地盤の液状化については、宅地の地盤条件について調べるとともに、過去の地形についても古地図などで確認することが必要である。

❹ 地形や地質的な条件については、宅地に適しているか調査する必要があるが、周辺住民の意見は聴かなくてよい。

アプローチ

難しく考えないで、変なことが書いてある肢を探しましょう。

解説

❶ 適当。　　中小河川の氾濫

都市の中小河川の氾濫の原因の一つは、急速な都市化、宅地化に伴い、降雨時に雨水が短時間に大量に流れ込むようになったことである。

❷ 適当。　　宅地選定

中小河川に係る防災の観点から、宅地選定に当たっては、その地点だけでなく、周辺の地形と防災施設に十分注意することが必要である。

❸ 適当。　　液状化

地盤の液状化については、宅地の地盤条件について調べるとともに、過去の地形についても古地図などで確認することが必要である。

❹ 最も不適当。宅地選定

地形や地質的な条件については、宅地に適しているか調査する必要がある。また、周辺住民の意見を聴くことも必要である。

キーワード　液状化

液状化は、地震の際、砂地盤が振動によって液体状になる現象である。液状化が生じると、建物が倒れたりマンホールが浮き上がったりするなどの被害が起こることがある。

液状化は、地表近くの水を含んだ砂質土が液体状になるものなので、液状化が生ずる可能性が高いのは、地下水位の**浅い**（＝地下水位が高い。地表近くの浅いところに地下水がある）砂地盤である。旧河道、低湿地、埋立地などほか、台地を刻む谷、台地上の池沼を埋め立てた所でも、液状化が発生する可能性がある。

解答 ❹

建物

理解度チェック  

建築物の構造に関する次の記述のうち、最も不適当なものはどれか。

❶ 木造建物を造る際には、強度や耐久性において、できるだけ乾燥している木材を使用するのが好ましい。

❷ 集成木材構造は、集成木材で骨組を構成したもので、大規模な建物にも使用されている。

❸ 鉄骨構造は、不燃構造であり、耐火材料による耐火被覆がなくても耐火構造にすることができる。

❹ 鉄筋コンクリート構造は、耐久性を高めるためには、中性化の防止やコンクリートのひび割れ防止の注意が必要である。

アプローチ

木材業者で木材が積まれていることがありますが、その場合、木材と木材の間に隙間をつくって風を通しています。なお、建物は、毎年1問出題されます。時々、それまで全く出題されなかった内容が出題されることがありますが、そのような問題は正解率が下がるので、気にする必要はありません。過去問と類似の肢が解けるようにしておけば十分です。

解説

❶ 適当。　木材

木造建物を造る際には、強度や耐久性において、できるだけ乾燥している木材を使用するのが好ましい。木材の強度は、乾燥しているほうが大きくなるからである。

❷ 適当。　集成木材構造

集成木材構造は、集成木材で骨組を構成したもので、体育館等の大規模な建物にも使用される。

❸ 最も不適当。鉄骨構造

鉄骨構造は不燃構造であるが、耐火構造にするには、耐火材料で被覆する必要がある。

❹ 適当。　鉄筋コンクリート構造

鉄筋コンクリート構造でコンクリートが中性化すると、鉄筋が腐食しやすくなり、それがコンクリートのひび割れ等を招くので、構造体の耐久性や寿命に影響する。したがって、耐久性を高めるためには、中性化の防止やコンクリートのひび割れ防止の注意が必要である。

木造・鉄骨構造

木造	①木材は乾燥しているほど強度が大きいので、できるだけ乾燥している木材を用いる。 ②集成木材構造は、体育館等の大規模な建物にも使用される。
鉄骨構造（鉄骨造）	①鉄や鉄筋等は、炭素含有量が多いほど、硬くなり、引張強度が増大するが、もろくなる（炭素が多いと、引っ張る力には強くなるが、地震などで無理な力が加わると壊れる）。したがって、鉄骨構造には、炭素含有量が少ない鋼が用いられる ①鉄骨構造は不燃構造であるが、耐火構造にするには、耐火材料で被覆する必要がある。防錆処理も必要である。

きほんの教科書 L12-1・2・3 復習

解答 ❸

48 建物

平29-50

学習優先度 中

理解度チェック

建物の構造と材料に関する次の記述のうち、最も不適当なものはどれか。

❶ 木材の強度は、含水率が小さい状態の方が低くなる。

❷ 鉄筋は、炭素含有量が多いほど、引張強度が増大する傾向がある。

❸ 常温、常圧において、鉄筋と普通コンクリートを比較すると、熱膨張率はほぼ等しい。

❹ 鉄筋コンクリート構造は、耐火性、耐久性があり、耐震性、耐風性にも優れた構造である。

解説

❶ 最も不適当。木材

木材の強度は、含水率が小さい状態の方が高くなる。つまり、乾燥している方が強度は高くなる。

❷ 適当。　　　鉄筋

鉄筋は、炭素含有量が多いほど、引張強度が増大する傾向がある。すなわち、炭素を多く含むほど硬くなり、引っ張られる力に対して強くなる。

❸ 適当。　　　鉄筋とコンクリート

常温、常圧において、鉄筋と普通コンクリートを比較すると、熱膨張率はほぼ等しい。鉄筋とコンクリートが同じような割合で膨張するので、両者がはがれにくいのである。

❹ 適当。　　　鉄筋コンクリート構造

鉄筋コンクリート構造は、耐火性、耐久性があり、耐震性、耐風性にも優れた構造である。

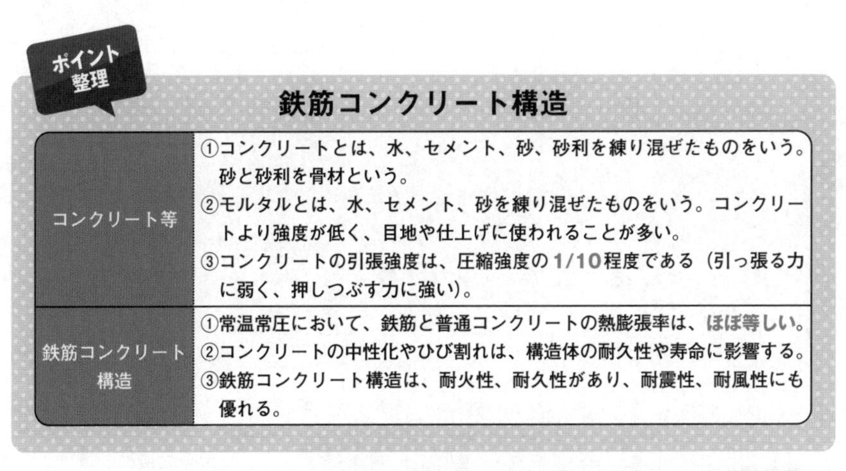
ポイント整理

鉄筋コンクリート構造

コンクリート等	①コンクリートとは、水、セメント、砂、砂利を練り混ぜたものをいう。砂と砂利を骨材という。 ②モルタルとは、水、セメント、砂を練り混ぜたものをいう。コンクリートより強度が低く、目地や仕上げに使われることが多い。 ③コンクリートの引張強度は、圧縮強度の1/10程度である（引っ張る力に弱く、押しつぶす力に強い）。
鉄筋コンクリート構造	①常温常圧において、鉄筋と普通コンクリートの熱膨張率は、ほぼ等しい。 ②コンクリートの中性化やひび割れは、構造体の耐久性や寿命に影響する。 ③鉄筋コンクリート構造は、耐火性、耐久性があり、耐震性、耐風性にも優れる。

きほんの教科書 L12-1・2・3 復習

解答 ❶

49 建物

令2-50

建築物の構造に関する次の記述のうち、最も不適当なものはどれか。

❶ 建物の構成は、大きく基礎構造と上部構造からなっており、基礎構造は地業と基礎盤から構成されている。

❷ 基礎の種類には、基礎の底面が建物を支持する地盤に直接接する直接基礎と、建物を支持する地盤が深い場合に使用する杭基礎（杭地業）がある。

❸ 直接基礎の種類には、形状により、柱の下に設ける独立基礎、壁体等の下に設けるべた基礎、建物の底部全体に設ける布基礎（連続基礎）等がある。

❹ 上部構造は、重力、風力、地震力等の荷重に耐える役目を負う主要構造と、屋根、壁、床等の仕上げ部分等から構成されている。

アプローチ

肢３にある「べた」の言葉の意味は、すきまなく一面に広がっていることです。

解説

❶ 適当。　基礎構造・上部構造

建物の構成は、大きく基礎構造と上部構造からなっており、基礎構造は地業と基礎盤から構成されている。

❷ 適当。　基礎の種類

基礎の種類には、基礎の底面が建物を支持する地盤に直接接する直接基礎と、建物を支持する地盤が深い場合に使用する杭基礎（杭地業）がある。

❸ 最も不適当。基礎の種類

直接基礎の種類には、形状により、柱の下に設ける独立基礎、壁体等の下に設ける布基礎（連続基礎）、建物の底部全体に設けるべた基礎等がある。本肢は、「布基礎（連続基礎）」と「べた基礎」が逆である。

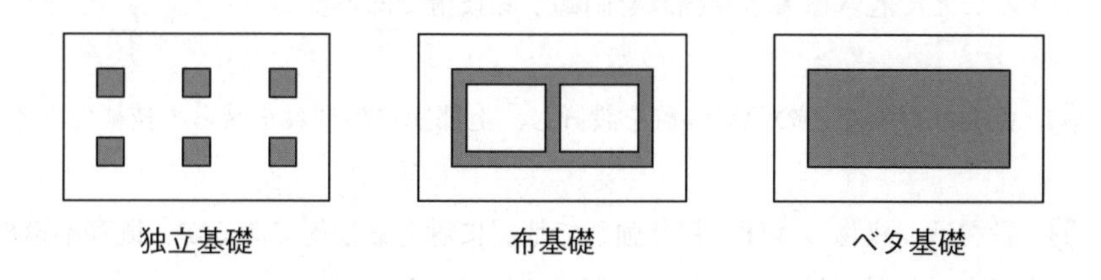

❹ 適当。　上部構造

上部構造は、重力、風力、地震力等の荷重に耐える役目を負う主要構造と、屋根、壁、床等の仕上げ部分等から構成されている。

きほんの教科書 L12-4 復習　解答 ❸

50 建物

令1-50

理解度チェック

建築物の構造に関する次の記述のうち、最も不適当なものはどれか。

❶ 地震に対する建物の安全確保においては、耐震、制震、免震という考え方がある。

❷ 制震は制振ダンパーなどの制振装置を設置し、地震等の周期に建物が共振することで起きる大きな揺れを制御する技術である。

❸ 免震はゴムなどの免震装置を設置し、上部構造の揺れを減らす技術である。

❹ 耐震は、建物の強度や粘り強さで地震に耐える技術であるが、既存不適格建築物の地震に対する補強には利用されていない。

アプローチ

肢４は、「耐震補強工事」という言葉から連想できそうです。近年、耐震等について、よく出題されています。耐震、制震、免震の区別がつくようにしておきましょう。

解説

❶ 適当。　地震に対する建物の安全確保

地震に対する建物の安全確保においては、耐震、制震、免震という考え方がある。

❷ 適当。　制震

制震は制振ダンパーなどの制振装置を設置し、地震等の周期に建物が共振することで起きる大きな揺れを制御する技術である。

❸ 適当。　免震

免震はゴムなどの免震装置を設置し、上部構造の揺れを減らす技術である。

❹ 最も不適当。耐震

耐震は、建物の強度や粘り強さで地震に耐える技術である。既存不適格建築物の地震に対する補強には、耐震、制震、免震のいずれも利用される。

キーワード　耐震・免震・制震

耐震は、揺れても大丈夫なように建物を強化することです。

免震は、建物と基礎の間等にゴムなどを挟んで建物が揺れないようにすることです。

制震は、制振装置を使って揺れを吸収する（揺れのエネルギーを熱に変える）ことです。

きほんの教科書 L12-4 復習

解答 ❹

MEMO